Michael Gal

Internationale Politikge

THELEM

Michael Gal

Internationale Politikgeschichte

Konzeption – Grundlagen – Aspekte

THELEM

Bibliografische Information der Deutschen Nationalbibliothek:

Die Deutsche Nationalbibliothek verzeichnet diese Publikation in der Deutschen Nationalbibliografie. Detaillierte bibliografische Daten sind im Internet über http://dnb.dnb.de abrufbar.

1. Auflage

2. Auflage
2021 THELEM Universitätsverlag
und Buchhandlung GmbH & Co.KG
01309 Dresden
www.thelem.de

Umschlaggrafik: Michael Gal
Umschlaggestaltung: THELEM

ISBN: 978-3-95908-446-8

Inhalt

Inhaltsübersicht

Abbildungen

Übersichten

Für

Juliane

Vorwort

Internationale Politik gehört zu den vielseitigsten und komplexesten Phänomenen menschlicher Zivilisation. Es geht dabei darum, wie die verschiedenen Gemeinwesen ihre Beziehungen gegenüber den anderen Gemeinwesen gestalten und praktizieren: wie diese Gesellschaften für ihre Sicherheit vor den anderen Gesellschaften sorgen; wie sie ihre Interessen gegenüber den anderen durchzusetzen versuchen; wie sie mit anderen in einen Krieg treten; wie sie den Ausbruch von Krieg vermeiden; wie sie Einfluss- und Abhängigkeitsverhältnisse organisieren; wie sie miteinander kooperieren oder sich gar enger aneinander binden; wie sie die internationale Gesellschaft in Teilen oder als Ganzes steuern; oder wie sie überregional und global bestehende Probleme gemeinsam bearbeiten. Diese Aufzählung ließe sich noch weiter fortführen. Es wird jedoch deutlich, wie gewaltig das von den jeweils agierenden Politikern zu bearbeitende Aufgabenfeld ist und dass ein bestimmtes Bearbeitungsergebnis bisweilen unmittelbar existenzielle Konsequenzen für die betreffenden Gemeinwesen nach sich ziehen kann. Die Bedeutung internationaler Politik ist also sehr groß und das ist sie auch dann, wenn eine recht weit institutionalisierte und ausdifferenzierte Staatenwelt, wie sie gegenwärtig vorzufinden ist, diese alltägliche Aufgabenmenge bestimmten Foren und automatisierten Instrumenten überstellt hat, wodurch die internationale Politik zwar geordnet und gewissermaßen ‚leise' wird, zugleich aber für die Allgemeinheit eben auch weniger sichtbar und öffentlich erfahrbar.

Nichtsdestoweniger oder gerade deshalb ist die internationale Politik heute, im 21. Jahrhundert, genauso relevant wie sie es vor mehreren Jahrhunderten oder gar Jahrtausenden gewesen war. Solange die Menschen in eigenständigen und selbstständigen Siedlungseinheiten gelebt haben sind sie auch in Beziehungen zu anderen Siedlungseinheiten getreten und haben dabei internationale Politik betrieben. Dies ist spätestens seit dem Beginn des Altertums gegen 3.000 v. Chr. der Fall gewesen, wahrscheinlich aber sogar noch weit eher.

Gleichermaßen zentriert sich die internationale Politik keineswegs nur in Europa. Vielmehr war das Phänomen stets auch in anderen Weltgegenden unseres Planeten zu finden. In Asien, Afrika, Nord- und Südamerika sowie im riesigen Raum Ozeaniens lebten Menschen in eigenständigen und selbstständigen Zivilisationsgemeinschaften und unterhielten auch dort internationale Beziehungen.

Diese hier nur punktuell und auswahlweise angesprochenen Aspekte führen allerdings unweigerlich zu der Einsicht, dass zur Betrachtung internationaler Politik ein *universalistischer* Blick notwendig ist. Erst durch eine epochen- und regionenübergreifende Sichtweise lässt sich der Gegenstand in seiner gesamten empirischen Breite erfassen und damit wiederum erst in seiner gesamten konzeptionellen Vielfalt verstehen.

Um diesem riesigen und komplexen Gegenstand zumindest einigermaßen analytisch Herr werden zu können, braucht es alle Mittel, die die Wissenschaft dafür aufbieten kann. Wir sind heute in dieser Hinsicht in einer recht vorteilhaften Lage. Mit der Politikwissenschaft haben wir eine Wissenschaft, die sich in ihrer Subdisziplin der Internationalen Politik ausschließlich mit diesem Gegenstand befasst. Innerhalb der Geschichtswissenschaft übernimmt dies zumindest in einigen Teilen die Subdisziplin der Politikgeschichte. In der Philosophie ist es in analoger Weise die Politikphilosophie. Dazu kommen (Teil)Fächer, die sich mit dem eng verwandten Phänomen des internationalen Rechts (Völkerrechts) befassen, namentlich die Rechtswissenschaft, die Rechtsgeschichte und die Rechtsphilosophie, sowie andere in einem weiteren Bezug dazu arbeitende Fächer, wie etwa die Ethnologie, die Soziologie und die Wirtschaftswissenschaft. Wir können also auf eine ganze Reihe von Wissenschaftsdisziplinen zurückgreifen, die mit ihren Erkenntnissen, ihren Ansätzen, Arbeitsweisen und Spezialkompetenzen bei der Untersuchung verschiedener Bereiche von internationaler Politik helfen können.

Die Anforderungen, denen ein Forscher gerecht werden sollte, wenn er sich dem Gegenstand der internationalen Politik analytisch angemessen nähern möchte, sind dementsprechend hoch. Umso überraschender ist es, dass das hierzu benötigte Grundlagenwissen empirischer und mehr noch forschungskonzeptioneller Art in keinem Lehrbuch oder Handbuch ohne Weiteres zu greifen ist. Eine (epochen- und regionenübergreifende) *Weltgeschichte der internationalen Politik* liegt bislang nicht vor – nicht einmal als schmales Kompendium.[1] Die Handbücher, die es (immerhin) dazu gibt, sind üblicherweise auf eine bestimmte Epoche begrenzt (vor allem auf die Neuzeit) und sind zumeist noch immer relativ stark auf Europa konzentriert.[2]

---

1 Einen ersten Anfang stellt immerhin der allerdings einen bestimmten theoretischen Rahmen verfolgende und deswegen Altertum und Mittelalter nur bedingt streifende Band von Harald Kleinschmidt dar: Harald Kleinschmidt, 1998. Zum eng verwandten Themenkreis des Völkerrechts sind dagegen bereits einige Versuche eines historischen Gesamtüberblicks unternommen worden, wie etwa die folgenden deutschsprachigen Bände: Wilhelm G. Grewe, 1988[2]; Karl-Heinz Ziegler, 2007[2]; Harald Kleinschmidt, 2013. Mit dem Band von Norman Paech und Gerhard Stuby liegt sogar eine kombinierte politik- und rechtswissenschaftliche Gesamtdarstellung vor, die die Geschichte von internationaler Politik und Völkerrecht miteinander verbindet, sich dafür aber lediglich zur Hälfte dem historischen Aspekt widmet: Norman Paech/Gerhard Stuby, 2013[2]. Siehe zu weiteren Literaturhinweisen die entsprechenden Anmerkungen in meinem Beitrag „Was ist Internationale Politikgeschichte?“ (Kapitel II) in diesem Band.

2 Siehe zu diesen epochenspezifischen Handbüchern die enstprechenden Auflistungen in: Michael Gal, 2015: Seite 247 – 250, 254 – 255 (erneut abgedruckt in diesem Band (Kapitel II – IV)).

Gleichermaßen mangelt es an (fachübergreifenden) *Einführungen zur Internationalen Politik-Forschung*, die die gesamte disziplinäre und forschungskonzeptionelle Breite in den Blick nehmen. Immerhin sind für die Zwecke allein der Politikwissenschaft eine Reihe von Bänden produziert worden. Die Geschichtswissenschaft dagegen steht hier noch ganz am Anfang, während die Philosophie – mangels einer entsprechenden Anzahl an Spezialisten – in dieser Form noch gar nichts vorgelegt hat.[3] Daraus ergibt sich insgesamt das entscheidende Problem, dass der Forscher, der sich mit der internationalen Politik beschäftigt, dieses breite Grundlagenwissen erst aufwändig selbst zusammensuchen und sich erarbeiten muss.

Zudem besteht noch eine weitere Hürde. Denn nicht nur, dass das Grundlagenwissen nicht aufbereitet zur Verfügung steht. Vielmals sind die einzelnen Grundkenntnisse – zumal (teil)disziplinübergreifend – gar nicht bekannt, sind unklar oder umstritten. Jedenfalls bleiben sie (in bewusster oder unbewusster Weise) von den Wissenschaftlern in vielen Fällen konsequent unbeachtet. Das wiederum führt häufig zu Studienergebnissen, die innerhalb ihres eigenen forschungskonzeptionellen Rahmens in der Regel zwar stimmig sind, die innerhalb des größeren Verständnishorizonts von internationaler Politik jedoch bisweilen etwas anders ausfallen würden. Dies fällt immer dann besonders auf, wenn etwa entsprechende geschichtswissenschaftliche Arbeiten von den Politologen ein wenig belächelt werden oder andersherum politikwissenschaftliche Studien von den Historikern. Mit tatsächlich interdisziplinär gehaltenen Beiträgen tun sich interessanterweise beide Seiten recht schwer, obwohl einflussreiche Größen auf diesem Forschungsgebiet, wie Jürgen Bellers, Heinz Duchhardt, Jean-Baptiste Duroselle, Peter Krüger, Ursula Lehmkuhl, Jack S. Levy, Ulrich Menzel, Herfried Münkler, Paul W. Schroeder und Gilbert Ziebura, immer wieder dazu ermuntert haben.

---

3 Zur Lage insbesondere innerhalb der Politikwissenschaft siehe die entsprechenden Anmerkungen in meinem Aufsatz „Was ist Internationale Politikgeschichte?" (Kapitel I) in diesem Band. Für die Geschichtswissenschaft dagegen liegt lediglich in Ansätzen ein älteres Lehrbuch von Pierre Renouvin und Jean-Baptiste Duroselle vor: Pierre Renouvin/Jean-Baptiste Duroselle, 1991[4] (erste Auflage zuerst 1964). Verschiedene empirische Problembereiche und Teilansätze behandeln immerhin die Handbücher: Patrick Finney, 2005; Jost Dülffer/Wilfried Loth, 2012. Im Wesentlichen befindet sich der geschichtswissenschaftliche Zweig aber noch in der grundsätzlichen Diskussion. Wichtige Etappenpunkte dazu markieren die Sammelbände: Wilfried Loth/Jürgen Osterhammel, 2000; Eckart Conze/Ulrich Lappenküper/Guido Müller, 2004; Heidrun Kugeler/Christian Sepp/Georg Wolf, 2006; Jost Dülffer/Wilfried Loth, 2012; Barbara Haider-Wilson/William D. Godsey/Wolfgang Mueller, 2017. Innerhalb des eng verwandten Feldes der Internationalen Rechts-Forschung gestaltet sich die Lage ähnlich, wobei hier mit historischer Ausrichtung immerhin ein von Rechts- und Geschichtswissenschaftlern gemeinsam produziertes Grundlagenhandbuch vorliegt: Bardo Fassbender/Anne Peters, 2012. Siehe insgesamt dazu ferner die diesbezüglichen Anmerkungen und weiteren Literaturhinweise in meiner Arbeit „Was ist Internationale Politikgeschichte?" (Kapitel IV.3) in diesem Band.

Das Anliegen des vorliegenden Bandes ist es folglich, mit dem umfassenden Blick des multidisziplinären Forschungsfeldes der *Internationalen Politikgeschichte* auf den Gegenstand der internationalen Politik zu schauen. Für deren historische Erforschung und Rekonstruktion kann und sollte die Internationale Politikgeschichte die oben angesprochenen Grundkenntnisse zu Hilfe ziehen. Aus dem genannten Mangel sowohl an Bewusstheit als auch an rascher Verfügbarkeit als auch an Klarheit über diese Grundlagen ist es das Ansinnen dieses Bandes, verschiedene Bereiche und Segmente davon anzusprechen, sie zu diskutieren und auch eigene Vorschläge dazu in die Debatte einzubringen. Bei den besprochenen Aspekten handelt es sich daher um eine Auswahl, die auch hätte ganz anders ausfallen können. In keinem Fall ist durch die hier bearbeiteten Themen ein Hinweis auf eine Vollständigkeit der Grundlagenaspekte oder auf deren Wertigkeit gegenüber anderen Aspekten gegeben. Außerdem soll mit den hier vorgelegten Erörterungen freilich nicht das jeweils letzte Wort gesprochen sein. Es soll vielmehr ein (weiterer) dezidierter Schritt der Grundlagenreflexion unternommen und zugleich dazu aufgerufen und eingeladen werden, diese Materien weiter zu verfolgen und konzeptionell weiterzuentwickeln. Dabei wurde bewusst auf eine tendenziell handbuchartige Anlage der einzelnen Beiträge Wert gelegt, um die daran anschließenden wissenschaftlichen Auseinandersetzungen deutlich zu erleichtern.

Im vorliegenden Band werden in diesem Kontext verschiedene Fragen und Probleme besprochen, die sich mir im Laufe der nunmehr fast 15 Jahre, in denen ich mich der historisch-systematischen Auseinandersetzung mit internationaler Politik widme, am vordringlichsten aufgetan haben und über die Klarheit zu erlangen, freilich hilfreich für die Arbeit in diesem Forschungsfeld ist. Daraus ist eine Reihe von Aufsätzen entstanden, welche hier als Anthologie zusammengebracht werden. Dabei sind einige Beiträge bereits in Fachzeitschriften publiziert worden, während andere hier erstmals öffentlich zugänglich gemacht werden.

Wie es sich ergab sind in diesem Band Aufsätze versammelt, die sich teils sehr unterschiedlich gelagerten Problembereichen widmen. Einige Themen betreffen unmittelbar die Hauptfrage, was denn eigentlich das Forschungsfeld der Internationalen Politikgeschichte genau ist, welchem Gegenstand sie sich widmet und wie sie betrieben werden kann.[4] Dazu werden verschiedene Antworten vor dem Hintergrund der bisherigen Forschungsdiskussion referiert sowie auf gleicher Basis eigene Einsichten vorgetragen.

Ein weiterer Themenkreis umfasst wesentlich grundlegendere Fragen und berührt unter anderem allgemeine wissenschaftstheoretische Probleme, welche nicht nur für die Geschichtswissenschaft, die Politikwissenschaft und

---

[4] Siehe zu diesem Komplex die Aufsätze unter Teil I „Zur Konzeption der Internationalen Politikgeschichte“.

die Philosophie auch generell von Belang sind. Hier ist es gleichermaßen das vordringlichste Anliegen, zu sehr diffus erscheinenden Konzepten, wie dem der Theorie oder dem des Begriffs, Licht ins Dunkel zu bringen. Es geht hier freilich wiederum mehr darum, Unklarheiten überhaupt erst einmal aufzudecken, sodann das jeweilige Problem in seinen Einzelheiten genau zu erfassen und schließlich mögliche anwendungsorientierte Lösungen vorzuschlagen. In gleicher Weise werden auch die Schwierigkeiten mit zentralen Grundbegriffen der Internationalen Politikgeschichte behandelt, wie speziell dem der Macht.[5]

Das letzte Themenfeld wendet sich abschließend konkreteren Fragen zu.[6] Besonders strittig erscheint dabei der gesamte Problembereich um das Konzept des Staates. Einerseits in seiner Bedeutung völlig überhöht, andererseits beinahe verteufelt ist es dringend erforderlich, zweierlei Fragen nachzugehen, nämlich: Seit wann gibt es Staaten?, und: Ist der Staat die einzige politische Organisationsform von Gemeinwesen? Dies dürften die beiden Grundfragen überhaupt sein, die man sich als Forscher auf dem Gebiet der Internationalen Politikgeschichte zu stellen hat. Denn wenn es in einer bestimmten Zeit keine *Staaten* gab, dann lässt sich zunächst einmal schwerlich über zwischen*staatliche* Beziehungen sprechen. Auf dieses zugleich theoretisch-konzeptionelle wie empirische Problem trifft man ganz besonders in den Epochen vor dem 19. Jahrhundert.

Neben dem Staat stellen zudem die Strukturen und besonders die Gesamtstruktur der internationalen Politik weitere zentrale Aspekte dar, da sie es sind, die den Rahmen für jedwede Handlungen und Geschehnisse in diesem Zusammenhang bilden. Hierzu wird versucht, verschiedene auf dieses Themenfeld ausgerichtete Ansätze mit ihren verschiedenen Teilkonzepten zusammenzutragen und für die Forschungsarbeit fruchtbar zu machen.

An dieser Stelle sei noch auf eine kleine Eigenheit in der Sprache dieses Bandes hingewiesen. Es wird durchweg versucht, den verschiedenen Gemeinwesen einen klaren Namen auf der Grundlage des heutigen wissenschaftlichen Kenntnisstandes zu geben, der sich an den zeitgenössischen Eigen- und Fremdbezeichnungen, an wissenschaftlichen Denominationen sowie an ethnischen oder landschaftlichen Gegebenheiten orientiert. Es soll dabei stets der *Name des Landes* zur Bezeichnung eines Gemeinwesens herangezogen werden (also etwa Deutschland) und nicht der offizielle Name des entsprechenden Staates (wie etwa die Bundesrepublik Deutschland), ebenso nicht eine Reichsbenennung (wie etwa das Deutsche Reich – im Sinne eines tatsächlich bestandenen ‚Reiches' und nicht lediglich der ‚Staat' mit diesem

5 Dieser Gesamtkomplex wird behandelt unter Teil II „Zu allgemeinen wissenschaftstheoretischen und begrifflichen Grundlagen der Internationalen Politikgeschichte".

6 Siehe zum folgenden Komplex die Beiträge unter Teil III „Zu theoretischen und empirischen Aspekten der Internationalen Politikgeschichte".

Namen) und auch nicht eine Bezeichnung für die vorrangige Volksgruppe (wie etwa die Deutschen). Das erscheint auf den ersten Blick ein völlig selbstverständliches und unproblematisches Vorgehen zu sein. Jedoch sorgt die Benennung eines Gemeinwesens mitunter durchaus für Schwierigkeiten. Was wäre denn der Name des Gemeinwesens respektive des Landes im Fall der Vereinigten Staaten von Amerika (Staatsname) oder des Vereinigten Königreichs von Großbritannien und Irland (Staatsname) oder im Fall der Republik der Sieben Vereinigten Provinzen (Staatsname), der lediglich die Insel Taiwan umfassenden Republik China (Staatsname), des Staats der Vatikanstadt (Staatsname) oder des Heiligen Römischen Reiches Deutscher Nation (späterer und unstetiger Staatsname)? Wie sieht es aus mit dem Persischen Reich (Reichsbenennung), dem Osmanischen Reich (Reichsbenennung mit Bezug auf die konstituierende und durchweg herrschende Monarchendynastie), dem Byzantinischen Reich (erfundene und zudem sachlich unzutreffende rein wissenschaftliche Reichsbenennung), mit den Mongolen (Volksgruppenbezeichnung) oder den Azteken (Volksgruppenbezeichnung)? Es ist folglich gar nicht so einfach, in jedem Fall den oder zumindest einen angemessenen Namen für ein Gemeinwesen zu finden. Im Sinne präziser und sachkorrekter wissenschaftlicher Denominationen und Begrifflichkeiten sollte darauf jedoch durchaus Wert gelegt werden.

Eine intellektuelle Arbeit, wie sie hier in den einzelnen Beiträgen erbracht wurde, gründet so gut wie niemals nur auf dem jeweiligen Autor selbst und dessen eigener Auseinandersetzung mit den Thematiken. Natürlich gab es auch im Fall des vorliegenden Buches jede Menge geistige Helfer, die mich in aktiver oder passiver Weise inspiriert haben und die ich hier alle gar nicht aufzählen kann. Jedenfalls gehörten dazu die diversen Begegnungen mit einer Vielzahl von Wissenschaftskollegen genauso wie die noch viel zahlreicheren unpersönlichen Kontakte mit Gelehrten, welche ihre geistigen Spuren in der Literatur hinterlassen haben. Die Möglichkeiten der wissenschaftlichen Arbeit sind soweit gut, wenngleich der diskursive Austausch besonders bei divergierenden Ansichten und Grundverständnissen noch nicht in jedem Fall immer gelingt.

Daneben profitierte der Band aber auch ganz praktisch von mehreren Unterstützern, die bei der Entstehung der einzelnen Schriften mit konstruktiven Hinweisen, mit Korrekturlesungen oder ganz allgemein bei der Fertigstellung der Beiträge tatkräftig geholfen haben. Mein Dank gebührt daher Steve Bittner, Juliane Hilßner, Dana Jerzembek, Nicole Kruz, Armin Lungwitz und Moritz Uhlig. Danken möchte ich zudem meiner Familie, die mich auf ihre Art unterstützt und mir vieles ermöglicht hat. Besonders hervorheben möchte ich schließlich Juliane Hilßner. Sie hat den Großteil dieser Arbeit mit viel Zeit und mentaler Unterstützung sowie jeder Menge Kritik und unzähligen Diskussionen eng begleitet und war mir dabei jederzeit eine große Hilfe. Dafür danke ich ihr von Herzen. Ihr sei dieses Buch gewidmet.

Literatur

CONZE, ECKART/LAPPENKÜPER, ULRICH/MÜLLER, GUIDO (Hrsg.), 2004: *Geschichte der internationalen Beziehungen. Erneuerung und Erweiterung einer historischen Disziplin.* Köln/Weimar/Wien.

DÜLFFER, JOST/LOTH, WILFRIED (Hrsg.), 2012: *Dimensionen internationaler Geschichte.* [Reihe Studien zur Internationalen Geschichte. Band 30], München.

FASSBENDER, BARDO/PETERS, ANNE (Hrsg.), 2012: *The Oxford Handbook of the History of International Law.* Oxford.

FINNEY, PATRICK (Hrsg.), 2005: *Palgrave advances in international history.* Basingstoke.

GAL, MICHAEL, 2015: *Der Staat in historischer Sicht. Zum Problem der Staatlichkeit in der Frühen Neuzeit.* In: Der Staat. Zeitschrift für Staatslehre und Verfassungsgeschichte, deutsches und europäisches öffentliches Recht. 54 (2), Seite 241 - 266.

GREWE, WILHELM G., 1988[2] [1984]: *Epochen der Völkerrechtsgeschichte.* Baden-Baden.

HAIDER-WILSON, BARBARA/GODSEY, WILLIAM D./MUELLER, WOLFGANG (Hrsg.), 2017: *Internationale Geschichte in Theorie und Praxis.* [Reihe Internationale Geschichte/International History. Band 4], Wien.

KLEINSCHMIDT, HARALD, 1998: *Geschichte der internationalen Beziehungen. Ein systemgeschichtlicher Abriß.* Stuttgart.

KLEINSCHMIDT, HARALD, 2013: *Geschichte des Völkerrechts in Krieg und Frieden.* Tübingen.

KUGELER, HEIDRUN/SEPP, CHRISTIAN/WOLF, GEORG (Hrsg.), 2006: *Internationale Beziehungen in der Frühen Neuzeit. Ansätze und Perspektiven.* [Reihe Wirklichkeit und Wahrnehmung in der Frühen Neuzeit. Band 3], Hamburg.

LOTH, WILFRIED/OSTERHAMMEL, JÜRGEN (Hrsg.), 2000: *Internationale Geschichte. Themen – Ergebnisse – Aussichten.* [Reihe Studien zur Internationalen Geschichte. Band 10], München.

PAECH, NORMAN/STUBY, GERHARD, 2013[2]: *Völkerrecht und Machtpolitik in den internationalen Beziehungen.* Hamburg.

RENOUVIN, PIERRE/DUROSELLE, JEAN-BAPTISTE, 1991[4]: *Introduction à l'histoire des relations internationales.* Paris.

ZIEGLER, KARL-HEINZ, 2007[2]: *Völkerrechtsgeschichte. Ein Studienbuch.* [Reihe Kurzlehrbücher für das juristische Studium], München.

TEIL I:

ZUR KONZEPTION DER INTERNATIONALEN POLITIKGESCHICHTE

1
Was ist Internationale Politikgeschichte?

I. Einleitung

Seit dem Ende des Zweiten Weltkrieges hat man in intensiver Weise darum gestritten, wie Internationale Politikgeschichte betrieben werden kann. Nachdem sich die programmatische Debatte in den 1970er Jahren zunächst festgefahren hatte wurde sie zum Ende der 1990er Jahre mit großem Engagement wieder aufgenommen, sodass heute zu Recht die „Wiederkehr des Internationalen" - auch mit Blick auf die konzeptionellen Auseinandersetzungen in diesem Forschungsfeld - konstatiert werden kann.[1] Nach über 70 Jahren forschungsprogrammatischer Anstrengungen liegt bislang jedoch noch keine entsprechende Synthese vor, die die Ergebnisse dieser Diskussion in konstruktiver Weise zusammenträgt und dabei einen aktuellen Stand hinsichtlich der Konzeption der Internationalen Politikgeschichte erarbeitet. Gleichermaßen fehlt es an einem entsprechenden Lehrbuch, das eine umfassende und systematische Einführung in das Arbeitsfeld und den damit ver-

---

[1] Iris Schröder, 2011. Innerhalb der deutschsprachigen Geschichtswissenschaft ging mit der Wiederbelebung der programmatischen Debatte eine Intensivierung auch der empirischen Forschung einher. So wurde beispielsweise 1996 eine umfassende Schriftenreihe ins Leben gerufen („Studien zur Internationalen Geschichte"; gegenwärtig herausgegeben von Eckart Conze, Julia Angster, Marc Frey, Wilfried Loth und Johannes Paulmann), welcher im Jahr 1999 eine zweite folgte („Schweizer Beiträge zur internationalen Geschichte" des Chronos Verlags), im Jahr 2006 eine dritte („Internationale Beziehungen. Theorie und Geschichte"; herausgegeben von Dittmar Dahlmann, Dominik Geppert, Christian Hacke, Christian Hillgruber und Joachim Scholtyseck) sowie im Jahr 2014 sogar noch eine vierte („Internationale Geschichte/International History"; herausgegeben von Michael Gehler und Wolfgang Mueller). 1997 wurde zudem der erste Teil eines auf insgesamt neun Bände angelegten Handbuchs publiziert („Handbuch der Geschichte der Internationalen Beziehungen"; herausgegeben von Heinz Duchhardt und Franz Knipping). Allerdings beschränken sich alle fünf Projekte lediglich auf die Neuzeit oder gar nur auf die Zeit seit dem 19. Jahrhundert. Ferner fehlt es an einer eigenen Fachzeitschrift noch immer - während etwa im englischen Sprachraum mit *„The International History Review"* (IHR) seit 1979 ein entsprechendes Journal existiert. Schwierigkeiten hatte das Arbeitsfeld insgesamt aber auch in anderen Ländern wie Frankreich, Britannien und Amerika. Vgl. zur historischen Entwicklung der Internationalen Politikgeschichte speziell in (West)Deutschland: Gerhard T. Mollin, 2000; Heinz Duchhardt, 2017. Zu Frankreich: Georges-Henri Soutou, 2000. Zu Britannien: Kathleen Burk, 2000. Zu Amerika: Melvyn P. Leffler, 1995; Michael H. Hunt, 2000. Länderübergreifend: Lutz Raphael, 2010[2]: Seite 138 - 155. Zur programmatischen Diskussion um die Internationale Politikgeschichte siehe die entsprechende Anmerkung in Kapitel IV.3 sowie: Michael Gal, 2017 (erneut abgedruckt in diesem Band).

bundenen Forschungsansatz bietet.[2] Angesichts dieses Mangels scheint es nunmehr an der Zeit, Bilanz zu ziehen und sich über einige Grundlagen der Internationalen Politikgeschichte zu vergewissern.

Der folgende Beitrag beschäftigt sich daher mit der Frage, was genau eigentlich Internationale Politikgeschichte ist. Womit also befasst sich dieses Forschungsfeld und welcher spezifische Zugang zur Wirklichkeit verbindet sich mit ihm? Zur Beantwortung dieser Fragen wird zunächst diskutiert, welcher der korrekte respektive der angemessenste Name für dieses Arbeitsfeld ist und warum andere, scheinbar alternative Bezeichnungen sich dafür nicht eignen (Kapitel II). Danach geht es um die Klärung des disziplinären Wesens der Internationalen Politikgeschichte und deren Verortung im Gesamtzusammenhang der verschiedenen Wissenschaftsdisziplinen (Kapitel III). Schließlich wird der Versuch unternommen, den allgemeinen Gegenstand des Arbeitsfeldes präzise zu bestimmen, wobei auch Klarheit über die Akteursfrage im Kontext internationaler Politik[3] hergestellt wird (Kapitel IV).

---

[2] Dieser Befund ist nicht nur deswegen erstaunlich, weil es sich bei der Internationalen Politikgeschichte um eines der ältesten Arbeitsfelder der Geschichtswissenschaft handelt, sondern auch deswegen, weil der Bestand an Lehrbüchern und an in ausgewählte konzeptionelle Problembereiche und Themenfelder einführende Handbücher zur politikwissenschaftlichen Teildisziplin der Internationalen Politik ganz anders aussieht. Vgl. hierzu: Olaf Tauras/Reinhard Meyers/Jürgen Bellers, 1994; Ulrich Albrecht, 1999[5]; Mir A. Ferdowsi, 2002; Peter Filzmaier/Leonore Gewessler/Otmar Höll/Gerhard Mangott, 2006; Martin List, 2006; Alexander Siedschlag/Anja Opitz/Jodok Troy/Anita Kuprian, 2007; Jürgen Bellers, 2009; Jürgen Hartmann, 2009[2]; Walter Carlsnaes/Thomas Risse/Beth A. Simmons, 2010; Carlo Masala/Frank Sauer/Andreas Wilhelm, 2010; Christian Reus-Smit/Duncan Snidal, 2010; Christiane Lemke, 2012[3]; Michael Staack, 2012[5]; Frank Schimmelfennig, 2013[3]; Susanne Feske/Eric Antonczyk/Simon Oerding, 2014; Bernhard Stahl, 2014. Zwar nicht über ein umfassendes und systematisches Lehrbuch, dafür aber neuerdings über ein profundes einführendes Handbuch verfügt zudem das der Internationalen Politikgeschichte benachbarte Feld der Völkerrechtsgeschichte: Bardo Fassbender/Anne Peters, 2012. Zumindest einige wenige Handbücher zu allgemeinen empirischen Problembereichen und Teilansätzen kann schließlich auch die Internationale Politikgeschichte selbst vorweisen, während als Lehrbuch lediglich ein älterer französischer Band von Pierre Renouvin und Jean-Baptiste Duroselle existiert, der allerdings weniger umfassend angelegt und zudem sehr stark dem speziellen Ansatz seiner Autoren verpflichtet ist. Zu den Handbüchern siehe: Patrick Finney, 2005b; Jost Dülffer/Wilfried Loth, 2012a. Zu dem Lehrbuch: Pierre Renouvin/Jean-Baptiste Duroselle, 1991[4].

[3] Mit ‚internationaler Politik' (in der Kleinschreibung) ist in dieser Arbeit stets der reale Gegenstand gemeint, während ‚Internationale Politik' (in der Großschreibung) die entsprechende politikwissenschaftliche Teildisziplin bezeichnet. Äquivalent verhält es sich mit allen anderen Arbeitsfeldern oder Forschungsansätzen und ihren jeweiligen Gegenständen.

II. Der Name des Arbeitsfeldes

Achtet man bei der im weiteren Umfeld der Internationalen Politikgeschichte entstandenen Literatur genauer auf die jeweils gewählten Bezeichnungen ihres Forschungsfeldes, fällt auf, dass eine Einigung über deren korrekten beziehungsweise angemessensten Namen noch nicht gelungen ist. Zu ihrer Denomination kursieren im weitesten Sinn neben ‚Internationaler Politikgeschichte' auch die Schlagwörter ‚Internationale Geschichte', ‚Geschichte der Internationalen Beziehungen', ‚Geschichte der Zwischenstaatlichen Beziehungen' und ‚Weltpolitikgeschichte' sowie ‚Außenpolitikgeschichte', ‚Außenbeziehungsgeschichte', ‚Diplomatiegeschichte' und ‚Völkerrechtsgeschichte'. Zu diesen Ausdrücken lässt sich im Einzelnen folgendes feststellen:

Die *Internationale Politikgeschichte*, die *Weltpolitikgeschichte* und die *Außenpolitikgeschichte* beziehen sich, wie aus ihrer Bezeichnung bereits hervorgeht, speziell auf den gesellschaftlichen Wirklichkeitsbereich der Politik. Dabei stellt die Internationale Politikgeschichte das Gegenstück zur Nationalen Politikgeschichte dar, welcher ihrerseits die Außenpolitikgeschichte als eines ihrer sachlichen Teilfelder (neben der Geschichte von Innenpolitik, Wirtschaftspolitik, Sozialpolitik, Verkehrspolitik, Verteidigungspolitik und so weiter) zugeordnet ist. Allerdings ist die Außenpolitikgeschichte notwendigerweise auch als ein unvollständiger Teil der Internationalen Politikgeschichte anzusehen. Insofern stellt sie zugleich einen untergeordneten Bereich sowohl der Nationalen als auch der Internationalen Politikgeschichte dar.[4] Weniger eindeutig ist demgegenüber der Begriff der ‚Weltpolitikgeschichte'. Mit ihm kann sowohl eine Internationale Politikgeschichte gemeint sein, die sich primär mit Phänomenen und Zusammenhängen weltweiter Erstreckung beschäftigt (etwa einem Globalen Krieg wie dem Siebenjährigen Krieg oder dem Zweiten Weltkrieg oder einer globalen Internationalen Organisation wie dem Weltpostverein (UPU) oder den Vereinten Nationen (UN)). Eine Weltpolitikgeschichte kann sich aber auch in ganz anderer Weise mit einer speziellen Form von Außenpolitik auseinandersetzen, nämlich mit einer solchen, der ein tendenziell oder tatsächlich globaler Denk- und Handlungshorizont zu Grunde liegt (etwa bei einem Weltreich wie dem Römischen Reich oder dem Spanischen Kolonialreich oder einer weltweit agierenden Großmacht wie Britannien bis zur Mitte des 20. Jahrhunderts oder Amerika seit dem Ende des 19. Jahrhunderts). Angesichts dieser begriffli-

[4] Diese Feststellung findet sich im Kern auch schon bei: Ekkehart Krippendorff, 1963: Seite 243 - 244; Ernst-Otto Czempiel, 1981: Seite 9 - 13, 19 - 20. Vgl. exemplarisch zur Außenpolitikgeschichte die empirischen Darstellungen: Gregor Schöllgen, 2000^{2}; Klaus Hildebrand, 2008^{2}; Muriel E. Chamberlain, 2014. Zur konzeptionellen Einführung in das politikwissenschaftliche Arbeitsfeld der Außenpolitik siehe zudem: Reimund Seidelmann, 2004^{2}; ders., 2008^{11}; Andreas Wilhelm, 2006; Alexander Siedschlag/Anja Opitz/Jodok Troy/Anita Kuprian, 2007: Seite 115 - 118.

chen Unschärfe und weil es für beide Bedeutungsebenen im Grunde schon passende und zudem allgemeinere Bezeichnungen gibt, sollte auf den Terminus der ‚Weltpolitikgeschichte' besser ganz verzichtet werden.[5]

Ein spezielles Feld der Internationalen Politikgeschichte ist schließlich auf der einen Seite mit der *Geschichte der Zwischenstaatlichen Beziehungen* angesprochen, bei der ausschließlich ‚Staaten' und *nicht* auch andere international relevante politische Akteursarten im Zentrum der Betrachtung stehen. Da historisch gesehen allerdings häufig die Staaten die hauptsächlichen Subjekte der internationalen Politik gewesen sind, ist es der Einfachheit halber (und nur aus diesem pragmatischen Grund) vertretbar, den Begriff der ‚Geschichte der Zwischenstaatlichen Beziehungen' schlichtweg als Synonym für die Internationale Politikgeschichte zu gebrauchen. Auf der anderen Seite bildet auch die *Diplomatiegeschichte* ein solches Spezialfeld. Entgegen anders lautenden Vorstellungen beschäftigt sie sich gerade nicht mit der gesamten internationalen Politik, sondern speziell mit dem in deren Rahmen stattfindenden diplomatischen Verkehr. Das schließt in einem engeren Sinn das gesamte (internationale politische) Gesandtschaftswesen ein genauso wie in einem weiteren Sinn die (diplomatischen) Gespräche und Verhandlungen, welche Politiker und offizielle Vertreter aus den verschiedenen Ländern untereinander führen.[6]

Nicht auf den gesellschaftlichen Wirklichkeitsbereich der Politik, sondern auf den davon separierten des Rechts rekurriert in eigenständiger Weise wiederum die *Völkerrechtsgeschichte* beziehungsweise die Internationale Rechtsgeschichte.[7] Dagegen sind ohne eine derartige Beschränkung auf ei-

---

5 Vgl. zur Weltpolitikgeschichte unter anderem: Andreas Hillgruber, 1979²; Konrad Canis, 1999²; Gottfried-Karl Kindermann, 2001; Walter Demel, 2010b: besonders Seite 109 – 110. Zur Beschäftigung mit Weltpolitik innerhalb der Politikwissenschaft siehe außerdem: Karl Kaiser/Hans-Peter Schwarz, 1986²; Gottfried-Karl Kindermann, 1991⁴; Volker Rittberger/Andreas Kruck/Anne Romund, 2010; Jeffry A. Frieden/David A. Lake/Kenneth A. Schultz, 2013².

6 Zu einer veritablen Diplomatiegeschichte siehe etwa: Eckart Olshausen, 1979; Matthew S. Anderson, 2001; Jeremy Black, 2010; Andrew F. Cooper/Jorge Heine/Ramesh Thakur, 2013. Dazu mit eher konzeptioneller Ausrichtung: Thomas G. Otte, 2005; Sven Externbrink, 2007: Seite 17 – 19; Johannes Paulmann, 2012. Die Sicht der Politikwissenschaftler auf das Phänomen der Diplomatie findet sich systematisch aufbereitet unter anderem in: Pietro Gerbore, 1964; Heinz L. Krekeler, 1965; Hans Arnold, 1997; Alexander Siedschlag/Anja Opitz/Jodok Troy/Anita Kuprian, 2007: Seite 118 – 122; Johannes Varwick, 2008¹¹; Andreas Wilhelm, 2010; Paul Widmer, 2014.

7 Vgl. hierzu etwa die empirischen Arbeiten: Wilhelm G. Grewe, 1988²; Antonio Truyol y Serra, 1995; Henri Legohérel, 1996; Dominique Gaurier, 2005; Marie-Hélène Renaut, 2007; Karl-Heinz Ziegler, 2007²; Ulrich Lappenküper/Reiner Marcowitz, 2010; Harald Kleinschmidt, 2013; Norman Paech/Gerhard Stuby, 2013²: Seite 23 – 322. Zur konzeptionellen Diskussion: Wolfgang Preiser, 1964; ders., 2007; Heinhard Steiger, 1987; ders., 2011; ders., 2014; Karl-Heinz Ziegler, 1987; Ingo J. Hueck, 2000; ders., 2001; Olga V. Butkevych, 2003; Martti Koskenniemi, 2004; Michael Jucker, 2011; Martin Kintzinger, 2011; Bardo Fassbender/Anne Peters, 2012; Jörg Fisch, 2012; Marcus M. Payk,

nen gesellschaftlichen Wirklichkeitsbereich angelegt die beiden vollständig identischen Arbeitsgebiete der *Internationalen Geschichte* und der *Geschichte der Internationalen Beziehungen* sowie dasjenige der *Außenbeziehungsgeschichte*. Ihre Gegenstandsbereiche sind entsprechend übergreifend definiert, wodurch sie sämtliche spezialisierten Teilfelder einschließen (so umfasst beispielsweise die Internationale Geschichte insbesondere die Internationale Politikgeschichte, die Internationale Rechtsgeschichte (Völkerrechtsgeschichte), die Internationale Sozialgeschichte und die Internationale Wirtschaftsgeschichte).[8] Die Außenbeziehungsgeschichte grenzt sich dabei von der Internationalen Geschichte dadurch ab, dass sie sich auf die nach ‚außen' gerichteten Relationen allein von je *einer* Gesellschaft oder *einem* Gemeinwesen konzentriert und nicht, wie die Internationale Geschichte, auf jene Beziehungen, die ‚zwischen' *mehreren* Gesellschaften oder Gemeinwesen bestehen.[9]

Ungeachtet der sich schon sprachlich ausdrückenden Unterschiede zwischen den vielfältigen Bezeichnungen und obwohl die einzelnen konzeptionellen wie empirischen Arbeiten der Denomination ihres jeweiligen Arbeitsfeldes oftmals tatsächlich gerecht werden, ist die diesbezügliche begriffliche Verwirrung insgesamt gesehen aber immer noch recht groß.[10] Dennoch verfügt von allen aufgeführten Begriffen nur ein einziger über die sachliche Passgenauigkeit und die nötige Allgemeinheit zur Benennung des gesamten hier in Frage stehenden Arbeitsfeldes und das ist jener der ‚Internationalen Politikgeschichte'.

2012. Zur rechtswissenschaftlichen Teildisziplin des Völkerrechts siehe unter anderem die Einführungen: Stephan Hobe, 2008^{9}; Andreas R. Ziegler, 2011^{2}.

[8] Zum nicht nur begrifflichen, sondern vor allem konzeptionellen Problem der Abgrenzung von Internationaler Geschichte und Internationaler Politikgeschichte siehe des Weiteren die Ausführungen in Kapitel IV.2 und Kapitel IV.3.

[9] Zur Außenbeziehungsgeschichte siehe vor allem: Hillard von Thiessen/Christian Windler, 2010a. Bei einer politologischen Beschäftigung mit Außenbeziehungen liegt der Fokus naturgemäß primär auf den politischen Verhältnissen, während innerhalb der Jurisprudenz entsprechend eher die rechtlichen Zusammenhänge ins Zentrum gerückt werden. Vgl. zur Politikwissenschaft unter anderem: Franz Kernic, 2007. Zur Rechtswissenschaft etwa: Manazha Nawparwar, 2009.

[10] Dies zeigt allein schon die gegenwärtige forschungskonzeptionelle Diskussion zur Internationalen Politikgeschichte: Wilfried Loth, 2000: Seite XI; Jürgen Osterhammel, 2000: Seite 399 (Anmerkung 56); Eckart Conze/Ulrich Lappenküper/Guido Müller, 2004a: Seite 2 – 3; Patrick Finney, 2005a: Seite 1 – 2; Reiner Marcowitz, 2005: Seite 75 – 76 (Anmerkung 1). Dabei nehmen es die Historiker mit der Begrifflichkeit mitunter erst gar nicht sonderlich genau: Michael H. Hunt, 2000: Seite 61 (Anmerkung *); Dominic Eggel, 2017: Seite 209. Zum Kern des Problems aus politikwissenschaftlicher Sicht: Ernst-Otto Czempiel, 2012^{5}: Seite 3 – 4. Zur allgemeinen Bedeutung einer reflektierten und angemessenen wissenschaftlichen Begrifflichkeit siehe die entsprechenden Ausführungen in meinem Beitrag „Begriff, Definition, Begriffsanalyse. Grundzüge der Terminologie" in diesem Band.

III. Disziplinäres Wesen der Internationalen Politikgeschichte

Die Internationale Politikgeschichte ist ein Teilgebiet der allgemeinen Politikgeschichte, welche ihrerseits eine Subdisziplin von zugleich zwei verschiedenen Wissenschaften darstellt: der Geschichtswissenschaft einerseits und der Politikwissenschaft andererseits. Genauso wie die *Rechtsgeschichte* einen ordinären Teil sowohl der Geschichtswissenschaft als auch der Rechtswissenschaft bildet oder wie die *Wirtschaftsgeschichte* sowohl als geschichtswissenschaftliches als auch als wirtschaftswissenschaftliches Teilfach besteht, so ist der Sache nach auch die *Politikgeschichte* Bestandteil zweier Wissenschaftsdisziplinen.[11] Dieser Umstand macht die Politikgeschichte jedoch keineswegs zu einem rein interdisziplinär bestehenden Arbeitsfeld. Vielmehr ist es so, dass sich zwei verschiedene Wissenschaften neben anderen auch der Erforschung eines gemeinsamen Gegenstandes widmen. Das wiederum schließt es aber nicht aus, dass Forscher in ihren Studien von Konzepten und Instrumenten beider Wissenschaften Gebrauch machen und somit in der Tat interdisziplinär arbeiten.

Die Vorstellung, dass die Politikgeschichte nicht nur eine geschichtswissenschaftliche, sondern gleichermaßen eine politikwissenschaftliche Subdisziplin darstellt, hat sich bislang bei den Politologen in dieser Form allerdings noch nicht durchgesetzt. Dennoch wird innerhalb ihres Teilfaches der Internationalen Politik schon lange versucht, auch historisch zu arbeiten, das heißt dass die Forscher bei ihren vorrangig gegenwartsbezogenen und auf Generalisierungen abzielenden Studien zum Teil auf eine wesentlich breitere empirische Basis zurückgreifen als nur auf die realen Gegebenheiten ihrer jeweils eigenen Zeit.[12] Darüber hinaus hat es auch immer wieder Anstrengungen gegeben, eine Verständigung und intensive Kooperation zwischen der Geschichtswissenschaft und der Politikwissenschaft anzuregen, was bereits verschiedentlich zu einer gewinnbringenden Nutzung der vorhandenen Synergiepotenziale geführt hat.[13]

---

[11] Zur doppelten fachlichen Zugehörigkeit der Rechtsgeschichte siehe insbesondere den Band: Louis Pahlow, 2005. Vgl. entsprechend zur Wirtschaftsgeschichte: Gerold Ambrosius/Dietmar Petzina/Werner Plumpe, 2006².

[12] Einige Beispiele solcher historisch ausgerichteten Arbeiten innerhalb der Internationalen Politik sind: Robert F. Randle, 1973; Jack S. Levy, 1983; Michael W. Doyle, 1986; Kalevi J. Holsti, 1991; Torbjørn L. Knutsen, 1999; G. John Ikenberry, 2001; Herfried Münkler, 2013; Ulrich Menzel, 2015. Allgemein zu dieser Problematik mit Blick auf die gesamte Politikwissenschaft sowie auf die benachbarten Sozialwissenschaften: Werner J. Patzelt, 2007.

[13] Zur Diskussion um das Verhältnis und eine praktische Annäherung von Geschichtswissenschaft und Politikwissenschaft siehe: Hans Mommsen, 1962; Richard Jensen, 1969; Samuel H. Beer, 1970; Beat Junker/Peter Gilg/Richard Reich, 1975; Jürgen Bergmann/Klaus Megerle/Peter Steinbach, 1979; Hans Süssmuth, 1988; Klaus von Beyme,

Die Politikgeschichte - und damit auch ihr Teilgebiet die Internationale Politikgeschichte - ist also ein wissenschaftliches Arbeitsfeld, das in seiner gesamten Bandbreite grundsätzlich sowohl von der Geschichtswissenschaft als auch von der Politikwissenschaft abgedeckt wird.[14] Dabei unterscheiden sich beide Fächer nicht grundsätzlich in ihrer jeweils spezifischen Herangehensweise, in ihren Quellen, ihren Methoden und allgemein in ihrer Arbeitsweise, sondern lediglich in ihrem jeweiligen Fragehorizont und damit verbunden in der Bedeutung der erlangten Untersuchungsergebnisse. Es liegt daher im Ermessen der Vertreter der Politikgeschichte selbst, zur Umsetzung ihrer Studien auch auf die Konzepte und Analyseinstrumente der jeweils anderen Disziplin zurückzugreifen und insofern ihre Arbeit interdisziplinär zu gestalten oder zumindest interdisziplinär zu fundieren. Es ist kein Nachteil darin zu sehen, wenn man etwa als Historiker sich mehr oder minder auch in der Politologie auskennt, wobei eine Multidisziplinarität (allerdings unter Einschluss auch anderer Fächer) im Regelfall ohnehin bereits im universitären Studium beider Wissenschaften angelegt ist. Über eine (zumindest grundlegende) Kompetenz im jeweils anderen Fach zu verfügen, ist deswegen aber keineswegs eine zwangsweise Verpflichtung. Gibt es jedoch eine solche, können beide Seiten genauso wie der einzelne Forscher selbst nur davon profitieren.

Für die Politikgeschichte selbst lassen sich schließlich mehrere Teilgebiete ausmachen. Dazu gehören zunächst einmal vor dem Hintergrund der gesellschaftlichen Wirklichkeitsebenen einerseits die Nationale Politikgeschichte und andererseits die Internationale Politikgeschichte. Darüber hinaus sind im Hinblick auf die Art der Teilgegenstände zu nennen die Politische Ideengeschichte, die Politische Strukturgeschichte und die Politische Ereignisgeschichte sowie in sachlicher Hinsicht schließlich unter anderem die

---

2006; Andreas Frings, 2007; Johannes Marx/Andreas Frings, 2007; Werner J. Patzelt, 2007; ders., 2013[7]: Seite 146 - 147. Speziell mit Blick auf die Möglichkeiten einer gemeinsamen Untersuchung von internationaler Politik: Gilbert Ziebura, 1990; Colin Elman/Miriam Fendius Elman, 1997; dies., 2001; Stephen H. Haber/David M. Kennedy/Stephen D. Krasner, 1997; Jack S. Levy, 1997; Paul W. Schroeder, 1997; Caroline Kennedy-Pipe, 2000; Ursula Lehmkuhl, 2001; Thomas W. Smith, 2003; Johannes Marx, 2007; Alexander Siedschlag/Anja Opitz/Jodok Troy/Anita Kuprian, 2007: Seite 230 - 232. Konkrete Resultate dieser Verständigung sind beispielsweise die (noch dezidiert *multi*disziplinären) Bände: Gordon A. Craig/Alexander L. George, 1984; Jens Siegelberg/Klaus Schlichte, 2000. Mit starken Anleihen beim jeweils anderen Fach und damit als Ansätze oder gar vollwertige Beispiele einer *Inter*disziplinarität dagegen: Gabriele Metzler, 1997; Ursula Lehmkuhl, 1999; Franz Ansprenger, 2005[3]; Matthias Schulz, 2009; Matthias Köhler, 2011.

[14] Daraus folgt im Übrigen für die Politikwissenschaft, dass sie über gleich zwei Teildisziplinen verfügt, die mit dem *gesamten* Gegenstand der internationalen Politik befasst sind: die Internationale Politik und die Politikgeschichte.

Regierungsgeschichte, die Parlamentsgeschichte, die Verwaltungsgeschichte, die Justizgeschichte, die Militärgeschichte und die Polizeigeschichte.[15]

IV. Der Gegenstand der Internationalen Politikgeschichte

Zur Definition des Gegenstandes der Internationalen Politikgeschichte hat man bislang nur sehr selten Überlegungen angestellt. Im Folgenden wird daher der Versuch einer begrifflichen Klärung unternommen. Hierfür scheint es sinnvoll zu sein, sich zunächst separat Klarheit über den Gegenstand der Politikgeschichte einerseits und den der Internationalen Geschichte andererseits zu verschaffen, um beide im Anschluss miteinander zu kombinieren.

1. Der Gegenstand der Politikgeschichte

Der Gegenstand der Politikgeschichte,[16] die Politik, besitzt hauptsächlich zwei begriffliche Wurzeln: zum einen die wertorientierte, auf die öffentlichen, das heißt an den gesamtgesellschaftlichen, Angelegenheiten fokussier-

---

[15] Dieser Katalog ausgewählter Teilarbeitsfelder der Politikgeschichte stellt eine Modifikation desjenigen von Heinz Duchhardt dar. Die Weiterentwicklung und Vervollständigung dieser Liste sei als eine mögliche Aufgabe an die künftige politikhistorische Grundlagendiskussion gestellt. Dabei ist nicht zuletzt die Abgrenzung zur und die Kooperation mit der Rechtsgeschichte von besonderer Relevanz. Vgl. Heinz Duchhardt, 2004: Seite 20. Siehe ferner die Einteilung von: Luise Schorn-Schütte, 2006: Seite 9 – 12.

[16] Siehe einführend zum Arbeitsfeld der Politikgeschichte: Manfred Asendorf, 1994; Hans Mommsen, 1997[5]; Hans-Ulrich Thamer, 2003[3]; Heinz Duchhardt, 2004; Joachim Eibach, 2006[2]; Ute Frevert, 2006[2]; Rudolf Schlögl, 2006[2]; Peter Borowsky/Rainer Nicolaysen, 2007[3]; Christoph Cornelißen, 2009[4]; Siegfried Weichlein, 2010; Thomas Mergel, 2012[2]. Siehe darüber hinaus speziell zur historischen Entwicklung des Arbeitsfeldes: Luise Schorn-Schütte, 2006. Die wichtigsten forschungskonzeptionellen Beiträge sind in aufsteigender zeitlicher Folge ihres Erscheinens: Allan G. Bogue, 1968; Geoffrey R. Elton, 1970; Andreas Hillgruber, 1970; Gordon A. Craig, 1971; Jacques Le Goff, 1990 (zuerst 1971); Blandine Barret-Kriegel, 1973; Andreas Hillgruber, 1973; Jacques Julliard, 1986 (zuerst 1974); Gustav Schmidt, 1975; Hans-Ulrich Wehler, 1975; Klaus Hildebrand, 1976; J. Morgan Kousser, 1976; Jürgen Bergmann/Klaus Megerle/Peter Steinbach, 1979; Peter B. Evans/Dietrich Rueschemeyer/Theda Skocpol, 1999 (zuerst 1985); Dieter Langewiesche, 1986; Maurice Agulhon, 1995 (zuerst 1988); René Rémond, 1988; Joan Wallach Scott, 1999[2] (erste Auflage zuerst 1988); Geoff Eley, 1994; Mark H. Leff, 1995; Pierre Rosanvallon, 1995; Philippe Urfalino, 1997; Thomas Kühne, 1998; Wolfgang Reinhard, 2001; Thomas Mergel, 2002; Susan Pedersen, 2002; Achim Landwehr, 2003; Pierre Rosanvallon, 2003; Thomas Nicklas, 2004; Ute Frevert/Heinz-Gerhard Haupt, 2005; Barbara Stollberg-Rilinger, 2005; Hans-Christof Kraus/Thomas Nicklas, 2007. Siehe dazu auch die Forschungsberichte und Diskussionszusammenfassungen: Hans-Ulrich Wehler, 1996; ders., 1998; Eckart Conze, 1998; Andreas Fahrmeir, 2006; Andreas Rödder, 2006; Steven Fielding, 2007; Tobias Weidner, 2012.

te und in dieser Form auf Aristoteles von Stageira zurückgehende Tradition, bei der nicht allein die Staatsmänner in Ausführung ihrer Ämter und Mandate, sondern prinzipiell alle Bürger am politischen Geschehen teilhaben und die unter anderem von Max Weber und Niklas Luhmann aufgegriffen worden ist. Ihr gegenüber steht, zum anderen, die zweckorientierte, am Interesse des Staates sowie seiner Regenten und Regierungen ausgerichtete und durch Niccolò Machiavelli begründete Tradition, in deren Mittelpunkt die gouvernementale Tätigkeit dieser Politiker vornehmlich gegenüber ihren Untertanen, den Regierten, steht. Diesem Entwicklungsstrang folgten schwerpunktmäßig etwa Karl W. Deutsch und David Easton.[17]

Als ein im Kern besonders gelungener Versuch, beide Traditionslinien des Begriffs plausibel miteinander zu verbinden, kann die Definition von Werner J. Patzelt gelten. In Anlehnung an dessen Formulierung ist Politik die Gesamtheit von Verhaltensweisen, die auf die Herstellung und Durchsetzung

---

[17] Vgl. insgesamt: Volker Sellin, 2004: besonders Seite 808 - 814. Des Weiteren dazu: Karl Rohe, 1994²: Seite 9 - 15; Rainer-Olaf Schultze, 2004²; Thomas Meyer, 2010³: Seite 37 - 60; Manfred G. Schmidt, 2010³: Seite 604 - 606 (Artikel: Politik). Max Weber definiert Politik als das „Streben nach Machtanteil oder nach Beeinflussung der Machtverteilung, sei es zwischen Staaten, sei es innerhalb eines Staates zwischen den Menschengruppen, die er umschließt. [...] Wer Politik treibt, erstrebt Macht: Macht entweder als Mittel im Dienst anderer Ziele - idealer oder egoistischer -, oder Macht ‚um ihrer selbst willen': um das Prestigegefühl, das sie gibt, zu genießen." Max Weber, 2009⁵: Seite 822. Niklas Luhmann will hingegen mit Politik „jede Kommunikation bezeichnen, die dazu dient, kollektiv bindende Entscheidungen durch Testen und Verdichten ihrer Konsenschancen vorzubereiten. Solche Aktivität setzt voraus, daß sie selbst noch keine kollektiv bindenden Wirkungen hat, aber sich gleichwohl schon dem Beobachtetwerden und damit einer gewissen Selbstfestlegung aussetzt. [...] Politisch gemeinte Kommunikation findet in den Parteien, in den Interessenverbänden, aber auch in der öffentlichen Verwaltung statt. Hier geht es um Interaktionen, die sich rekursiv (vorgreifend oder zurückgreifend) an den Prozessen politischer Meinungsbildung orientieren." Niklas Luhmann, 2002: Seite 254. Anders bestimmt Karl W. Deutsch das Wesen der Politik als „einer im Hinblick auf die Erfüllung gesellschaftlicher Zielvorstellungen zuverlässig funktionierenden Gleichrichtung von menschlichen Arbeitsleistungen und Erwartungen". „Zur Politik gehört, [...] einerseits ein Instrumentarium, mit dem die Durchsetzung von Befehlen erzwungen werden kann, andererseits eine gewohnheitsmäßige Folgeleistung gegenüber diesen Befehlen." Er versteht deshalb „den eigentlichen politischen Bereich als den Bereich der zwangsweise vollziehbaren Entscheidungen, oder genauer gesagt als den Bereich aller Entscheidungen, die durch die hohe Wahrscheinlichkeit freiwilliger Folgeleistung und die gleichermaßen hohe Wahrscheinlichkeit eines angedrohten Zwanges wirksam sind, dann wird Politik zur Methode *par excellence*, um die vorrangige Behandlung bestimmter Nachrichten oder Befehle und die Umverteilung menschlicher oder materieller Potentiale durchzusetzen." Karl W. Deutsch, 1973³: Seite 187, 225, 336 (Hervorhebung im Original). David Easton sieht in ähnlicher Weise das Wesen spezifisch ‚politischer Interaktionen' in der ‚überwiegenden Orientiertheit auf die autoritative Zuteilung von Werten für eine Gesellschaft'. (Im englischen Original: *„[...P]olitical interactions [...] are predominantly oriented toward the authoritative allocation of values for a society."*). David Easton, 1979: Seite 50.

allgemein geltender Entscheidungen von und zwischen Personen oder Personengruppen abzielen.[18]

Mit dieser Begriffsbestimmung wird besonders ersichtlich, wo die Schwerpunkte der beiden Traditionslinien des Politikbegriffs liegen. Für die Vertreter des aristotelischen Entwicklungsstranges liegt der Fokus vornehmlich auf dem weiten Feld der politischen Willensbildung und Entscheidungsfindung, also auf jenem Prozess, der – wenn überhaupt als solcher stattfindend, dann – in der Regel deliberativ verläuft, an dem staatliche wie nichtstaatliche Akteure auf zudem unterschiedlichen Ebenen beteiligt sind und bei dem als entscheidendes Mittel politischen Verhaltens die Macht (beispielsweise in Form von eristischer Überzeugungsmacht, von einflussreichen Beziehungen, der Fähigkeit zur Mobilisierung einer großen Zahl von Menschen oder der Drohung mit Gewalt) hervortritt. Das ist der in der Definition beschriebene Vorgang der ‚*Herstellung* allgemein geltender Entscheidungen'.[19] Die ‚machiavellistischen'[20] Theoretiker richten ihr Augenmerk dagegen eher auf das gleichermaßen weite Feld der Umsetzung (bereits erlangter) politischer Beschlüsse, das heißt auf den Prozess der ‚*Durchsetzung* allgemein geltender Entscheidungen', der im Wesentlichen autoritativ vollzogen wird, an dem weitgehend ausschließlich staatliche (oder staatlich beauftragte) Akteure auf ebenfalls verschiedenen Ebenen beteiligt sind und bei dem ebenfalls Macht, aber vordringlicher noch Herrschaft (im Sinne des Regierungshandelns gegenüber der gesamten Bevölkerung, aber etwa auch der Anweisungstätigkeit gegenüber hierarchisch unterstellten staatlichen

---

[18] Die Definition von Werner J. Patzelt in dessen eigener Formulierung findet sich in: Werner J. Patzelt, 2013[7]: Seite 22. Sie lautet: „Politik ist jenes menschliche Handeln, das auf die Herstellung und Durchsetzung allgemein verbindlicher Regelungen und Entscheidungen (d{as} h{eißt} von ‚allgemeiner Verbindlichkeit') in und zwischen Gruppen von Menschen abzielt." Es ist bei dieser Begriffsbestimmung in ihrem Kern allerdings zu bedenken, dass Politik nicht lediglich auf verbindlich geltende Rechtsentscheidungen und damit grundsätzlich einklagbare, dem Anspruch nach erzwingbare und bei Nichteinhaltung sanktionierbare Regelungen abzielt, sondern auch auf Inhalte, die zwar allgemein gelten, die jedoch (häufig ganz bewusst) keinen Verbindlichkeitscharakter aufweisen, wie etwa Leitlinien, Zielfestlegungen oder politische Erklärungen.

[19] Die Vorstellung, dass es sich bei der Herstellung allgemein geltender Entscheidungen um einen in der Regel ‚deliberativen' Prozess handelt, bezieht sich jedoch keineswegs ausschließlich auf demokratische Gemeinwesen. Auch in Diktaturen gibt es stets eine Vielzahl von Interessengruppen, deren Vertreter ihre Ansichten und Ziele in den jeweiligen Willensbildungs- und Entscheidungsfindungsvorgang einbringen können (beispielsweise der Diktator selbst, seine engen Vertrauten, seine Minister, hohe Staatsbeamte, Generäle, Vertreter bestimmter Parteigruppierungen, Experten oder Unternehmer).

[20] Hiermit ist ausschließlich eine theoretische Tradition gemeint, die, wie gesagt, in ihrem Kern mit dem florentinischen Politiker, Denker und Schriftsteller Niccolò Machiavelli verbunden ist. Ein Bezug auf den von dessen tatsächlichen Vorstellungen und Theorien abweichenden, oft pejorativ verstandenen Machiavellismus wird damit ausdrücklich nicht genommen.

Behörden und Kräften) als zentrales Mittel in Erscheinung tritt. Politik reduziert sich demzufolge nicht, wie vielfach behauptet wird, lediglich auf den politischen Willensbildungs- und Entscheidungsfindungsprozess oder auf den entscheidenden Faktor Macht.[21] Vielmehr tritt hier ein weiterer substanzieller Aspekt, namentlich der der Entscheidungsdurchsetzung, und mindestens ein weiterer Faktor, zum Beispiel die Herrschaft, hinzu.[22]

Dieser politische Gegenstand manifestiert sich in der Realität jedoch nicht allein als der eben definierte Prozess (in Englisch: *politics*), sondern auch in Form weiterer Gegenstandsarten wie den dabei zum Tragen kommenden politischen Inhalten, den Programmen, Interessen und Intentionen, (*policy*) und den zugleich einen Rahmen wie ein wesentliches Ziel politischen Handelns bildenden Strukturen (*polity*)[23] sowie dem konkreten Vorhandensein eines politischen Zustands für sich genommen, seinem Entstehen und Vergehen, dem Wandel seiner Merkmale und den für alle diese Gegenstandsarten jeweils zuzuordnenden Voraussetzungen und Bedingungen. All das gehört ordinär zum Phänomen der Politik (wie im Übrigen im analogen Sinn zu jedem anderen sozial-kulturellen Gegenstand auch) und kann insofern jeweils ein spezielles Untersuchungsobjekt der Politikgeschichte (und damit auch der Internationalen Politikgeschichte) darstellen.

2. Der Gegenstand der Internationalen Geschichte

Zur Klärung des Gegenstandes der Internationalen Geschichte[24] ist es zunächst einmal wichtig, deren konzeptionellen Kontext zu verstehen, das

---

[21] Zu stark allein auf den Faktor Macht ausgerichtet sind etwa die forschungsprogrammatischen Entwürfe von: Gordon A. Craig, 1971: besonders Seite 25 - 26; Andreas Hillgruber, 1973: besonders Seite 536 - 537; Jacques Le Goff, 1990: besonders Seite 342 - 344; Achim Landwehr, 2003: besonders Seite 110 - 113; Ute Frevert, 2005: besonders Seite 14 - 26. Siehe dazu auch: Rudolf Schlögl, 2006[2]: Seite 104.

[22] Dass in der Politik keinesfalls allein die Macht als Faktor eine entscheidende Rolle spielt, bestätigt in deutlicher Weise Karl W. Deutsch, wenn er davon spricht, dass Macht „weder der Kern noch die Substanz der Politik" sei. „Sie ist", so Deutsch weiter, „lediglich eines von mehreren politischen Zahlungsmitteln, einer von mehreren wichtigen Mechanismen zur Schadensbegrenzung in Situationen, wo Einfluß, Gewohnheit oder freiwillige Gleichrichtung versagt haben oder wo diese Faktoren zur Erreichung gesellschaftlicher Ziele nicht mehr funktional ausreichend wirksam sind." Karl W. Deutsch, 1973[3]: Seite 187. So ansatzweise auch bei: Ernst-Otto Czempiel, 1986: Seite 28 - 30. Andere politische Faktoren als jener der Macht sind neben Herrschaft unter anderem auch Werte und Recht. Zur inhaltlichen Klärung von Macht siehe meine Arbeit „Was ist Macht?" in diesem Band.

[23] Siehe zu diesen zentralen Dimensionen von Politik etwa: Karl Rohe, 1994[2]: Seite 61 - 67; Thomas Bernauer/Detlef Jahn/Patrick Kuhn/Stefanie Walter, 2015[3]: Seite 36; Werner J. Patzelt, 2013[7]: Seite 28 - 30.

[24] Trotz der Anstrengungen, die in jüngerer und jüngster Zeit für eine Erneuerung dieses geschichtswissenschaftlichen Arbeitsfeldes unternommen worden sind, und trotz ein-

heißt zu klären, was sie *nicht* ist. Innerhalb der Geschichtswissenschaft haben sich im Laufe der Jahrtausende mehrere wissenschaftliche Arbeitsfelder oder Forschungsansätze herausgebildet, deren Fokus nicht auf der Beschäftigung mit jeweils nur einer Gesellschaft oder einem Gemeinwesen liegt, sondern deren empirischer Zugriff diese nationale Beschränkung überwindet: Zum ersten sind das die im Einzelnen je unterschiedlich akzentuierten Felder der *Universalgeschichte*, der *Weltgeschichte* und der *Globalgeschichte*, deren Augenmerk zusammenfassend gerichtet ist auf eine Summierung potenziell aller Nationalgeschichten, auf tendenziell oder tatsächlich gesamtweltliche Sachverhalte oder auf solche, die zwar lokal oder regional bestimmt sind, aber in ihren globalen Zusammenhängen erfasst werden.[25]

---

deutiger und zum Teil vollmundiger Bekundungen wie diese, dass ein „Erneuerungsprozeß der Disziplin [gefördert werden soll], der mit der Propagierung von ‚Internationaler Geschichte' [anstatt von ‚Geschichte der internationalen Beziehungen'] signalisiert wird", oder jene, dass „die Geschichte der internationalen Politik [...] nur ein Feld der Geschichte der internationalen Beziehungen" markiere, so ist die Internationale Geschichte doch weiterhin ausschließlich Internationale *Politik*geschichte geblieben – oder ist in Überdehnung des Ansatzes bisweilen sogar zu einer eigentlich Transnationalen Geschichte oder Globalgeschichte umgeformt worden. Die neu hinzugekommenen gesellschaftlichen Wirklichkeitsbereiche Recht, Soziales, Wirtschaft, Medien, Religion, Bildung und so weiter haben nicht die Internationale Geschichte in ihren Teilgebieten erweitert, sondern lediglich die Internationale Politikgeschichte hinsichtlich der zu ihrer Erklärung herangezogenen Einflussfaktoren oder der zu untersuchenden Politikfelder (wie etwa der Sozialpolitik oder der Wirtschaftspolitik). Insofern sollen insbesondere „Fragen nach Regierungshandeln, Krieg und Friedenssicherung, Machtgefällen und Politik" im Zentrum der Aufmerksamkeit stehen. Vgl. Wilfried Loth, 2000: Seite XII – XIV (erstes Zitat: Seite XII); Eckart Conze/Ulrich Lappenküper/Guido Müller, 2004a: Seite 2 – 3 (zweites Zitat: Seite 2); Jost Dülffer/Wilfried Loth, 2012b: Seite 3 – 4, 6 (drittes Zitat: Seite 6). Ferner: Alexander DeConde, 1988: besonders Seite 282, 286, 298 – 299; Friedrich Kießling, 2002: Seite 655 – 656.

[25] Zur Konzeption der Universalgeschichte siehe: Ernst Schulin, 1974; Wolfgang J. Mommsen, 1992; Wolfgang E. J. Weber, 2001. Zudem in historiographischer Umsetzung etwa: Jean Baechler, 2002. Siehe ferner die 1950 begründete Fachzeitschrift „Saeculum. Jahrbuch für Universalgeschichte". Dagegen zur Konzeption der Weltgeschichte: Robert I. Moore, 2002; Jürgen Osterhammel, 2005; ders., 2008; ders., 2010; Jerry H. Bentley, 2011; Christopher A. Bayly, 2013. Zudem in historiographischer Umsetzung: Hans-Heinrich Nolte, 2005; ders., 2009. Siehe daneben auch das jüngst fertiggestellte sechsbändige Großprojekt einer welthistorischen Darstellung der gesamten Menschheitsgeschichte: Walter Demel/Johannes Fried/Ernst-Dieter Hehl/Albrecht Jockenhövel/Gustav Adolf Lehmann/Helwig Schmidt-Glintzer/Hans-Ulrich Thamer, 2009 – 2010. Siehe insgesamt auch die vom Jahr 2000 an regelmäßig erscheinende „Zeitschrift für Weltgeschichte. Interdisziplinäre Perspektiven" (ZWG) sowie das seit 1990 publizierte *„Journal of World History"* (JWH). Zur Globalgeschichte konzeptionell: Bruce Mazlish, 2002; Margarete Grandner/Dietmar Rothermund/Wolfgang Schwentker, 2005; Sebastian Conrad/Andreas Eckert/Ulrike Freitag, 2007; Barry K. Gills/William R. Thompson, 2008; Isabella Löhr, 2008; Dominic Sachsenmaier, 2010; Reinhard Sieder/Ernst Langthaler, 2010; Andrea Komlosy, 2011; Sebastian Conrad, 2013; James Belich/John Darwin/Margret Frenz/Chris Wickham, 2016. Zudem in beispielgebender historiographischer Umsetzung: Christopher A. Bayly, 2008; Jürgen Osterhammel, 2011. Siehe überdies das achtbändige österreichische Projekt einer Globalgeschichte für den Zeitraum zwischen den Jahren 1000 und 2000: Peter Feldbau-

Daneben gibt es, zweitens, das, was man als *'Multinationale Geschichte'* bezeichnen kann. Sie kommt vor allem in Form von entsprechend angelegten Vergleichsstudien oder von derartig konzipierten Regionalgeschichten, wie etwa einer Europäischen Geschichte oder einer Lateinamerikanischen Geschichte, vor. Dabei richtet sich ihr Blick auf die *Innen*verhältnisse von – immerhin zugleich mehreren – ausgewählten Gesellschaften, ohne jedoch auf jene Verbindungen einzugehen, die zwischen diesen Gesellschaften bestehen. Hier geht es folglich darum, ganz im Sinne der Bezeichnung nicht einzelne, sondern zugleich *mehrere* ('multi') Nationalgeschichten parallel zu erforschen.[26]

Drittens hat sich mit der *Transnationalen Geschichte* in den letzten Jahren ein ganz neues Feld herausgebildet. Im Interesse der Betrachtung stehen hier indes nicht die Gesellschaften als Ganze, sondern bestimmte Personen oder Personengruppen innerhalb dieser Gesellschaften und zwar hinsichtlich ihrer Kontakte, Interaktionen und Bewegungen über die Grenzen der jeweils eigenen Gesellschaft hinweg – ohne dabei zugleich die Existenz dieser Gesellschaften als solche grundsätzlich in Frage zu stellen. Die dabei untersuchten Beziehungen finden demnach *jenseits* ('trans') der durch die Ge-

---

er/Bernd Hausberger/Jean-Paul Lehners, 2008 – 2011. Siehe insgesamt auch das 1991 begründete Fachjournal „Comparativ. Zeitschrift für Globalgeschichte und Vergleichende Gesellschaftsforschung" sowie das seit 2006 erscheinende *„Journal of Global History"* (JGH). Innovative Annäherungsversuche zwischen der Globalgeschichte und der Internationalen Geschichte sind erst kürzlich unter anderem anhand des Phänomens der Internationalen Organisationen mit weltweitem Mitgliederkreis unternommen und diskutiert worden: Akira Iriye, 2004a; Isabella Löhr, 2008; Madeleine Herren, 2009; Hubertus Büschel, 2011; Sandrine Kott, 2011; Iris Schröder, 2011: Seite 340, 342. Ein weiteres interessantes Beispiel hierfür sind zwischenstaatliche Kriege mit globaler Erstreckung: Gerhard L. Weinberg, 2002[2]; David Stevenson, 2006[3]; Marian Füssel, 2010; ders., 2020[2]; Sven Externbrink, 2011; Mark H. Danley/Patrick J. Speelman, 2012.

[26] In den genannten Teilfeldern der Multinationalen Geschichte ist die diesbezügliche Begrifflichkeit zuweilen noch unterreflektiert. Zum multinationalen Vergleich siehe besonders: Thomas Welskopp, 1995; Heinz-Gerhard Haupt/Jürgen Kocka, 1996; Johannes Paulmann, 1998; Hartmut Kaelble, 1999; Jürgen Osterhammel, 2001a; Heinz Schilling, 2003; Hannes Siegrist, 2003; Philipp Ther, 2003; Deborah Cohen/Maura O'Connor, 2004. In forscherischer Umsetzung etwa: Etienne François/Hannes Siegrist/Jakob Vogel, 1995. Zur multinationalen Regionalgeschichte konzeptionell teilweise: Stefan Troebst, 2007. Zudem in historiographischer Umsetzung als Exempel: Michael Salewski, 2004[2]; Hans-Joachim König, 2009[2]. Im Übrigen lässt sich die Regionalgeschichte nicht allein in Form einer Multinationalen Geschichte konzeptualisieren, sondern auch als reine Regionalgeschichte, deren empirische Gegenstände tatsächlich oder zumindest tendenziell eine gesamtregionale Erstreckung aufweisen, wie zum Beispiel jener der Europäischen Integration. Dabei beziehen sich Regionalgeschichten auf Räume, die sowohl größer als auch kleiner als das territoriale Ausmaß jeweils einer Gesellschaft oder eines Gemeinwesens sein können. Genauso müssen auch Vergleiche keineswegs ausschließlich als multinationale angelegt sein.

meinwesen geschaffenen Grenzen statt; ihre Grenzen werden transzendiert.[27]

Schließlich gehört, zum vierten, auch die *Internationale Geschichte* in diesen Kreis von Forschungsansätzen, wobei sie sich in konzeptioneller Hinsicht von den anderen Feldern aufgrund des spezifischen Verständnisses ihres Gegenstandes unterscheidet.[28]

Dieses spezifische Verständnis ihres Gegenstandes besteht für die Internationale Geschichte darin, dass ihr Blickfeld ausschließlich auf solche raumzeitlich unterschiedlich bestimmbaren Wirklichkeitsausschnitte gerichtet ist,

---

[27] Zur Konzeption der Transnationalen Geschichte siehe: Jürgen Osterhammel, 2001b; Albert Wirz, 2001; Sebastian Conrad, 2002; Hartmut Kaelble, 2004; Marita Krauss, 2004; Martin Krieger, 2004; Kiran Klaus Patel, 2004; ders., 2010; Johannes Paulmann, 2004; Gunilla Budde/Sebastian Conrad/Oliver Janz, 2006; Hannes Siegrist, 2007; Margrit Pernau, 2011; Philipp Gassert, 2012[2]. Zudem in forscherischer Anwendung des Ansatzes bereits: Werner Link, 1978; und jüngst: Sebastian Conrad/Jürgen Osterhammel, 2006[2]; Udo J. Hebel, 2012. Für die Konzeptualisierung transnationaler Beziehungen innerhalb der Politikwissenschaft sind dagegen noch immer die andersartig ausgerichteten Überlegungen von Robert O. Keohane und Joseph S. Nye aus den 1970er Jahren maßgebend. Vgl. Robert O. Keohane/Joseph S. Nye, 1973.

[28] Diese Klassifikation von Arbeitsfeldern, welche eine jeweils nur auf eine Gesellschaft oder ein Gemeinwesen beschränkte Fokussierung zu überwinden suchen, wird vom Verfasser als potenziell unvollständig angesehen und kann an eine zunehmend intensiver werdende, wenn auch inhaltlich bislang noch nicht zufriedenstellende Diskussion anschließen. Vgl. Johan Galtung, 2000; Akira Iriye, 2004b; Matthias Middell, 2005; Jürgen Osterhammel, 2005: Seite 458 - 462; ders., 2007[3]: Seite 594 - 597; Constance DeVereaux/Martin Griffin, 2006; Andreas Rödder, 2006: Seite 660 - 662; Susan Zimmermann, 2008; Patricia Clavin, 2010; Reinhard Sieder/Ernst Langthaler, 2010: Seite 9 - 14; Wolfgang Reinhard, 2012. Siehe dazu auch Abbildung 1.1. Immer wieder kursiert neben den oben genannten auch der Begriff der ‚Supranationalen Geschichte', der sich vorwiegend aus der durch die Entwicklung der Europäischen Integration geschaffenen Ebene ergeben hat, welche wiederum sogar in der Politikwissenschaft auch als ‚supranational' bezeichnet wird. Allerdings ist die Begrifflichkeit hier irreführend. Erstens wird damit kein neues Forschungsfeld erzeugt, das vor allem neben der Multinationalen Geschichte, der Transnationalen Geschichte und der Internationalen Geschichte mit eigenem Charakter bestehen würde. Zweitens ergibt sich dieser Terminus in der Politikwissenschaft vor dem Hintergrund der Föderalismustheorie, die im Rahmen eines politischen Mehrebenensystems zwischen subnationaler Ebene, nationaler Ebene und supranationaler Ebene unterscheidet. Supranationalität entsteht in dieser Hinsicht immer dann, wenn Staaten sich politisch fest integrieren und dabei - unter Abgabe partieller Souveränitätsrechte - eine (weitere) politische Instanz gewissermaßen *über* (‚supra') sich dulden. Das ist bei all jenen Internationalen Organisationen der Fall, die zugleich einen enger gefügten Staatenbund beziehungsweise eine Konföderation bilden, wie etwa der Deutsche Bund (DB), der Verband Südostasiatischer Nationen (ASEAN), die Afrikanische Union (AU) und, wenn sie gegenwärtig nicht bereits eine höhere Integrationsstufe erreicht hat, auch die Europäische Union (EU). Dementsprechend ist hier angemessener von ‚Suprastaatlichkeit' (anstatt von ‚Supranationalität') zu sprechen. Damit erübrigen sich auch bisher entsprechend erfolglos gebliebene Versuche, mit diesem eher auf den *inneren* Aufbau von Staaten ausgerichteten Konzept einen bestimmten, die Grenzen von Gesellschaften oder Gemeinwesen überschreitenden Forschungsansatz neben den anderen genannten begründen zu wollen. Vgl. zur Suprastaatlichkeit allgemein: Wolfgang Reichardt, 1995; Andreas Nölke, 2012[3].

welche von der Existenz eigenständiger und selbstständiger Gesellschaften oder Gemeinwesen geprägt sind, die sich ihrerseits dadurch von anderen Gesellschaften oder Gemeinwesen abgrenzen. Diese Gesellschaften oder Gemeinwesen ausschließlich in ihrer Eigenschaft als *Einheiten* aufzufassen, ist das Besondere der Internationalen Geschichte vor allem im Unterschied zur Transnationalen Geschichte, welche diese Gesellschaften oder Gemeinwesen als solche zwar registriert, ihr Wesen als Einheiten jedoch durchbricht, um sich kleineren Teileinheiten mit ihren jeweiligen grenzübergreifenden Beziehungen und Bewegungen zuzuwenden. Die Internationale Geschichte versteht die Wirklichkeit also als eine Welt von Gesellschaften oder Gemeinwesen, jedoch immer in deren jeweiliger Gesamtheit. Man kann diesen Sachverhalt besonders gut damit zum Ausdruck bringen, indem man das Wort ‚international' als ‚national – inter – national' versteht. Das Forschungsinteresse dieses Ansatzes zielt dementsprechend auf diejenigen Beziehungen, die *zwischen* (‚inter') den gesellschaftlichen (‚nationalen') Einheiten in ihrer jeweiligen historischen Konstitution bestehen.[29]

[29] Ein solches, gesellschaftliche Wirklichkeitsbereiche übergreifendes Verständnis von Internationaler Geschichte findet sich in der Literatur generell nicht, wiewohl insbesondere in der Politikwissenschaft die Internationale Politik (allerdings – und damit äußerst irreführend – mitunter schlicht ‚Internationale Beziehungen' genannt), in der Jurisprudenz das Internationale Recht (Völkerrecht) und in der Wirtschaftswissenschaft die Internationale Wirtschaft (mitunter als ‚Internationale Wirtschaftsbeziehungen' oder ‚Internationale Volkswirtschaftslehre' bezeichnet) in Form etablierter Subdisziplinen bestehen, deren zumindest konzeptionelle Zusammenführung in ein übergreifendes Arbeitsfeld jedoch noch kaum jemand vorgenommen hat. Immerhin können in institutioneller Hinsicht dahingehend kleine Erfolge beispielsweise mit dem im Jahr 2002 als Teil der Technischen Universität Dresden gegründeten Zentrum für Internationale Studien registriert werden, das sich genau dieser fachlichen Fusion verschrieben hat. Dass die Internationale Geschichte – in der Forschungsdiskussion, wie gesagt, als Internationale *Politik*geschichte verstanden – in jüngerer und jüngster Zeit sich in der Erklärung politischer Sachverhalte auf internationaler Ebene auch rechtlicher, sozialer, wirtschaftlicher, religiöser, medialer und weiterer Einflussfaktoren bedient beziehungsweise ihren Gegenstandsbereich um verschiedene spezielle Politikfelder wie etwa Handels-, Finanz-, Bildungs-, Umwelt- oder Menschenrechtspolitik erweitert hat, hat im Übrigen mit der eben geschilderten Problematik nichts zu tun. Die Internationale Geschichte sollte indes tatsächlich mehr erfassen als allein die internationale *Politik*. Außerdem soll mit der Klärung des Ansatzes der Internationalen Geschichte deutlich geworden sein, dass dieser genauso wie sein Gegenstand, die internationalen Beziehungen, zunächst einmal definierte analytische Hilfskonstrukte darstellen, welche dementsprechend in keiner Weise an das jeweilige historische Vorhandensein von so etwas wie einer ‚Nation' gebunden sind, wie aber immer wieder gern behauptet wird. Auch wenn der Wortstamm ‚nation' entstehungsgeschichtlich in den wissenschaftssprachlichen Terminus ‚internationale Beziehungen' geflossen ist, so werden dieser Gegenstand wie das ihr zugeordnete Arbeitsfeld, wie oben dargelegt, ganz unabhängig davon konzeptualisiert. Vgl. Andreas Wirsching, 2006[2]: Seite 112; Hillard von Thiessen/Christian Windler, 2010b: Seite 5.

Abbildung 1.1: Auswahl gesellschaftsübergreifender Ansätze in der Geschichtswissenschaft

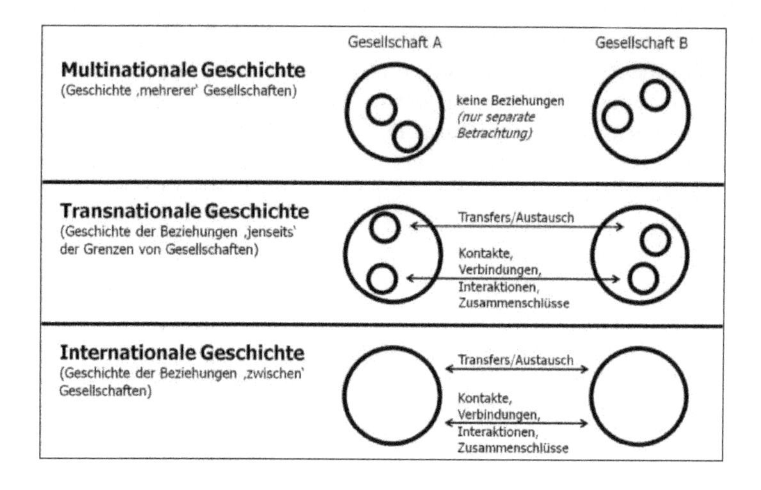

3. Der gemeinsame Gegenstand von Politikgeschichte und Internationaler Geschichte

Beide Arbeitsfelder, die Politikgeschichte und die Internationale Geschichte, lassen sich nun zu dem integrierten Forschungsansatz der Internationalen Politikgeschichte[30] zusammenführen. Vor dem Hintergrund der eben vorgetragenen Überlegungen kann ihr Gegenstand, also die internationale Politik, wie folgt allgemein bestimmt werden: „Internationale Politik ist die Gesamt-

[30] Zum speziellen Feld der Internationalen Politikgeschichte siehe einführend: Hans-Ulrich Thamer, 2003³; Günther Kronenbitter, 2006; Andreas Wirsching, 2006². Die wichtigsten forschungskonzeptionellen Beiträge sind in aufsteigender zeitlicher Folge ihres Erscheinens: Klaus Hildebrand, 1976; Andreas Hillgruber, 1976; Charles S. Maier, 1982 (zuerst 1980); Alexander DeConde, 1988; Gilbert Ziebura, 1990; Akira Iriye, 2007² (erste Auflage zuerst 1991); Paul W. Schroeder, 2004 (zuerst 1997); Michael Hochedlinger, 1998; Wolfram Kaiser, 1998; Wilfried Loth/Jürgen Osterhammel, 2000; Ursula Lehmkuhl, 2001; Jessica C. E. Gienow-Hecht/Frank Schumacher, 2003; Eckart Conze/Ulrich Lappenküper/Guido Müller, 2004b; Patrick Finney, 2005b; Heidrun Kugeler/Christian Sepp/Georg Wolf, 2006; Eckart Conze, 2007; Sven Externbrink, 2007; Johannes Burkhardt, 2010; Hubertus Büschel, 2011; Iris Schröder, 2011; Jost Dülffer/Wilfried Loth, 2012a; Robert Frank, 2012; Barbara Haider-Wilson/William D. Godsey/Wolfgang Mueller, 2017. Siehe dazu auch die Forschungsberichte: Lucien Febvre, 1995; Melvyn P. Leffler, 1995; Ulrich Lappenküper, 1998; Friedrich Kießling, 2002; Reiner Marcowitz, 2005.

heit von Verhaltensweisen, die auf die Herstellung und Durchsetzung allgemein geltender Entscheidungen zwischen Gesellschaften – beziehungsweise in ihrer politischen Gestalt den von ihnen jeweils ausgebildeten Staaten oder sonstigen Formen von eigenständigen und selbstständigen Gemeinwesen – abzielen."[31]

Aus dieser Definition geht unter anderem hervor, dass – anders als bei der nationalen Politik – die hauptsächlichen (oder primären) *Akteure* oder *Subjekte* der internationalen Politik niemals einzelne Personen sind, sondern immer und ausschließlich die Gesellschaften oder Gemeinwesen als Ganze beziehungsweise in ihrer politischen Gestalt vor allem die *Staaten*, aber auch die *anderen Formen politisch organisierter Gemeinwesen*.[32] Das bedeutet jedoch nicht, dass in diesem Bereich keine Menschen tätig wären. Schließlich sind es letztlich immer die einzelnen Politiker, die Handlungen ausführen und etwas bewegen können. Sie sind es, die verhandeln, die Entscheidungen treffen und Befehle geben, die Krieg führen und Frieden schließen. Aber sie selbst stehen als eigenständige Personen zunächst nicht im Mittelpunkt der Internationalen Politikgeschichte. Vielmehr werden sie vorrangig als einzelne *Repräsentanten* oder *Vertreter* jeweils desjenigen Staates betrachtet, für den sie aktiv sind. Das Verhalten eines Staates ergibt sich folglich aus der Gesamtheit der Handlungen – jedoch unter Beachtung ihrer jeweiligen, nicht gleichrangigen Bedeutung – von allen diesen ihren Staat repräsentierenden Personen. Die Politiker für sich genommen sind, wenn man so will, letztlich

---

31 Michael Gal, 2017: Seite 161 (erneut abgedruckt in diesem Band (Kapitel I)).

32 Zum epochenübergreifenden Auftreten des Staates in der Geschichte seit dem Beginn des Altertums siehe vor allem den umfangreichen Forschungsbericht: Michael Gal, 2015 (erneut abgedruckt in diesem Band). Erst jüngst wurde darauf hingewiesen, dass nicht nur Staaten als Akteure in der Geschichte der internationalen Politik in Erscheinung treten, sondern auch Reiche. Damit ist die Liste möglicher historischer Erscheinungsformen politisch organisierter Gemeinwesen jedoch nicht ausgeschöpft. Die systematische Diskussion und Forschung steht hier noch weitgehend am Anfang. Vgl. Herfried Münkler, 2005: Seite 43; Jürgen Osterhammel, 2007³: Seite 595; ders., 2011: Seite 565; Walter Demel, 2010a: Seite 162 – 163; Lutz Raphael, 2010²: Seite 138. Siehe insgesamt zur Vielfalt der Akteure in der internationalen Politik die entsprechenden Lehrbuchbeiträge der Politikwissenschaft. Vgl. zum Beispiel: Peter Filzmaier/Leonore Gewessler/Otmar Höll/Gerhard Mangott, 2006: Seite 59 – 61; Alexander Siedschlag/Anja Opitz/Jodok Troy/Anita Kuprian, 2007: Seite 81 – 113. Aus der Sicht des Völkerrechts zudem etwa: Stephan Hobe, 2008⁹: Seite 64 – 177; Andreas R. Ziegler, 2011²: Seite 187 – 233. Siehe dazu ferner und speziell im Hinblick auf die sonstigen Formen von eigenständigen und selbstständigen Gemeinwesen insbesondere meine Arbeit „Staaten, Reiche, Dependanten. Grundlegung einer Theorie der Politate" sowie die entsprechenden Ausführungen in meinem Beitrag „System – Organisation – Gouvernanz – Ordnung. Überlegungen zur Konzeption des interdisziplinären Ansatzes der Internationalen Politischen Ordnungs-Forschung" (Kapitel V.3), die beide in diesem Band abgedruckt sind.

die *Handlungsträger* innerhalb der internationalen Politik, nicht aber deren eigentliche Akteure oder Subjekte.[33]

Als Akteure der internationalen Politik gelten den Staaten und den andersartig politisch organisierten Gemeinwesen die *Internationalen Organisationen* als vollständig gleichwertig. Diese werden von den Staaten als deren ordentliche Mitglieder konstituiert und als Mittel zur Bearbeitung von bestimmten internationalen oder überregionalen Problembereichen eingesetzt (Instrument-Funktion); sie treten darüber hinaus auf der Grundlage spezifischer eigener Werte und Aufgaben auch als eigenständige Akteure in Erscheinung (Akteur-Funktion); und zugleich findet in ihnen selbst ein bestimmter Teil der gesamten internationalen Politik statt (Arena-Funktion).

Einige historische Beispiele für Internationale Organisationen sind für das Altertum die Panionische Amphiktyonie, der Peloponnesische Bund, der Zweite Athenische Seebund und der Zweite Korinthische Bund, während das Phänomen sowohl im Mittelalter als auch in der Frühneuzeit dagegen relativ selten war. Für die Epoche bis um 1500 können aber immerhin genannt werden der im Hochtal von Mexiko von den drei Städten Tenochtitlan (des Volkes der Azteken beziehungsweise der Mexica), Texcoco (des Volkes der

---

[33] Internationale Politik ist in der Tat zunächst einmal eine Veranstaltung der Staaten (oder der sonstigen Gemeinwesensformen). Um ein vertrautes und zugleich eingängiges Beispiel zu nennen: Wenn Angela Merkel (geboren 1954) auf dem Gipfeltreffen der Gruppe der Acht (G8) 2007 in Heiligendamm zusammen mit anderen Personen internationale politische Entscheidungen getroffen hat, dann hat sie das zunächst nicht als politisch aktive Privatperson. Sondern sie traf diese Entscheidungen in ihrer Eigenschaft als Bundeskanzlerin und damit als eine ausführende Amtsinhaberin in oberster gouvernementaler Vertretung ihres Staates. Im Sinne der internationalen Politik - und ebenso des Völkerrechts - trafen sich in Heiligendamm daher im Grunde nicht Angela Merkel, Nicolas Sarkozy (geboren 1955), Wladimir Putin (geboren 1952) und so weiter, sondern die Bundesrepublik Deutschland, die Französische Republik, die Russländische Föderation und andere Staaten respektive - in der allgemeinen Benennung der entsprechenden Länder - Deutschland, Frankreich, Russland und weitere. In genau diesem Sinn sind die tatsächlichen Vertragsparteien etwa von völkerrechtlichen Konventionen, Allianzvereinbarungen, Handelsabkommen und Friedensschlüssen niemals einzelne Politiker selbst, wie etwa die verhandelnden Diplomaten, die unterzeichnenden Regierungschefs und deren Bevollmächtigte oder die monarchischen Staatsoberhäupter, in deren Namen diese Kontrakte bis ins 19. Jahrhundert hinein in der Regel geschlossen wurden. Sondern die vertragschließenden Parteien sind stets die gleichsam hinter diesen Amtspersonen stehenden Staaten, Länder oder Gesellschaften. Etwaigen Überlegungen, unter anderem auch Potentaten oder Regierungen als Akteure der internationalen Politik anzusehen, ist demzufolge nicht ohne Einschränkungen beizupflichten. Vgl. etwa: Peter Krüger, 1991: Seite 13 - 14; Harald Kleinschmidt, 1998: Seite 13. Anders als im internationalen Kontext verhält es sich im Übrigen mit der Akteursfrage im Rahmen der nationalen Politik und dort zum Beispiel auf dem Feld der Außenpolitik, welche zwar nach ‚außen' gerichtet, im Kern jedoch, wie oben bereits angesprochen, zunächst einmal eine staats- und gesellschafts*interne* Angelegenheit ist. Hier sind die Akteure oder Subjekte in der Tat die einzelnen Personen und Personengruppen selbst. Vgl. insgesamt zur Akteursfrage sowie speziell auch zu den außenpolitischen Handlungsträgern: Holger T. Gräf, 2000: Seite 105, 112 - 119; Hillard von Thiessen/Christian Windler, 2010b: Seite 5 - 6.

Acolhua) und Tlacopan (des Volkes der Tepaneken) getragene Aztekische Dreibund sowie die im Jahr 1454 begründete Liga von Lodi. Während der sich anschließenden Frühneuzeit besaßen den Charakter einer Internationalen Organisation etwa die Protestantische Union von 1608, die Katholische Liga von 1609, die Schweizerische Eidgenossenschaft ab 1648, der Erste Rheinbund und die Vereinigten Staaten von Amerika (USA) zwischen 1781 und 1789. In der Neueren Zeit des langen 19. Jahrhunderts gehörten zu dieser Akteursart der Zweite Rheinbund (RB), die Zentralkommission für die Rheinschifffahrt (CCNR) seit 1831, der Deutsche Zollverein (DZV), die Internationale Telegraphenunion (ITU) und der Ständige Schiedshof (PCA). Von der riesigen Menge an Internationalen Organisationen in der darauf folgenden Neuesten Zeit seien auswahlweise genannt der Völkerbund (LN), die Internationale Arbeitsorganisation (ILO), der Internationale Währungsfonds (IMF), die Weltgesundheitsorganisation (WHO), die Westeuropäische Union (WEU), die Afrikanische Entwicklungsbank (AfDB) und die Karibische Gemeinschaft (CARICOM).

Daneben gibt es noch weitere, allerdings sekundäre und eher intermediäre Akteure oder Subjekte der internationalen Politik, die angesichts ihrer fehlenden Kompetenz und Legitimität zur Herstellung und Durchsetzung allgemein geltender Entscheidungen selbst keine internationale Politik betreiben (können), sehr wohl aber versuchen – und zwar von Fall zu Fall mit bisweilen extrem unterschiedlicher Intensität und Effektivität –, auf deren Gestaltung Einfluss zu nehmen. Dazu gehören zunächst einmal die zivilen *Transnationalen Organisationen*,[34] die vor allem als gemeinschaftsbildende, gemeinnützige, karitative, profitorientierte, politische, kriminelle oder terroristische Interessengruppen auftreten können. Darunter fallen etwa Parteien (wie die Europäische Volkspartei (EVP)), Gewerkschaftsvereinigungen (wie der Europäische Gewerkschaftsbund (EGB)), Sportverbände (wie die Internationale Föderation des Verbandsfußballs (FIFA)), Stiftungen (wie die Rockefeller Foundation), Menschenrechtsorganisationen (wie Amnesty International), Umweltorganisationen (wie Greenpeace), Kirchen (wie die Römisch-Katholische Kirche), religiöse Orden (wie die Jesuiten) oder terroristische Vereinigungen (wie al-Qaida). Ein weiterer wichtiger Subtyp sind Transnationale Unternehmen. Zu deren prominentesten Vertretern gehören in der Neueren und Neuesten Zeit unter anderem Lloyds Bank, Royal Dutch/Shell, Siemens, Coca-Cola, Krupp, Toyota, McDonald's und Gazprom. Transnationale Unternehmen gab es aber auch schon vor dem 19. Jahrhundert und zwar vor allem in Gestalt der Handelskompanien der Frühneuzeit

[34] Eine in der Literatur ebenfalls gebrauchte Bezeichnung ist die der ‚(Internationalen) Nicht-Regierungsorganisationen', welche angesichts der oben ausgeführten inhaltlichen Unterscheidung zwischen internationalen und transnationalen Gegenständen allerdings sachlich unangemessen ist.

(wie die englisch/britische East India Company (EIC) und die niederländische Vereenigde Oostindische Compagnie (VOC)) und der großen Handelsgesellschaften des Mittelalters (wie jene der Peruzzi, Bardi, Medici, Fugger und Welser).

Eine andere sekundäre Akteursart internationaler Politik sind *Transnationale Medien* wie Nachrichtenagenturen (etwa Agence France Press (AFP), Associated Press (AP), Reuters und United Press International (UPI)) und Fernsehsender (etwa der deutsch-österreichisch-schweizerische Sender 3sat, der arabischsprachige Sender Al Jazeera, die British Broadcasting Corporation World News (BBC World News) und das amerikanische Cable News Network International (CNN International)).

Schließlich können auch gut vernetzte, sehr wohlhabende oder mit intellektueller Autorität ausgestattete *transnational wirkende Einzelpersonen* als intermediäre Subjekte auftreten. Konkrete Fallbeispiele hierzu zu finden, ist allerdings sehr schwierig, weil diese Akteure *nicht* (zumindest nicht vordergründig) durch irgendein Amt oder Mandat und damit im Rahmen einer bestimmten Organisation wirken, sondern tatsächlich *allein* durch ihre jeweilige Persönlichkeit. Es liegt nahe, dass hierfür vor allem ehemalige Inhaber hoher Positionen in Staaten, Internationalen Organisationen oder Transnationalen Organisationen sowie bestimmte Experten und Gelehrte prädestiniert sind. Kandidaten für dieses spezielle Konzept könnten etwa Martin Luther (1483 - 1546) nach dem Beginn der Reformation oder Helmut Schmidt (1918 - 2015) nach dem Ende seiner Bundeskanzlerschaft und dem Ausscheiden aus dem deutschen Bundestag sein.[35]

[35] Die transnational wirkenden Einzelpersonen sind jedoch keinesfalls mit den regulären Politikern als den Handlungsträgern in der internationalen Politik zu verwechseln, welche schließlich nicht als Privatpersonen, sondern stets als Inhaber eines bestimmten Amts zur Vertretung ihres Staates (oder eines sonstigen (Primär)Akteurs) agieren. Vgl. zu den Internationalen Organisationen und den sekundären Akteuren oder Subjekten der internationalen Politik immerhin die jeweils knappen Hinweise von: Alexander DeConde, 1988: Seite 293; Eckart Conze, 2004: Seite 41 - 42; ders., 2007: Seite 48 - 49; Eckart Conze/Ulrich Lappenküper/Guido Müller, 2004a: Seite 3; Sven Externbrink, 2007: Seite 20. Siehe allgemein dazu unter anderem die politikwissenschaftlichen Lehrbuchbeiträge: Peter Filzmaier/Leonore Gewessler/Otmar Höll/Gerhard Mangott, 2006: Seite 42 - 44, 59 - 61, 275 - 280; Alexander Siedschlag/Anja Opitz/Jodok Troy/Anita Kuprian, 2007: Seite 91 - 113; Christopher Daase/Alexander Spencer, 2010; Andreas Nölke, 2010; Ernst-Otto Czempiel, 2012[5]: Seite 24 - 26; Ulrich Schneckener, 2012[5]. Zudem zur Theorie und Empirie der Internationalen Organisationen und der intermediären Interessengruppen der internationalen Politik: Thomas Fröschl, 1994; Volker Press, 1995; Geoffrey Jones, 1997; Clive Archer, 2001[3]; Janina Curbach, 2003; Jeremi Suri, 2005; Peter E. Fäßler, 2007: Seite 190 - 203; Ernst Baltrusch, 2008: Seite 37 - 58, 130 - 151; Madeleine Herren, 2009; Bob Reinalda, 2009; Robert Kolb, 2011; Katja Freistein/Julia Leininger, 2012; Cecelia Lynch, 2012; Anne Peters/Simone Peter, 2012; Matthias Schulz, 2012; Reinhard Wesel, 2012; Volker Rittberger/Bernhard Zangl/Andreas Kruck, 2013[4].

Besonders die sekundären Akteure werden in der Literatur häufig übergangen, obwohl es auch sie in den verschiedenen Epochen der Geschichte in beachtlicher Zahl mit mehr oder minder großem Einfluss auf die jeweiligen internationalen politischen Verhältnisse gegeben hat. Anders als bei den primären Subjekten, denen der Akteurs-Status im Kontext internationaler Politik grundsätzlich immer zuzurechnen ist, handelt es sich bei den sekundären Subjekten allerdings um lediglich potenzielle Akteure, die auf die Staatenbeziehungen (direkt oder indirekt, gewollt oder ungewollt, bewusst oder unbewusst) Einfluss nehmen können und damit politisch relevant werden können, es aber nicht zwangsläufig in jedem Fall tun und sein müssen.

V. Schlussbetrachtung

Die vorangegangenen Ausführungen haben eine konkrete und zugleich präzise Antwort darauf gegeben, was Internationale Politikgeschichte ist. Nach der Klärung ihrer angemessensten Bezeichnung und ihrer disziplinären Einordnung wurde ein Bild davon gezeichnet, womit es dieses Arbeitsfeld gegenständlich zu tun hat und welcher spezifische Zugang zur Wirklichkeit damit verbunden ist. Es geht darum, die Realität als eine Welt von ganzen Gesellschaften zu verstehen und deren Beziehungen untereinander im Zusammenhang allgemein geltender Entscheidungen in den Blick zu nehmen. Folglich sind der Monarch Alexander III. der Große (356 - 323 v. Chr.; Regent: ab 336 v. Chr.), der Regierungschef Sir Winston Spencer-Churchill (1874 - 1965), der Außenminister Wjatscheslaw Michailowitsch Molotow (1890 - 1986), der Botschafter Jules-Martin Cambon (1845 - 1935) oder der General Albrecht von Wallenstein (1583 - 1634), die Bürokraten einer Regierungskanzlei, eines Außenministeriums oder einer Botschaft, Parteien oder weltanschauliche Gruppierungen, Regierungszentralen (wie die Hofburg, das Weiße Haus oder das Kanzleramt), gar metonymische Bezeichnungen (wie ‚Hohe Pforte', ‚10 Downing Street' oder ‚Quai d'Orsay'), Regierungssitze (wie Westminster, Versailles oder Potsdam) oder Hauptstädte (wie Rom, Konstantinopel oder Peking) *nicht* die wissenschaftlich korrekten Akteure oder Subjekte der internationalen Politik.[36] Es sind hingegen tatsächlich allein die Gemeinwesen, die in ihrer Eigenschaft als gesellschaftliche Einheit gegenüber anderen Gemeinwesen in Erscheinung treten. Die internationale Politik findet *als solche* daher gerade *nicht* auf der zwischenpersonellen Mikroebene statt. Sondern der gedankliche Kontext ist hier letztlich im-

[36] Das heißt jedoch nicht, dass in Schriften oder Vorträgen nicht gewisse Synonyme (etwa die Hauptstädte oder die Regierungssitze), obwohl sie der Sache eigentlich unangemessen sind, aus *rein pragmatischen* Gründen dennoch verkraftbar sind.

mer die Makroebene zwischen den Kollektivakteuren gesamtgesellschaftlichen Umfangs.

Literatur

AGULHON, MAURICE, 1995 [1988]: *Der vagabundierende Blick. Für ein neues Verständnis politischer Geschichtsschreibung*. Übers. von Michael Bischoff, Frankfurt.

ALBRECHT, ULRICH, 1999[5]: *Internationale Politik. Einführung in das System internationaler Herrschaft*. München/Wien.

AMBROSIUS, GEROLD/PETZINA, DIETMAR/PLUMPE, WERNER (Hrsg.), 2006[2]: *Moderne Wirtschaftsgeschichte. Eine Einführung für Historiker und Ökonomen*. München.

ANDERSON, MATTHEW S., 2001 [1993]: *The Rise of Modern Diplomacy 1450 - 1919*. London/New York.

ANSPRENGER, FRANZ, 2005[3]: *Wie unsere Zukunft entstand. Ein kritischer Leitfaden zur internationalen Politik*. [Reihe Politik und Bildung. Band 34], Schwalbach.

ARCHER, CLIVE, 2001[3]: *International Organizations*. London/New York.

ARNOLD, HANS, 1997: *Diplomatie*. In: Ulrich Albrecht/Helmut Volger (Hrsg.), Lexikon der Internationalen Politik. München/Wien, Seite 107 - 109.

ASENDORF, MANFRED, 1994: *Politische Geschichte*. In: Manfred Asendorf/Jens Flemming/Achatz von Müller/Volker Ullrich, Geschichte. Lexikon der wissenschaftlichen Grundbegriffe. Reinbek, Seite 493 - 496.

BAECHLER, JEAN, 2002: *Esquisse d'une histoire universelle*. Paris.

BALTRUSCH, ERNST, 2008: *Außenpolitik, Bünde und Reichsbildung in der Antike*. [Reihe Enzyklopädie der griechisch-römischen Antike. Band 7], München.

BARRET-KRIEGEL, BLANDINE, 1973: *Histoire et politique. Ou l'histoire, science des effects*. In: Annales. Histoire, Sciences Sociales. 28 (6), Seite 1437 - 1462.

BAYLY, CHRISTOPHER A., 2008 [2004]: *Die Geburt der modernen Welt. Eine Globalgeschichte 1780 - 1940*. Übers. von Thomas Bertram/Martin Klaus, Frankfurt/New York.

BAYLY, CHRISTOPHER A., 2013 [2011]: *Geschichte und Weltgeschichte*. Übers. von Karin Schuler, in: Ulinka Rublack (Hrsg.), Die Neue Geschichte. Eine Einführung in 16 Kapiteln. Frankfurt, Seite 33 - 60.

BEER, SAMUEL H., 1970: *Political Science and History*. In: Melvin Richter (Hrsg.), Essays in Theory and History. An Approach to the Social Sciences. Cambridge, Seite 41 - 73.

BELICH, JAMES/DARWIN, JOHN/FRENZ, MARGRET/WICKHAM, CHRIS (Hrsg.), 2016: *The Prospect of Global History*. Oxford.

BELLERS, JÜRGEN, 2009: *Einführung in die internationale Politik. Methodenlehre und Überblick über Geschichte und Gegenwart zwischenstaatlicher und überstaatlicher Beziehungen*. Heilberscheid.

BENTLEY, JERRY H. (Hrsg.), 2011: *The Oxford Handbook of World History*. Oxford/New York.

BERGMANN, JÜRGEN/MEGERLE, KLAUS/STEINBACH, PETER (Hrsg.), 1979: *Geschichte als politische Wissenschaft. Sozialökonomische Ansätze, Analyse politikhistorischer Phänomene, politologische Fragestellungen in der Geschichte*. [Reihe Geschichte und Theorie der Politik. Abhandlungen aus dem Institut für Grundlagen der Politik des Fachbereichs Politische Wissenschaft der Freien Universität Berlin. Unterreihe A, Geschichte. Band 1], Stuttgart.

BERNAUER, THOMAS/JAHN, DETLEF/KUHN, PATRICK/WALTER, STEFANIE, 2015[3]: *Einführung in die Politikwissenschaft*. [Reihe Studienkurs Politikwissenschaft], Baden-Baden.

BEYME, KLAUS VON, 2006: *Die antagonistische Partnerschaft. Geschichtswissenschaft und Politikwissenschaft*. In: Jürgen Osterhammel/Dieter Langewiesche/Paul Nolte (Hrsg.), Wege der Gesellschaftsgeschichte. [Reihe Geschichte und Gesellschaft. Zeitschrift für Historische Sozialwissenschaft (GG). Sonderheft. Band 22], Göttingen, Seite 33 - 44.

BLACK, JEREMY, 2010: *A History of Diplomacy*. London.

BOGUE, ALLAN G., 1968: *United States: The ,New' Political History*. In: Journal of Contemporary History (JCH). 3 (1), Seite 5 - 27.

BOROWSKY, PETER/NICOLAYSEN, RAINER, 2007[3]: *Politische Geschichte*. In: Hans-Jürgen Goertz (Hrsg.), Geschichte. Ein Grundkurs. [Reihe Rowohlts Enzyklopädie], Reinbek, Seite 527 - 540.

BUDDE, GUNILLA/CONRAD, SEBASTIAN/JANZ, OLIVER (Hrsg.), 2006: *Transnationale Geschichte. Themen, Tendenzen und Theorien*. Göttingen.

BURK, KATHLEEN, 2000: *Britische Traditionen internationaler Geschichtsschreibung*. Übers. von Frank Bärenbrinker/Wilfried Loth, in: Wilfried Loth/Jürgen Osterhammel (Hrsg.), Internationale Geschichte. Themen - Ergebnisse - Aussichten. [Reihe Studien zur Internationalen Geschichte. Band 10], München, Seite 45 - 59.

BURKHARDT, JOHANNES, 2010: *Geschichtswissenschaftliche Perspektiven der Frühneuzeitforschung*. In: Ulrich Lappenküper/Reiner Marcowitz (Hrsg.), Macht und Recht. Völkerrecht in den internationalen Beziehungen. [Otto-von-Bismarck-Stiftung. Wissenschaftliche Reihe. Band 13], Paderborn/München/Wien/Zürich, Seite 33 - 51.

BÜSCHEL, HUBERTUS, 2011: *Internationale Geschichte als Globalgeschichte - Prämissen, Potenziale und Probleme*. In: Zeithistorische Forschungen (ZF). 8 (3), Seite 439 - 445.

BUTKEVYCH, OLGA V., 2003: *History of Ancient International Law: Challenges and Prospects*. In: Journal of the History of International Law (JHIL). 5 (2), Seite 189 - 235.

CANIS, KONRAD, 1999[2]: *Von Bismarck zur Weltpolitik. Deutsche Außenpolitik 1890 bis 1902*. [Reihe Studien zur Internationalen Geschichte. Band 3], Berlin.

CARLSNAES, WALTER/RISSE, THOMAS/SIMMONS, BETH A. (Hrsg.), 2010 [2002]: *Handbook of International Relations*. Los Angeles/London.

CHAMBERLAIN, MURIEL E., 2014 [1988]: *‚Pax Britannica'? British Foreign Policy 1789 - 1914*. [Reihe Studies in modern history], London/New York.

CLAVIN, PATRICIA, 2010: *Time, Manner, Place: Writing Modern European History in Global, Transnational and International Contexts*. In: European History Quarterly (EHQ). 40 (4), Seite 624 - 640.

COHEN, DEBORAH/O'CONNOR, MAURA (Hrsg.), 2004: *Comparison and history. Europe in cross-national perspective*. New York/London.

CONRAD, SEBASTIAN, 2002: *Doppelte Marginalisierung. Plädoyer für eine transnationale Perspektive auf die deutsche Geschichte*. In: Geschichte und Gesellschaft. Zeitschrift für Historische Sozialwissenschaft (GG). 28 (1), Seite 145 - 169.

CONRAD, SEBASTIAN, 2013: *Globalgeschichte. Eine Einführung*. München.

CONRAD, SEBASTIAN/ECKERT, ANDREAS/FREITAG, ULRIKE (Hrsg.), 2007: *Globalgeschichte. Theorien, Ansätze, Themen*. [Reihe Globalgeschichte. Band 1], Frankfurt/New York.

CONRAD, SEBASTIAN/OSTERHAMMEL, JÜRGEN (Hrsg.), 2006[2] [2004]: *Das Kaiserreich transnational. Deutschland in der Welt 1871 - 1914*. Göttingen.

CONZE, ECKART, 1998: *„Moderne Politikgeschichte". Aporien einer Kontroverse*. In: Guido Müller (Hrsg.), Deutschland und der Westen. Internationale Beziehungen im 20. Jahrhundert. Festschrift für Klaus Schwabe zum 65. Geburtstag. [Reihe Historische Mitteilungen. Im Auftrage der Ranke-Gesellschaft. Vereinigung für Geschichte im öffentlichen Leben (HMRG). Beiheft. Band 29], Stuttgart, Seite 19 - 30.

CONZE, ECKART, 2004: *Abschied von Staat und Politik? Überlegungen zur Geschichte der internationalen Politik*. In: Eckart Conze/Ulrich Lappenküper/Guido Müller (Hrsg.), Geschichte der internationalen Beziehungen. Erneuerung und Erweiterung einer historischen Disziplin. Köln/Weimar/Wien, Seite 15 - 43.

CONZE, ECKART, 2007: *Jenseits von Männern und Mächten. Geschichte der internationalen Politik als Systemgeschichte*. In: Hans-Christof Kraus/Thomas Nicklas (Hrsg.), Geschichte der Politik. Alte und Neue Wege. [Reihe Historische Zeitschrift (HZ). Beihefte (neue Folge). Band 44], München, Seite 41 - 64.

CONZE, ECKART/LAPPENKÜPER, ULRICH/MÜLLER, GUIDO, 2004a: *Einführung*. In: dies. (Hrsg.), Geschichte der internationalen Beziehungen. Erneuerung und Erweiterung einer historischen Disziplin. Köln/Weimar/Wien, Seite 1 - 14.

CONZE, ECKART/LAPPENKÜPER, ULRICH/MÜLLER, GUIDO (Hrsg.), 2004b: *Geschichte der internationalen Beziehungen. Erneuerung und Erweiterung einer historischen Disziplin.* Köln/Weimar/Wien.

COOPER, ANDREW F./HEINE, JORGE/THAKUR, RAMESH (Hrsg.), 2013: *The Oxford Handbook of Modern Diplomacy*. Oxford.

CORNELIßEN, CHRISTOPH, 2009[4]: *Politische Geschichte*. In: ders. (Hrsg.), Geschichtswissenschaften. Eine Einführung. Frankfurt, Seite 133 - 148.

CRAIG, GORDON A., 1971: *Political History*. In: Daedalus. 100 (2), Seite 323 - 338.

CRAIG, GORDON A./GEORGE, ALEXANDER L., 1984 [1983]: *Zwischen Krieg und Frieden. Konfliktlösung in Geschichte und Gegenwart*. Übers. von Karl Heinz Siber, München.

CURBACH, JANINA, 2003: *Global Governance und NGOs. Transnationale Zivilgesellschaft in internationalen Politiknetzwerken*. Opladen.

CZEMPIEL, ERNST-OTTO, 1981: *Internationale Politik. Ein Konfliktmodell.* Paderborn/München/Wien/Zürich.

CZEMPIEL, ERNST-OTTO, 1986: *Friedensstrategien. Systemwandel durch Internationale Organisationen, Demokratisierung und Wirtschaft.* Paderborn/München/Wien/Zürich.

CZEMPIEL, ERNST-OTTO, 2012[5]: *Internationale Beziehungen: Begriff, Gegenstand und Forschungsabsicht*. In: Michael Staack (Hrsg.), Einführung in die Internationale Politik. Studienbuch. München, Seite 2 – 30.

DAASE, CHRISTOPHER/SPENCER, ALEXANDER, 2010: *Terrorismus*. In: Carlo Masala/Frank Sauer/Andreas Wilhelm (Hrsg.), Handbuch der Internationalen Politik. Wiesbaden, Seite 403 - 425.

DANLEY, MARK H./SPEELMAN, PATRICK J. (Hrsg.), 2012: *The Seven Years' War. Global Views.* [Reihe History of Warfare. Band 80], Leiden/Boston.

DECONDE, ALEXANDER, 1988: *On the Nature of International History*. In: The International History Review (IHR). 10 (2), Seite 282 - 301.

DEMEL, WALTER, 2010a: *Reichs- und Staatsbildungen*. In: ders. (Hrsg.), WBG Weltgeschichte. Eine globale Geschichte von den Anfängen bis ins 21. Jahrhundert. Band 4, Entdeckungen und neue Ordnungen 1200 - 1800. Darmstadt, Seite 162 - 212.

DEMEL, WALTER, 2010b: *„Weltpolitik"*. In: ders. (Hrsg.), WBG Weltgeschichte. Eine globale Geschichte von den Anfängen bis ins 21. Jahrhundert. Band 4, Entdeckungen und neue Ordnungen 1200 bis 1800. Darmstadt, Seite 109 - 161.

DEMEL, WALTER/FRIED, JOHANNES/HEHL, ERNST-DIETER/JOCKENHÖVEL, ALBRECHT/LEHMANN, GUSTAV ADOLF/SCHMIDT-GLINTZER, HELWIG/THAMER, HANS-ULRICH (Hrsg.), 2009 - 2010: *WBG Weltgeschichte. Eine globale Geschichte von den Anfängen bis ins 21. Jahrhundert.* 6 Bände. Darmstadt.

DEUTSCH, KARL W., 1973[3] [1966[2]]: *Politische Kybernetik. Modelle und Perspektiven*. Übers. von Erwin Häckel, [Reihe Sozialwissenschaft in Theorie und Praxis], Freiburg.

DEVEREAUX, CONSTANCE/GRIFFIN, MARTIN, 2006: *International, global, transnational: Just a matter of words?* In: Eurozine. Version vom: 11.10.2006, URL: http://www.eurozine.com/pdf/2006-10-11-devereauxgriffin-en.pdf.

DOYLE, MICHAEL W., 1986: *Empires*. [Reihe Cornell Studies in Comparative History], Ithaca/London.

DUCHHARDT, HEINZ, 2004: *Politische Geschichte*. In: Michael Maurer (Hrsg.), Aufriß der Historischen Wissenschaften in sieben Bänden. Band 3, Sektoren. Stuttgart, Seite 14 - 71.

DUCHHARDT, HEINZ, 2017: *Heeren, Ranke und die Folgen: Die Entwicklung der historischen Subdisziplin „Internationale Beziehungen" in Deutschland.* In: Barbara Haider-Wilson/William D. Godsey/Wolfgang Mueller (Hrsg.), Internationale Geschichte in Theorie und Praxis. [Reihe Internationale Geschichte/International History. Band 4], Wien, Seite 333 - 347.

DÜLFFER, JOST/LOTH, WILFRIED (Hrsg.), 2012a: *Dimensionen internationaler Geschichte.* [Reihe Studien zur Internationalen Geschichte. Band 30], München.

DÜLFFER, JOST/LOTH, WILFRIED, 2012b: *Einleitung.* In: dies. (Hrsg.), Dimensionen internationaler Geschichte. [Reihe Studien zur Internationalen Geschichte. Band 30], München, Seite 1 - 8.

EASTON, DAVID, 1979 [1965]: *A Framework for Political Analysis.* Chicago/London.

EGGEL, DOMINIC, 2017: *Quo Vadis Diplomatic History? Reflections on the Past and Present of Writing the History of International Relations.* In: Barbara Haider-Wilson/William D. Godsey/Wolfgang Mueller (Hrsg.), Internationale Geschichte in Theorie und Praxis. [Reihe Internationale Geschichte/International History. Band 4], Wien, Seite 209 - 229.

EIBACH, JOACHIM, 2006[2] [2002]: *Verfassungsgeschichte als Verwaltungsgeschichte.* In: Joachim Eibach/Günther Lottes (Hrsg.), Kompass der Geschichtswissenschaft. Ein Handbuch. Göttingen, Seite 142 - 151.

ELEY, GEOFF, 1994: *Wie denken wir über Politik? Alltagsgeschichte und die Kategorie des Politischen.* Übers. von Margret Barra/Anthony Crawford, in: Berliner Geschichtswerkstatt (Hrsg.), Alltagskultur, Subjektivität und Geschichte. Zur Theorie und Praxis von Alltagsgeschichte. Münster, Seite 17 - 36.

ELMAN, COLIN/ELMAN, MIRIAM FENDIUS, 1997: *Diplomatic History and International Relations Theory. Respecting Difference and Crossing Boundaries.* In: International Security (IS). 22 (1), Seite 5 - 21.

ELMAN, COLIN/ELMAN, MIRIAM FENDIUS (Hrsg.), 2001: *Bridges and Boundaries. Historians, Political Scientists, and the Study of International Relations.* [Reihe Belfer Center for Science and International Affairs at Harvard University Studies in International Security], Cambridge/London.

ELTON, GEOFFREY R., 1970: *Political history. Principles and practice.* New York/London.

EVANS, PETER B./RUESCHEMEYER, DIETRICH/SKOCPOL, THEDA (Hrsg.), 1999 [1985]: *Bringing the State Back In.* Cambridge/New York/Melbourne/Madrid.

EXTERNBRINK, SVEN, 2007: *Internationale Politik in der Frühen Neuzeit. Stand und Perspektiven der Forschung zu Diplomatie und Staatensystem.* In: Hans-Christof Kraus/Thomas Nicklas (Hrsg.), Geschichte der Politik. Alte und Neue Wege. [Reihe Historische Zeitschrift (HZ). Beihefte (neue Folge). Band 44], München, Seite 15 - 39.

EXTERNBRINK, SVEN (Hrsg.), 2011: *Der Siebenjährige Krieg (1756 - 1763). Ein europäischer Weltkrieg im Zeitalter der Aufklärung.* Berlin.

FAHRMEIR, ANDREAS, 2006: *Von der Sozialgeschichte des Politischen zur Politikgeschichte des Sozialen? Trends und Kontexte der Politikgeschichte.* In: Gisela Miller-Kipp/Bernd Zymek (Hrsg.), Politik in der Bildungsgeschichte - Befunde, Prozesse, Diskurse. Bad Heilbrunn, Seite 19 - 34.

FÄßLER, PETER E., 2007: *Globalisierung. Ein historisches Kompendium.* Köln/Weimar/Wien.

FASSBENDER, BARDO/PETERS, ANNE (Hrsg.), 2012: *The Oxford Handbook of the History of International Law.* Oxford.

FEBVRE, LUCIEN, 1995 [1931/1946]: *Contre l'Histoire Diplomatique en Soi. Histoire ou Politique? Deux Meditations: 1930, 1945.* In: ders., Combats pour l'histoire. Hrsg. von François Laurent, Paris, Seite 61 - 69.

FELDBAUER, PETER/HAUSBERGER, BERND/LEHNERS, JEAN-PAUL (Hrsg.), 2008 - 2011: *Globalgeschichte. Die Welt 1000 - 2000.* 8 Bände, Wien.

FERDOWSI, MIR A. (Hrsg.), 2002: *Internationale Politik.* München.

FESKE, SUSANNE/ANTONCZYK, ERIC/OERDING, SIMON (Hrsg.), 2014: *Einführung in die Internationalen Beziehungen. Ein Lehrbuch.* Opladen/Berlin/Toronto.

FIELDING, STEVEN, 2007: *Looking for the ‚New Political History'.* In: Journal of Contemporary History (JCH). 42 (3), Seite 515 - 524.

FILZMAIER, PETER/GEWESSLER, LEONORE/HÖLL, OTMAR/MANGOTT, GERHARD, 2006: *Internationale Politik. Eine Einführung.* Wien.

FINNEY, PATRICK, 2005a: *Introduction: What is international history?* In: ders. (Hrsg.), Palgrave advances in international history. Basingstoke, Seite 1 - 35.

FINNEY, PATRICK (Hrsg.), 2005b: *Palgrave advances in international history.* Basingstoke.

FISCH, JÖRG, 2012: *Völkerrecht*. In: Jost Dülffer/Wilfried Loth (Hrsg.), Dimensionen internationaler Geschichte. [Reihe Studien zur Internationalen Geschichte. Band 30], München, Seite 151 - 168.

FRANÇOIS, ETIENNE/SIEGRIST, HANNES/VOGEL, JAKOB (Hrsg.), 1995: *Nation und Emotion. Deutschland und Frankreich im Vergleich. 19. und 20. Jahrhundert*. [Reihe Kritische Studien zur Geschichtswissenschaft. Band 110], Göttingen.

FRANK, ROBERT (Hrsg.), 2012: *Pour l'histoire des relations internationales*. [Reihe Le nœud gordien], Paris.

FREISTEIN, KATJA/LEININGER, JULIA (Hrsg.), 2012: *Handbuch Internationale Organisationen. Theoretische Grundlagen und Akteure*. [Reihe Lehr- und Handbücher der Politikwissenschaft], München.

FREVERT, UTE, 2005: *Neue Politikgeschichte: Konzepte und Herausforderungen*. In: Ute Frevert/Heinz-Gerhard Haupt (Hrsg.), Neue Politikgeschichte. Perspektiven einer historischen Politikforschung. [Reihe Historische Politikforschung. Band 1], Frankfurt/New York, Seite 7 - 26.

FREVERT, UTE, 2006[2] [2002]: *Neue Politikgeschichte*. In: Joachim Eibach/Günther Lottes (Hrsg.), Kompass der Geschichtswissenschaft. Ein Handbuch. Göttingen, Seite 152 - 164.

FREVERT, UTE/HAUPT, HEINZ-GERHARD (Hrsg.), 2005: *Neue Politikgeschichte. Perspektiven einer historischen Politikforschung*. [Reihe Historische Politikforschung. Band 1], Frankfurt/New York.

FRIEDEN, JEFFRY A./LAKE, DAVID A./SCHULTZ, KENNETH A., 2013[2]: *World Politics. Interests, Interactions, Institutions*. New York/London.

FRINGS, ANDREAS, 2007: *Zwischen Ökonomie und Geschichte: Ein Plädoyer für den Dialog der Politikgeschichte mit der empirisch-analytischen Politikwissenschaft*. In: Historical Social Research (HSR). 32 (4), Seite 52 - 93.

FRÖSCHL, THOMAS (Hrsg.), 1994: *Föderationsmodelle und Unionsstrukturen. Über Staatenverbindungen in der frühen Neuzeit vom 15. zum 18. Jahrhundert*. [Reihe Wiener Beiträge zur Geschichte der Neuzeit. Band 21], Wien/München.

FÜSSEL, MARIAN, 2010: *Der Siebenjährige Krieg. Ein Weltkrieg im 18. Jahrhundert*. München.

FÜSSEL, MARIAN, 2020[2]: *Der Preis des Ruhms. Eine Weltgeschichte des Siebenjährigen Krieges 1756 - 1763*. München.

GAL, MICHAEL, 2015: *Der Staat in historischer Sicht. Zum Problem der Staatlichkeit in der Frühen Neuzeit*. In: Der Staat. Zeitschrift für Staatslehre und Verfassungsgeschichte, deutsches und europäisches öffentliches Recht. 54 (2), Seite 241 - 266.

GAL, MICHAEL, 2017: *Internationale Politikgeschichte. Alte und neue Wege*. In: Archiv für Kulturgeschichte (AKG). 99 (1), Seite 157 - 198.

GALTUNG, JOHAN, 2000 [1999]: *Welt-, Global-, Universalgeschichte und die gegenwärtige Historiographie*. Übers. von Gerhard K. Schmidt, in: Zeitschrift für Weltgeschichte. Interdisziplinäre Perspektiven (ZWG). 1 (1), Seite 9 - 34.

GASSERT, PHILIPP, 2012[2]: *Transnationale Geschichte*. In: Docupedia-Zeitgeschichte. Begriffe, Methoden und Debatten der zeithistorischen Forschung. Version vom: 29.10.2012, URL: http://docupedia.de/docupedia/images/9/9b/Transnationale_Geschichte_Version_2.0_Philipp_Gassert.pdf.

GAURIER, DOMINIQUE, 2005: *Histoire du droit international. Auteurs, doctrines et développement de l'Antiquité à l'aube de la période contemporaine*. [Reihe Collection Didact Droit], Rennes.

GERBORE, PIETRO, 1964: *Formen und Stile der Diplomatie*. [Reihe Rowohlts deutsche Enzyklopädie. Band 211/212], Reinbek.

GIENOW-HECHT, JESSICA C. E./SCHUMACHER, FRANK (Hrsg.), 2003: *Culture and International History*. [Explorations in Culture and International History Series], New York/Oxford.

GILLS, BARRY K./THOMPSON WILLIAM R. (Hrsg.), 2008 [2006]: *Globalization and Global History*. [Reihe Rethinking globalizations. Band 2], London/New York.

GRÄF, HOLGER T., 2000: *Funktionsweisen und Träger internationaler Politik in der Frühen Neuzeit.* In: Jens Siegelberg/Klaus Schlichte (Hrsg.), Strukturwandel internationaler Beziehungen. Zum Verhältnis von Staat und internationalem System seit dem Westfälischen Frieden. Wiesbaden, Seite 105 - 123.

GRANDNER, MARGARETE/ROTHERMUND, DIETMAR/SCHWENTKER, WOLFGANG (Hrsg.), 2005: *Globalisierung und Globalgeschichte.* [Reihe Globalgeschichte und Entwicklungspolitik. Band 1], Wien.

GREWE, WILHELM G., 1988[2] [1984]: *Epochen der Völkerrechtsgeschichte.* Baden-Baden.

HABER, STEPHEN H./KENNEDY, DAVID M./KRASNER, STEPHEN D., 1997: *Brothers under the Skin. Diplomatic History and International Relations.* In: International Security (IS). 22 (1), Seite 34 - 43.

HAIDER-WILSON, BARBARA/GODSEY, WILLIAM D./MUELLER, WOLFGANG (Hrsg.), 2017: *Internationale Geschichte in Theorie und Praxis.* [Reihe Internationale Geschichte/International History. Band 4], Wien.

HARTMANN, JÜRGEN, 2009[2]: *Internationale Beziehungen.* Wiesbaden.

HAUPT, HEINZ-GERHARD/KOCKA, JÜRGEN (Hrsg.), 1996: *Geschichte und Vergleich. Ansätze und Ergebnisse international vergleichender Geschichtsschreibung.* Frankfurt/New York.

HEBEL, UDO J. (Hrsg.), 2012: *Transnational American Studies.* [Reihe American Studies. Band 222], Heidelberg.

HERREN, MADELEINE, 2009: *Internationale Organisationen seit 1865. Eine Globalgeschichte der internationalen Ordnung.* [Reihe Geschichte kompakt], Darmstadt.

HILDEBRAND, KLAUS, 1976: *Geschichte oder „Gesellschaftsgeschichte"? Die Notwendigkeit einer Politischen Geschichtsschreibung von den internationalen Beziehungen.* In: Historische Zeitschrift (HZ). 223 (2), Seite 328 - 357.

HILDEBRAND, KLAUS, 2008[2]: *Das vergangene Reich. Deutsche Außenpolitik von Bismarck bis Hitler 1871 - 1945.* München.

HILLGRUBER, ANDREAS, 1970: *Gedanken zu einer politischen Geschichte moderner Prägung.* In: Freiburger Universitätsblätter. 9 (30), Seite 33 - 43.

HILLGRUBER, ANDREAS, 1973: *Politische Geschichte in moderner Sicht.* In: Historische Zeitschrift (HZ). 216 (3), Seite 529 - 552.

HILLGRUBER, ANDREAS, 1976: *Methodologie und Theorie der Geschichte der Internationalen Beziehungen.* In: Geschichte in Wissenschaft und Unterricht (GWU). 27 (4), Seite 193 - 210.

HILLGRUBER, ANDREAS, 1979[2] [1977]: *Deutsche Großmacht- und Weltpolitik im 19. und 20. Jahrhundert.* Düsseldorf.

HOBE, STEPHAN, 2008[9]: *Einführung in das Völkerrecht.* Tübingen/Basel.

HOCHEDLINGER, MICHAEL, 1998: *Die Frühneuzeitforschung und die „Geschichte der internationalen Beziehungen". Oder: Was ist aus dem „Primat der Außenpolitik" geworden?* In: Mitteilungen des Instituts für Österreichische Geschichtsforschung (MIÖG). 106 (3/4), Seite 167 - 179.

HOLSTI, KALEVI J., 1991: *Peace and war: Armed conflicts and international order 1648 - 1989.* [Reihe Cambridge Studies in International Relations. Band 14], Cambridge/New York/Port Chester/Melbourne/Sydney.

HUECK, INGO J., 2000: *Völkerrechtsgeschichte: Hauptrichtungen, Tendenzen, Perspektiven.* In: Wilfried Loth/Jürgen Osterhammel (Hrsg.), Internationale Geschichte. Themen - Ergebnisse - Aussichten. [Reihe Studien zur Internationalen Geschichte. Band 10], München, Seite 267 - 285.

HUECK, INGO J., 2001: *The Discipline of the History of International Law - New Trends and Methods on the History of International Law.* In: Journal of the History of International Law (JHIL). 3 (2), Seite 194 - 217.

HUNT, MICHAEL H., 2000 [1992]: *Die lange Krise der amerikanischen Diplomatiegeschichte und ihr Ende.* Übers. von Corinna Steinert/Wilfried Loth, in: Wilfried Loth/Jürgen Osterhammel (Hrsg.), Internationale Geschichte. Themen - Ergebnisse - Aussichten. [Reihe Studien zur Internationalen Geschichte. Band 10], München, Seite 61 - 90.

IKENBERRY, G. JOHN, 2001: *After Victory. Institutions, Strategic Restraint, and the Rebuilding of Order after Major Wars.* [Reihe Princeton Studies in International History and Politics], Princeton/Oxford.

IRIYE, AKIRA, 2004a [2002]: *Global Community. The Role of International Organizations in the Making of the Contemporary World.* Berkeley/Los Angeles/London.

IRIYE, AKIRA, 2004b: *Nationale Geschichte, Internationale Geschichte, Globale Geschichte.* Übers. von Karen Riechert, in: Manfred Berg/Philipp Gassert (Hrsg.), Deutschland und die USA in der Internationalen Geschichte des 20. Jahrhunderts. Festschrift für Detlef Junker. [Reihe Transatlantische Historische Studien. Band 18], Stuttgart, Seite 21 - 39.

IRIYE, AKIRA, 2007[2] [2004[2]]: *Culture and International History.* In: Michael J. Hogan/Thomas G. Paterson (Hrsg.), Explaining the History of American Foreign Relations. Cambridge/New York/Melbourne/Madrid/Cape Town/Singapore/São Paulo/Delhi, Seite 241 - 256.

JENSEN, RICHARD, 1969: *History and the Political Scientist.* In: Seymour Martin Lipset (Hrsg.), Politics and the Social Sciences. New York, Seite 1 - 28.

JONES, GEOFFREY (Hrsg.), 1997 [1993]: *Transnational Corporations. A Historical Perspective.* [Reihe United Nations Library on Transnational Corporations. Band 2], London/New York.

JUCKER, MICHAEL, 2011: *Mittelalterliches Völkerrecht als Problem: Befunde, Methoden, Desiderate.* In: Michael Jucker/Martin Kintzinger/Rainer C. Schwinges (Hrsg.), Rechtsformen internationaler Politik. Theorie, Norm und Praxis vom 12. bis 18. Jahrhundert. [Reihe Zeitschrift für Historische Forschung. Vierteljahresschrift zur Erforschung des Spätmittelalters und der frühen Neuzeit (ZHF). Beiheft. Band 45], Berlin, Seite 27 - 46.

JULLIARD, JACQUES, 1986 [1974]: *La politique.* In: Jacques Le Goff/Pierre Nora (Hrsg.), Faire de l'histoire. Band 2, Nouvelles approaches. [Reihe Collection folio. Histoire. Band 17], La Flèche, Seite 305 - 332.

JUNKER, BEAT/GILG, PETER/REICH, RICHARD (Hrsg.), 1975: *Geschichte und Politische Wissenschaft. Festschrift für Erich Gruner zum 60. Geburtstag.* Bern.

KAELBLE, HARTMUT, 1999: *Der historische Vergleich. Eine Einführung zum 19. und 20. Jahrhundert.* Frankfurt/New York.

KAELBLE, HARTMUT, 2004: *Transnationalität aus der Sicht eines Sozialhistorikers. Ein Essay.* In: Eckart Conze/Ulrich Lappenküper/Guido Müller (Hrsg.), Geschichte der internationalen Beziehungen. Erneuerung und Erweiterung einer historischen Disziplin. Köln/Weimar/Wien, Seite 277 - 292.

KAISER, KARL/SCHWARZ, HANS-PETER (Hrsg.), 1986[2]: *Weltpolitik. Strukturen - Akteure - Perspektiven.* [Reihe Schriften des Forschungsinstituts der Deutschen Gesellschaft für Auswärtige Politik, Bonn], Stuttgart.

KAISER, WOLFRAM, 1998: *Globalisierung und Geschichte. Einige methodische Überlegungen zur Zeitgeschichtsschreibung der internationalen Beziehungen.* In: Guido Müller (Hrsg.), Deutschland und der Westen. Internationale Beziehungen im 20. Jahrhundert. Festschrift für Klaus Schwabe zum 65. Geburtstag. [Reihe Historische Mitteilungen. Im Auftrage der Ranke-Gesellschaft. Vereinigung für Geschichte im öffentlichen Leben (HMRG). Beiheft. Band 29], Stuttgart, Seite 31 - 48.

KENNEDY-PIPE, CAROLINE, 2000: *International History and International Relations theory: A dialogue beyond the Cold War.* In: International Affairs (IA). 76 (4), Seite 741 - 754.

KEOHANE, ROBERT O./NYE, JOSEPH S. (Hrsg.), 1973 [1970]: *Transnational Relations and World Politics.* Cambridge.

KERNIC, FRANZ, 2007: *Die Außenbeziehungen der Europäischen Union. Eine Einführung.* Frankfurt/Berlin/Bern/Bruxelles/New York/Oxford/Wien.

KIEßLING, FRIEDRICH, 2002: *Der „Dialog der Taubstummen" ist vorbei. Neue Ansätze in der Geschichte der internationalen Beziehungen des 19. und 20. Jahrhunderts.* In: Historische Zeitschrift (HZ). 275 (3), Seite 651 - 680.

KINDERMANN, GOTTFRIED-KARL (Hrsg.), 1991[4] [1986[3]]: *Grundelemente der Weltpolitik.* München/Zürich.

KINDERMANN, GOTTFRIED-KARL, 2001: *Der Aufstieg Ostasiens in der Weltpolitik 1840 – 2000.* Stuttgart/München.

KINTZINGER, MARTIN, 2011: *Thinking International Law in Late Medieval Europe.* In: Thilo Marauhn/Heinhard Steiger (Hrsg.), Universality and Continuity in International Law. Den Haag/Portland, Seite 311 – 322.

KLEINSCHMIDT, HARALD, 1998: *Geschichte der internationalen Beziehungen. Ein systemgeschichtlicher Abriß.* Stuttgart.

KLEINSCHMIDT, HARALD, 2013: *Geschichte des Völkerrechts in Krieg und Frieden.* Tübingen.

KNUTSEN, TORBJØRN L., 1999: *The rise and fall of world orders.* Manchester/New York.

KÖHLER, MATTHIAS, 2011: *Strategie und Symbolik. Verhandeln auf dem Kongress von Nimwegen.* [Reihe Externa. Geschichte der Außenbeziehungen in neuen Perspektiven. Band 3], Köln/Weimar/Wien.

KOLB, ROBERT, 2011: *International Organizations or Institutions, History of.* In: Max Planck Encyclopedia of Public International Law. Version von: Januar 2011, URL: http://opil.ouplaw.com.

KOMLOSY, ANDREA, 2011: *Globalgeschichte. Methoden und Theorien.* Wien/Köln/Weimar.

KÖNIG, HANS-JOACHIM, 2009[2]: *Kleine Geschichte Lateinamerikas.* Stuttgart.

KOSKENNIEMI, MARTTI, 2004: *Why History of International Law Today?* In: Rechtsgeschichte. Zeitschrift des Max-Planck-Instituts für europäische Rechtsgeschichte (Rg). 4, Seite 61 – 66.

KOTT, SANDRINE, 2011: *International Organizations – A Field of Research for a Global History.* In: Zeithistorische Forschungen (ZF). 8 (3), Seite 446 – 450.

KOUSSER, J. MORGAN, 1976: *The „New Political History": A Methodological Critique.* In: Reviews in American History (RAH). 4 (1), Seite 1 – 14.

KRAUS, HANS-CHRISTOF/NICKLAS, THOMAS (Hrsg.), 2007: *Geschichte der Politik. Alte und Neue Wege.* [Reihe Historische Zeitschrift (HZ). Beihefte (neue Folge). Band 44], München.

KRAUSS, MARITA, 2004: *Migration, Assimilierung, Hybridität. Von individuellen Problemlösungsstrategien zu transnationalen Gesellschaftsbeziehungen.* In: Eckart Conze/Ulrich Lappenküper/Guido Müller (Hrsg.), Geschichte der internationalen Beziehungen. Erneuerung und Erweiterung einer historischen Disziplin. Köln/Weimar/Wien, Seite 259 – 276.

KREKELER, HEINZ L., 1965: *Die Diplomatie.* [Reihe Geschichte und Staat. Band 110/111], München/Wien.

KRIEGER, MARTIN, 2004: *„Transnationalität" in vornationaler Zeit? Ein Plädoyer für eine erweiterte Gesellschaftsgeschichte der Frühen Neuzeit.* In: Geschichte und Gesellschaft. Zeitschrift für Historische Sozialwissenschaft (GG). 30 (1), Seite 125 – 136.

KRIPPENDORFF, EKKEHART, 1963: *Ist Außenpolitik Außenpolitik? Ein Beitrag zur Theorie und der Versuch, eine unhaltbare Unterscheidung aufzuheben.* In: Politische Vierteljahresschrift (PVS). 4 (3), Seite 243 – 266.

KRONENBITTER, GÜNTHER, 2006: *Staaten, Nationen und Internationale Beziehungen als Bezugspunkte historischer Forschung.* In: Andreas Wirsching (Hrsg.), Neueste Zeit. [Oldenbourg Geschichte Lehrbuch. Band 4], München, Seite 177 – 194.

KRÜGER, PETER, 1991: *Internationale Systeme als Forschungsaufgabe.* In: ders. (Hrsg.), Kontinuität und Wandel in der Staatenordnung der Neuzeit. Beiträge zur Geschichte des internationalen Systems. [Reihe Marburger Studien zur neueren Geschichte. Band 1], Marburg, Seite 9 – 18.

KUGELER, HEIDRUN/SEPP, CHRISTIAN/WOLF, GEORG (Hrsg.), 2006: *Internationale Beziehungen in der Frühen Neuzeit. Ansätze und Perspektiven.* [Reihe Wirklichkeit und Wahrnehmung in der Frühen Neuzeit. Band 3], Hamburg.

KÜHNE, THOMAS, 1998: *Staatspolitik, Frauenpolitik, Männerpolitik: Politikgeschichte als Geschlechtergeschichte.* In: Hans Medick/Anne-Charlott Trepp (Hrsg.), Geschlechtergeschichte und Allgemeine Geschichte. Herausforderungen und Perspektiven. [Reihe Göttinger Gespräche zur Geschichtswissenschaft. Band 5], Göttingen, Seite 171 – 231.

LANDWEHR, ACHIM, 2003: *Diskurs - Macht - Wissen. Perspektiven einer Kulturgeschichte des Politischen*. In: Archiv für Kulturgeschichte (AKG). 85 (1), Seite 71 - 117.

LANGEWIESCHE, DIETER, 1986: *Sozialgeschichte und Politische Geschichte*. In: Wolfgang Schieder/Volker Sellin (Hrsg.), Sozialgeschichte in Deutschland. Entwicklungen und Perspektiven im internationalen Zusammenhang. Band 1, Die Sozialgeschichte innerhalb der Geschichtswissenschaft. Göttingen, Seite 9 - 32.

LAPPENKÜPER, ULRICH, 1998: *Morgenluft für die Internationalen Beziehungen in der Geschichtswissenschaft*. In: Neue Politische Literatur. Berichte über das internationale Schrifttum (NPL). 43 (3), Seite 368 - 373.

LAPPENKÜPER, ULRICH/MARCOWITZ, REINER (Hrsg.), 2010: *Macht und Recht. Völkerrecht in den internationalen Beziehungen*. [Otto-von-Bismarck-Stiftung. Wissenschaftliche Reihe. Band 13], Paderborn/München/Wien/Zürich.

LE GOFF, JACQUES, 1990 [1971]: *Ist Politik noch immer das Rückgrat der Geschichte?* In: ders., Phantasie und Realität des Mittelalters. Übers. von Rita Höner, Stuttgart, Seite 339 - 352.

LEFF, MARK H., 1995: *Revisioning U.S. Political History*. In: The American Historical Review (AHR). 100 (3), Seite 829 - 853.

LEFFLER, MELVYN P., 1995: *New Approaches, Old Interpretations, and Prospective Reconfigurations*. In: Diplomatic History (DH). 19 (2), Seite 173 - 196.

LEGOHEREL, HENRI, 1996: *Histoire du droit international public*. [Reihe Que sais-je?], Paris.

LEHMKUHL, URSULA, 1999: *Pax Anglo-Americana. Machtstrukturelle Grundlagen anglo-amerikanischer Asien- und Fernostpolitik in den 1950er Jahren*. [Reihe Studien zur Internationalen Geschichte. Band 7], München.

LEHMKUHL, URSULA, 2001: *Diplomatiegeschichte als internationale Kulturgeschichte: Theoretische Ansätze und empirische Forschung zwischen Historischer Kulturwissenschaft und Soziologischem Institutionalismus*. In: Geschichte und Gesellschaft. Zeitschrift für Historische Sozialwissenschaft (GG). 27 (3), Seite 394 - 423.

LEMKE, CHRISTIANE, 2012[3]: *Internationale Beziehungen. Grundkonzepte, Theorien und Problemfelder*. [Lehr- und Handbücher der Politikwissenschaft], München.

LEVY, JACK S., 1983: *War in the Modern Great Power System, 1495 - 1975*. Lexington.

LEVY, JACK S., 1997: *Too Important to Leave to the Other. History and Political Science in the Study of International Relations*. In: International Security (IS). 22 (1), Seite 22 - 33.

LINK, WERNER, 1978: *Deutsche und amerikanische Gewerkschaften und Geschäftsleute 1945 - 1975. Eine Studie über transnationale Beziehungen*. Düsseldorf.

LIST, MARTIN, 2006: *Internationale Politik studieren. Eine Einführung*. Wiesbaden.

LÖHR, ISABELLA, 2008: *Wozu Globalgeschichte? Eine akteurs- und organisationsgeschichtliche Perspektive*. In: Historische Mitteilungen. Im Auftrage der Ranke-Gesellschaft. Vereinigung für Geschichte im öffentlichen Leben (HMRG). 21, Seite 118 - 123.

LOTH, WILFRIED, 2000: *Einleitung*. In: Wilfried Loth/Jürgen Osterhammel (Hrsg.), Internationale Geschichte. Themen - Ergebnisse - Aussichten. [Reihe Studien zur Internationalen Geschichte. Band 10], München, Seite VII - XIV.

LOTH, WILFRIED/OSTERHAMMEL, JÜRGEN (Hrsg.), 2000: *Internationale Geschichte. Themen - Ergebnisse - Aussichten*. [Reihe Studien zur Internationalen Geschichte. Band 10], München.

LUHMANN, NIKLAS, 2002 [2000 posthum]: *Die Politik der Gesellschaft*. Hrsg. von André Kieserling, [Theorie der Gesellschaft. Band 5], Darmstadt.

LYNCH, CECELIA, 2012: *Peace Movements, Civil Society, and the Development of International Law*. In: Bardo Fassbender/Anne Peters (Hrsg.), The Oxford Handbook of the History of International Law. Oxford, Seite 198 - 221.

MAIER, CHARLES S., 1982 [1980]: *Marking Time: The Historiography of International Relations*. In: Michael Kammen (Hrsg.), The Past before Us. Contemporary Historical Writing in the United States. Ithaca/London, Seite 355 - 387.

MARCOWITZ, REINER, 2005: *Von der Diplomatiegeschichte zur Geschichte der internationalen Beziehungen. Methoden, Themen, Perspektiven einer historischen Teildisziplin*. In: Francia. Forschungen zur westeuropäischen Geschichte. 32 (3), Seite 75 - 100.

MARX, JOHANNES, 2007: *Geschichtswissenschaft und Politikwissenschaft - Eine fruchtbare Beziehung? Eine Untersuchung anhand der Teildisziplinen Internationale Geschichte und Internationale Beziehungen*. In: Historical Social Research (HSR). 32 (4), Seite 21 - 51.

MARX, JOHANNES/FRINGS, ANDREAS, 2007: *Neue Politische Ökonomie in der Geschichte: Vom Dialog der Taubstummen zum interdisziplinären Gespräch*. In: Historical Social Research (HSR). 32 (4), Seite 7 - 17.

MASALA, CARLO/SAUER, FRANK/WILHELM, ANDREAS (Hrsg.), 2010: *Handbuch der Internationalen Politik*. Wiesbaden.

MAZLISH, BRUCE, 2002: *Die neue Globalgeschichte*. Übers. von Hans-Heinrich Nolte, in: Zeitschrift für Weltgeschichte. Interdisziplinäre Perspektiven (ZWG). 3 (1), Seite 9 - 22.

MENZEL, ULRICH, 2015: *Die Ordnung der Welt. Imperium oder Hegemonie in der Hierarchie der Staatenwelt*. Berlin.

MERGEL, THOMAS, 2002: *Überlegungen zu einer Kulturgeschichte der Politik*. In: Geschichte und Gesellschaft. Zeitschrift für Historische Sozialwissenschaft (GG). 28 (4), Seite 574 - 606.

MERGEL, THOMAS, 2012[2]: *Kulturgeschichte der Politik*. In: Docupedia-Zeitgeschichte. Begriffe, Methoden und Debatten der zeithistorischen Forschung. Version vom: 22.10.2012, URL:
http://docupedia.de/docupedia/images/8/8d/Kulturgeschichte_der_Politik_Version_2.0_Thomas_Mergel.pdf.

METZLER, GABRIELE, 1997: *Großbritannien - Weltmacht in Europa. Handelspolitik im Wandel des europäischen Staatensystems 1856 bis 1871*. [Reihe Studien zur Internationalen Geschichte. Band 4], Berlin.

MEYER, THOMAS, 2010[3]: *Was ist Politik?* Wiesbaden.

MIDDELL, MATTHIAS, 2005: *Universalgeschichte, Weltgeschichte, Globalgeschichte, Geschichte der Globalisierung - Ein Streit um Worte?* In: Margarete Grandner/Dietmar Rothermund/Wolfgang Schwentker (Hrsg.), Globalisierung und Globalgeschichte. [Reihe Globalgeschichte und Entwicklungspolitik. Band 1], Wien, Seite 60 - 82.

MOLLIN, GERHARD T., 2000: *Internationale Beziehungen als Gegenstand der deutschen Neuzeit-Historiographie seit dem 18. Jahrhundert. Eine Traditionskritik in Grundzügen und Beispielen*. In: Wilfried Loth/Jürgen Osterhammel (Hrsg.), Internationale Geschichte. Themen - Ergebnisse - Aussichten. [Reihe Studien zur Internationalen Geschichte. Band 10], München, Seite 3 - 30.

MOMMSEN, HANS, 1962: *Zum Verhältnis von Politischer Wissenschaft und Geschichtswissenschaft in Deutschland*. In: Vierteljahrshefte für Zeitgeschichte (VfZ). 10 (4), Seite 341 - 372.

MOMMSEN, HANS, 1997[5]: *Politische Geschichte*. In: Klaus Bergmann/Klaus Fröhlich/Annette Kuhn/Jörn Rüsen/Gerhard Schneider (Hrsg.), Handbuch der Geschichtsdidaktik. Seelze-Velber, Seite 197 - 200.

MOMMSEN, WOLFGANG J., 1992: *Geschichte und Geschichten: Über die Möglichkeiten und Grenzen der Universalgeschichtsschreibung*. In: Saeculum. Jahrbuch für Universalgeschichte. 43 (1), Seite 124 - 135.

MOORE, ROBERT I., 2002 [1997]: *World History*. In: Michael Bentley (Hrsg.), Companion to Historiography. London/New York, Seite 941 - 959.

MÜNKLER, HERFRIED, 2005 [2004]: *Staatengemeinschaft oder Imperium - Alternative Ordnungsmodelle bei der Gestaltung von „Weltinnenpolitik"*. In: Sabine Jaberg/Peter Schlotter (Hrsg.), Imperiale Weltordnung - Trend des 21. Jahrhunderts? [Reihe AFK-Friedensschriften. Band 32], Baden-Baden, Seite 43 - 59.

MÜNKLER, HERFRIED, 2013 [2005]: *Imperien. Die Logik der Weltherrschaft - Vom Alten Rom bis zu den Vereinigten Staaten*. Köln.

NAWPARWAR, MANAZHA, 2009: *Die Außenbeziehungen der Europäischen Union zu internationalen Organisationen nach dem Vertrag von Lissabon*. [Reihe Beiträge zum Europa- und Völkerrecht. Heft 4], Halle.

NICKLAS, THOMAS, 2004: *Macht – Politik – Diskurs. Möglichkeiten und Grenzen einer Politischen Kulturgeschichte*. In: Archiv für Kulturgeschichte (AKG). 86 (1), Seite 1 – 25.

NÖLKE, ANDREAS, 2010: *Transnationale Akteure*. In: Carlo Masala/Frank Sauer/Andreas Wilhelm (Hrsg.), Handbuch der Internationalen Politik. Wiesbaden, Seite 395 – 402.

NÖLKE, ANDREAS, 2012³: *Supranationalismus*. In: Hans-Jürgen Bieling/Marika Lerch (Hrsg.), Theorien der europäischen Integration. Wiesbaden, Seite 121 – 139.

NOLTE, HANS-HEINRICH, 2005: *Weltgeschichte. Imperien, Religionen und Systeme 15. – 19. Jahrhundert*. Wien/Köln/Weimar.

NOLTE, HANS-HEINRICH, 2009: *Weltgeschichte des 20. Jahrhunderts*. Wien/Köln/Weimar.

OLSHAUSEN, ECKART (Hrsg.), 1979: *Antike Diplomatie*. [Reihe Wege der Forschung. Band 462], Darmstadt.

OSTERHAMMEL, JÜRGEN, 2000: *Internationale Geschichte, Globalisierung und die Pluralität der Kulturen*. In: Wilfried Loth/Jürgen Osterhammel (Hrsg.), Internationale Geschichte. Themen – Ergebnisse – Aussichten. [Reihe Studien zur Internationalen Geschichte. Band 10], München, Seite 387 – 408.

OSTERHAMMEL, JÜRGEN, 2001a [1996]: *Transkulturell vergleichende Geschichtswissenschaft*. In: ders., Geschichtswissenschaft jenseits des Nationalstaats. Studien zu Beziehungsgeschichte und Zivilisationsvergleich. [Reihe Kritische Studien zur Geschichtswissenschaft. Band 147], Göttingen, Seite 11 – 45.

OSTERHAMMEL, JÜRGEN, 2001b: *Transnationale Gesellschaftsgeschichte: Erweiterung oder Alternative?* In: Geschichte und Gesellschaft. Zeitschrift für Historische Sozialwissenschaft (GG). 27 (3), Seite 464 – 479.

OSTERHAMMEL, JÜRGEN, 2005: *„Weltgeschichte": Ein Propädeutikum*. In: Geschichte in Wissenschaft und Unterricht (GWU). 56 (9), Seite 452 – 479.

OSTERHAMMEL, JÜRGEN, 2007³: *Globalgeschichte*. In: Hans-Jürgen Goertz (Hrsg.), Geschichte. Ein Grundkurs. [Reihe Rowohlts Enzyklopädie], Reinbek, Seite 592 – 610.

OSTERHAMMEL, JÜRGEN (Hrsg.), 2008: *Weltgeschichte*. [Reihe Basistexte Geschichte. Band 4], Stuttgart.

OSTERHAMMEL, JÜRGEN, 2010 [2002]: *Weltgeschichte*. In: Stefan Jordan (Hrsg.), Lexikon Geschichtswissenschaft. Hundert Grundbegriffe. Stuttgart, Seite 320 – 325.

OSTERHAMMEL, JÜRGEN, 2011 [2009]: *Die Verwandlung der Welt. Eine Geschichte des 19. Jahrhunderts*. [Reihe Historische Bibliothek der Gerda Henkel Stiftung], München.

OTTE, THOMAS G., 2005: *Diplomacy and decision-making*. In: Patrick Finney (Hrsg.), Palgrave advances in international history. Basingstoke, Seite 36 – 57.

PAECH, NORMAN/STUBY, GERHARD, 2013²: *Völkerrecht und Machtpolitik in den internationalen Beziehungen*. Hamburg.

PAHLOW, LOUIS (Hrsg.), 2005: *Die zeitliche Dimension des Rechts. Historische Rechtsforschung und geschichtliche Rechtswissenschaft*. [Reihe Rechts- und Staatswissenschaftliche Veröffentlichungen der Görres-Gesellschaft (neue Folge). Band 112], Paderborn/München/Wien/Zürich.

PATEL, KIRAN KLAUS, 2004: *Überlegungen zu einer transnationalen Geschichte*. In: Zeitschrift für Geschichtswissenschaft (ZfG). 52 (7), Seite 626 – 645.

PATEL, KIRAN KLAUS, 2010: *Transnationale Geschichte*. In: Europäische Geschichte Online. Version vom: 03.12.2010, URL: http://ieg-ego.eu/de/threads/theorien-und-methoden/transnationale-geschichte/klaus-kiran-patel-transnationale-geschichte.

PATZELT, WERNER J., 2007: *Plädoyer für eine Rehistorisierung der Sozialwissenschaften*. In: ders. (Hrsg.), Evolutorischer Institutionalismus. Theorie und exemplarische Studien zu Evolution, Institutionalität und Geschichtlichkeit. [Reihe Politikwissenschaftliche Theorie. Band 3], Würzburg, Seite 237 – 283.

PATZELT, WERNER J., 2013⁷: *Einführung in die Politikwissenschaft. Grundriss des Faches und studiumbegleitende Orientierung*. Passau.

PAULMANN, JOHANNES, 1998: *Internationaler Vergleich und interkultureller Transfer. Zwei Forschungsansätze zur europäischen Geschichte des 18. bis 20. Jahrhunderts.* In: Historische Zeitschrift (HZ). 267 (3), Seite 649 - 685.

PAULMANN, JOHANNES, 2004: *Grenzüberschreitungen und Grenzräume. Überlegungen zur Geschichte transnationaler Beziehungen von der Mitte des 19. Jahrhunderts bis in die Zeitgeschichte. Gerhard A. Ritter zum 75. Geburtstag.* In: Eckart Conze/Ulrich Lappenküper/Guido Müller (Hrsg.), Geschichte der internationalen Beziehungen. Erneuerung und Erweiterung einer historischen Disziplin. Köln/Weimar/Wien, Seite 169 - 196.

PAULMANN, JOHANNES, 2012: *Diplomatie.* In: Jost Dülffer/Wilfried Loth (Hrsg.), Dimensionen internationaler Geschichte. [Reihe Studien zur Internationalen Geschichte. Band 30], München, Seite 47 - 64.

PAYK, MARCUS M., 2012: *Institutionalisierung und Verrechtlichung. Die Geschichte des Völkerrechts im späten 19. und frühen 20. Jahrhundert.* In: Archiv für Sozialgeschichte (AfS). 52, Seite 861 - 883.

PEDERSEN, SUSAN, 2002: *What is Political History Now?* In: David Cannadine (Hrsg.), What is History Now? Basingstoke/New York, Seite 36 - 56.

PERNAU, MARGRIT, 2011: *Transnationale Geschichte.* [Reihe Grundkurs Neue Geschichte], Göttingen/Oakville.

PETERS, ANNE/PETER, SIMONE, 2012: *International Organizations: Between Technocracy and Democracy.* In: Bardo Fassbender/Anne Peters (Hrsg.), The Oxford Handbook of the History of International Law. Oxford, Seite 170 - 197.

PREISER, WOLFGANG, 1964: *Die Völkerrechtsgeschichte. Ihre Aufgaben und ihre Methode.* [Reihe Sitzungsberichte der Wissenschaftlichen Gesellschaft an der Johann Wolfgang Goethe-Universität Frankfurt am Main. Band 2, Nummer 2], Wiesbaden.

PREISER, WOLFGANG, 2007 [posthum]: *History of International Law, Basic Questions and Principles.* In: Max Planck Encyclopedia of Public International Law. Version von: September 2007, URL: http://opil.ouplaw.com.

PRESS, VOLKER (Hrsg.), 1995: *Alternativen zur Reichsverfassung in der Frühen Neuzeit?* [Reihe Schriften des Historischen Kollegs. Kolloquien. Band 23], München.

RANDLE, ROBERT F., 1973: *The Origins of Peace. A Study of Peacemaking and the Structure of Peace Settlements.* New York/London.

RAPHAEL, LUTZ, 2010²: *Geschichtswissenschaft im Zeitalter der Extreme. Theorien, Methoden, Tendenzen von 1900 bis zur Gegenwart.* München.

REICHARDT, WOLFGANG, 1995: *Föderalismus.* In: Dieter Nohler/Rainer-Olaf Schultze (Hrsg.), Lexikon der Politik. Band 1, Politische Theorien. München, Seite 102 - 110.

REINALDA, BOB, 2009: *Routledge History of International Organizations. From 1815 to the present day.* London/New York.

REINHARD, WOLFGANG, 2001: *Was ist europäische politische Kultur? Versuch zur Begründung einer politischen Historischen Anthropologie.* In: Geschichte und Gesellschaft. Zeitschrift für Historische Sozialwissenschaft (GG). 27 (4), Seite 593 - 616.

REINHARD, WOLFGANG, 2012: *Globalgeschichte oder Weltgeschichte?* In: Historische Zeitschrift (HZ). 294 (2), Seite 427 - 438.

REMOND, RENE (Hrsg.), 1988: *Pour une histoire politique.* [Reihe L'univers historique], Paris.

RENAUT, MARIE-HELENE, 2007: *Histoire du droit international public.* [Reihe Mise au point], Paris.

RENOUVIN, PIERRE/DUROSELLE, JEAN-BAPTISTE, 1991⁴: *Introduction à l'histoire des relations internationales.* Paris.

REUS-SMIT, CHRISTIAN/SNIDAL, DUNCAN (Hrsg.), 2010 [2008]: *The Oxford Handbook of International Relations.* Oxford.

RITTBERGER, VOLKER/KRUCK, ANDREAS/ROMUND, ANNE, 2010: *Grundzüge der Weltpolitik. Theorie und Empirie des Weltregierens.* [Reihe Studienbücher Außenpolitik und Internationale Beziehungen], Wiesbaden.

RITTBERGER, VOLKER/ZANGL, BERNHARD/KRUCK, ANDREAS, 2013⁴: *Internationale Organisationen.* [Reihe Grundwissen Politik. Band 10], Wiesbaden.

RÖDDER, ANDREAS, 2006: *Klios neue Kleider. Theoriedebatten um eine Kulturgeschichte der Politik in der Moderne.* In: Historische Zeitschrift (HZ). 283 (3), Seite 657 - 688.

ROHE, KARL, 1994[2]: *Politik. Begriffe und Wirklichkeiten. Eine Einführung in das politische Denken.* Stuttgart/Berlin/Köln.

ROSANVALLON, PIERRE, 1995: *Faire l'Histoire du politique. Entretien avec Pierre Rosanvallon.* In: Esprit. 209, Seite 25 - 42.

ROSANVALLON, PIERRE, 2003: *Pour une histoire conceptuelle du politique. Leçon inaugurale au Collège de France faite le jeudi 28 mars 2002.* Paris.

SACHSENMAIER, DOMINIC, 2010: *Global History.* In: Docupedia-Zeitgeschichte. Begriffe, Methoden und Debatten der zeithistorischen Forschung. Version vom: 11.02.2010, URL: http://docupedia.de/docupedia/images/6/66/Global_History.pdf.

SALEWSKI, MICHAEL, 2004[2]: *Geschichte Europas. Staaten und Nationen von der Antike bis zur Gegenwart.* München.

SCHILLING, HEINZ, 2003: *Der Gesellschaftsvergleich in der Frühneuzeitforschung - Ein Erfahrungsbericht und einige (methodisch-theoretische) Schlussfolgerungen.* In: Hartmut Kaelble/Jürgen Schriewer (Hrsg.), Vergleich und Transfer. Komparatistik in den Sozial-, Geschichts- und Kulturwissenschaften. Frankfurt/New York, Seite 283 - 304.

SCHIMMELFENNIG, FRANK, 2013[3]: *Internationale Politik.* [Reihe Grundkurs Politikwissenschaft], Paderborn.

SCHLÖGL, RUDOLF, 2006[2] [2002]: *Politik- und Verfassungsgeschichte.* In: Joachim Eibach/Günther Lottes (Hrsg.), Kompass der Geschichtswissenschaft. Ein Handbuch. Göttingen, Seite 95 - 111.

SCHMIDT, GUSTAV, 1975: *Wozu noch „politische Geschichte"? Zum Verhältnis von Innen- und Außenpolitik am Beispiel der englischen Friedensstrategie 1918/1919.* In: Aus Politik und Zeitgeschichte. Beilage zur Wochenzeitung „Das Parlament" (APuZ). 25 (B 17/75), 26.04.1975, Seite 21 - 45.

SCHMIDT, MANFRED G., 2010[3]: *Wörterbuch zur Politik.* Stuttgart.

SCHNECKENER, ULRICH, 2012[5]: *Die Rolle nicht-staatlicher Gewaltakteure in der internationalen Politik.* In: Michael Staack (Hrsg.), Einführung in die Internationale Politik. Studienbuch. München, Seite 455 - 484.

SCHÖLLGEN, GREGOR, 2000[2]: *Die Macht in der Mitte Europas. Stationen deutscher Außenpolitik von Friedrich dem Großen bis zur Gegenwart.* München.

SCHORN-SCHÜTTE, LUISE, 2006: *Historische Politikforschung. Eine Einführung.* München.

SCHRÖDER, IRIS, 2011: *Die Wiederkehr des Internationalen. Eine einführende Skizze.* In: Zeithistorische Forschungen (ZF). 8 (3), Seite 340 - 349.

SCHROEDER, PAUL W., 1997: *History and International Relations Theory. Not Use or Abuse, but Fit or Misfit.* In: International Security (IS). 22 (1), Seite 64 - 74.

SCHROEDER, PAUL W., 2004 [1997]: *Does the History of International Politics Go Anywhere?* In: ders., Systems, Stability, and Statecraft: Essays on the International History of Modern Europe. Hrsg. von David Wetzel/Robert Jervis/Jack S. Levy, New York/Basingstoke, Seite 267 - 284.

SCHULIN, ERNST (Hrsg.), 1974: *Universalgeschichte.* [Reihe Neue Wissenschaftliche Bibliothek. Geschichte. Band 72], Köln.

SCHULTZE, RAINER-OLAF, 2004[2]: *Politik/Politikbegriffe.* In: Dieter Nohlen/Rainer-Olaf Schultze (Hrsg.), Lexikon der Politikwissenschaft. Theorien, Methoden, Begriffe. Band 2, N - Z. München, Seite 669 - 670.

SCHULZ, MATTHIAS, 2009: *Normen und Praxis. Das Europäische Konzert der Großmächte als Sicherheitsrat, 1815 - 1860.* [Reihe Studien zur Internationalen Geschichte. Band 21], München.

SCHULZ, MATTHIAS, 2012: *Internationale Institutionen.* In: Jost Dülffer/Wilfried Loth (Hrsg.), Dimensionen internationaler Geschichte. [Reihe Studien zur Internationalen Geschichte. Band 30], München, Seite 211 - 232.

SEIDELMANN, REIMUND, 2004[2]: *Außenpolitik*. In: Dieter Nohlen/Rainer-Olaf Schultze (Hrsg.), Lexikon der Politikwissenschaft. Theorien, Methoden, Begriffe. Band 1, A – M. München, Seite 43 – 45.

SEIDELMANN, REIMUND, 2008[11]: *Außenpolitik*. In: Wichard Woyke (Hrsg.), Handwörterbuch Internationale Politik. Opladen/Farmington Hills, Seite 1 – 7.

SELLIN, VOLKER, 2004 [1978]: *Politik*. In: Otto Brunner/Werner Conze/Reinhart Koselleck (Hrsg.), Geschichtliche Grundbegriffe. Historisches Lexikon zur politisch-sozialen Sprache in Deutschland. Band 4, Mi – Pre. Stuttgart, Seite 789 – 874.

SIEDER, REINHARD/LANGTHALER, ERNST, 2010: *Einleitung. Was heißt Globalgeschichte?* In: dies. (Hrsg.), Globalgeschichte 1800 – 2010. Wien/Köln/Weimar, Seite 9 – 36.

SIEDSCHLAG, ALEXANDER/OPITZ, ANJA/TROY, JODOK/KUPRIAN, ANITA, 2007: *Grundelemente der internationalen Politik*. Wien/Köln/Weimar.

SIEGELBERG, JENS/SCHLICHTE, KLAUS (Hrsg.), 2000: *Strukturwandel internationaler Beziehungen. Zum Verhältnis von Staat und internationalem System seit dem Westfälischen Frieden*. Wiesbaden.

SIEGRIST, HANNES, 2003: *Perspektiven der vergleichenden Geschichtswissenschaft. Gesellschaft, Kultur und Raum*. In: Hartmut Kaelble/Jürgen Schriewer (Hrsg.), Vergleich und Transfer. Komparatistik in den Sozial-, Geschichts- und Kulturwissenschaften. Frankfurt/New York, Seite 305 – 339.

SIEGRIST, HANNES, 2007: *Transnationale Geschichte als Herausforderung der wissenschaftlichen Historiographie*. In: Matthias Middell (Hrsg.), Dimensionen der Kultur- und Gesellschaftsgeschichte. Festschrift für Hannes Siegrist zum 60. Geburtstag. Leipzig, Seite 40 – 48.

SMITH, THOMAS W., 2003 [1999]: *History and International Relations*. [Reihe Routledge advances in international relations and politics. Band 9], London/New York.

SOUTOU, GEORGES-HENRI, 2000: *Die französische Schule der Geschichte internationaler Beziehungen*. Übers. von Frank Bärenbrinker/Wilfried Loth, in: Wilfried Loth/Jürgen Osterhammel (Hrsg.), Internationale Geschichte. Themen – Ergebnisse – Aussichten. [Reihe Studien zur Internationalen Geschichte. Band 10], München, Seite 31 – 44.

STAACK, MICHAEL (Hrsg.), 2012[5]: *Einführung in die Internationale Politik. Studienbuch*. München.

STAHL, BERNHARD, 2014: *Internationale Politik verstehen. Eine Einführung*. Opladen/Toronto.

STEIGER, HEINHARD, 1987: *Probleme der Völkerrechtsgeschichte*. In: Der Staat. Zeitschrift für Staatslehre, Öffentliches Recht und Verfassungsgeschichte. 26 (1), Seite 103 – 126.

STEIGER, HEINHARD, 2011: *Was heißt und zu welchem Ende studiert man Völkerrechtsgeschichte?* In: Ivo Appel/Georg Hermes/Christoph Schönberger (Hrsg.), Öffentliches Recht im offenen Staat. Festschrift für Rainer Wahl zum 70. Geburtstag. [Reihe Schriften zum Öffentlichen Recht. Band 1187], Berlin, Seite 211 – 223.

STEIGER, HEINHARD, 2014: *Von einer eurozentrischen zu einer globalen Völkerrechtsgeschichte?* In: Der Staat. Zeitschrift für Staatslehre und Verfassungsgeschichte, deutsches und europäisches öffentliches Recht. 53 (1), Seite 121 – 137.

STEVENSON, DAVID, 2006[3] [2004]: *1914 – 1918. Der Erste Weltkrieg*. Übers. von Harald Ehrhardt/Ursula Vones-Liebenstein, Düsseldorf.

STOLLBERG-RILINGER, BARBARA (Hrsg.), 2005: *Was heißt Kulturgeschichte des Politischen?* [Reihe Zeitschrift für Historische Forschung. Vierteljahresschrift zur Erforschung des Spätmittelalters und der frühen Neuzeit (ZHF). Beihefte. Band 35], Berlin.

SURI, JEREMI, 2005: *Non-governmental organizations and non-state actors*. In: Patrick Finney (Hrsg.), Palgrave advances in international history. Basingstoke, Seite 223 – 246.

SÜSSMUTH, HANS, 1988: *Kooperation von Geschichte und Politik*. In: Wolfgang W. Mickel/Dietrich Zitzlaff (Hrsg.), Handbuch zur politischen Bildung. Opladen, Seite 542 – 549.

TAURAS, OLAF/MEYERS, REINHARD/BELLERS, JÜRGEN (Hrsg.), 1994: *Politikwissenschaft*. Band 3, *Internationale Politik*. [Reihe Studien zur Politikwissenschaft. Schriften des Instituts für Politikwissenschaft der Westfälischen Wilhelms-Universität Münster], Münster/Hamburg.

THAMER, HANS-ULRICH, 2003[3]: *Politische Geschichte, Geschichte der internationalen Beziehungen*. In: Richard van Dülmen (Hrsg.), Das Fischer Lexikon Geschichte. Frankfurt, Seite 38 - 55.

THER, PHILIPP, 2003: *Beyond the Nation: The Relational Basis of a Comparative History of Germany and Europe*. In: Central European History (CEH). 36 (1), Seite 45 - 73.

THIESSEN, HILLARD VON/WINDLER, CHRISTIAN (Hrsg.), 2010a: *Akteure der Außenbeziehungen. Netzwerke und Interkulturalität im historischen Wandel*. [Reihe Externa. Geschichte der Außenbeziehungen in neuen Perspektiven. Band 1], Köln/Weimar/Wien.

THIESSEN, HILLARD VON/WINDLER, CHRISTIAN, 2010b: *Einleitung: Außenbeziehungen in akteurszentrierter Perspektive*. In: dies. (Hrsg.), Akteure der Außenbeziehungen. Netzwerke und Interkulturalität im historischen Wandel. [Reihe Externa. Geschichte der Außenbeziehungen in neuen Perspektiven. Band 1], Köln/Weimar/Wien, Seite 1 - 12.

TROEBST, STEFAN, 2007: *Vom spatial turn zum regional turn? Geschichtsregionale Konzeptionen in den Kulturwissenschaften*. In: Matthias Middell (Hrsg.), Dimensionen der Kultur- und Gesellschaftsgeschichte. Festschrift für Hannes Siegrist zum 60. Geburtstag. Leipzig, Seite 143 - 159.

TRUYOL Y SERRA, ANTONIO, 1995: *Histoire du droit international public*. [Reihe Droit international. Panorama du droit international], Paris.

URFALINO, PHILIPPE, 1997: *L'histoire de la politique culturelle*. In: Jean-Pierre Rioux/Jean-François Sirinelli (Hrsg.), Pour une histoire culturelle. [Reihe L'univers historique], Paris, Seite 311 - 324.

VARWICK, JOHANNES, 2008[11]: *Diplomatie*. In: Wichard Woyke (Hrsg.), Handwörterbuch Internationale Politik. Opladen/Farmington Hills, Seite 72 - 78.

WALLACH SCOTT, JOAN, 1999[2]: *Gender and the politics of history*. [Reihe Gender and culture], New York.

WEBER, MAX, 2009[5] [1972[5] posthum]: *Wirtschaft und Gesellschaft. Grundriss der verstehenden Soziologie*. Hrsg. von Johannes Winckelmann, Tübingen.

WEBER, WOLFGANG E. J., 2001: *Universalgeschichte*. In: Michael Maurer (Hrsg.), Aufriß der Historischen Wissenschaften in sieben Bänden. Band 2, Räume. Stuttgart, Seite 15 - 98.

WEHLER, HANS-ULRICH, 1975: *Moderne Politikgeschichte oder „Große Politik der Kabinette"?* In: Geschichte und Gesellschaft. Zeitschrift für Historische Sozialwissenschaft (GG). 1 (2/3), Seite 344 - 369.

WEHLER, HANS-ULRICH, 1996: *„Moderne" Politikgeschichte? Oder: Willkommen im Kreis der Neorankeaner vor 1914*. In: Geschichte und Gesellschaft. Zeitschrift für Historische Sozialwissenschaft (GG). 22 (2), Seite 257 - 266.

WEHLER, HANS-ULRICH, 1998 [1993]: *Gelungene Rückkehr zur Politikgeschichte?* In: ders., Politik in der Geschichte. Essays. München, Seite 178 - 188.

WEICHLEIN, SIEGFRIED, 2010 [2002]: *Politische Geschichte*. In: Stefan Jordan (Hrsg.), Lexikon Geschichtswissenschaft. Hundert Grundbegriffe. Stuttgart, Seite 238 - 241.

WEIDNER, TOBIAS, 2012: *Die Geschichte des Politischen in der Diskussion*. [Reihe Das Politische als Kommunikation, Band 11], Göttingen.

WEINBERG, GERHARD L., 2002[2] [1994]: *Eine Welt in Waffen. Die globale Geschichte des Zweiten Weltkriegs*. Übers. von Helmut Dierlamm/Karlheinz Dürr/Klaus Fritz, Hamburg.

WELSKOPP, THOMAS, 1995: *Stolpersteine auf dem Königsweg. Methodenkritische Anmerkungen zum internationalen Vergleich in der Gesellschaftsgeschichte*. In: Archiv für Sozialgeschichte (AfS). 35, Seite 339 - 367.

WESEL, REINHARD, 2012: *Internationale Regime und Organisationen*. Konstanz/München.

WIDMER, PAUL, 2014: *Diplomatie. Ein Handbuch*. Zürich.

WILHELM, ANDREAS, 2006: *Außenpolitik. Grundlagen, Strukturen und Prozesse*. [Lehr- und Handbücher der Politikwissenschaft], München/Wien.

WILHELM, ANDREAS, 2010: *Diplomatie*. In: Carlo Masala/Frank Sauer/Andreas Wilhelm (Hrsg.), Handbuch der Internationalen Politik. Wiesbaden, Seite 337 - 352.

WIRSCHING, ANDREAS, 2006[2] [2002]: *Internationale Beziehungen*. In: Joachim Eibach/Günther Lottes (Hrsg.), Kompass der Geschichtswissenschaft. Ein Handbuch. Göttingen, Seite 112 - 125.

WIRZ, ALBERT, 2001: *Für eine transnationale Gesellschaftsgeschichte*. In: Geschichte und Gesellschaft. Zeitschrift für Historische Sozialwissenschaft (GG). 27 (3), Seite 489 - 498.

ZIEBURA, GILBERT, 1990: *Die Rolle der Sozialwissenschaften in der westdeutschen Historiographie der internationalen Beziehungen*. In: Geschichte und Gesellschaft. Zeitschrift für Historische Sozialwissenschaft (GG). 16 (1), Seite 79 - 103.

ZIEGLER, ANDREAS R., 2011[2]: *Einführung in das Völkerrecht*. [Reihe Stämpflis juristische Lehrbücher], Bern.

ZIEGLER, KARL-HEINZ, 1987: *Zur Einführung: Völkerrechtsgeschichte*. In: Juristische Schulung. Zeitschrift für Studium und Ausbildung (JuS). 27 (5), Seite 350 - 354.

ZIEGLER, KARL-HEINZ, 2007[2]: *Völkerrechtsgeschichte. Ein Studienbuch*. [Reihe Kurzlehrbücher für das juristische Studium], München.

ZIMMERMANN, SUSAN, 2008: *International – transnational: Forschungsfelder und Forschungsperspektiven*. In: Berthold Unfried/Jürgen Mittag/Marcel van der Linden (Hrsg.), Transnationale Netzwerke im 20. Jahrhundert. Historische Erkundungen zu Ideen und Praktiken, Individuen und Organisationen. [Reihe International Conference of Labour and Social History-Tagungsberichte. Band 42], Leipzig, Seite 27 - 46.

2
Internationale Politikgeschichte
Alte und neue Wege[1]

I. Einleitung

Die Internationale Politikgeschichte gehört zu den ältesten von Historikern bearbeiteten Forschungsfeldern. Schon die Urväter der Geschichtswissenschaft, namentlich die beiden Griechen Herodot von Halikarnassos und Thukydides von Athen, widmeten sich mit eindrucksvollen und wirkmächtigen Werken der Erforschung der beiden großen zwischenstaatlichen Auseinandersetzungen des 5. vorchristlichen Jahrhunderts, dem Ersten Griechisch-Persischen Krieg (492 - 479 v. Chr.) und der zusammenhängenden Reihe der insgesamt drei Peloponnesischen Kriege (457 - 404 v. Chr.).[2] Seither ist eine kontinuierlich relativ hohe Publizität zum Themengebiet der Geschichte der internationalen Politik festzustellen.[3] Allerdings setzte eine

---

1 Der Untertitel dieser Arbeit, „Alte und neue Wege", ist angelehnt an einen ähnlich betitelten Sammelband aus dem Jahr 2007, mit dem die Herausgeber Hans-Christof Kraus und Thomas Nicklas bezüglich der forschungskonzeptionellen Debatte um die allgemeine Politikgeschichte deutlich zu erkennen geben, dass sie nicht bloß auf einem aktuellen oder modischen Ansatz beharren wollen, sondern „zu der Überzeugung [gelangt sind], daß alte und neue Wege gleichermaßen zum Ziel geschichtswissenschaftlicher Erkenntnis führen" können. Zumindest hat jeder ernsthafte wissenschaftliche Ansatz mehr oder minder etwas für sich und kann hinsichtlich seiner kognitiven Ziele und Möglichkeiten in der Regel nicht ohne Weiteres durch einen anderen vollständig ersetzt werden. Zu dem Band: Hans-Christof Kraus/Thomas Nicklas, 2007b. Das Zitat: dies., 2007a: Seite 2. Das Anliegen und die Zielsetzung des Sammelbandes sowie der diesem vorausgehenden Fachtagung wurden allerdings nicht ganz zu Unrecht mehrfach kritisiert, da diese mit gewissen Befürchtungen verbunden waren, die Politikgeschichte würde in naher Zukunft von einem einzigen Forschungsansatz vollständig unterworfen werden. Vgl. Barbara Stollberg-Rilinger, 2005b: Seite 10; Hillard von Thiessen/Christian Windler, 2010: Seite 11 (Anmerkung 25). Zwar kann die Folgerung aus der bestehenden programmatischen Pluralität in der Tat nicht ernsthaft sein, *deshalb* überhaupt keinem „bestimmten [...] Ansatz zu folgen", wie in dem Sammelband von Kraus und Nicklas in etwas doppelzüngiger Weise argumentiert wird. Hans-Christof Kraus/Thomas Nicklas, 2007a: Seite 4. Dennoch kann man der von den beiden Historikern zumindest offiziell vorgetragenen Devise nur beipflichten. Aus diesem Grund fühlt sich der hier vorgelegte Beitrag dem Ansinnen verpflichtet, alte und neue Ansätze tatsächlich als gleichermaßen legitime Zugangsweisen zur historischen Realität zur Geltung kommen zu lassen.

2 Vgl. Herodot, 1988[4]a; ders., 1988[4]b; Thukydides, 2004.

3 Vgl. Lutz Raphael, 2010[2]: Seite 138 - 141. Dennoch beklagten die der Internationalen Politikgeschichte verhafteten Historiker nach 1945 immer wieder eine spezifische Minderbeachtung ihres Arbeitsfeldes innerhalb der gesamten Geschichtswissenschaft.

separate Diskussion um die konzeptionellen Grundlagen des entsprechenden wissenschaftlichen Arbeitsfeldes erst nach dem Ende des Zweiten Weltkrieges in intensiver Weise ein, verstummte in Westdeutschland jedoch bald angesichts der festgefahrenen Kontroverse um eine ‚Moderne Politikgeschichte', die Anfang der 1970er Jahre im Wesentlichen zwischen Andreas Hillgruber und Klaus Hildebrand auf der einen Seite und Hans-Ulrich Wehler auf der anderen Seite ausgetragen wurde. Erst um die Wende vom 20. zum 21. Jahrhundert konnten das Ende dieses „Dialog[s] der Taubstummen",[4] eine aufziehende „Morgenluft für die Internationalen Beziehungen in der Geschichtswissenschaft"[5] und schließlich sogar die „Wiederkehr des Internationalen"[6] konstatiert werden.[7] Es herrscht offenbar Aufbruchsstimmung in diesem Forschungsfeld, was sich auch in der Intensivierung der diesbezüglichen programmatischen Debatte ausdrückt.

Der folgende Beitrag will auf die mitunter schwierige Geschichte dieses Arbeitsfeldes innerhalb der (west)deutschen Geschichtswissenschaft[8] zurückschauen und dabei die nach dem Zweiten Weltkrieg einsetzende *for-*

Vgl. Andreas Hillgruber, 1973: Seite 534, 546; ders., 1976: Seite 193; Heinz Duchhardt, 1990: Seite 1; Klaus Hildebrand, 1990: Seite 348 - 349; Reiner Pommerin, 1996: Seite 323 - 324; ders., 2003: Seite 21 - 22; Ulrich Muhlack, 2003: Seite 25; Sven Externbrink, 2007: Seite 16 - 17. Diese Behauptung ist indes schon früh zumindest für die allgemeine Politikgeschichte relativiert worden. Vgl. Hans-Ulrich Wehler, 1975: Seite 347 - 348; Tobias Weidner, 2012: Seite 13. Eine quantitative Erhebung hat schließlich für die Jahre zwischen 1991 und 1997 ergeben, dass durchschnittlich rund ein Fünftel aller jährlich in Deutschland publizierten geschichtswissenschaftlichen Arbeiten sich politikhistorischen Themen im engeren Sinn und unter Einschluss der Militär-, Kriegs-, Rechts- und Verwaltungsgeschichte sogar rund ein Drittel politikhistorischen Themen im weiteren Sinn gewidmet haben. Vgl. Christoph Cornelißen, 2009[4]: Seite 134.

4 Friedrich Kießling, 2002.

5 Ulrich Lappenküper, 1998.

6 Iris Schröder, 2011.

7 Siehe zur forschungskonzeptionellen Diskussion innerhalb der Internationalen Politikgeschichte die entsprechende Anmerkung in meinem Aufsatz „Was ist Internationale Politikgeschichte?" (Kapitel IV.3) in diesem Band. Schwierigkeiten hatte das Arbeitsfeld nicht allein in (West)Deutschland, sondern auch in anderen Ländern wie Frankreich, Britannien und Amerika. Vgl. zur historischen Entwicklung der Internationalen Politikgeschichte speziell in (West)Deutschland: Gerhard T. Mollin, 2000; Heinz Duchhardt, 2017. Zu den Problemen in Frankreich: Georges-Henri Soutou, 2000. Zu Britannien: Kathleen Burk, 2000. Zu Amerika: Melvyn P. Leffler, 1995; Michael H. Hunt, 2000. Länderübergreifend: Lutz Raphael, 2010[2]: Seite 138 - 155.

8 Der Aufsatz bleibt in seiner analytischen Betrachtung hauptsächlich auf die (west)deutsche Geschichtswissenschaft beschränkt. Die programmatischen Debatten unter den Historikern verliefen jedoch in anderen Ländern wie Amerika, Britannien, Frankreich und Italien in weiten Teilen ähnlich, weshalb in der folgenden Darstellung immer wieder entsprechende Verbindungen zu den anderen nationalen Geschichtswissenschaften aufgezeigt werden können. Eine eingehende Auseinandersetzung auch mit den forschungskonzeptionellen Entwicklungen in den Nachbarländern oder gar in anderen Regionen, wie Lateinamerika, Asien und Afrika, hätte dagegen das dafür notwendige Arbeitspensum in exorbitantem Maße ansteigen lassen.

schungskonzeptionelle Grundlagendiskussion näher in den Blick nehmen.[9] Es ist das Ziel dieses Unterfangens, einen Forschungsbericht in programmatischer Absicht vorzulegen, der einerseits die großen Paradigmen[10] der gegenwärtigen Internationalen Politikgeschichte kritisch zu rekonstruieren versucht und der andererseits dadurch in exemplarischer Weise konzeptionelle Einsichten für die gesamte Arbeit auf diesem Gebiet bereitstellen will. Der leitende Gedanke ist dabei die übergreifende Frage danach, wie Internationale Politikgeschichte betrieben werden kann. Während in den folgenden Kapiteln die drei wichtigsten geschichtswissenschaftlichen Paradigmen nacheinander aus den jeweils einschlägigen Grundlagentexten systematisch erarbeitet werden, wird deren jeweilige Programmatik zugleich zum Gegenstand der kritischen Auseinandersetzung gemacht, durch welche wiederum deren Vorzüge und Defizite, Stärken und Schwächen herausgestellt werden. Die systematische Auseinandersetzung orientiert sich dabei an einem speziellen Kategorienraster, das die folgenden sieben Aspekte umfasst: (1) allgemeine wirklichkeitsbezogene Vorstellungen, (2) spezifische Forschungsinteressen, (3) zentrale analytische Konzepte, (4) Theoriegebrauch, (5) Methodik, (6) Darstellungsweise und (7) allgemeine Forschungsabsicht. Als unabdingbare Voraussetzung für eine eingehendere Beschäftigung mit den umfassenden Forschungsansätzen der Internationalen Politikgeschichte muss zuvor jedoch in aller Kürze Klarheit über den konzeptionellen Gesamtrahmen des Arbeitsfeldes selbst geschaffen werden.

---

9 An dieser Stelle ist darauf hinzuweisen, dass eine forschungskonzeptionelle Diskussion bisher weitgehend ausschließlich unter Neuzeithistorikern geführt wurde, Althistoriker und Mediävisten sich daran aus unerfindlichen Gründen kaum beteiligt haben. Dabei stellt doch auch die internationale Politik ein durchaus stark bearbeitetes Themengebiet sowohl der griechisch-römischen Antike und des restlichen Altertums als auch des Mittelalters dar. Siehe zusammenfassend zum (gesamten) Altertum unter anderem: Peter Kehne, 2007[2]; Ernst Baltrusch, 2008. Zudem: Karl-Heinz Ziegler, 2007[2]: Seite 10 - 61. Zum Mittelalter etwa: Harald Kleinschmidt, 1998: Seite 15 - 83. Ferner: Karl-Heinz Ziegler, 2007[2]: Seite 52 - 116. Siehe dazu insgesamt auch die entsprechenden Ausführungen und weiteren Literaturhinweise in: Michael Gal, 2015: Seite 245 - 250 (erneut abgedruckt in diesem Band (Kapitel II - III)). Zu den seltenen *forschungskonzeptionellen* Ausnahmen für diese Epochen gehören: Martin Kintzinger, 2017; Josef Wiesehöfer, 2017. Ebenso liegen mit Blick auf das Völkerrecht einige wenige programmatische Beiträge vor: Olga V. Butkevych, 2003; Michael Jucker, 2011; Martin Kintzinger, 2011.

10 Unter einem Paradigma ist ein wissenschaftliches Konzept zu verstehen, das sich nicht einfach auf einen speziellen Forschungsansatz, eine Methode, eine allgemeine Theorie, ein relativ dominantes Themenfeld oder ein etabliertes Deutungsmuster eines bestimmten (historischen) Wirklichkeitsausschnittes, eine sogenannte ‚Meistererzählung', bezieht, sondern vielmehr auf ein mehr oder minder kohärentes Denk- und Arbeitsprogramm, das derart umfassend angelegt ist, dass es grundsätzlich für den gesamten Gegenstandsbereich eines Faches (wenn auch jeweils mit entsprechenden Schwerpunkten) anwendbar zu sein beansprucht. Vgl. Ulrich Majer, 1980; Carl F. Gethmann, 1995. Im Wesentlichen keine Paradigmen behandeln demzufolge die Bände: Ilko-Sascha Kowalczuk, 1994; Konrad H. Jarausch/Martin Sabrow, 2002.

Der Gegenstand der Internationalen Politikgeschichte kann in Anlehnung an die im Kern sehr treffende Definition von Politik durch Werner J. Patzelt[11] sowie bei Abgrenzung der Internationalen Geschichte[12] von alternativen Ansätzen mit gesellschaftsübergreifender Ausrichtung (darunter vor allem der Transnationalen Geschichte und der Multinationalen Geschichte) wie folgt bestimmt werden: „Internationale Politik ist die Gesamtheit von Verhaltensweisen, die auf die Herstellung und Durchsetzung allgemein geltender Entscheidungen zwischen Gesellschaften – beziehungsweise in ihrer politischen Gestalt den von ihnen jeweils ausgebildeten Staaten oder sonstigen Formen von eigenständigen und selbstständigen Gemeinwesen – abzielen."[13]

Bei Politik handelt es sich folglich um einen Wirklichkeitsausschnitt, der zugleich zwei verschiedene Prozesse einschließt. Zum einen ist das der Vorgang der ‚*Herstellung* allgemein geltender Entscheidungen'. Bei diesem geht es um die in der Regel in deliberativer Form stattfindende politische Willensbildung und Entscheidungsfindung, an der staatliche wie nicht-staatliche Akteure (unter anderem Regierungsmitglieder, Parlamentarier und Staatsbeamte genauso wie Parteimitglieder, zivile Verbände und Organisationen, überhaupt jedes einzelne Gesellschaftsmitglied sowie Staaten als Ganze) auf unterschiedlichen Ebenen (etwa von Kommune, Bezirk, Bundesland, Gesamtstaat oder internationalen Beziehungen) beteiligt sein können. Der andere Prozess ist derjenige der ‚*Durchsetzung* allgemein geltender Entscheidungen'. Er bezieht sich demgegenüber auf die im Wesentlichen autoritativ erfolgende Umsetzung (bereits getroffener) politischer Entscheidungen, was weitgehend ausschließlich von staatlichen (oder staatlich beauftragten) Akteuren (zum Beispiel Behörden, Ämtern, Einrichtungen öffentlichen Rechts, Richtern, Polizisten und Soldaten, aber auch Staatsunternehmen, staatsexternem Verwaltungspersonal und Söldnern) auf ebenfalls verschiedenen Ebenen erledigt werden kann. Politik besteht demnach im Wesentlichen aus zwei verschiedenen, aber komplementären Prozessen, die erst zusammen genommen den ganzen Kern des Phänomens bilden.[14]

---

[11] Die Definition des Politikbegriffs von Werner J. Patzelt ist enthalten in: Werner J. Patzelt, 2013[7]: Seite 22. Daran im Kern anschließend meint Politik die Gesamtheit von Verhaltensweisen, die auf die Herstellung und Durchsetzung allgemein geltender Entscheidungen von und zwischen Personen oder Personengruppen abzielen. Siehe dazu auch die entsprechenden Ausführungen in meinem Beitrag „Was ist Internationale Politikgeschichte?" (Kapitel IV.1) in diesem Band.

[12] Gemeint ist hier tatsächlich die allgemeine Internationale Geschichte, das heißt *ohne* einen speziellen Bezug auf den gesellschaftlichen Wirklichkeitsbereich der Politik oder etwa auch auf jenen des Rechts, des Sozialen oder der Wirtschaft.

[13] So auch in meinem Aufsatz „Was ist Internationale Politikgeschichte?" (Kapitel IV.3) in diesem Band.

[14] Siehe zur Diskussion des Politikbegriffs und zur entsprechenden konzeptionellen Anlage der allgemeinen Politikgeschichte ausführlich meine Arbeit „Was ist Internationale Politikgeschichte?" (Kapitel IV.1) in diesem Band. Siehe einführend zum Arbeitsfeld der Politikgeschichte außerdem: Hans Mommsen, 1997[5]; Hans-Ulrich Thamer,

Das Besondere an der Internationalen Geschichte ist, dass ihr Blick ausschließlich auf solche historischen Wirklichkeitsausschnitte gerichtet ist, welche von der Existenz eigenständiger und selbstständiger Gesellschaften oder Gemeinwesen geprägt sind. In ihrer Eigenschaft als *Einheiten* grenzen sich diese Gesellschaften oder Gemeinwesen voneinander ab, können aber auch jeweils gesamtgesellschaftliche Kontakte und Verbindungen zueinander aufbauen und pflegen. Die *Akteure* oder *Subjekte* sind in diesem Zusammenhang dementsprechend die Gesellschaften in ihrer jeweiligen Gesamtheit selbst beziehungsweise im Kontext politischer Beziehungen die von ihnen ausgebildeten Staaten oder sonstigen Formen politisch organisierter Gemeinwesen.[15] Demzufolge gehören die einzelnen handelnden Politiker als solche selbst nicht zu den Akteuren. Vielmehr stellen sie gewissermaßen die *Handlungsträger* der durch sie repräsentierten internationalen politischen Subjekte dar.[16] Die speziell *politischen* Korrelationen und Interaktionen unter den Kollektivakteuren gesamtgesellschaftlichen Umfangs bilden somit den Gegenstand des kombinierten Forschungsfeldes der Internationalen Politikgeschichte.

II. Der Neohistorismus

Während eine ‚soziale Wende' innerhalb der politikzentrierten Geschichtswissenschaft Anfang des 20. Jahrhunderts bereits in zahlreichen Ländern, vor allem in Frankreich und in Amerika, in vollem Gang war, setzte diese Entwicklung in (West)Deutschland erst einige Jahre nach dem Ende des Zweiten Weltkrieges ein.[17] Ihre Stoßrichtung zielte dabei gegen die Form der

---

2003[3]; Heinz Duchhardt, 2004; Joachim Eibach, 2006[2]; Ute Frevert, 2006[2]; Rudolf Schlögl, 2006[2]; Peter Borowsky/Rainer Nicolaysen, 2007[3]; Christoph Cornelißen, 2009[4]; Siegfried Weichlein, 2010; Thomas Mergel, 2012[2].

15 Siehe zu den vielfältigen Akteursarten sowie zu den verschiedenen Formen politisch organisierter Gemeinwesen insbesondere meinen Beitrag „Staaten, Reiche, Dependanten. Grundlegung einer Theorie der Politate" sowie die entsprechenden Ausführungen in meinen Arbeiten „Was ist Internationale Politikgeschichte?" (Kapitel IV.3) und „System – Organisation – Gouvernanz – Ordnung. Überlegungen zur Konzeption des interdisziplinären Ansatzes der Internationalen Politischen Ordnungs-Forschung" (Kapitel V.3), die allesamt in diesem Band enthalten sind.

16 Zum Gegenstand, zur Akteursfrage und zur entsprechenden konzeptionellen Anlage der Internationalen Geschichte siehe ausführlich meinen Aufsatz „Was ist Internationale Politikgeschichte?" (Kapitel IV.2; zur Akteursfrage ausdrücklich auch: Kapitel IV.3) in diesem Band. Die allgemeine Internationale Geschichte wird in der Literatur – begrifflich wie sachlich unangemessen – bislang ausschließlich als Internationale *Politik*geschichte verstanden. Siehe vor diesem Hintergrund die entsprechenden Einführungen: Hans-Ulrich Thamer, 2003[3]; Günther Kronenbitter, 2006; Andreas Wirsching, 2006[2].

17 Vgl. Georg G. Iggers, 2007[2]: Seite 32 – 74.

Geschichtsforschung und der Historiographie des damals vorherrschenden Historismus. Dieser wiederum, der im 19. Jahrhundert entstanden war und seitdem das weitgehend einzige etablierte Paradigma der (west)deutschen Geschichtswissenschaft darstellte, war geprägt von:

(1) der Vorstellung von (a) der Freiheit (im Sinne von Nichtdeterminiertheit) des historischen Verlaufs, von (b) dessen Konstituierung durch die Entwicklung von individuellen und einmaligen Erscheinungen und von (c) der zentralen, geschichtsbestimmenden Bedeutung des (National)Staates, weshalb (d) Politik als die entscheidende Größe und die handelnden Politiker (die sogenannten ‚großen Männer') als die wirkmächtigen Kräfte in der Geschichte, vor allem in der Geschichte der Verhältnisse der Staaten untereinander, verstanden wurden (Primat der Politik und im Besonderen: Primat der Außenpolitik – beziehungsweise begrifflich angemessener: Primat der internationalen Politik);

(2) einer Methodik, die (a) auf einem im Vergleich zur frühneuzeitlichen Praxis besonders ‚kritischen' Umgang mit den in der Regel schriftlichen Quellen sowie (b) auf deren qualitativer Analyse und (c) auf deren hermeneutischer, auf ein Sinn-Verstehen hin ausgerichteter, Interpretation beruhte;

(3) einer (a) deskriptiv-chronologischen Darstellungsweise unter Verwendung (b) ausschließlich (variabler) zeitgenössischer Begriffe und Konzepte; sowie

(4) einer allgemeinen Forschungsabsicht, die (a) auf eine Erklärung der Zustände und Sachverhalte der jeweiligen Gegenwart durch die Herausstellung ihrer historischen Genese und darüber hinaus (b) auf eine erzieherisch-bildungsorientierte Anwendbarkeit der gewonnenen Geschichtserkenntnisse insbesondere für die Potentaten, Staatsmänner, Diplomaten und hohen Beamten der heutigen Zeit abzielte (Lernen aus der Geschichte).[18]

Diese starr politikzentrierte Geschichtswissenschaft mit ihrer verfestigten Methodik und ihrem schlichtweg nicht vorhandenen theoretischen Rüstzeug suchte die neu entstehende Sozialgeschichte dadurch zu überwinden, dass sie den historischen Gegenstandsbereich um bisher weitgehend ausgeblendete ‚soziale' Themenfelder erweiterte und zugleich neuen methodischen und theoretischen Ansätzen gegenüber offenstand.[19]

---

[18] Vgl. Friedrich Jaeger/Jörn Rüsen, 1992: Seite 41 – 53; Georg G. Iggers, 2007[2]: Seite 22 – 37; Lutz Raphael, 2010[2]: Seite 69 – 70; Stefan Jordan, 2013[2]: Seite 41 – 43.

[19] Zur erneuerten Sozialgeschichte siehe insbesondere den 1977 in erster Auflage erschienenen Band: Jürgen Kocka, 1986[2]. Ein früherer Versuch, den Gegenstandsbereich der historistischen Geschichtswissenschaft langfristig durch nicht-politische Themen zu erweitern, scheiterte im sogenannten ‚Lamprecht-Streit' der 1890er Jahre. Vgl. Friedrich Jaeger/Jörn Rüsen, 1992: Seite 141 – 146; Georg G. Iggers, 2007[2]: Seite 65. Eine Reflexion der wissenschaftstheoretischen Grundlagen der in der Zeit nach dem Zweiten Weltkrieg im Grunde noch immer hauptsächlich historistischen Geschichtswissenschaft war mit der Etablierung der Sozialgeschichte selbst indessen nicht verbunden, auch wenn sich einige Historiker aus diesem Feld an den entsprechenden Dis-

Durch die zunehmende Etablierung der Sozialgeschichte[20] veranlasst meldeten sich Anfang der 1970er Jahre die Internationalen Politikhistoriker Andreas Hillgruber und Klaus Hildebrand mit mehreren grundsätzlich argumentierenden und forschungsprogrammatisch angelegten Aufsätzen zu Wort.[21] Neben der Konzeption einer ‚modernen politischen Geschichte' ging es dabei nicht minder vordergründig sowohl um eine Apologie dieses Arbeitsfeldes, das sie stark in eine Randposition gedrängt sahen, als auch um eine Abwehr gegenüber jedweden (mutmaßlichen) Indoktrinationen durch irgendwie ‚sozial', ‚links' oder ‚marxistisch' anmutende Strömungen innerhalb oder von außerhalb der Historikerschaft.[22] Dennoch leisten diese Schriften auch einen echten Beitrag zur Debatte, wie Politikgeschichte im Allgemeinen und Internationale Politikgeschichte im Besonderen betrieben werden können, und stellen dabei sogar die ersten Arbeiten innerhalb der

---

kussionen beteiligten und das innerhalb der Sozialgeschichte entwickelte neue Paradigma der Historischen Sozialwissenschaft durchaus einige Anstöße dazu lieferte. Vielmehr war die geschichtswissenschaftliche Grundlagenreflexion beeinflusst durch die allgemeinen wissenschaftstheoretischen Auseinandersetzungen in der Mitte des 20. Jahrhunderts insbesondere zwischen dem Logischen Empirismus des sogenannten ‚Wiener Kreises' und dem Kritischen Rationalismus Karl R. Poppers sowie durch die innerhalb der Geschichtswissenschaft selbst geführten Diskussionen um das Verstehen oder Erklären in der Geschichtsforschung und um die Narrativität oder Analytizität der Historiographie, was unter anderem in den insgesamt sechs zwischen 1977 und 1990 von der Studiengruppe ‚Theorie und Geschichte' publizierten Tagungsbänden im Rahmen der Reihe „Beiträge zur Historik" mündete. Die Bände sind im Einzelnen: Reinhart Koselleck/Wolfgang J. Mommsen/Jörn Rüsen, 1977; Karl-Georg Faber/Christian Meier, 1978; Jürgen Kocka/Thomas Nipperdey, 1979; Reinhart Koselleck/Heinrich Lutz/Jörn Rüsen, 1982; Christian Meier/Jörn Rüsen, 1988; Karl Acham/Winfried Schulze, 1990. Siehe dazu auch die Ausführungen in meinem Aufsatz „Was ist Theorie? Über Begriff, Vielfältigkeit und Nutzungsmöglichkeiten von Theorie in der Geschichtswissenschaft" (Kapitel I) in diesem Band.

20 Der Erfolg des Aufstiegs der Sozialgeschichte gründete nicht zuletzt darin, dass entsprechend spezialisierte Historiker nun tatsächlich auch Lehrstellen an den Universitäten erhielten, Fachverbände und Forschungszentren geschaffen und neue Zeitschriften, etwa das „Archiv für Sozialgeschichte" (AfS) im Jahr 1961, gegründet wurden. Vgl. Lutz Raphael, 2010²: Seite 181 - 182.

21 Andreas Hillgruber, 1970; ders., 1973; ders., 1976; Klaus Hildebrand, 1976. Die Hintergründe und Motivationen, die Andreas Hillgruber und ihm folgend seinen akademischen Schüler Klaus Hildebrand zu ihren Schriften veranlassten, werden zum Teil explizit in diesen Texten selbst vorgetragen. Zu weiteren Ursachen und Beweggründen sowie zusammenfassend zu den zentralen Positionen siehe: Eckart Conze, 1998. Im Kern an das von Hillgruber und Hildebrand vertretene Paradigma allerdings später und als Reaktion auf den sich zu ihrer Zeit etablierenden Kulturalismus anschließend: Thomas Nicklas, 2004; Andreas Rödder, 2006; ders., 2009.

22 In Bezug auf den dritten Gesichtspunkt spricht Andreas Hillgruber auch von einer „‚linke[n]' Tendenzhistorie". Andreas Hillgruber, 1979²: Seite 7 (Anmerkung 1). Dieser Aspekt durchzieht seinen forschungsprogrammatischen Aufsatz aus dem Jahr 1970 und stärker noch den von 1973 wie ein roter Faden: ders., 1970; ders., 1973: besonders Seite 529 - 531.

(west)deutschen Geschichtswissenschaft dar, die sich systematisch dieser Problemstellung zugewandt haben.

Andreas Hillgruber reklamiert zunächst die Entität der Politikgeschichte als eine eigenständige geschichtswissenschaftliche Teildisziplin, die sich durch ihre „spezielle[...] Perspektive" konstituiere und eine neben anderen sogenannten „Aspektwissenschaften" darstelle.[23] Unter ihrem Gegenstand, der Politik – welche mit einem „relativen Eigengewicht [...] dem Sozialökonomischen[, das heißt dem Sozialen und der Wirtschaft,] wie dem Ideologischen", was vermutlich den Bereich der Ideen respektive der gedanklichen Produkte und Vorstellungen meint, gegenüberstehe[24] –, versteht er ausschließlich ihre „praktizierte", das heißt eine als Handlung vollzogene, Erscheinungsform, bei der zudem „das Moment der Entscheidungen gegenüber der Vorstellung vom Prozeßcharakter der Geschichte" im Zentrum stehe.[25] Die Aufgabe der Politikgeschichte sei nun, „vor allem [...] die [...] Intentionen und Zielvorstellungen der Führungsgruppen der Großstaaten und ihrer wichtigsten Repräsentanten vor dem jeweiligen zeitgenössischen Erfahrungshorizont herauszuarbeiten und den Grad ihrer Abhängigkeit oder Be-

---

[23] Vgl. Andreas Hillgruber, 1973: Seite 530 – 532 (Zitate: Seite 530 (Anmerkung 5), 532). So auch bereits in: ders., 1970: Seite 33 – 34. Siehe ebenso: Klaus Hildebrand, 1976: Seite 331. Aus wissenschaftshistorischer Sicht ist bemerkenswert, dass die im Grunde bis in die Zeit nach dem Zweiten Weltkrieg in (West)Deutschland bestehende Identität von Geschichtswissenschaft und Politikgeschichte nun insofern von Andreas Hillgruber relativiert wird, als dass er letzterer lediglich noch den Rang einer Subdisziplin von ersterer zugestehen kann. Offenbar schätzt er die Sozialgeschichte bereits als derart gefestigt ein, dass er ihr den Status einer Teildisziplin glaubt zugestehen zu müssen – um damit zugleich jedoch (aus seiner Sicht) möglichen weiteren Aspirationen der Sozialhistoriker, vor allem solchen, die auf eine paradigmatische Übernahme der gesamten Geschichtswissenschaft abzielen (vgl. Andreas Hillgruber, 1970: Seite 36; auch: Klaus Hildebrand, 1976: Seite 331, 335 – 336, 341, 346 – 347, 356), einen intellektuellen Riegel vorzuschieben. Vgl. insgesamt: Andreas Hillgruber, 1970: besonders Seite 34 – 36; ders., 1973: Seite 530. Dementsprechend spricht er davon, dass die „‚politische Geschichte' heute an den Rand gedrängt" sei und dass es bereits seit längerem einen unüberhörbaren „Ruf nach einem Vorrang der Sozialgeschichte" gäbe. Ders., 1973: Seite 529, 543. Ungeachtet dieser eindeutigen Sichtweise Hillgrubers und auch Hildebrands lassen sich indessen keine im forschungskonzeptionellen Rahmen geäußerten Hinweise für die Rechtfertigung der These finden, dass mit der ‚modernen Politikgeschichte' zugleich ihr (früherer) Totalitätsanspruch innerhalb der gesamten Geschichtswissenschaft (wieder)begründet werden sollte. Vgl. Hans-Ulrich Thamer, 2003[3]: Seite 50.

[24] Andreas Hillgruber, 1973: Seite 530. Es scheint auf der Hand zu liegen, dass Andreas Hillgruber die Eigenständigkeit der Politikgeschichte innerhalb der gesamten Geschichtswissenschaft aus diesem für ihn unzweifelhaften empirischen Sachverhalt ableitet. Ein Festhalten am historistischen Primat der Politik lässt sich dagegen aus der These Hillgrubers von der Eigenständigkeit des Bereichs der Politik nicht ableiten. Vgl. Eckart Conze, 1998: Seite 22.

[25] Andreas Hillgruber, 1973: Seite 532 – 533. Im Grunde bereits in: ders., 1970: Seite 34. Erneut: ders., 1976: Seite 198.

einflussung von verschiedenen konstanten oder variablen Faktoren zu ermitteln".[26]

Zunächst einmal wird deutlich, dass Hillgruber durch die Beschränkung seines Politikbegriffs allein auf seine „praktizierte" Erscheinungsform sowohl die gesamte Politische Ideengeschichte als auch die Politische Strukturgeschichte als solche übergeht.[27] Gemessen an der in der Einleitung zu dieser Arbeit dargelegten umfassenden Definition von Politik reduziert er zudem den Terminus offenbar weder auf den prozesshaften Bereich der Willensbildung und Entscheidungsfindung noch auf den ebenfalls prozesshaften der Entscheidungsumsetzung, sondern konzentriert ihn im Sinne eines radikalen Dezisionismus auf jenen starren Punkt zwischen diesen beiden Ebenen, an dem die politische Entscheidung (gerade) gefällt wurde. Das prozesshafte Zustandekommen dieser als gegeben hingenommenen Entscheidung der politisch Verantwortlichen ist hier indes keine notwendige Eigenschaft des Terminus und steht bei ihm auch nicht im Fokus der politikhistorischen Forschung. Die Aufmerksamkeit der Politikgeschichte sei vielmehr ausschließlich darauf gerichtet, die Interessen, welche gewissermaßen ‚hinter' einer getroffenen Entscheidung standen, retrospektiv zu ermitteln.[28] Dieses beschränkte Forschungsprogramm vermag im Ergebnis weder eine modale, auf die Art und Weise ausgerichtete, Erklärung noch eine kausale, an den Ursachen interessierte, Erklärung für eine politische Entscheidung zu liefern, da der Willensbildungs- und Entscheidungsfindungsprozess der Politik schließlich so gut wie nie von einem autoritären Führer oder von den obersten Regierungsverantwortlichen vollständig allein vollzogen wird, sondern vielmehr im Rahmen eines mehr oder minder deliberativen Prozesses stattfindet, an dem in der Regel eine Mehrzahl von Personen und Personengruppen – wenn auch nicht gleichgewichtig – auf unterschiedlichen Ebenen teilhat. Die Rekonstruktion allein der Interessen des letztlichen Entscheiders oder zumindest von all denjenigen Personen innerhalb der von Hillgruber so bezeichneten „Führungsgruppen", die aus formellen Gründen für den entschiedenen Inhalt zuständig waren, ist für eine kausale Erklärung des Zustandekommens der politischen Entscheidung nicht hinreichend.

---

26 Andreas Hillgruber, 1973: Seite 533 – 534.

27 Siehe zu den Gegenstandsarten der Politik und den Teilbereichen der Politikgeschichte die entsprechenden Ausführungen in meinem Beitrag „Was ist Internationale Politikgeschichte?" (Kapitel III, IV.1) in diesem Band.

28 In der Kritik ansatzweise ähnlich: Thomas Mergel, 2002: Seite 575 – 576. Damit zusammenhängend spricht Andreas Hillgruber an einer Stelle zwar auch davon, dass es der Politikgeschichte „um geschichtliche Erkenntnisse von politischen Entscheidungen der Vergangenheit, ihren Ursachen und Folgen" gehe. Diese Ursachen-Forschung wird hier allerdings nicht weiter ausgeführt und erschöpft sich damit wohl in der beschriebenen Ermittlung allein der Interessen der politischen Entscheider. Andreas Hillgruber, 1970: Seite 34.

Vor dem Hintergrund dieser eingeschränkten Vorstellung von Politik unterteilt Hillgruber genauso wie Hildebrand den Begriff in zwei verschiedene Felder: in Innenpolitik (gemeint ist damit vielmehr: nationale Politik) und in Außenpolitik (beziehungsweise richtiger – und in der synonym verwendeten Begrifflichkeit der beiden Historiker: internationale Politik).[29] Dabei gehen beide von einer grundsätzlichen Trennbarkeit dieser Wirklichkeitsbereiche aus. Die Begründung dafür lautet: „Weil die Innenpolitik der Staaten existent ist, ‚Weltinnenpolitik' indessen nicht, gibt es verschiedene Regeln des Funktionierens der Innenpolitik der Staaten und der internationalen Politik" und deshalb, so die Aussage weiter, „gibt es verschiedene Zugänge für ihre wissenschaftliche Erfassung und folglich verschiedene Teildisziplinen".[30] Ausdrücklich wird in diesem Zusammenhang der historistische Primat der internationalen Politik abgelehnt genauso wie ein in das Gegenteil gekehrter Primat der nationalen Politik.[31] Allerdings wird dieser Aussage sogleich in zweifacher Hinsicht dadurch widersprochen, dass zum einen der internationalen Politik ein besonders prägender Charakter für den Verlauf der Geschichte überhaupt attestiert[32] und zum anderen die Internationale Politik-

---

29 Vgl. Andreas Hillgruber, 1973: Seite 533.

30 Andreas Hillgruber, 1973: Seite 534. Vgl. auch: ders., 1976: Seite 196; Klaus Hildebrand, 1976: Seite 344, 350. Die Untergliederung der Politikgeschichte in einen „auf die Staaten" und einen auf „ihre Beziehungen untereinander" bezogenen Teilbereich findet bei Andreas Hillgruber konsequenter Weise auch in seiner Definition der Teildisziplin Beachtung. Vgl. Andreas Hillgruber, 1973: Seite 532.

31 Vgl. Andreas Hillgruber, 1970: Seite 35 – 36; ders., 1973: Seite 535. Klaus Hildebrand spricht in Anlehnung an die Formulierungsweise einiger englischsprachiger Historiker im Hinblick auf den insbesondere von den Vertretern der Historischen Sozialwissenschaft forcierten Primat der nationalen Politik von einer „neuen Orthodoxie", die jener den „‚Primat der Außenpolitik' beschwörenden [alten] Orthodoxie" gegenüberstehe. Vgl. Klaus Hildebrand, 2008³b: Seite 85 – 98 (Zitat: Seite 94). Ebenso in: ders., 1990: Seite 349. Zu der bis in die jüngere Zeit reichenden, heute aber im Grunde überwundenen Debatte um einen Primat der internationalen Politik oder einen Primat der nationalen Politik (letzterer in der Diskussion stets als ‚Primat der Innenpolitik' bezeichnet) siehe: Hans Rothfels, 1950; ders., 1955; Heinrich Heffter, 1951; Karl-Dietrich Bracher, 1963; Ernst-Otto Czempiel, 1963; Alexander Novotny, 1965; Gustav Schmidt, 1975; Eckart Kehr, 1976²; Erhard Forndran, 1977; Urs Altermatt/Judit Garamvölgyi, 1980; Andreas Hillgruber, 1989²; Michael Hochedlinger, 1998; Brendan Simms, 2003. In dem bereits im Jahr 1980 von Urs Altermatt und Judit Garamvölgyi herausgegebenen Sammelband wurden die Positionen der Debatte einer breit angelegten Prüfung unterzogen, ein wie auch immer gearteter wirklichkeitsbezogener Primat verworfen, an seine Stelle die Interdependenz von nationaler Politik und internationaler Politik gesetzt und damit die Diskussion im Grunde abgeschlossen. Vgl. Urs Altermatt/Judit Garamvölgyi, 1980.

32 Die Position zu diesem Sachverhalt ist unmissverständlich: Andreas Hillgruber, 1970: Seite 36; ders., 1973: Seite 533; Klaus Hildebrand, 1976: Seite 330, 345 – 346; ders., 1995: Seite 198; ders., 2008²a: Seite 3 – 4. Geradezu prototypisch wirkt in diesem Zusammenhang die 1996 von Klaus Hildebrand neu herausgegebene und im Übrigen von vielen Historikern gerade in jüngster Zeit weitgehend unterschätzte Darstellung Ludwig Dehios zu einem „Grundproblem der neueren Staatengeschichte", die erstmalig im Jahr 1948 erschienen war. Darin unterwerfe der Autor die Entwicklung der europäi-

geschichte deshalb als der wichtigste Teil innerhalb der gesamten Politikgeschichte hervorgehoben wird.[33] Auch der „einseitig personalisierenden [...] Devise ‚Männer machen Geschichte'", die ebenfalls in der historistischen Tradition verhaftet war, begegnet Hillgruber mit einer „klare[n] Absage".[34] Doch stellt sich die Frage, wenn es der Politikgeschichte wesentlich darum gehen soll, die Interessen derjenigen Personen zu ermitteln, die an einer politischen Entscheidung unmittelbar beteiligt waren (also der „Führungsgruppen der Großstaaten und ihre[n...] wichtigsten Repräsentanten"), wer oder was außer eben diesen ‚Personen' – und historisch gesehen waren das in der überwiegenden Mehrzahl tatsächlich Männer –, deren Relevanz gerade in Frage gestellt wurde, dann hinsichtlich Intentionen und Zielvorstellungen befragt werden soll.[35]

Aus dieser Vorstellung von Politik im Allgemeinen und von internationaler Politik im Besonderen ergibt sich, dass für Hillgruber wie für Hildebrand die primären und letztlich wohl auch einzigen Akteure oder Subjekte der internationalen Politik die Staaten darstellen. Obwohl häufig vom ‚Staatensystem' oder der ‚Staatenwelt' die Rede ist, reduziert sich das Verständnis respektive das Forschungsinteresse allerdings weitgehend ausschließlich auf die sogenannten ‚Großstaaten', ‚Großmächte' oder ‚Weltmächte'.[36] Nicht nur

---

schen Staatenwelt seit dem Mittelalter dem Interpretationsmuster einer ständig wechselnden Konstellation von „Gleichgewicht oder Hegemonie", greife dabei unübersehbar gelegentlich auf die „inneren und gesellschaftlichen [...] Tendenzen", an übergeordneter Stelle jedoch stets auf die im Laufe der Zeit „bis zur Selbstzerstörung ihrer Protagonisten sich auftürmende Steigerung der Hegemonialkämpfe" der Staaten untereinander als Erklärungsfaktoren zurück und zeige damit, dass die Existenz der Staaten an jedem Punkt in der Geschichte „in hohem Maße von den internationalen Verhältnissen abhängt". Vgl. ders., 1996 (die letzten drei Zitate: Seite 404, 410). Zum Band selbst: Ludwig Dehio, 1996.

33 Vgl. zum Vorrang der Internationalen Politikgeschichte: Andreas Hillgruber, 1973: Seite 545. Dieser Primat durchzieht im Übrigen den gesamten Text von 1973, was sich allerdings auch damit begründen lässt, dass Andreas Hillgruber schwerpunktmäßig ein *Internationaler* Politikhistoriker war und seine Argumentation möglicherweise deshalb zu einem deutlichen Übergewicht dieses Themenbereiches neigt. Nichtsdestoweniger ist seine allgemeine, von diesem Einwand unabhängige theoretisch-konzeptionelle Position eindeutig. Siehe auch: ders., 1979[2]: Seite 7. Die gegensätzlichen Bekundungen Hillgrubers zum Primat der internationalen Politik stellt auch Eckart Conze fest, ohne jedoch ihren Widersinn aufzudecken. Vgl. Eckart Conze, 1998: Seite 21 – 22. Völlig kritiklos dagegen: Andreas Wirsching, 2006[2]: Seite 120. Hillgruber selbst klärt das Verhältnis von nationaler Politik und internationaler Politik, indem er die Ergebnisse letzterer als „Resultante verschiedener [innergesellschaftlicher wie zwischenstaatlicher] Komponenten" verstehen will. Freilich widerspricht er einem Primat der internationalen Politik nicht dadurch, dass er die nationale Politik als einen von mehreren möglichen Einflussfaktoren für die zwischenstaatlichen Beziehungen ausgibt. Andreas Hillgruber, 1970: Seite 35. Ähnlich in: ders., 1973: Seite 536. Vgl. auch den Aufsatz: ders., 1989[2].

34 Andreas Hillgruber, 1973: Seite 536. Vgl. auch: ders., 1970: Seite 38.

35 Anders: Ute Frevert, 2006[2]: Seite 152.

36 Vgl. Andreas Hillgruber, 1970: Seite 35 – 36; ders., 1973: Seite 533, 537.

widerspricht diese Gegenstandsbegrenzung ihrer eigenen theoretischen Bestimmung von internationaler Politik, sondern hier offenbaren sich konzeptionelle Inkonsequenz und chronische Unterreflexion im Programm Hillgrubers und Hildebrands in deutlicher Weise. Da eben die „Gegensätze zwischen den Groß- und Weltmächten wesentlich den Verlauf der allgemeinen Geschichte“ bestimmen würden,[37] müsste beispielsweise die jeweilige Politikgeschichte der Länder Haiti, Andorra und Siam mithin als völlig unerheblich angesehen werden, obwohl auch diese als eigenständige und selbstständige Gemeinwesen der Staatenwelt angehörten und zum Teil noch immer angehören.

In thematischer Hinsicht bieten die beiden Historiker vor allem auf dem Feld der Internationalen Politikgeschichte reichlich Beispiele.[38] Interessant ist daneben Hillgrubers analytisches Konzept von den ‚konstanten‘ (etwa geostrategische Lage; wahrscheinlich auch Institutionen und Personen) und den ‚variablen‘ (etwa wechselnde Konstellationen zwischen den Mächten; wahrscheinlich auch Vorstellungen, Meinungen, Urteile, Intentionen, zuvor getroffene Entscheidungen und eingenommenes Verhalten) Faktoren, die in der Politik immer eine Rolle spielen würden,[39] aber auch seine Idee von der Relevanz von ‚vorantreibenden‘ und ‚hemmenden‘ („retardierenden“) Kräften in politischen Entscheidungssituationen.[40] Darüber hinaus erweitert er den historistischen Ansatz von der Freiheit der menschlichen und insbesondere der politischen Handlungen um die Frage nach den diese wiederum einschränkenden tatsächlichen oder vermeintlichen Zwängen und damit nach den potenziellen beziehungsweise kontrafaktischen Handlungsalternativen der einzelnen Politiker.[41] Leider geht er auf diese Konzepte nicht tiefer ein.

---

37 Andreas Hillgruber, 1973: Seite 533.

38 Als Beispiele für besonders erforschenswerte Themengebiete der Internationalen Politikgeschichte werden unter anderem genannt: der Wechsel von Hegemonie und Gleichgewicht, die Bildung von Allianzen und Staatenverbindungen, die Sicherung und der Ausbau gesamtstaatlicher Macht, internationale Interdependenzen, außenpolitische Kalkulationen, hegemoniale und imperiale Machtstrukturen, der Zusammenhang von innerer gesellschaftlicher und politischer Ordnung einerseits und der Form der Außenpolitik andererseits, der Wandel der Staatenwelt, der Aufstieg und Niedergang von Großmächten, die jeweilige Konstellation der Mächtebeziehungen, die außenpolitische Beurteilung anderer Staaten als Freund oder Feind, die Stabilität oder Bedrohung der internationalen Ordnung insgesamt, der bändigende Einfluss von Völkerrecht auf zwischenstaatliche Machtpolitik, die Selbstbehauptung von Staaten in der ständigen internationalen Konkurrenz gegenüber anderen und das Vorherrschen von Frieden und Krieg. Vgl. Andreas Hillgruber, 1973: Seite 533, 537 – 538, 540, 542; ders., 1976: Seite 197 – 198; Klaus Hildebrand, 1976: Seite 344, 350; ders., 1995: Seite 198.

39 Vgl. Andreas Hillgruber, 1970: Seite 40; ders., 1973: Seite 534, 536; ders., 1976: Seite 197 – 198.

40 Vgl. Andreas Hillgruber, 1973: Seite 539.

41 Vgl. Andreas Hillgruber, 1970: Seite 34, 38; ders., 1973: Seite 540, 545, 550; ders., 1976: Seite 197. Siehe auch: Klaus Hildebrand, 1976: Seite 351. Solche Zwänge können

Als besonders wertvoll erscheint darüber hinaus das von ihm entwickelte analytische Dreieck, mit dem Hillgruber versucht, die drei bedeutendsten ‚Grundfaktoren' für seine politische Entscheidungssituation einzufangen. Das sind für ihn: (1) die ‚machtpolitischen Kalkulationen' (hier geht es vor allem um die jeweilige Macht der Akteure und um deren Handlungsoptionen), (2) die ‚gegensätzlichen wirtschaftlichen Interessen' (das meint die konkreten Wirtschaftsinteressen von ganzen Staaten und von nicht-staatsgebundenen Personen und Personengruppen) und (3) die ‚widerstreitenden Ideen und Ideologien' (darunter werden insbesondere politische Doktrinen gefasst, denen die handelnden Staatsmänner mehr oder minder unterworfen sind).[42] So interessant die Idee, ein Kategorienschema zur Analyse von Politik in Form eines gedachten Dreiecks zu entwerfen, auch ist, so unbefriedigend sind zugleich die einzelnen Gesichtspunkte, mit denen die Eckpunkte dieses Dreiecks gefüllt werden. Hier zeigen sich die Grenzen von Hillgrubers lediglich auf „das Moment der Entscheidungen" verengten Politikbegriff.[43]

Wie in Bezug auf die Primats-Debatte und die Diskussion um ‚Männer machen Geschichte' versuchen Hillgruber und Hildebrand auch auf der Ebene des Theoriegebrauchs und auf jener der Methodik sich zumindest verbal vom Historismus eindeutig abzusetzen. So heißt es beispielsweise: Zur „Verfeinerung der historischen Analyse" kann die „Verwendung systematischer Kategorien der Politikwissenschaft [...] ebenso beitragen wie die Erprobung neuer modellartiger Vorlagen, Interpretationsmuster, Frageraster" und dergleichen.[44] An einer anderen Stelle spricht Hillgruber sogar davon, dass „ein bestimmtes Maß an Generalisierung und Typisierung in der politischen Geschichte [...] nicht nur unvermeidlich, sondern auch, weil erst erkenntnisför-

sich, Andreas Hillgruber zufolge, etwa ergeben aus den gesellschaftlichen Strukturbedingungen, aus vorangegangenen politischen Entscheidungen oder aus einer gegebenenfalls vorherrschenden Wirtschaftskrise.

42 Vgl. Andreas Hillgruber, 1973: Seite 536 – 537.

43 Ein ähnliches analytisches Konzept entwickelte der französische Historiker Pierre Renouvin 1964, dem zufolge die ‚tiefen Kräfte' (im französischen Original: *‚forces profondes'*), wozu er geographische, demographische, volkswirtschaftliche, finanzielle, mentalitäre und ideologische Bedingungen zählte, einen unmittelbaren Einfluss auf die außenpolitischen Entscheidungen hätten und deshalb stets in die Analyse eingeschlossen werden sollten. Vgl. Pierre Renouvin/Jean-Baptiste Duroselle, 1991[4]: Seite 5 – 282 (Teil 1: *Les forces profondes*; verfasst von Pierre Renouvin) (erste Auflage zuerst 1964). Eine andersartige Idee unterbreitete später Jost Dülffer, der vorschlug, internationale Politik vor dem Hintergrund eines analytischen Vierecks (oder eines ‚Regelkreises') bestehend aus den Eckpunkten (1) Intention, (2) Performanz, (3) Perzeption und (4) Rezeption zu untersuchen. Auch dieses, Politik als Prozess beziehungsweise als Handlung verstehende Modell scheint durchaus interessant und der weiteren Diskussion wert, wobei zunächst zu klären wäre, wo genau der Unterschied zwischen den Punkten (3) und (4) liegt. Vgl. Jost Dülffer, 2008: Seite 113.

44 Andreas Hillgruber, 1973: Seite 541. Ebenso in: ders., 1970: Seite 37. Siehe auch: Klaus Hildebrand, 1976: Seite 336 – 346.

dernd, unbedingt anzustreben" sei.[45] Aber auch hier wird die gerade aufgestellte Behauptung sogleich wieder - beinahe bis zur Falsifikation - eingeschränkt. So warnen beide Autoren beispielsweise vor der Gefahr von „unzulässige[n] Verformung[en] der jeweiligen historischen Realität",[46] von „unzulässigen Verallgemeinerungen"[47] oder von „einer die Wirklichkeit verkürzenden ‚Thesen'-Historie einerseits, von theoretischer Verstiegenheit in der Interpretation andererseits".[48] Diese antithetische Argumentation abschließend fällt gleichsam im Nebensatz und in etwas verschnörkelter Formulierung die Bemerkung, dass der Politikhistoriker sein Alltagsdenken beibehalten müsse, „weil diese[s] in der zu untersuchenden konkreten Politik in der Regel dominiere[...]"[49] - mit anderen Worten: Theorien können nützlich sein, aber im Grunde bedarf es ihnen nicht.[50] Ihr Eingeständnis, dass zumindest Theorien geringer und mittlerer Reichweite eine gewinnbringende Hilfestellung bieten können, muss allerdings nicht allein deswegen eine bloße Leerformel sein, weil Hillgruber und Hildebrand selbst in keiner ihrer Forschungsstudien Theorien solcher oder irgendeiner anderen Art bewusst und

---

45 Andreas Hillgruber, 1973: Seite 544. Ähnlich in: ders., 1970: Seite 40.

46 Klaus Hildebrand, 1976: Seite 339.

47 Andreas Hillgruber, 1973: Seite 540.

48 Andreas Hillgruber, 1973: Seite 542. Ferner solle aus der „notwendigen Beachtung neuer theoretischer Erkenntnisse" keine „modische[...] Hypertheoretisierung" folgen, denn die „Unvorhersehbarkeit allen menschlichen, auch des politischen Handelns" bewirke die „Offenheit der jeweiligen Zukunft", welche „nicht mit einer scheinbaren ‚Totalerklärung' verdeckt werden" dürfe (ders., 1973: Seite 542). Weiter wird in diesem Zusammenhang gewarnt vor möglichen „Kurzschlüsse[n]" (ders., 1970: Seite 39; ders., 1973: Seite 544), „Scheinantworten" (ders., 1970: Seite 39; ders., 1973: Seite 545), einer „Erstarrung und Klischeebildung" (ders., 1973: Seite 544), einer „Überschätzung der ‚Systemzwänge'" (ders., 1970: Seite 39; ders., 1973: Seite 545), „scheinbar monolithische[n...] ‚Systeme[n]'" (ders., 1970: Seite 39; ders., 1973: Seite 545), einer möglichen „deterministische[n] Auffassung vom Gang der Geschichte" (ders., 1973: Seite 536), einem „Spekulieren mit historischer Totalität" (Klaus Hildebrand, 1976: Seite 346), „ideologischen Verkrampfungen" (Andreas Hillgruber, 1973: Seite 536), einem „Wissen anderer Qualität" (ders., 1973: Seite 546) und einer „utopisch anmutenden" Geschichtswissenschaft (ders., 1973: Seite 531). Auch wenn diese Hinweise für sich genommen zum Teil durchaus berechtigt sind, so zielt die Argumentation von Hillgruber und Hildebrand gleichermaßen implizit darauf ab, den Theoriegebrauch in der Geschichtswissenschaft generell zu unterminieren. Was an Theorie bleibt denn nach einer Subtraktion all des Genannten noch? Wie sollten denn die beschworenen Theorien „von kleinerer oder mittlerer Reichweite" konkret aussehen? (Ders., 1970: Seite 41; ders., 1973: Seite 545.) Welche eindeutig zu benennenden Theorien könnte man denn wie an einem exemplarischen Forschungsfall einsetzen? Auf diese durchaus antizipierbaren Fragen wissen die Autoren in ihren mehrzähligen Texten wohl nicht grundlos keine Antworten zu geben.

49 Vgl. Andreas Hillgruber, 1973: Seite 542, 549 (Zitat: Seite 542). Ähnlich auch Klaus Hildebrand, der zu der Schlussfolgerung gelangt, „dafür einzutreten, sich den allgemeinen Feldern der Geschichte über den Weg der direkten Anschauung zu nähern". Klaus Hildebrand, 1976: Seite 356.

50 Siehe hierzu etwa auch: Andreas Rödder, 2009: Seite 147, der diese Position an dieser Stelle ausdrücklich formuliert.

explizit integriert haben.[51] Nicht zu vergessen sei hier dennoch die keinesfalls grundlos immer wieder auftauchende Formel von einer „nüchtern-vorurteilsfreie[n] Forschung",[52] was offenbar ein Synonym für ‚theorielose Forschung' ist. Diese stark ausgeprägte Skepsis Hillgrubers und Hildebrands besonders gegenüber allgemeineren Theorien resultiert neben der weitgehend pauschalen Ablehnung ‚sozialer' Strömungen innerhalb der Geschichtswissenschaft,[53] die solche Theoriearten intensiv in ihre Arbeit aufgenommen haben, auffallend auch aus dem starren Festhalten der beiden Historiker am historistischen Programm, allein die Gegenstände der Vergangenheit in ihrer jeweiligen Individualität und Einmaligkeit zu betrachten und nicht irgendwelche auf das ‚Ganze', das ‚Totale' oder auf ‚Gesetze' ausgerichteten, verallgemeinernden Sachverhalte.[54]

Was die Methodik anbelangt so ist zunächst der Hinweis von Andreas Hillgruber auf die enorme Quellendichte vor allem in der Neueren und Neuesten Zeit sehr berechtigt.[55] Unter anderem auch deshalb plädiert er für eine besonders intensiv betriebene (deskriptive) Erarbeitung der Hintergründe von politischen Entscheidungen (etwa die Ausprägung von konkretem Machtdenken,[56] die sozialen, wirtschaftlichen und technischen Bedingungen[57] oder auch die diplomatischen Gegebenheiten[58]), die sodann „als Grundlage für alles Weitere",[59] das heißt für die folgende Analyse und Interpretation, diene.[60] Ein für Hillgruber besonderes methodisches Problem ergebe sich darüber hinaus aus der Schwierigkeit, die in der Regel langfristigen und strukturellen Gegenstände der Sozialgeschichte und der Wirtschaftsge-

---

51 Vgl. Andreas Hillgruber, 1970: Seite 41; ders., 1973: Seite 545. Siehe auch: Klaus Hildebrand, 1976: Seite 338 – 339. Ferner: Eckart Conze, 1998: Seite 22, 28 – 29.

52 Andreas Hillgruber, 1973: Seite 545. Vgl. ders., 1970: Seite 41.

53 Vgl. Andreas Hillgruber, 1973: besonders Seite 529 – 532. Obwohl Klaus Hildebrand durchaus glaubhaft dafür plädiert, die geschichtswissenschaftlichen „Disziplinen [...] mit ihren Problemen und Ansätzen neben- und miteinander existieren und kommunizieren zu lassen", so ist seine Kritik an Hans-Ulrich Wehlers Programm einer Gesellschaftsgeschichte meines Erachtens dennoch im Ganzen zu radikal und zu wenig emphatisch, um aus seiner Sicht eine präsente Sozialgeschichte ernsthaft für wünschenswert halten zu können. Vgl. Klaus Hildebrand, 1976: Seite 328 – 337, 339 – 342, 346 – 347 (Zitat: Seite 346 – 347).

54 Vgl. Andreas Hillgruber, 1970: Seite 41 – 42; ders., 1973: Seite 536, 542, 550 – 551; Klaus Hildebrand, 1976: Seite 330 – 331, 337 – 338, 340, 346, 350 – 355.

55 Vgl. Andreas Hillgruber, 1970: Seite 40; ders., 1973: Seite 543. Als Beispiel führt er in diesem Zusammenhang die Forschungsstudie von Hans-Adolf Jacobsen über die deutsche Außenpolitik von 1933 bis 1938 an, die auf der Grundlage von über 100.000 gesichteten und ausgewerteten Aktenstücken mit unterschiedlicher Provenienz entstanden sei. Zur Studie: Hans-Adolf Jacobsen, 1968.

56 Vgl. Andreas Hillgruber, 1973: Seite 536.

57 Vgl. Andreas Hillgruber, 1973: Seite 536 – 537.

58 Vgl. Andreas Hillgruber, 1973: Seite 532.

59 Andreas Hillgruber, 1973: Seite 532.

60 Vgl. Andreas Hillgruber, 1973: Seite 536, 540.

schichte mit den relativ kurzfristigen der Politikgeschichte zu verbinden.[61] Eine in meinen Augen ungleich höhere Brisanz liegt dagegen in dem ebenfalls von ihm erwähnten Problem, zwischen den Meinungen in der medialen Öffentlichkeit, in den nicht-staatlichen Interessengruppen und im politischen Führungskern zu unterscheiden und diesem Sachverhalt auch methodisch gerecht zu werden.[62] Über konkrete neue und innovative Methoden wird man dagegen, abgesehen von knappen Nebenbemerkungen zur Komparatistik[63] und zur Methode der Einfühlung,[64] ansonsten von Hillgruber und Hildebrand nicht unterrichtet. Vielmehr wird angesichts der in der Sozialgeschichte und in der Wirtschaftsgeschichte in extensiver Weise zum Einsatz kommenden quantitativen beziehungsweise vor allem fachfremden Methoden explizit die sogenannte ‚Historische Methode' gewissermaßen reanimierend in das Gedächtnis gerufen.[65] Perspektivisch erscheint unabhängig davon der Hinweis auf methodisch nicht ohne Weiteres handzuhabende ‚Interdependenzen'[66] und damit eng verbunden auf erst sehr viel später von Historikern systematisch in den Blick genommenen Verflechtungszusammenhängen[67] in der internationalen Politik. In darstellerischer Hinsicht werden keinerlei Gedanken geäußert, obgleich sowohl die von ihnen selbst verfassten Gesamtdarstellungen als auch deren Forschungsstudien hauptsächlich einen deskriptiv-chronologischen Erzählstil aufweisen, wie es für den Historismus typisch war.[68]

Das Programm zumindest von Andreas Hillgruber war das einer Politikgeschichte „moderner Prägung".[69] Damit war ein Forschungsansatz gemeint, der „modernen wissenschaftlichen Ansprüchen gerecht" werden und zugleich „sich modernen Fragestellungen öffne[n...]" sollte.[70] Was nun jedoch konkret das ‚Moderne' an seinem Ansatz ausmacht, wodurch sich die Konzeption Hillgrubers von der bisherigen Denk- und Vorgehensweise innerhalb der Politikgeschichte genau unterscheidet, das wird allerdings nicht disku-

---

61 Vgl. Andreas Hillgruber, 1970: Seite 39; ders., 1973: Seite 543 - 544.

62 Vgl. Andreas Hillgruber, 1970: Seite 39; ders., 1973: Seite 544.

63 Vgl. Andreas Hillgruber, 1970: Seite 37; ders., 1973: Seite 543.

64 Vgl. Andreas Hillgruber, 1973: Seite 551 - 552.

65 Vgl. Andreas Hillgruber, 1970: Seite 33 - 34. Mit dem ausführlichen und im Grunde zugleich ausschließlichen Hinweis auf die sogenannte ‚Historische Methode' unterstreicht Andreas Hillgruber die Starrheit und Unaufgeschlossenheit, die dem zusammen mit Klaus Hildebrand vertretenen Forschungsprogramm in methodischer Hinsicht inhärent sind.

66 Vgl. Andreas Hillgruber, 1970: Seite 35; ders., 1973: Seite 537.

67 Andreas Hillgruber spricht in diesem Zusammenhang von der „unlösbaren Verklammerung der deutschen mit der europäischen Geschichte". Andreas Hillgruber, 1973: Seite 543.

68 Zum Beispiel: Andreas Hillgruber, 1993[3]; Klaus Hildebrand, 2008[2]a.

69 Andreas Hillgruber, 1970. In dessen Aufsatz aus dem Jahr 1973 ist es eine Politikgeschichte „in moderner Sicht". Ders., 1973. In beiden Beiträgen spricht er jedoch schlicht auch von ‚moderner politischer Geschichte'.

70 Andreas Hillgruber, 1970: Seite 33; ders., 1973: Seite 532.

tiert und damit zu Recht kurze Zeit später von Hans-Ulrich Wehler, der sich explizit auf Hillgruber bezieht, kritisiert.[71] Auch wenn sich Hillgruber von der ‚politisierten' Geschichtswissenschaft des 19. Jahrhunderts in deutlicher Weise abwendet, so bleiben die von ihm und von Hildebrand als Neuerungen ausgegebenen forschungskonzeptionellen Behauptungen vielfach bloße, den Umständen der Zeit geschuldete Lippenbekenntnisse, denen in der Praxis doch eher das Gegenteil folgen sollte. Deshalb ist dieses Forschungsprogramm, anders als Hillgruber selbst behauptet, gerade doch kaum etwas anderes als „eine Neuauflage (unter anderem Vorzeichen) jener aus dem 19. Jahrhundert" stammenden historistischen Politikgeschichte,[72] die hier deshalb mit dem Schlagwort des ‚Neohistorismus'[73] belegt werden soll.[74] Nichtsdestoweniger lassen sich mit diesem Paradigma erfolgreich politikhistorische Forschung betreiben und wertvolle Erkenntnisse gewinnen. Der Neohistorismus birgt trotz aller notwendigen Kritik an verschiedenen programmatischen Stellen insgesamt durchaus wissenschaftliche Potenziale in sich, die deswegen nicht einfach wegdiskutiert werden können. Es wird sich zeigen, ob dieser Ansatz in der Lage sein wird, künftig die konzeptionelle Weiterentwicklung speziell auch der Internationalen Politikgeschichte tatsächlich mitvoranzutreiben.

---

71 Vgl. Hans-Ulrich Wehler, 1975: Seite 347, 364.

72 Andreas Hillgruber, 1970: Seite 34.

73 Vgl. Wolfgang J. Mommsen, 1987: Seite 111; Tobias Weidner, 2012: Seite 16. Eine alternative Bezeichnung für diesen Forschungsansatz innerhalb der (Internationalen) Politikgeschichte ist der des ‚Neorankeanismus' im Hinblick auf die Feststellbarkeit eines immer wieder vorgenommenen primären Rückgriffs auf das geschichtswissenschaftliche Grundverständnis des Nestors des Historismus, Leopold von Ranke, wobei diesem allein auf eine einzelne, wenn auch entscheidende Person bezogenen und bereits für die Zeit am Ende des 19. Jahrhunderts gültigen Terminus der allgemeinere des ‚Neohistorismus' vorzuziehen ist. Siehe zu diesem Begriff: Hans-Heinz Krill, 1962; Hans-Ulrich Wehler, 1996; Gunter Scholtz, 1997; Eckart Conze, 1998: Seite 20; Jens Nordalm, 2003. Die völlig unspezifischen, wenngleich vermeintlich mehr vermittelnden Bezeichnungen einer ‚hergebrachten', ‚traditionellen', ‚klassischen', ‚konventionellen', ‚alten' oder ‚älteren' (Internationalen) Politikgeschichte sind aufgrund ihrer Inhaltsleere und ihrer zum Teil doch eher wertenden Tendenz ebenfalls nicht zu bevorzugen. Zu diesen prädikativen Bezeichnungen: Hans-Ulrich Wehler, 1975: Seite 348; Eckart Conze, 1998: Seite 20, 25; Thomas Mergel, 2002: Seite 575; Ute Frevert, 2006[2]: Seite 152; Peter Borowsky/Rainer Nicolaysen, 2007[3]: Seite 533, 536; Andreas Rödder, 2009; Tobias Weidner, 2012: Seite 11, 16.

74 Bezeichnenderweise waren es ja gerade nicht die forschungskonzeptionelle Begrenztheit oder die theoretische und methodische Unzulänglichkeit der Anfang der 1970er Jahre im Kern noch immer historistisch gewesenen westdeutschen Geschichtswissenschaft und ihrer Politikgeschichte, sondern vorrangig die allenthalben in Staat, Gesellschaft, Universität und Wissenschaft auftauchenden ‚sozialen' beziehungsweise ‚linken' Strömungen, deren Bekämpfung innerhalb der Geschichtswissenschaft Andreas Hillgruber zusammen mit Klaus Hildebrand zur ‚Modernisierung' des Bisherigen, aber ohne dabei vom Alten wesentlich abzurücken trieb. Vgl. Gustav Schmidt, 1975: Seite 29; Ute Frevert, 2006[2]: Seite 152 – 153; Peter Borowsky/Rainer Nicolaysen, 2007[3]: Seite 536.

III. Der Sozietarismus

Während Andreas Hillgruber und Klaus Hildebrand die historistische Geschichtswissenschaft im Rahmen der Politikgeschichte durch einen im Kern kaum veränderten Neohistorismus zu ‚modernisieren' suchten, unternahmen einige Historiker – vor allem aus dem Kreis der Befürworter der sich ausbreitenden Sozialgeschichte – den Versuch, das alte gesamtgeschichtswissenschaftliche Paradigma durch ein tatsächlich neues zu ersetzen. Ihr Ziel war eine „[...k]ritische Geschichtswissenschaft in emanzipatorischer Absicht",[75] die sich „jenseits des Historismus"[76] als eine von mehreren Sozialwissenschaften, eben als ‚Historische Sozialwissenschaft',[77] verstand und in diesem Rahmen die theoretische wie methodische Nähe zu ihren entsprechend artverwandten Nachbarwissenschaften sucht, was vor allem die Soziologie, die Wirtschaftswissenschaft und die Psychologie, aber auch die Politikwissenschaft und andere Disziplinen im weiten Kreis der Sozialwissenschaften betraf und betrifft.[78] Damit einher ging zugleich eine Veränderung des durch den Historismus geprägten Weltbildes, dem zufolge der Staat das zentrale und wirkmächtige Element in der Geschichte sei, hin zu der Erkenntnis, dass vielmehr das übergreifende Phänomen der Gesellschaft der Angelpunkt der historischen Entwicklung darstelle und Politik nun als eines ihrer sachlichen Teilbereiche neben anderen, wie dem Sozialen und der Wirtschaft, betrachtet werden sollte. Diese umfassende ‚Gesellschaftsgeschichte'[79] sowie die eng mit ihr verbundene Historische Sozialwissenschaft

[75] Dieter Groh, 1973.

[76] Wolfgang J. Mommsen, 1972².

[77] Hans-Ulrich Wehler spricht gelegentlich präzisierend von einer „historisch-kritische[n] Sozialwissenschaft". Hans-Ulrich Wehler, 1980³a: Seite 7. Vgl. zur Historischen Sozialwissenschaft allgemein: Reinhard Rürup, 1977; Hans-Ulrich Wehler, 1980³a; ders., 1980b; ders., 1998c; Wolfgang J. Mommsen, 1987; Thomas Welskopp, 1998; Jürgen Kocka, 1999; ders., 2000. Einführend dazu: Paul Nolte, 2006²; Josef Mooser, 2007³; Jürgen Kocka, 2010; Klaus Nathaus, 2012. Siehe außerdem das unter anderem von Jürgen Kocka, Reinhart Koselleck, Wolfgang J. Mommsen und Hans-Ulrich Wehler im Jahr 1975 begründete und von da an mitherausgegebene Fachjournal „Geschichte und Gesellschaft. Zeitschrift für Historische Sozialwissenschaft" (GG). Siehe hierzu auch das dortige „Vorwort der Herausgeber": Helmut Berding u. A., 1975.

[78] Vgl. Gustav Heinzmann, 1971; Hans-Ulrich Wehler, 1974²; ders., 1977: Seite 368; ders., 1980³a; ders., 1984²; ders., 1985²; Helmut Berding u. A., 1975: Seite 5; Reinhard Rürup, 1977; Wolfgang J. Mommsen, 1987: Seite 112; Jürgen Kocka, 2000: Seite 9; ders., 2010: Seite 165; Paul Nolte, 2006²: Seite 55.

[79] Vgl. Hans-Ulrich Wehler, 1980c; ders., 1988b; ders., 2010; Eric J. Hobsbawm, 1984²; Manfred Hettling/Claudia Huerkamp/Paul Nolte/Hans-Walter Schmuhl, 1991; Thomas Mergel/Thomas Welskopp, 1997; Paul Nolte/Manfred Hettling/Frank-Michael Kuhlemann/Hans-Walter Schmuhl, 2000; Jürgen Osterhammel/Dieter Langewiesche/Paul Nolte, 2006; Matthias Middell, 2007. Einführend dazu: Benjamin Ziemann, 2003³; Josef Mooser, 2007³; Stefan Jordan, 2013²: Seite 109 – 125. Siehe zudem in historiographischer Umsetzung die von Hans-Ulrich Wehler verfasste fünfbändige „Deutsche Gesellschaftsgeschichte" von 1700 bis 1990: Hans-Ulrich Wehler,

sind dementsprechend *nicht* allein auf das Programm, die Denk- und die Arbeitsweise der Sozialgeschichte begrenzt, sondern sollten darüber hinaus der gesamten Geschichtswissenschaft fortan ein neues forschungskonzeptionelles Fundament verleihen. Als ein Forschungsansatz, dessen wirklichkeitsbezogene Zentraleinheit die Gesellschaft, die Sozietät,[80] darstellt und dessen Interesse ihrer systematischen und insgesamt multidimensionalen Erforschung und Beschreibung gilt, kann dieser – die beiden unmittelbar zusammenhängenden Paradigmen miteinander verbindend – sachangemessen mit dem Oberbegriff des ‚Sozietarismus' zusammenfassend bezeichnet werden.

Neben dem Werben für die eigene Sache war der Fokus der Vertreter der Sozialgeschichte wie der des Sozietarismus gleichermaßen auf die forschungskonzeptionelle Überwindung des Historismus gerichtet. Gegen den Versuch von Hillgruber und Hildebrand, das alte geschichtswissenschaftliche Paradigma im Rahmen der Politikgeschichte mit einem neuen Anstrich zu reanimieren, erhob als vordringlichster Mitbegründer und Verfechter des Sozietarismus schließlich Hans-Ulrich Wehler mit zwei kritischen Forschungsberichten noch Mitte der 1970er Jahre seine Stimme.[81] Wehlers an-

2008a. Ebenso: Bert Altena/Dick van Lente, 2009. Im Übrigen sind ‚Gesellschaftsgeschichte' und ‚(Neue) Sozialgeschichte' keineswegs identische Begriffe. Während die Sozialgeschichte eine von mehreren sachlich ausgerichteten geschichtswissenschaftlichen Teildisziplinen neben etwa der Politik-, Rechts-, Wirtschafts- und Religionsgeschichte ist, handelt es sich bei der Gesellschaftsgeschichte um einen spezifischen Forschungsansatz, der vor allem, aber nicht ausschließlich innerhalb dieser Sozialgeschichte entwickelt worden war und der für die gesamte Geschichtswissenschaft anwendbar zu sein beansprucht. Beide Begriffe dürfen folglich auf keinen Fall verwechselt oder schlechterdings austauschbar verwendet werden. Eine weitgehende Vermengung sogar aller drei vorkommenden Begriffe, namentlich der ‚Sozialgeschichte', der ‚Gesellschaftsgeschichte' und der ‚Historischen Sozialwissenschaft', findet dagegen statt bei: Klaus Nathaus, 2012: Seite 1 – 2.

[80] Die englische Übersetzung hierfür lautet: *‚society'*, die französische: *‚société'*, die italienische: *‚società'*, und die altlateinische: *‚societas'*.

[81] Hans-Ulrich Wehler, 1975; ders., 1977. Für diesen Zusammenhang sind ebenfalls die beiden umfangstärkeren, aber erst in den 1990er Jahren veröffentlichten Rezensionen hinzuzuziehen: ders., 1996; ders., 1998b (zuerst 1993). Siehe außerdem die von Hans-Ulrich Wehler zuerst im Jahr 1985 publizierte Rezension der Forschungsstudie von Joachim Radkau über die westdeutsche Atomwirtschaft von 1945 bis 1975, die Wehler als „eine geradezu exemplarisch gelungene Politikgeschichte ‚moderner Prägung'" preist, die insgesamt allerdings sehr viel vordergründiger in den Bereich der Wirtschaftsgeschichte und ebenfalls in den der Technik-, Wissenschafts- und Sozialgeschichte gehört und sich insofern im Grunde gar nicht so trefflich als Beispiel für eine tatsächlich moderne *Politik*geschichte eignet, wie Wehler meint, als vielmehr für eine innovative Umsetzung des integrativen Ansatzes der Gesellschaftsgeschichte in Form einer Forschungsstudie. Zur Rezension: ders., 1988a (Zitat: Seite 93). Zur Studie selbst: Joachim Radkau, 1983. Zu den allgemeinen Hintergründen und Intentionen von Hans-Ulrich Wehlers Kritik an der damaligen Politikgeschichte und generell am (Neo)Historismus siehe: Sven Externbrink, 2007: Seite 15 – 17; Patrick Bahners/Alexander Cammann, 2009; sowie umfassend: Paul Nolte, 2015.

tineohistoristische Schriften, die dementsprechend nur bedingt konstruktiv ausgefallen sind, stellen insofern eine zentrale Quelle der sozietaristischen (Internationalen) Politikgeschichte dar, als dass ansonsten keine weiteren forschungskonzeptionellen Texte aus diesem paradigmatischen Umfeld vorliegen, weil den Vertretern des Sozietarismus (wie denen der Sozialgeschichte) zunächst einmal an der Erweiterung des allgemeinen Gegenstandes der Geschichtswissenschaft um nicht-politische Themen gelegen war und sich deren Aufmerksamkeit deshalb nur zu allerletzt auf die Weiterentwicklung der schon lange etablierten Politikgeschichte richtete. Entsprechend schwierig gestaltet sich eine gehaltvolle Rekonstruktion des Programms der sozietaristischen Internationalen Politikgeschichte.

Hans-Ulrich Wehler versteht die Wirklichkeit als eine Welt von Gesellschaften, welche ihrerseits vor allem durch die Teilbereiche des Sozialen, der Wirtschaft, der Politik und der Kultur konstituiert werden.[82] Im Zuge seiner Kritik an der Bestimmung des Politikbegriffs durch Andreas Hillgruber, welcher, wie gezeigt, „das Moment der Entscheidungen" betont, weist Wehler darüber hinaus auf die „in der Regel [vorzufindenden] Entscheidungsprozesse[...] mit [ihren] Stufen der Entwicklung" hin, die in dieser Form ebenfalls zur Politik gehören würden.[83] Unmittelbar daran anschließend referiert er im selben Text exemplarisch den Politikbegriff Max Webers, den er als handlungstheoretischen versteht und deshalb offenbar für besonders brauchbar hält.[84] Damit scheint für Wehler der gesamte, auf unterschiedlichen Ebenen gelagerte Bereich der Willensbildung und Entscheidungsfindung, also – im Sinne der in der Einleitung der vorliegenden Arbeit angeführten umfassenden Definition – der Prozess der ‚Herstellung allgemein geltender Entschei-

---

82 Im Anschluss an Max Weber zählt Hans-Ulrich Wehler die drei Dimensionen der Herrschaft, der Wirtschaft und der Kultur auf sowie Jürgen Habermas folgend die ebenfalls drei äquivalenten oder identischen Dimensionen der Herrschaft, der Arbeit und der Sprache. Vgl. Hans-Ulrich Wehler, 2008[5]b: Seite 6 – 7. Diesen drei konstitutiven Dimensionen stellt Wehler schließlich noch eine vierte zur Seite, die er ‚soziale Ungleichheit', ‚Sozialhierarchie' oder ‚Sozialschichtung' nennt. Vgl. ders., 2008[5]b: Seite 11, 13 – 14. Zusätzlich führt Wehler am Rande noch eine fünfte Dimension ein, die auch in seiner „Deutsche[n] Gesellschaftsgeschichte" immer wieder eine Rolle spielt: die Bevölkerung. Vgl. ders., 2008[5]b: Seite 11. Später betont Wehler die Bedeutsamkeit noch weiterer Dimensionen wie dem Recht und der Religion. Vgl. ders., 2010: Seite 142 – 143. Siehe insgesamt auch: ders., 1977: Seite 364; ders., 2008[5]b: Seite 21; ders., 2010: Seite 137. Ferner: Helmut Berding u. A., 1975: Seite 5; Jürgen Kocka, 1986[2]: Seite 97; ders., 2000: Seite 10.

83 Hans-Ulrich Wehler, 1975: Seite 351. Siehe auch: ders., 1996: Seite 258 – 260; ders., 1998b: Seite 180.

84 Vgl. Hans-Ulrich Wehler, 1975: Seite 365. Max Weber definiert Politik als das „Streben nach Machtanteil oder nach Beeinflussung der Machtverteilung, sei es zwischen Staaten, sei es innerhalb eines Staates zwischen den Menschengruppen, die er umschließt. [...] Wer Politik treibt, erstrebt Macht: Macht entweder als Mittel im Dienst anderer Ziele – idealer oder egoistischer –, oder Macht ‚um ihrer selbst willen': um das Prestigegefühl, das sie gibt, zu genießen." Max Weber, 2009[5]: Seite 822.

dungen', originär zum Politikbegriff dazuzugehören. Addiert man dazu den Umstand, dass Wehler im Rahmen des gesellschaftshistorischen Ansatzes Politik wesentlich auf die (politische) Herrschaft beschränkt,[85] ihm in diesem Zusammenhang mithin vorrangig an der Regierungstätigkeit der Staatsmänner gelegen ist, dann dürfte für ihn offenbar auch der Bereich der Entscheidungsumsetzung respektive der ,Durchsetzung allgemein geltender Entscheidungen' integraler Bestandteil von Politik sein, womit in der Tat die volle Bandbreite des Inhaltes des Politikbegriffs abgedeckt wird. Gleichwohl bleibt sein Terminus, da er mit ihm in dieser Form im Grunde nicht arbeitet, dennoch unterreflektiert.[86]

Ähnlich wie Andreas Hillgruber gesteht auch Hans-Ulrich Wehler dem Gesellschaftsbereich der Politik „eine relativ autonome Geltung und Wirkungsmacht" zu, wobei sie zusammen mit den anderen Teilbereichen der sozietären Realität, vor allem dem Sozialen und der Wirtschaft, sich „wechselseitig durchdringende[...] und bedingende[...] Dimensionen" darstellen würde.[87] An diesem theoretischen Punkt wird sodann dem überkommenen und, wie gesehen, noch in den Vorstellungen Hillgrubers und Hildebrands verhafteten historistischen Primat der internationalen Politik ein Primat der nationalen Politik gegenübergestellt. Mit diesem war zum einen die zunächst als ,polemische Provokation' gemeinte und deshalb später wieder aufgegebene Vorstellung einer herausragenden Prägekraft nicht allein der nationalen politischen, sondern der gesamten „inneren Verhältnisse [... auf die] Innen- *und* Außenpolitik" verbunden. Zum anderen sollte damit zusammenhängend eine Verschiebung des vorrangigen forscherischen Blicks von den exogenen auf die endogenen Bedingungen eines Landes oder Gemeinwesens einhergehen.[88] Der *forschungsbezogene* Vorrang der „inneren Verhältnisse"

---

85 Siehe dazu seine Gesamtdarstellung zur „Deutsche[n] Gesellschaftsgeschichte": Hans-Ulrich Wehler, 2008a.

86 Es bleibt an dieser Stelle für Hans-Ulrich Wehler bei dem Aufruf, dass sich die Vertreter der Politikgeschichte Klarheit über ihren Gegenstand, die Politik, vor dem Hintergrund der aktuellen, auch disziplinübergreifenden terminologischen Diskussion verschaffen sollen. Vgl. Hans-Ulrich Wehler, 1975: Seite 365, 369.

87 Vgl. Hans-Ulrich Wehler, 2008[5]b: Seite 8 – 11, 21 (Zitat: Seite 7).

88 Vgl. Hans-Ulrich Wehler, 1975: Seite 353 – 357 (Zitat: Seite 355; Hervorhebung durch den Verfasser). Siehe dazu auch die weniger forschungskonzeptionell als vielmehr biographisch-beispielhaft gehaltene Einleitung von Hans-Ulrich Wehler zu der von ihm herausgegebenen Anthologie ausgewählter Aufsätze des in der Zeit der Weimarer Republik wirkenden Historikers Eckart Kehr, welche den programmatischen Titel „Der Primat der Innenpolitik" erhalten hatte: ders., 1976[2]. Der Band: Eckart Kehr, 1976[2] (erste Auflage zuerst 1965). Siehe zudem: Hans-Ulrich Wehler, 2010: Seite 139 – 141. Der später wieder aufgegebene *wirklichkeitsbezogene* Primat der nationalen Politik wurde innerhalb des sozietaristischen Programms schließlich – ganz im Sinne des Ergebnisses in dieser Debatte – in eine ,Interdependenz' von nationaler Politik und internationaler Politik überführt. Vgl. ders., 1977: Seite 380; ders., 1996: Seite 258, 262 – 263; ders., 1998b: Seite 187. Kritisch hierzu: Eckart Conze, 1998: Seite 27 – 28. Siehe zur generellen Primatsdiskussion zudem die entsprechende Anmerkung in Kapitel II.

ist hingegen im Programm des Sozietarismus angesichts seiner *Gesellschafts*-zentriertheit bis heute erhalten geblieben, obgleich es bereits sanfte Versuche vor allem mit Bezug zur Transnationalen Geschichte und weniger noch zur Internationalen Geschichte gab, jene allein auf ganze Gesellschaften ausgerichtete Begrenztheit des Forschungsansatzes zu überwinden.[89]

Was das Erkenntnisinteresse betrifft so ist Wehler darauf bedacht, für den komplexen Prozess der Willensbildung und Entscheidungsfindung zunächst einmal die jeweiligen „Umstände" der handelnden Personen durch die Herausarbeitung insbesondere der sozialen, wirtschaftlichen und verfassungsrechtlichen Hintergründe, das heißt der vielfältigen „restriktiven Bedingungen von Politik", sichtbar zu machen, sodann das „Geflecht der [in dem Prozess der politischen Entscheidungsherstellung verteilten] Interessen" aufzudecken und anschließend durch „Konstellationsanalysen" die „Konfiguration [... der] Kräfteverhältnisse[...]" herauszuarbeiten, um letztlich, ähnlich wie Hillgruber und Hildebrand, die „Handlungsmöglichkeiten und -barrieren [– hier allerdings aller mehr oder minder unmittelbar involvierten Personen und Personengruppen –] auszumessen".[90] Zwar interessiert Wehler damit weit mehr als nur den Letztentscheider in den politischen „Führungsgruppen". Was seinem Forschungskonzept jedoch sowohl für eine modale Erklärung als schließlich auch für eine kausale Erklärung des Zustandekommens der jeweiligen politischen Entscheidungen fehlt, ist eine Verknüpfung der einzelnen benannten Gesichtspunkte zu einer Interpretation der ablaufenden Herstellungs*prozesse* der einzelnen Entscheidungen. Vielmehr läuft der Ansatz in gewisser Weise ständig Gefahr, lediglich eine immerhin miteinander verbundene Sozialgeschichte,[91] Wirtschaftsgeschichte und Verfassungsgeschichte der Politik zu sein, die eigentliche Politikgeschichte aber aus den Augen zu verlieren. Auch Wehler richtet seinen Blick letztlich *nicht* auf das Prozesshafte des Zustandekommens politischer Entscheidungen, was ihn in dieser Hinsicht ziemlich nah bei Hillgruber und Hildebrand stehen lässt. Dementsprechend erstaunt es nicht, wenn er hinsichtlich des Bereichs der Durchsetzung der politischen Entscheidungen (also

---

[89] Diese Begrenztheit erkennt später auch Hans-Ulrich Wehler selbst als eine Schwäche des Forschungsansatzes. Vgl. Hans-Ulrich Wehler, 2010: Seite 144. Zur Verbindung des Sozietarismus mit der Transnationalen Geschichte siehe: Jürgen Osterhammel, 2001; Albert Wirz, 2001; Marita Krauss, 2004; Hans-Ulrich Wehler, 2006. Zur Verbindung mit der Internationalen Geschichte siehe: Guido Müller, 2004; sowie im Prinzip auch, aber ausdrücklich ohne unmittelbar an den Sozietarismus anzuknüpfen: Eckart Conze, 2000.

[90] Zum ersten Zitat: Hans-Ulrich Wehler, 1975: Seite 367. Siehe dazu auch: ders., 1975: Seite 355, 368; ders., 1998b: Seite 180; ders., 2008[5]b: Seite 17 – 18. Zum zweiten und dritten Zitat: ders., 1975: Seite 361. Zum vierten Zitat: ders., 1975: Seite 366. Dazu auch: ders., 1988a: Seite 95 – 96. Siehe insgesamt zudem: ders., 1975: Seite 360 – 361.

[91] Zur Möglichkeit einer Sozialgeschichte der Politik siehe auch: Dieter Langewiesche, 1986; Thomas Etzemüller, 2001; Thomas Mergel, 2002: Seite 579 – 583; Andreas Fahrmeir, 2006.

jenem Bereich der (politischen) Herrschaft) sein Augenmerk *nicht* auf die gouvernementalen und administrativen Vorgänge richtet. Sondern hier geht es ebenfalls um die „restriktiven Bedingungen von Politik", um die Legitimation von Entscheidungshandeln und um die Kontrolle politischer Herrschaft - alles in allem fraglos wichtige Aspekte, aber wiederum lediglich Rahmenbedingungen.[92]

Die Durchschlagskraft eines im Sozietarismus implizierten Strukturalismus[93] und auch Funktionalismus[94] wird - im Vergleich zu der eher personalistischen Ereignisgeschichte des Neohistorismus - im Erkenntnisinteresse der von Wehler präferierten Form von Politikgeschichte deutlich und sehr viel stärker noch in seiner fünfbändigen „Deutsche[n] Gesellschaftsgeschichte" vom 18. bis zum 20. Jahrhundert, in der demographische, wirtschaftliche, soziale, politische und kulturelle ‚Strukturbedingungen' und ‚Entwicklungsprozesse' eine zentrale Position einnehmen.[95]

Da die Vertreter des Sozietarismus aus den dargelegten entstehungsgeschichtlichen Gründen im Wesentlichen keine ordinäre (Internationale) Politikgeschichte betrieben haben und noch heute nicht betreiben, sind bisher nicht nur keine Überlegungen zu den Akteuren oder Subjekten der internationalen Politik angestellt worden, sondern es bleibt auch die im forschungskonzeptionellen Rahmen vorgegebene Liste besonders lohnender Themen mager.[96]

Aufschlussreich sind dagegen die von Wehler vorgeschlagenen theoretischen Konzepte, die er insbesondere aus der Politikwissenschaft entnommen

---

92 Vgl. Hans-Ulrich Wehler, 2008[5]b: Seite 10, 17 - 20.

93 Explizit ausgeführt etwa von: Thomas Welskopp, 1998: Seite 178 - 180.

94 Vgl. Hans-Ulrich Wehler, 1975: Seite 361, 363; ders., 1977: Seite 350; ders., 1998b: Seite 181 - 182.

95 Vgl. Hans-Ulrich Wehler, 1975: Seite 359, 360 (Anmerkung 51); ders., 1988a: Seite 96. Zur historiographischen Gesamtdarstellung: ders., 2008a. Wenn Hans-Ulrich Wehler zwischen „allgemeine[n] Strukturen und Prozesse[n] einerseits" und „individuelle[n] Handlungen und Entscheidungen andererseits" unterscheidet, dann geht daraus hervor, dass er mit ‚Prozessen' vor allem kurz-, mittel- und langfristige Entwicklungstrends und gegebenenfalls dabei auftretenden gegenstandsbezogenen Wandel (siehe hierzu auch: ders., 1975: Seite 360 (Anmerkung 51)) meint und nicht so sehr die konkreten Verhaltensweisen, Aktionen und Abläufe, die bei zeitlich eng eingegrenzten historischen Ereignissen beziehungsweise bestimmten Handlungssituationen die ‚prozessuale' Dimension bilden. Ders., 2008[5]b: Seite 30. Zum sozietaristischen Strukturalismus siehe ferner: Jürgen Kocka, 1986[2]: Seite 98; ders., 2000: Seite 7, 10 - 13; Eckart Conze, 1998: Seite 23 - 24; Paul Nolte, 2006[2]: Seite 54, 66.

96 Neben dem allgemeinen Thema der ‚restriktiven Bedingungen von Außenpolitik' wird zumindest auf die Außenpolitik der Großmächte im ‚Zeitalter des Imperialismus' immer wieder hingewiesen. Vgl. Hans-Ulrich Wehler, 1975: Seite 356 - 358. Zudem hat Eckart Conze das Problem der ‚Sicherheit' unter anderem auch im internationalen Kontext zum Gegenstand eines Beitrags gemacht, welcher in den Rahmen des Sozietarismus eingebettet ist, gleichzeitig aber auch andere Ansätze wie den Neohistorismus, den Kulturalismus und die Transnationale Geschichte integriert. Vgl. Eckart Conze, 2005.

hat und die bei der Analyse und Interpretation politikhistorischer Themen helfen sollen. Unter anderem werden vorgestellt das Theorem des *political development*, die Modernisierungstheorie und die Systemtheorie,[97] ferner die Einbeziehung der jeweils präzise geklärten Begriffe der ‚Macht'[98] und der ‚Herrschaft'[99] sowie das Konzept der *policy arenas* („die distributive, regulatorische, redistributive Arena"), das der sogenannten *‚non-decisions'* („Problemfelder[...], wo ohne ‚Entscheidung' durch formelle Institutionen oder öffentliche Diskussion entschieden wird"), das der Veto-Gruppen[100] und dasjenige des politischen Systems.[101] Hinzu kommt die Problematisierung der Frage nach den verschiedenen Perzeptionen und Mentalitäten der handelnden Personen und Personengruppen sowie der soziologischen Idee von der Lernfähigkeit des Menschen im Allgemeinen und damit speziell auch der an allgemein geltenden Entscheidungen beteiligten Politiker.[102] Durchaus interessant erscheint zudem seine ansatzweise Weiterentwicklung des von Andreas Hillgruber entwickelten analytischen Dreiecks der ‚Grundfaktoren' von Politik beziehungsweise von politischen Entscheidungen (mit den Eckpunkten: (1) ‚machtpolitische Kalkulationen', (2) ‚gegensätzliche wirtschaftliche Interessen' und (3) ‚widerstreitende Ideen und Ideologien') um die nun dazukommenden Determinanten (4) der ‚gesellschaftlichen Konstellationen' und (5) der ‚wirtschaftlichen Interessen' im Sinne eines eigenständigen, unmittelbar auf die politische Entscheidungsherstellung wirkenden Faktors.[103] Allerdings ist das Modell in dieser Form angesichts der bestehenden Unschärfen zwischen den Punkten 2 und 5 sowie – schon bei Hillgruber selbst – zwischen den Punkten 1 und 3[104] noch nicht ausgereift. Zudem verlangt es einen extrem hohen Arbeitsaufwand, wenn für jede einzelne politische Entscheidung stets die gesamte gesellschaftliche und wirtschaftliche Konstellation, die Doktrinen, an die jeder der Politiker mehr oder minder gebunden war, und schließlich die zahllosen am Politikprozess beteiligten und auf unterschiedlichen Ebenen befindlichen Interessenträger und deren jeweilige machtpolitischen Kalkulationen aus dem für politische Themen in der Regel relativ üppigen Quellenbestand herauspräpariert werden sollen. Hier stellen sich schlicht praktische, den Arbeitsaufwand der Historiker und seine Bewältigung betreffende, Probleme.

---

97 Zu den drei genannten Konzepten siehe: Hans-Ulrich Wehler, 1975: Seite 358.

98 Vgl. Hans-Ulrich Wehler, 1975: Seite 361 – 362, 368.

99 Vgl. Hans-Ulrich Wehler, 2008[5]b: Seite 10, 17 – 20.

100 Zu den letzten drei Konzepten siehe: Hans-Ulrich Wehler, 1975: Seite 362, 368 (Zitate: Seite 362).

101 Vgl. Hans-Ulrich Wehler, 1975: Seite 366 – 367.

102 Vgl. Hans-Ulrich Wehler, 1996: Seite 261.

103 Vgl. Hans-Ulrich Wehler, 1975: Seite 352 – 353.

104 Die Unklarheiten zwischen diesen beiden Punkten hat auch Hans-Ulrich Wehler erkannt und kritisiert. Allerdings hat er keinen Vorschlag zur Verbesserung unterbreitet. Vgl. Hans-Ulrich Wehler, 1975: Seite 353.

Bezüglich des Theoriegebrauchs der sozietaristischen Internationalen Politikgeschichte sowie im Hinblick auf ihre Methodik stellen Hans-Ulrich Wehler und die anderen Vertreter dieses Paradigmas keinerlei konzeptionelle Grenzen auf. Vielmehr sind sie darauf bedacht, die Theorielosigkeit und die Fixiertheit auf die sogenannte ‚Historische Methode', die beides konstitutive Bestandteile des alten wie des neuen Historismus waren und sind, zu überwinden[105] und ganz im Sinne des Prinzips der Historischen Sozialwissenschaft zu einer engen Kooperation mit den benachbarten Sozialwissenschaften und damit auch mit der Politikwissenschaft aufzurufen.[106] Was die Darstellungsweise anbelangt so weisen zum einen die häufige Kritik gegenüber rein chronologischen und deskriptiv-narrativen Tatsachen- und Ereignisberichten[107] wie zum anderen die Anlage der mehrbändigen „Deutsche[n] Gesellschaftsgeschichte" von Wehler[108] auf die Präferierung eines systematischen Ordnungsschemas und eines analytischen Darstellungsstils[109] unter angemessener Zuhilfenahme von „kritisch-reflektierten"[110] analytisch-theoretischen, jedenfalls nicht vorrangig zeitgenössischen Begriffen und Konzepten[111] hin. Dabei gilt die allgemeine Forschungsabsicht des Sozietarismus nicht der bloßen Erschließung der jeweiligen historischen Realitäten. Sein letztliches Ziel besteht darin, im Anschluss an die ‚Kritische Theorie' insbesondere der Frankfurter Schule aus den aus der Geschichte gewonnenen Erkenntnissen direkt oder indirekt zu einem besseren Ver-

---

105 Wenngleich die Vertreter des Sozietarismus in ihren Forschungen regelmäßig auf spezielle Theorien zurückgreifen, so geht die Aussage von Thomas Welskopp in ihrer Absolutheit zu weit, der nach „[...n]ur im theoretischen Zugriff [...] sich historische Phänomene erklären" ließen. Thomas Welskopp, 1998: Seite 174. Natürlich gibt es legitime Forschungsvorhaben, die, um ihre erkenntnisleitende Frage zu beantworten, durchaus ohne eine Verwendung von Theorie auskommen. Das ist beispielsweise dann der Fall, wenn es für vormoderne Zeiten um die Datierung eines konkreten Ereignisses auf der Grundlage schriftlicher Quellen geht. Ob die wissenschaftliche Forschung insgesamt und damit auch die geschichtswissenschaftliche in der Regel gänzlich ohne die Nutzung von Theorien auskommt und zwar insbesondere dann, wenn sie komplexere Sachzusammenhänge untersuchen will, ist hingegen eine ganz andere Frage. Siehe dazu auch die Ausführungen in meinem Aufsatz „Was ist Theorie? Über Begriff, Vielfältigkeit und Nutzungsmöglichkeiten von Theorie in der Geschichtswissenschaft" (Kapitel III.4, IV) in diesem Band.

106 Vgl. Hans-Ulrich Wehler, 1975: Seite 351, 358 – 359, 364, 366 – 369. Reflektionen über das Verhältnis und die Kooperationsmöglichkeiten zwischen der Geschichtswissenschaft und der Politikwissenschaft – auch in Bezug auf die internationale Politik – sind von beiden Seiten bereits seit den frühen 1960er Jahren angestellt worden. Siehe dazu die entsprechende Anmerkung in meiner Arbeit „Was ist Internationale Politikgeschichte?" (Kapitel III) in diesem Band.

107 Zum Beispiel: Hans-Ulrich Wehler, 1996: Seite 258, 262; ders., 1998b: Seite 187.

108 Vgl. Hans-Ulrich Wehler, 2008⁵b: Seite 30.

109 So explizit etwa: Jürgen Kocka, 2000: Seite 10 – 11.

110 Helmut Berding u. A., 1975: Seite 5.

111 Vgl. Hans-Ulrich Wehler, 1975: Seite 359, 361, 365 – 366; ders., 1977: Seite 366 – 367; ders., 1988a: Seite 92, 94; ders., 1996: Seite 264. Siehe unter anderem auch: Jürgen Kocka, 2000: Seite 7.

ständnis unserer jeweiligen Gegenwart und zugleich zu Handlungsanweisungen für deren Verbesserung zu gelangen. Ähnlich wie im Rahmen des (Neo)Historismus geht es auch den Vertretern des Sozietarismus also um ein Lernen aus der Geschichte.[112]

Zumindest in (West)Deutschland ist innerhalb des Sozietarismus bis heute keine positiv-konstruktive Diskussion um die forschungskonzeptionellen Grundlagen einer entsprechend ausgerichteten Internationalen Politikgeschichte zustande gekommen, die sich jenseits der Abwehrkämpfe gegenüber dem klassischen wie dem Neohistorismus, aber auch jenseits der Rechtfertigungsbemühungen gegenüber den allgemeinen Vorstellungen der Alltagshistoriker,[113] der Geschlechterhistoriker[114] und der Anhänger des Postmoderne-Ansatzes[115] sowie gegenüber dem ab dem Ende der 1970er Jahre langsam aber bestimmt aufkommenden Paradigma des Kulturalismus[116] bewegt. Entsprechend schwach und unausgereift muss die sozietaristische Konzeption der Internationalen Politikgeschichte beurteilt werden. Dennoch enthält dieser Forschungsansatz unschätzbar wichtige wirklichkeitsbezogene Annahmen, Vorstellungen von theoretischer und methodischer Offenheit, forschungspraktische Innovationspotenziale und Neigungen zu über- und interdisziplinärem Denken und Arbeiten, weshalb der Ansatz meines Erachtens keineswegs ein „Auslaufmodell" darstellt,[117] sondern sich künftig unbedingt in die forschungskonzeptionelle Auseinandersetzung um die Politikgeschichte im Allgemeinen und die Internationale Politikgeschichte im Besonderen und zwar unter Einschluss grundsätzlich aller Epochen[118] verstärkt offensiv einbringen sollte.[119]

---

[112] Vgl. Helmut Berding u. A., 1975: Seite 7.

[113] Vgl. Eckart Conze, 1998: Seite 24; Jürgen Kocka, 2000: Seite 12 - 14; Paul Nolte, 2006²: Seite 64 - 65.

[114] Vgl. Jürgen Kocka, 2000: Seite 12.

[115] Vgl. Jürgen Kocka, 2000: Seite 16.

[116] Vgl. Jürgen Kocka, 2000: Seite 12 - 13; Paul Nolte, 2006²: Seite 64 - 65; Hans-Ulrich Wehler, 2010: Seite 150 - 151. Siehe außerdem die beide Paradigmen gegenüberstellenden und einander harmonisierenden Sammelbände: Thomas Mergel/Thomas Welskopp, 1997; Matthias Middell, 2007.

[117] Im Anschluss an die von Jürgen Kocka im Jahr 1999 durchaus ernsthaft gestellte Frage, ob der Sozietarismus heute ein „Auslaufmodell" oder eine „Zukunftsvision" sei: Jürgen Kocka, 1999. Diese Frage noch einmal stellend in: ders., 2000: Seite 6. Zudem konstatiert Paul Nolte einen wenig erfreulichen Ist-Zustand des Paradigmas: Paul Nolte, 2006²: Seite 53, 67 - 68.

[118] So im Prinzip auch: Paul Nolte, 2006²: Seite 67. Bisher beschränkten sich die Vertreter des Sozietarismus vornehmlich auf die Geschichte der Neuzeit oder gar nur auf die der Neueren und Neuesten Zeit seit dem 19. Jahrhundert.

[119] In ähnlicher Weise richtet Paul Nolte einen Appell an den Sozietarismus, sich künftig neben anderen Arbeitsfeldern auch der Politikgeschichte intensiv zuzuwenden. Vgl. Paul Nolte, 2006²: Seite 66. Möglicherweise wäre es gewinnbringend, wenn diese Erweiterung des Sozietarismus um das Arbeitsfeld der Internationalen Politikgeschichte unter gewissem programmatischen Anschluss an ähnliche oder verwandte Ansätze in der amerikanischen Geschichtswissenschaft stattfinden würde. Zu nennen sind hier

IV. Der Kulturalismus

Seit den späten 1970er Jahren verdichtete sich sukzessive eine von unterschiedlichen Richtungen ausgehende methodologische und forschungskonzeptionelle Diskussion, die das Wirklichkeitsverständnis und das damit unmittelbar verbundene forscherische Vorgehen der bisherigen Geschichtswissenschaft – und das betraf genauso den Ansatz des Neohistorismus wie den des Sozietarismus – in ihren Fundamenten stark kritisierte und die Historikerschaft in der Folge in einen Zustand versetzte, in dem sprichwörtlich „Clio unter Kulturschock" stand.[120] Die von Beginn an multinational und multidisziplinär geführte Debatte um einen Kulturalismus[121] lässt sich unterdessen kaum noch überblicken, was dessen Rekonstruktion nicht gerade erleichtert.[122] Während also die ersten Anfänge der Diskussion um den

---

vor allem die seit um 1900 bestehende sogenannte ‚*Progressive Political History*' oder ‚*New Political History*' (vgl. Luise Schorn-Schütte, 2006: Seite 44 – 53) und die „methodisch innovativ[e]", transdisziplinär ausgerichtete und „auf hohem Reflexionsniveau" arbeitende neue *Diplomatic History* (vgl. Eckart Conze, 1998: Seite 24).

120 Ute Daniel, 1997a; dies., 1997b.

121 Innerhalb der Geschichtswissenschaft firmiert dieses Paradigma außerdem unter den Bezeichnungen ‚Neue Kulturgeschichte' und ‚Historische Kulturwissenschaft'. Allerdings weckt der Ausdruck ‚Neue Kulturgeschichte' insofern falsche Assoziationen, als dass damit nicht wie bei der Politik-, Rechts-, Sozial-, Wirtschafts- oder Religionsgeschichte ein bestimmter sachlicher Wirklichkeitsbereich als Gegenstand angesprochen wird. Der Kulturalismus besitzt überhaupt kein solches spezielles Forschungsobjekt. Seine Vertreter beziehen vielmehr ihr Verständnis von Kultur auf eine bestimmte Anschauung von der zu betrachtenden gesamten Wirklichkeit. Der Kulturalismus hat mit der eigentlichen ‚Kulturgeschichte', deren Anfänge bis in das 18. Jahrhundert zurückreichen, wenig bis gar nichts zu tun. Vgl. Ute Daniel, 2006[5]: Seite 8. Der zweite in der Literatur anzutreffende Terminus der ‚Historischen Kulturwissenschaft' ist, wie sein analoges Vorbild, die ‚Historische Sozialwissenschaft', seiner Wortbildung nach nichts anderes als eine lediglich prädikative Charakterisierung, der nach eine kulturalistisch ausgerichtete Geschichtswissenschaft eine von mehreren ähnlich verstandenen ‚Kulturwissenschaften', eben eine ‚Historische Kulturwissenschaft', sei. Es handelt sich hierbei jedoch nicht um eine präzise Benennung dieses konkreten Forschungsansatzes. Siehe einführend zum Kulturalismus innerhalb der Geschichtswissenschaft: Otto Ulbricht, 2003[3]; Friedrich Jaeger, 2004; Michael Maurer, 2004; Peter Burke, 2005; Roger Chartier, 2006[2]; Ute Daniel, 2006[5]; Martin Dinges, 2006[2]; Gangolf Hübinger, 2009[4]; ders., 2010; Stefan Jordan, 2013[2]: Seite 177 – 188; Achim Landwehr, 2013. Siehe zum Kulturalismus als disziplinübergreifendes Paradigma das dreibändige „Handbuch der Kulturwissenschaften": Friedrich Jaeger/Burkhard Liebsch/Jörn Rüsen/Jürgen Straub, 2004.

122 Erschwert wird der Versuch einer Rekonstruktion des Kulturalismus innerhalb der Geschichtswissenschaft zudem dadurch, dass es neben diesem noch andere wissenschaftliche Bereiche oder Ansätze gibt, die sich mit ‚Kultur' beschäftigen, ihrem Zentralbegriff indes jeweils sehr unterschiedliche Bedeutungen verleihen. So bestehen wesentliche Differenzen vergleicht man miteinander die einzelnen Kulturbegriffe beispielsweise des Kulturalismus, der klassischen Kulturgeschichte, der geschichtswissenschaftlichen wie der politikwissenschaftlichen sogenannten ‚Politischen Kultur-Forschung' und der Historischen Anthropologie, ebenso jenen des Sozietarismus und über die Geschichtswissenschaft hinaus den der weitgehend identischen Disziplinen

Kulturalismus noch in den 1970er Jahren zu finden sind, konnte sich das Paradigma in der Mitte der 1990er Jahre als fester Bestandteil der Geschichtswissenschaft etablieren.[123] Schließlich waren es an erster Stelle Thomas Mergel, Achim Landwehr und Ute Frevert, die zu Beginn der 2000er Jahre innerhalb der deutschen Geschichtswissenschaft den Kulturalismus speziell für eine entsprechend ausgerichtete Politikgeschichte konzeptualisiert haben.[124] Für die Internationale Politikgeschichte im Besonderen steckt die diesbezügliche forschungskonzeptionelle Diskussion allerdings noch in den Kinderschuhen. Hier sind vor allem die Überlegungen des japanischen Historikers Akira Iriye und der deutschen Historikerin und Politikwissenschaftlerin Ursula Lehmkuhl besonders hervorzuheben, wiewohl deren Beiträge allenfalls als ein erster Anfang angesehen werden können.[125]

Was nun aber will der Kulturalismus? Seine Vertreter schlossen sich zum einen der grundsätzlichen Kritik des Sozietarismus am (Neo)Historismus an,

---

der Ethnologie (gemeint ist hiermit freilich die ‚Völkerkunde' und *nicht* die andersartig konzeptualisierte ‚Volkskunde'), der Regionalwissenschaft (im deutschen Sprachraum nicht selten auch in der englischen Form *‚Area Studies'* in Erscheinung tretend) und der sogenannten ‚Kulturwissenschaft' (im entsprechend spezifischen Sinn – beispielsweise gilt die Amerikanistik nicht nur als Sprach- und Literaturwissenschaft Amerikas, sondern auch als eine mit dessen gesamter ‚Kultur' befasste ‚Kulturwissenschaft').

[123] Zwei wichtige Beiträge aus der Frühphase der Entstehung des Kulturalismus innerhalb der Geschichtswissenschaft sind zum einen die im Jahr 1975 erschienene Aufsatzsammlung der amerikanisch-kanadischen Historikerin Natalie Zemon Davis zu „Gesellschaft und Kultur im frühneuzeitlichen Frankreich" und zum anderen der methodologische Aufsatz des westdeutschen Historikers Hans Medick über „Ethnologische Erkenntnisweisen als Herausforderung an die Sozialgeschichte" aus dem Jahr 1984. Natalie Zemon Davis, 1987 (zuerst 1975); Hans Medick, 1984. Den ersten expliziten Beitrag zur programmatischen Begründung des Kulturalismus innerhalb der Geschichtswissenschaft stellt schließlich ein von der amerikanischen Historikerin Lynn Hunt im Jahr 1989 herausgegebener Sammelband dar: Lynn Hunt, 1989. Zu den wichtigsten forschungskonzeptionellen Schriften, die in der Folgezeit entstanden sind, gehören: Hartmut Lehmann, 1995; Wolfgang Hardtwig/Hans-Ulrich Wehler, 1996; Ute Daniel, 1997a; dies., 1997b; Heinz Dieter Kittsteiner, 1997; Thomas Mergel/Thomas Welskopp, 1997; Jean-Pierre Rioux/Jean-François Sirinelli, 1997; Christoph Conrad/Martina Kessel, 1998; Hans-Ulrich Wehler, 1998a; Matthias Middell, 2007.

[124] Thomas Mergel, 2002; Achim Landwehr, 2003; Ute Frevert, 2005 (sowie der gesamte Sammelband: Ute Frevert/Heinz-Gerhard Haupt, 2005). Ferner: Philippe Urfalino, 1997; Barbara Stollberg-Rilinger, 2005a; Birgit Emich, 2009. Siehe dazu auch die einführenden Beiträge: Ute Frevert, 2006[2]; Thomas Mergel, 2012[2]. Einen Überblick zur programmatischen Diskussion liefert: Tobias Weidner, 2012. Zur fächerübergreifenden kulturalistischen Politikforschung siehe den jedoch hauptsächlich auf die Politikwissenschaft konzentrierten Beitrag: Thomas Mergel, 2004. Eine kritische Betrachtung der kulturalistischen Politikgeschichte – allerdings unter Einbeziehung der mit diesem Ansatz weder inhaltlich noch entstehungsgeschichtlich unmittelbar verbundenen Transnationalen Geschichte – wird vorgenommen von: Andreas Rödder, 2006.

[125] Akira Iriye, 2007[2] (erste Auflage zuerst 1991); siehe auch bereits: ders., 1979; Ursula Lehmkuhl, 2000; dies., 2001a. Siehe zudem: Jessica C. E. Gienow-Hecht/Frank Schumacher, 2003; Andrew J. Rotter, 2005. Zur Einführung in die fächerübergreifende Konzeption einer kulturalistischen Internationalen Politikforschung siehe den indes noch wenig erhellenden Artikel: Christine Chwaszcza, 2004.

monierten zum anderen jedoch am neuen Paradigma die übermäßig starke Hinwendung zu den Strukturen der historischen Realität, die zu einem Verlust des handelnden Individuums geführt habe. Zugleich stellten sie dem (neo)historistischen Zentralbegriff des ‚Staates' und dem sozietaristischen der ‚Gesellschaft' einen neuen gegenüber, namentlich den der ‚Kultur', wobei dieser seinerseits sogleich mit den Denk- und Verhaltensweisen der einzelnen Menschen in der Geschichte konzeptionell verbunden wurde.[126] Dabei wendet sich der Kulturalismus zusammenfassend „vornehmlich der Herstellung von Bedeutung, der Produktion von Sinn, der Prägung von Identitäten sowie der Konstruktion von Wirklichkeit durch Menschen der Vergangenheit" zu.[127] Das Paradigma richtet seinen Blick „auf alle möglichen [geschichtswissenschaftlichen] Gegenstände[, welche ihrerseits ...] immer als Ergebnisse von (impliziten oder expliziten) Sinnzuschreibungen, Geltungsbehauptungen und Deutungskonflikten" aufgefasst werden.[128] Man könnte auch anders formulieren, dass im Unterschied zum (Neo)Historismus und zum Sozietarismus es nicht um die Rekonstruktion von irgendwie objektiv bestehenden Wirklichkeiten geht. Im Interesse des Kulturalismus steht vielmehr die subjektive Sicht der Zeitgenossen auf diese Wirklichkeit und die sich daraus jeweils ergebenden Wirklichkeitsvorstellungen im Sinne einer Wahrnehmungs-, Deutungs- und Sinnstiftungs-‚Kultur'.[129] Der allgemeine Gegenstand des Kulturalismus ist demzufolge weniger die Wirklichkeit, wie sie *ist*, als vielmehr die Wirklichkeit, wie sie einem jeden Menschen *erscheint*, wie sie von jedem einzelnen Menschen wahrgenommen und in deren Köpfen anschließend mit Sinn gefüllt wird. Die empirische Realität ist also zu differenzieren in eine objektiv bestehende und eine subjektiv bestehende. Dabei stellt die subjektive Wirklichkeitsvorstellung indes keineswegs etwas Irreales oder Fiktives dar. Sondern in der Tat ist sie sehr real, weil sie – und letztlich immer nur *sie* – die Grundlage für das Denken und Handeln der Menschen bildet. Kurzum: Es geht den Vertretern des Kulturalismus um die Aus-

---

126 Das bedeutet jedoch nicht, dass der neue Begriff die beiden anderen in irgendeiner Form ‚ersetzen' würde. Ganz im Gegenteil ist die Etablierung des neuen Terminus ausschließlich als eine Akzentverschiebung hinsichtlich des forscherischen Hauptaugenmerks zu verstehen.

127 Achim Landwehr, 2003: Seite 72. Ähnlich: Barbara Stollberg-Rilinger, 2005b: Seite 10 – 11; Ute Daniel, 2006[5]: Seite 12.

128 Barbara Stollberg-Rilinger, 2005b: Seite 12.

129 Es handelt sich hierbei also ausdrücklich nicht um einen bestimmten gesellschaftlichen Wirklichkeitsbereich, der mit einem „gewissermaßen feuilletonistische[n...], klassisch-bildungsbürgerliche[n...] Begriff von Kultur" verbunden wäre. Barbara Stollberg-Rilinger, 2005b: Seite 10. Vielmehr handelt es sich hier um ein aus der Sozialanthropologie stammendes Verständnis von Kultur, das gerade *nicht* mit der heutigen alltagssprachlichen und intuitiven Vorstellung vom Gehalt dieses Terminus korrespondiert und deshalb häufig – und zwar nicht allein in der forschungskonzeptionellen Diskussion – Missverständnisse hervorruft.

einandersetzung mit der Perzeptiven Realität[130] und somit mit dem, was alltagssprachlich als ,Welt' im Sinne einer mit Bedeutung angereicherten gesamten Wirklichkeitserfahrung durch Individuen und Kollektive gleichermaßen beschrieben wird.[131] Solche Welten manifestieren sich in der historischen Wirklichkeit als persönliche oder allgemeine Weltsichten und Selbstbilder.[132]

So sinnvoll und überfällig diese Erweiterung unseres Verständnisses von den insbesondere durch die Geschichtswissenschaft zu untersuchenden Gegenständen auch ist, so problematisch ist zugleich dieses Axiom. Denn die Vertreter des Kulturalismus unterscheiden keine (weiteren) Wirklichkeitsebenen. Für sie gibt es nur diese eine subjektive Wahrnehmungswirklichkeit. Die Wirklichkeit ist hier allein die Perzeptionswirklichkeit.[133] Dass es tat-

---

130 Vgl. Werner J. Patzelt, 2013[7]: Seite 591. Zur einfachen Internationalen Politischen Perzeptions-Forschung, die bereits lange vor der Begründung des Kulturalismus betrieben wurde, siehe: Gottfried Niedhart, 2000; Friedrich Kießling, 2002: Seite 669 - 670.

131 Jeder Mensch lebt nicht nur im übertragenen Sinn, sondern auch tatsächlich in seiner je eigenen ,Welt'. Aber auch Kollektive, also Gruppen von Menschen, konstruieren eigene Welten als jeweils spezifisch eigene Sicht auf die Wirklichkeit beispielsweise im Rahmen einer Familie, einer Religionsgemeinschaft, einer Partei, der Belegschaft eines Unternehmens oder als Nation eines ganzen Gemeinwesens. Vgl. Gangolf Hübinger, 2009[4]: Seite 165 - 166.

132 Folglich erweist sich die - bezeichnenderweise weniger von den Vertretern des Kulturalismus geführte - Debatte darum als verfehlt, ob entweder die sozietaristische ,Gesellschaft' oder die kulturalistische ,Kultur' das zentrale Element in der historischen Wirklichkeit bilden würde. Der Kulturbegriff des Kulturalismus stellt weder einen Gegen- noch einen Alternativterminus zu dem der ,Gesellschaft' dar. Vielmehr ist mit ihm eine ganz und gar andere *Ebene* der Realität angesprochen, die weder die Vorstellung von einer Gesellschaft ersetzen noch selbst von dieser ersetzt werden kann. Es gilt in diesem Zusammenhang - wie im Übrigen generell - genau hinzuschauen, was mit den Begriffen im Einzelnen tatsächlich gemeint ist. Zur Diskussion siehe etwa: Jürgen Kocka, 1999: Seite 24; ders., 2000: Seite 18 - 19; Konrad H. Jarausch, 2007: Seite 22.

133 Vgl. besonders: Thomas Mergel, 2002: Seite 588 - 590. Zwar erkennen auch die Vertreter des Kulturalismus, dass es so etwas wie objektive, außerkommunikative Gegenstände gibt, die schließlich zuvor von den Vertretern des (Neo)Historismus und des Sozietarismus untersucht worden sind (wie beispielsweise die Veränderung von Bevölkerungsgrößen, wobei sich diese weitgehend im Bereich des bloß Physischen und nicht des Sozial-Kulturellen bewegt). Im Hinblick auf die auf den Menschen bezogene historische Wirklichkeit ist mit dem Kulturalismus hingegen die Annahme verbunden, die Realität *ausschließlich* als „kommunikative Konstruktion", das heißt „als ein Ensemble von Produktionen, Deutungen und Sinngebungen aufzufassen". Ders., 2002: Seite 590. So auch: ders., 2012[2]: Seite 4 - 5; Ute Frevert, 2005: Seite 20 - 21; dies., 2006[2]: Seite 161. Es sei ferner „nicht zu bestreiten, daß es Wirklichkeiten außerhalb der kommunikativ erzeugten gibt, wohl jedoch, ob sie - sozusagen - ,realisierbar' sind". Thomas Mergel, 2002: Seite 589. Siehe hierzu auch: Luise Schorn-Schütte, 2007[3]: Seite 564. Einen ontologischen radikalen Konstruktivismus, dem zufolge die Wirklichkeit nichts weiter als ein Konstrukt ohne irgendeine substanzielle Referenz sei, genauso wenig wie einen erkenntnistheoretischen sogenannten ,Antirealismus', dessen Vorstellung nach eine Erfassung der Wirklichkeit aufgrund unserer stets subjektiv beschränkten Erkenntnisfähigkeit letztlich unmöglich sei, vertritt der

sächlich auch eine objektive Realität gibt, darauf weist nicht nur die Jahrtausende alte Diskussion innerhalb der Philosophie hin, sondern auch die Entität von Perzeptiver Realität selbst, schließlich muss diese doch auf irgendeine Wirklichkeit jenseits der subjektiven Wahrnehmungen referieren. Das kann wiederum nur jene Wirklichkeit sein, wie sie objektiv – also tatsächlich unabhängig von unseren sinnlichen Wahrnehmungen und unseren geistigen Sinnzuschreibungen – besteht. Nicht zuletzt war und ist der Untersuchungsgegenstand der nicht kulturalistisch ausgerichteten Gesellschaftswissenschaften – und derjenige der meisten Naturwissenschaften ausschließlich – jene objektive Seite der vergangenen, gegenwärtigen und zum Teil auch zukünftigen Realität. Welche Ebene der Wirklichkeit speziell ein Historiker erforschen möchte, ist ihm selbstredend freigestellt. Jedoch sollten sowohl die Vertreter des Kulturalismus als auch die diesem Paradigma nicht verhafteten Wissenschaftler reflektieren und angeben können, welche Wirklichkeitsebene sie gewählt haben, welche Ebene dementsprechend unberücksichtigt bleibt und welche zunächst einmal kognitiven Konsequenzen diese Wahl für das Ergebnis ihrer jeweiligen Arbeit hat.

Dieses Interesse für die subjektive, wahrnehmungsgebundene Seite der Gesamtwirklichkeit wird von den Vertretern des Kulturalismus speziell in die Politikgeschichte übertragen. In diesem Rahmen bleibt der Gegenstand der Politik – wie beim Sozietarismus auch – ein gesellschaftlicher Wirklichkeitsbereich, bei dem nun allerdings (in der Regel an den – in der aristotelischen Begriffstradition stehenden[134] – Soziologen Niklas Luhmann[135] anschließend) sein Charakter zugleich als Prozess und als Kommunikation hervorgehoben wird.[136] Unter Politik solle jetzt, zum einen, weit mehr ver-

Kulturalismus indessen erkennbar nicht. So jedoch zumindest die Befürchtung von: Andreas Rödder, 2006: Seite 673 – 675.

[134] Vgl. zu den Traditionslinien des Politikbegriffs die entsprechenden Ausführungen in meiner Arbeit „Was ist Internationale Politikgeschichte?" (Kapitel IV.1) in diesem Band.

[135] Niklas Luhmann will mit Politik „jede Kommunikation bezeichnen, die dazu dient, kollektiv bindende Entscheidungen durch Testen und Verdichten ihrer Konsenschancen vorzubereiten. Solche Aktivität setzt voraus, daß sie selbst noch keine kollektiv bindenden Wirkungen hat, aber sich gleichwohl schon dem Beobachtetwerden und damit einer gewissen Selbstfestlegung aussetzt. [...] Politisch gemeinte Kommunikation findet in den Parteien, in den Interessenverbänden, aber auch in der öffentlichen Verwaltung statt. Hier geht es um Interaktionen, die sich rekursiv (vorgreifend oder zurückgreifend) an den Prozessen politischer Meinungsbildung orientieren." Niklas Luhmann, 2002: Seite 254.

[136] Vgl. Thomas Mergel, 2002: Seite 587; Ute Frevert, 2005: Seite 14 – 21; dies., 2006[2]: Seite 158 – 161. Ganz in diesem theoretischen Rahmen verhaftet, wenn auch grundsätzlich etwas breiter angelegt als die Luhmannsche Vorstellung, ist der Politikbegriff von: Barbara Stollberg-Rilinger, 2005b: Seite 13 – 14. Ohne den spezifischen Kommunikationsbezug, sondern mehr mit Blick auf die Pluralität der Akteure, auf das Verhältnis von Struktur und Handlung und auf die Allgegenwart und Unabgrenzbarkeit

standen werden als nur ihr Ergebnis, namentlich die politische Entscheidung.[137] Die Vertreter des Kulturalismus konzentrieren sich vielmehr auf den *Vorgang* der Herstellung dieser „kollektiv bindende[n] Entscheidungen", wie Luhmann es formuliert. Politik wird in diesem Rahmen also wesentlich als eine Handlung verstanden, wodurch der einzelne Mensch wieder in den Vordergrund der Betrachtung gerückt wird.[138] Zum anderen wird, wie teilweise bereits im Sozietarismus, Politik zugleich von ihrer ausschließlichen Staatsbezogenheit losgelöst. Denn auch Personen und Personengruppen, „deren politische Handlungsspielräume im klassischen Sinn ausgesprochen begrenzt waren, [verfügten ...] gleichwohl über politische Artikulationsmöglichkeiten im weiteren Sinn", was im Extremfall die Form des sogenannten ‚zivilen Ungehorsams' verbunden mit einer gewaltsamen Auflehnung gegen die herrschende politische Elite annehmen kann.[139] Kurz gesagt: Auch in Nicht-Demokratien partizipieren letztlich immer alle Mitglieder einer Gesellschaft an deren politischer Gestaltung – ob nun auf ordentlich-formelle oder auf außerordentlich-informelle Weise, spielt dabei zunächst keine Rolle.[140]

Die als (aktionaler) Prozess verstandene Politik manifestiere sich, den Vertretern des Kulturalismus zufolge, letztlich immer in Form von *Kommunikation* und *Symbolisierung*. Vorstellungen, Werte, Interessen und Ziele müssen stets artikuliert und argumentativ oder eristisch verteidigt werden. Dabei entsteht stets ein Diskussionsraum, in dem die einzelnen (beteiligten) Interessengruppen ihre Positionen darlegen und um deren Durchsetzung verhandeln. Nach dieser Vorstellung würde Politik ohne die Möglichkeit der Kommunikation und Symbolisierung – in ihrer verbalen und auch in ihrer nonverbalen Form – überhaupt nicht stattfinden können.[141]

Vor dem Hintergrund der in der Einleitung zu dieser Arbeit vorgestellten umfassenden Begriffsdefinition verstehen die Vertreter des Kulturalismus unter Politik ausschließlich ihre Seite als die ‚*Herstellung* allgemein geltender

---

von Politik entwickelt Achim Landwehr seinen im Kern allerdings weitgehend inhaltsleer bleibenden Politikbegriff: Achim Landwehr, 2003: Seite 96 – 105.

[137] Vgl. Thomas Mergel, 2002: Seite 575 – 576.

[138] Vgl. Martin Dinges, 2006²: Seite 179. Hier lehnt sich der Kulturalismus an die Historische Politische Anthropologie an, die sich besonders mit dem mikrogesellschaftlichen Alltagsleben der Fürsten, Staatsmänner und Beamten beschäftigt. Vgl. dazu: Wolfgang Reinhard, 2001; Thomas Mergel, 2002: Seite 590 – 591, 595. Zur Historischen Anthropologie im Allgemeinen siehe unter anderem die Einführungen: Gert Dressel, 1996; Christoph Wulf, 1997; Richard van Dülmen, 2001²; Jakob Tanner, 2008². Zum politikwissenschaftlichen Forschungsansatz der Politischen Anthropologie, der sich wieder verstärkt dem Wesen des Menschen (in politischer Hinsicht) zuwendet, siehe vor allem: Dirk Jörke, 2005; Dirk Jörke/Bernd Ladwig, 2009.

[139] Ute Frevert, 2005: Seite 13; dies., 2006²: Seite 157. Ferner: Rudolf Schlögl, 2006²: Seite 107 – 108.

[140] Vgl. Thomas Mergel, 2002: Seite 576 – 577.

[141] Vgl. Thomas Mergel, 2002: Seite 593; Achim Landwehr, 2003: Seite 104; Ute Frevert, 2005: Seite 14 – 21; dies., 2006²: Seite 158 – 161.

Entscheidungen' und fallen damit hinter das Politikverständnis des Sozietarismus zurück. Im Unterschied dazu wird der Kulturalismus im Hinblick auf sein Forschungsinteresse der in seinem Rahmen vorgenommenen begrifflichen Bestimmung jedoch tatsächlich gerecht. Während der Sozietarismus zwar die gesamte propositionale Bandbreite des Politikbegriffs zu reflektieren weiß, zielt seine Erkenntnisabsicht, wie gezeigt, im Wesentlichen lediglich auf die strukturellen Rahmenbedingungen oder ‚Umstände' der politisch handelnden Personen und Personengruppen. Im Kulturalismus konzentriert sich die forscherische Aufmerksamkeit hingegen in der Tat auf alle Bereiche der als kommunikativen und symbolischen Prozess der Herstellung kollektiv geltender Entscheidungen verstandenen Politik.[142] Theoretisch gesehen ist der Forschungsansatz damit in der Lage, tatsächlich sowohl modale Erklärungen als auch kausale Erklärungen zu liefern. Allerdings wahren seine Vertreter im Hinblick auf die Rekonstruktion ursächlicher Zusammenhänge eher Zurückhaltung, da die praktisch unendlich hohe Komplexität von Kausalitäten in ihrer Gesamtheit letztlich ohnehin von keinem Wissenschaftler erfasst werden könne.[143]

Wie aber löst der Kulturalismus das mit ihm verbundene konstruktivistische Axiom nun im Hinblick auf diesen Politikbegriff ein? Da die Politik als ein Vorgang betrachtet wird, der wesentlich als kommunikative und symbolische Handlung zustande kommt und vor sich geht, stehen die schriftliche wie die mündliche Sprache, aber auch die nonverbale Mimik und Gestik, genauso die sogenannte ‚Körpersprache' und allgemein das Sich-Verhalten als symbolischer Akt im Vordergrund. Denn die (politische) „Wirklichkeit [wird] in [den mit diesen Mitteln geführten] Verständigungsprozessen als solche hergestellt".[144] Dabei interessiert vordergründig weniger der genaue

142 Nur weil dem Kulturalismus eine konstruktivistische Prämisse zugrunde liegt, bedeutet das jedoch keineswegs automatisch, dass die mit ihm verbundene Vorstellung von Politik in ihrem inhaltlichen Kern auch eine konstruktivistische wäre. Ganz im Gegenteil geht es seinen Vertretern darum, den Begriff zunächst einmal allgemein zu definieren. Erst im zweiten Schritt wird dieser allgemeine Terminus dann mit dem konstruktivistischen Forschungsprogramm des Kulturalismus konfrontiert. Anders sieht das dagegen: Andreas Rödder, 2006: Seite 672. Gleichfalls sollte deutlich geworden sein, dass es dem Kulturalismus keineswegs an einem eindeutigen Politikbegriff mangelt. Vgl. ders., 2006: Seite 678.

143 Vgl. Thomas Mergel, 2002: Seite 604 – 605. Nicht ganz unberechtigt hält den praktischen Verzicht auf die Rekonstruktion von Kausalitäten für problematisch: Andreas Rödder, 2006: Seite 684. Auf die Möglichkeit, den Kulturalismus zumindest für einen Aspekt bei der Rekonstruktion kausaler Zusammenhänge doch zu nutzen, weisen Heidrun Kugeler, Christian Sepp und Georg Wolf mit ihrem Vorschlag hin, Perzeptive Realitäten als *einen* ‚Einflussfaktor' für internationale politische Entscheidungen zu bestimmen. Vgl. Heidrun Kugeler/Christian Sepp/Georg Wolf, 2006: Seite 21. Ähnlich schon das einfache Modell von: Peter Krüger, 2001: Seite 25.

144 Thomas Mergel, 2002: Seite 589. In diesem Sinn wird Politik im Rahmen des Kulturalismus aufgefasst als eine ‚politische Arena' oder als ein ‚Kommunikationsraum' (vgl. Ute Frevert, 2005: Seite 15 – 16, 26) oder – in einer etwas abstrakteren

Inhalt einer kommunizierten Sache als vielmehr, was ihr Inhalt und ihre Präsentationsform über die kommunizierenden Menschen wie deren Rezipienten aussagen.[145] Ganz in der Manier eines Psychologen versuchen die Vertreter des Kulturalismus in die Bewusstseinslage von Einzelpersonen und Personengruppen vorzudringen. Dabei soll herausgearbeitet werden, welche Sicht die Menschen von sich selbst, von anderen und generell von ihrer Umwelt hatten, das heißt welche subjektive Vorstellung sie selbst von ihrer jeweiligen Wirklichkeit besessen haben. Diese Wahrnehmungswirklichkeit stellt schließlich die Grundlage dafür dar, welche politischen Interessen und Ziele die Menschen zu verfolgen gedachten. Darüber hinaus werden solche Perzeptiven Realitäten auch ganz bewusst von den am politischen Prozess Beteiligten mittels publizierter Schriften, Karikaturen, Gemälden und Fotographien, mittels öffentlichkeits- und vor allem medienwirksamer Auftritte und Zeremonien, mittels einer bestimmten Kleidung, mittels speziell ausgewählter Temporalitäten und Lokalitäten für politische Anlässe oder mittels einer zielgerichtet eingesetzten Propaganda herzustellen versucht. Die Entschlüsselung der nicht selten auch unbewusst mitgeteilten wirklichkeitskonstruierenden Bedeutung einer kommunizierten politischen Sache ist die Aufgabe der kulturalistischen (Internationalen) Politikgeschichte.[146]

In Bezug auf die Akteure oder Subjekte der internationalen Politik schließt der Kulturalismus schlicht an den jeweils aktuellen Stand der entsprechenden allgemeinen Diskussion und empirischen Forschung an, weiß aber auch selbst einige zu benennen, wie insbesondere den Staat, aber auch zivile Transnationale Organisationen, speziell auch Transnationale Unternehmen und sogar die einzelnen handelnden Personen, wobei mit Letzterem in dieser Form, wie in der Einleitung erwähnt, der Forschungsansatz der Internationalen Politikgeschichte überstrapaziert wird.[147] Insgesamt eignet sich der Kulturalismus besonders gut zur Erforschung des (vor allem *inner*-gesellschaftlichen) Zustandekommens von Außenpolitik[148] und bietet dort

---

Formulierung – als ein ‚symbolisches System' (vgl. Thomas Mergel, 2002: Seite 591; Achim Landwehr, 2003: Seite 104). Ganz konkret kann insofern sowohl die internationale Politik selbst als auch der außenpolitische und diplomatische Verkehr zwischen den einzelnen ihre jeweiligen Gemeinwesen repräsentierenden Handlungsträgern als ein solcher Kommunikationsraum aufgefasst werden. Vgl. Heidrun Kugeler/Christian Sepp/Georg Wolf, 2006: Seite 26 – 28.

[145] Deshalb könne ein „solcher Ansatz [...] nicht fragen, welche ‚wahre' Wirklichkeit hinter den Worten liegt, denn die Worte sind gewissermaßen selbst die (genauer: eine) Realität". Thomas Mergel, 2002: Seite 589.

[146] Vgl. insgesamt dazu: Achim Landwehr, 2003: Seite 108 – 110; Ute Frevert, 2005: Seite 23; Barbara Stollberg-Rilinger, 2005b: Seite 13 – 14.

[147] Vgl. Thomas Mergel, 2002: Seite 595, 603; Jessica C. E. Gienow-Hecht/Frank Schumacher, 2003; Andrew J. Rotter, 2005: besonders Seite 278 – 282.

[148] In diesem Sinn ist die Außenpolitik jedoch vielmehr der nationalen Politik als eines ihrer verschiedenen Politikfelder zugehörig und weniger ordinär der internationalen Politik. Vgl. vor allem den Entwurf von: Susanne Schattenberg, 2008. Siehe hier aber

überaus fruchtbare Anknüpfungsmöglichkeiten an den in der Geschichtswissenschaft noch weniger bekannten, innerhalb der Politikwissenschaft jedoch bereits erfolgreich zur Anwendung gekommenen Ansatz der Politischen Psychologie[149] und ebenso an das geschichtswissenschaftliche Feld der Politischen Emotions-Forschung.[150] Reine zwischenstaatliche Beziehungen und ebenso Internationale Organisationen scheinen dagegen von den kulturalistischen Historikern bislang noch kaum entdeckt zu sein. Was konkrete Themenfelder der internationalen Politik anbelangt so weiß jedoch auch der Kulturalismus einige Beispiele anzuführen.[151]

Im Hinblick auf die für ihn nutzbaren analytischen Konzepte, den Theoriegebrauch und seine Methodik kann der Kulturalismus im Prinzip an all das anknüpfen, was innerhalb der gesamten Geschichtswissenschaft und darüber hinaus innerhalb der benachbarten ‚Kulturwissenschaften' entwickelt worden ist. Dennoch zeichnet ihn seine besondere „Vorliebe für die Sprache", für Kommunikation im Allgemeinen und für Symbolisierung aus.[152] Folglich bevorzugen seine Vertreter eher die Verwendung beispielsweise der soziologischen Konzepte des Symbolischen Interaktionismus, der Phänomenologie und der Ethnomethodologie, auch der Systemtheorie und des Institutionalismus sowie eines elaborierten Performanzbegriffs und des facheigenen Spezialansatzes der Erinnerungskultur.[153] Methodisch gesehen

---

auch das von Ursula Lehmkuhl entwickelte und kulturalistisch unterfütterte Modell außenpolitischer und internationaler politischer Entscheidungen: Ursula Lehmkuhl, 2000.

149 Vgl. Gert Krell, 2009[4]: Seite 385 – 423; ders., 2012[5]: Seite 71 – 78.

150 Vgl. Martin Dinges, 1993; Ute Frevert, 2000; dies., 2009; Birgit Aschmann, 2005. Zur fächerübergreifenden Emotions-Forschung siehe ferner: Eva Labouvie, 2004; Claudia Jarzebowski/Anne Kwaschik, 2013. Einige Möglichkeiten der Konzeptualisierung der Emotions-Forschung speziell innerhalb der Internationalen Politikgeschichte zeigt anhand der Beispielkategorien ‚Angst' und ‚Vertrauen': Wilfried Loth, 2012.

151 Im Rahmen des Kulturalismus besonders erforschenswerte Themen sind unter anderem diplomatische Rituale, die Körperlichkeit von Außenpolitikern und Diplomaten, relativ abgeschlossene internationale Interessengruppen mit ihren spezifischen sprachlichen *codes*, besonders auch internationale politische Institutionen, der ständige Versuch der Außenpolitiker, ihre jeweiligen Deutungen zwischenstaatlicher Situationen sowohl der eigenen Bevölkerung als auch den Außenpolitikern anderer Länder vorzugeben, überhaupt die unterschiedlichen Wahrnehmungen internationaler Konstellationen, der generelle Wandel der außenpolitischen und speziell der diplomatischen Sprache, außenpolitische Mentalitäten und Identitäten, auch die Herausbildung kultureller Regionen in der internationalen Politik sowie das nur sehr begrenzt institutionalisierte Verfahren der Herstellung internationaler Normen. Diese in den forschungskonzeptionellen Beiträgen genannten, zumeist auf die nationale Politik bezogenen Beispiele wurden hier für die internationale Ebene übersetzt. Vgl. Ursula Lehmkuhl, 2001a: Seite 423; Thomas Mergel, 2002: Seite 595 – 601; Achim Landwehr, 2003: Seite 116 – 117; Ute Frevert, 2005: Seite 16, 24; Barbara Stollberg-Rilinger, 2005b: Seite 22.

152 Thomas Mergel, 2002: Seite 589.

153 Vgl. Thomas Mergel, 2002: Seite 588 – 589 (Anmerkung 63), 592 (Anmerkung 71); Barbara Stollberg-Rilinger, 2005b: Seite 23.

bevorzugen die kulturalistischen Historiker – unter besonders häufiger Heranziehung von sogenannten ‚Ego-Quellen'[154] – vor allem diskursanalytische Vorgehensweisen[155] und damit verbunden Methoden der Quantitativen Inhaltsanalyse und der Hermeneutik.[156] Ferner plädieren sie für eine verstärkte Hinwendung zur Begriffsgeschichte,[157] zur Ideengeschichte, zur Sprachpragmatik, zu einer allgemeinen Historischen Semiologie oder Semiotik (Zeichenlehre)[158] und zur Mediengeschichte.[159] Außerdem bieten sich hier beste Kooperationsmöglichkeiten mit zahlreichen geschichtswissenschaftlichen Hilfsdisziplinen wie der Symbologie (Symbolkunde), der Insigniologie und der Heraldik, auch der Numismatik, der Sphragistik, der Vexillologie und der Titulaturenkunde sowie der Ikonologie, der Audiologie und der Filmologie.[160]

Die Form der Darstellung der Forschungsergebnisse bleibt im Rahmen des Kulturalismus konzeptionell ebenfalls offen, sodass man auf den je aktuellen gesamtgeschichtswissenschaftlichen Diskussionsstand zu dieser Problematik verwiesen ist. Deutlich vernehmbar ist in diesem Zusammenhang allerdings das Plädoyer zur Historisierung von Worten, Bedeutungen und Phänomenen, damit aber nicht unbedingt für eine ausschließliche Verwendung zeitgenössischer Begriffe und Konzepte. Die geschichtswissenschaftliche Begrifflichkeit soll zunächst dem gegenwärtigen Stand der entsprechenden theoretischen Diskussion entstammen und erst anschließend in ihrer jeweiligen konkreten inhaltlichen Ausformung mit den zeitgenössischen Vorstellungen und Verwendungsweisen verbunden werden. Anhand dieses Aspekts wird klar, welche allgemeine Forschungsabsicht der Kulturalismus verfolgt. Hier kommt ein weiteres Axiom zum Tragen, das von der Ethnologie übernommen wurde. Es geht den kulturalistischen (Internationalen) Politikhistorikern nicht darum, die Gegenwart aus ihrer Geschichte heraus verständlich zu machen, sondern vielmehr darum zu zeigen, dass historische Situationen „‚anders' sind und wir daraus lernen können, wie relativ und wenig selbstverständlich unsere eigene Welt ist".[161] Es gilt die einzelnen Realitäten der Vergangenheit grundsätzlich als eine *„fremde* Welt zu begrei-

---

154 Vgl. Martin Dinges, 2006²: Seite 192.

155 Vgl. Ursula Lehmkuhl, 2001a: Seite 418; Thomas Mergel, 2002: Seite 575, 590, 593, 598 – 600; Achim Landwehr, 2003: Seite 105 – 108; Rudolf Schlögl, 2006²: Seite 111.

156 Vgl. Barbara Stollberg-Rilinger, 2005b: Seite 12; Rudolf Schlögl, 2006²: Seite 111.

157 Vgl. Ute Frevert, 2005: Seite 21; dies., 2006²: Seite 161; Barbara Stollberg-Rilinger, 2005b: Seite 23; Thomas Mergel, 2012²: Seite 5.

158 Vgl. Ute Frevert, 2005: Seite 20; dies., 2006²: Seite 161; Rudolf Schlögl, 2006²: Seite 111; Thomas Mergel, 2012²: Seite 1.

159 Vgl. Thomas Mergel, 2004: Seite 417; ders., 2012²: Seite 6; Rudolf Schlögl, 2006²: Seite 106.

160 Ähnlich auch: Thomas Mergel, 2012²: Seite 5 – 6.

161 Thomas Mergel, 2002: Seite 590. Siehe dazu die kritische, im Kern aber nicht widersprechende Auseinandersetzung mit diesem ethnologischen Axiom von: Andreas Rödder, 2006: Seite 670 – 671.

fen",[162] sich als Historiker also ihre jeweilige zeitliche, räumliche und sachliche Kontextualität, auch ihre Wandelbarkeit stets bewusst zu machen.[163]

Weil mit dem Kulturalismus sowohl am neueren Paradigma des Sozietarismus als auch am älteren des (Neo)Historismus Kritik geübt wurde, konnten in der Folge seiner Etablierung die anhaltende Spaltung der (west)deutschen Geschichtswissenschaft in zwei sich feindlich gegenüberstehende Lager überwunden und die forschungskonzeptionelle Diskussion unter den Historikern wiederbelebt werden.[164] Dabei liegt seine wohl größte inhaltliche Leistung in der expliziten Zuwendung zu einem Wirklichkeitsbereich, der bis dahin von den Historikern – und den meisten anderen Gesellschaftswissenschaftlern – weitgehend außer Acht gelassen wurde. Der Kulturalismus wendet sich, wie gezeigt, der menschlichen Konstruktion von Wirklichkeit zu. Dieser Konstruktionsvorgang kann sich allerdings auf zweierlei Weise vollziehen: einmal als gewissermaßen natürliche und hauptsächlich nicht bewusst gesteuerte Hervorbringung eigener Wirklichkeitsvorstellungen, das heißt als mehr oder minder automatische ‚Rezeption von Realität' durch die Menschen, und einmal als vornehmlich bewusst daraufhin wirkende Schaffung von Wirklichkeit, das heißt als mehr oder minder intendierte ‚Produktion von Realität' durch dieselbigen. Entsprechend groß ist das kulturalistische Forschungsinteresse für Handlungen sowie allgemein für Prozesse, bei denen solche Perzeptiven Realitäten zum Tragen kommen, während sich der Ansatz mit Zuständen und Strukturen sowie mit Entwicklungsverläufen[165] noch etwas schwer tut. Probleme wirft der Kulturalismus allerdings dann auf, wenn seine theoretischen Grundannahmen und die Forschungspraxis in keinem *sinnvollen* Verhältnis mehr zueinander stehen, wenn der Ansatz also überdehnt wird.[166] Weniger für sich genommen prob-

---

162 Thomas Mergel, 2002: Seite 588 (Hervorhebung durch den Verfasser).

163 Vgl. Thomas Mergel, 2002: Seite 574 – 575, 605 – 606. Erstmals wurde dieses Axiom innerhalb der Geschichtswissenschaft explizit problematisiert von: Hans Medick, 1984. Mit dem ethnologischen Axiom der Alterität (der Andersartigkeit oder Fremdheit) wird in seinem Kern tatsächlich genau auf das verwiesen, was innerhalb von Geschichtswissenschaft und Philosophie schon lange unter dem Begriff der ‚Geschichtlichkeit' beziehungsweise der ‚Historizität' diskutiert wird. Das zeigt jedoch nur, welche große Bedeutung diesem bisher häufig übergangenen Aspekt beizumessen ist. Vgl. Carl F. Gethmann, 2008².

164 Dies konstatiert auch: Friedrich Kießling, 2002: Seite 653.

165 Die Beschäftigung mit längerfristigen Entwicklungen und Wandlungen ist eine vom Kulturalismus im Wesentlichen erst noch zu entdeckende Gegenstandsart, wenngleich der forschungskonzeptionelle Rahmen dafür im Prinzip gegeben ist. Vgl. Barbara Stollberg-Rilinger, 2005b: Seite 18 – 19.

166 Das kann zum Beispiel dann passieren, wenn seine Vertreter das Vorhandensein von Politik überhaupt daran zu knüpfen versuchen, dass etwas auch explizit als ‚politisch' wahrgenommen wurde (vgl. etwa: Achim Landwehr, 2003: Seite 106; Ute Frevert, 2005: Seite 24). Nur welche politisch aktive Person richtet ihre eigenen Handlungen schon danach aus, dass die Proposition dieser Handlung mit dem Inhalt der eigenen Vorstellung von Politik korrespondiert. Und welcher zivile Bürger macht sich zunächst

lematisch als vielmehr Verwirrung stiftend ist wegen der ähnlichen Denomination das Verhältnis zur sogenannten ‚Politischen Kultur-Forschung'.[167]

Gedanken über den Begriff von Politik, um dann die Aktionen der Politiker als ‚politisch' oder als ‚nicht-politisch' zu klassifizieren. Vielmehr agieren doch die Politiker als solche in der Regel schlicht ohne selbst angestellte oder von anderen vorgenommene Reflexionen über das Phänomen der Politik. Allein die Wissenschaftler interessiert in der Retrospektive, ob eine Handlung als politisch oder nicht zu werten ist. Ein zweites Problem entsteht etwa dann, wenn man ein empirisches Phänomen, wie zum Beispiel das der Macht, *ausschließlich* als eine kommunikativ produzierte Erscheinung zu verstehen versucht (vgl. etwa: Thomas Mergel, 2002: Seite 594 – 595). Natürlich ist diese Vorstellung von Macht nicht ganz falsch. Nur warum soll das praktisch relevant sein und warum soll das generell für alle ihre verschiedenen Arten in dieser Ausschließlichkeit gelten? Wenn ein Diktator über mehrere hunderttausend gut ausgebildete und ausgerüstete Soldaten sowie über mehrere tausend moderne Waffensysteme verfügt, dann *verfügt* er zunächst tatsächlich über diese enorme militärische ‚Macht' – und zwar *nicht nur* in einer kommunikativ oder symbolisch erzeugten Realität. Wenn es jedoch um den *Einsatz* dieser Macht geht, dann kann in der Tat – muss jedoch keineswegs – die Vorstellung des Gegners von der eigenen Machtunterlegenheit zu dessen Verunsicherung und anschließend zu einer entsprechend schwächer ausfallenden Gegenwehr oder gar unmittelbar zu dessen Aufgabe führen. Macht ist selbst also keineswegs ausschließlich eine kommunikativ produzierte Erscheinung, deren *Wirkung* sich in der Regel auch weniger kommunikativ als vielmehr kommunikationslos und materiell vollzieht. Gleichwohl kann sie im kulturalistischen Rahmen durchaus *auch* als ein kommunikativ produziertes und wirkendes Phänomen *beschrieben* werden. Bis zu einem gewissen Grad ähnlich ist die in Bezug auf den Staat geübte Kritik von: Andreas Rödder, 2006: Seite 678 – 679. Eine dritte Schwierigkeit tritt beispielsweise dann auf, wenn man auch Personengruppen oder Organisationen, wie etwa eine Familie oder eine Partei, *ausschließlich* als kommunikativ konstruiert verstehen will (vgl. etwa: Achim Landwehr, 2003: Seite 109 (dort auch das folgende Zitat)). Es ist ja völlig richtig, dass es sich bei den alltagssprachlichen Wörtern ‚Familie' und ‚Partei' um ein jeweils besonders erfolgreich kommunikativ erzeugtes Konstrukt handelt, weil es „nicht mehr als sozial konstruierte Kategorie, sondern als sprachliche Abbildung der Realität wahrgenommen wird". Doch zeigen die Exempel zugleich, wie bedeutungslos diese Einsicht in analytischer Hinsicht gerade deshalb letztlich ist. Wenn die Personengruppe oder Organisation sowohl von den zu dieser Familie oder dieser Partei Gehörenden als auch von den Außenstehenden konsequent als solche verstanden und behandelt wird, dann zeigt das nur allzu deutlich, dass die Einsicht von der kommunikativ-konstruktiven Qualität dieser Erscheinungen eher auf einer metafunktionalen philosophischen Ebene angesiedelt und damit für die Rekonstruktion des menschlichen Lebens und Verhaltens *praktisch* irrelevant ist. *Dass* etwas ist oder passiert, ist in diesen Fällen nur bedingt unter Referenz auf Perzeptive Realitäten zu erklären. *Wie* etwas ist oder passiert, dafür kann der Kulturalismus hingegen durchaus ein ganzes Stück weit (modale) Erklärungen liefern. Diese Einsicht teilt so indes auch: ders., 2003: Seite 115 – 116.

[167] Die Politische Kultur-Forschung ist keineswegs identisch und deshalb auch nicht zu verwechseln mit einer kulturalistischen Politikgeschichte. Dennoch beschäftigt sie sich praktisch mit ähnlichen Gegenständen, indem sie sich dem ‚Kulturellen' (dieses Mal in einem ganz anderen Sinn) der Politik und damit konkret ihrer Darstellung in Form von Kleidung, Festen, Zeremonien, Spektakeln, Denkmälern, Sprachformen, Symboliken und dergleichen zuwendet. Sie setzt sich also *nicht* mit der Politik selbst auseinander, sondern allein mit ihren „Accessoires", ihrem „Wandschmuck". Insofern sind ihre Forschungsergebnisse für die an der ‚Herstellung und Durchsetzung allgemein geltender Entscheidungen' interessierte Politikgeschichte im Allgemeinen nur sehr begrenzt von

Insgesamt aber evoziert der politikhistorische Kulturalismus mit seinen drei wirklichkeitsbezogenen axiomatischen Kernbestandteilen des Konstruktivismus, des Behavioralismus und des Kommunikationszentrismus bedeutende Erkenntnismöglichkeiten, die es so zuvor nicht gab und die eine nicht zu unterschätzende Erweiterung auch der forschungskonzeptionellen Grundausstattung der gesamten (Internationalen) Politikgeschichte bedeutet. Nicht zuletzt aber gilt es, dieses Paradigma gerade für die Internationale Politikgeschichte praktisch weiterzuführen und dabei auch hinsichtlich seiner Programmatik weiterzuentwickeln.

V. Schlussbetrachtung

Zusammenfassend lässt sich festhalten, dass die drei vorgestellten Paradigmen der Internationalen Politikgeschichte, der Neohistorismus, der Sozietarismus und der Kulturalismus, durch eine je unterschiedlich angelegte Forschungskonzeption gekennzeichnet sind. Ihnen liegen eine jeweils eigene Wirklichkeitsvorstellung sowie ein jeweils spezifisches Forschungsinteresse zugrunde, die diese Ansätze prägen und die gleichzeitig ihre Eigenheit und ihre Besonderheit auszeichnen. Im Hinblick auf den Politikbegriff, aber auch hinsichtlich der Akteure oder Subjekte der internationalen Politik müssen sich alle drei Ansätze jedoch von ihren mitunter verengten Vorstellungen lösen und den kritischen Anschluss an den jeweils aktuellen Stand der entsprechenden allgemeinen theoretischen Diskussion suchen. Nur dadurch kann die forschungspraktische Aktualität der einzelnen Paradigmen letztlich gewährleistet werden und nur dadurch lassen sich die Vor- und

---

Relevanz. Jedoch in Beziehung zu einer speziell kulturalistisch ausgerichteten Politikgeschichte vermögen beide Ansätze gewisse Synergien zumindest bei der Untersuchung politischer Symbole zu erzeugen. Während bei der Politischen Kultur-Forschung an diesem Punkt das Forschungsziel schließlich erreicht ist, hat für die Vertreter des Kulturalismus hier die Arbeit allerdings erst begonnen. Der Kulturalismus unternimmt es nicht, „das Beiwerk zur wirklichen Politik [zu] rekonstruieren". Er will weit „mehr machen, als Feste und Fahnen beschreiben". Vgl. Thomas Mergel, 2002: Seite 583 - 587, 594 - 595, 605 (Zitate: Seite 594, 605); ders., 2012[2]: Seite 2 - 4; Barbara Stollberg-Rilinger, 2005b: Seite 13, 16; Ute Frevert, 2005: Seite 19 - 20; dies., 2006[2]: Seite 160 - 161. Siehe zur Politischen Kultur-Forschung selbst vor allem: Carola Lipp, 1996; Serge Berstein, 1997; Wolfgang Reinhard, 2001. Darüber hinaus sei auch auf die innerhalb der Politikwissenschaft - allerdings mit ganz anderen Schwerpunkten - betriebene Politische Kultur-Forschung hingewiesen, die sich dort mit der „subjektive[n] Dimension der gesellschaftl{ichen} Grundlagen Politischer Systeme" beschäftigt, das heißt mit den politischen Meinungen, Einstellungen und Werten der Mitglieder einer Gesellschaft im Hinblick auf ihren Staat, auf gegenwärtige Probleme oder auf generelle Themen, was dem Kulturbegriff des Kulturalismus sehr viel näher kommt als es im Rahmen des geschichtswissenschaftlichen Forschungsfeldes der Fall ist. Vgl. Dirk Berg-Schlosser, 2004[2] (Zitat: Seite 713). Außerdem: Wolf Michael Iwand, 1985; Karl Rohe, 1990; ders., 1996. Dazu ferner: Rüdiger Voigt, 1989.

Nachteile ihrer Heranziehung für ein ganz konkretes wissenschaftliches Vorhaben an tatsächlich inhaltlichen (und nicht wissenschafts*politischen*) Kriterien ermessen. Davon unabhängig ist es ein Mythos zu glauben, dass eine auf Theorien basierende Forschung allein aus diesem Grund schon besser sei als eine solche, die diesen Bezug nicht aufweist. Natürlich haben auch Studien ohne Theoriebezug grundsätzlich ihre Berechtigung und natürlich gibt es nicht für jeden einzelnen Themenbereich immer eine (passende) Theorie. Dennoch wird eine Geschichtswissenschaft kaum ohne die Nutzung theoretischer Konzepte auskommen, vor allem wenn sie komplexere Erscheinungen und Sachzusammenhänge der historischen Realität erschließen will. Grundsätzlich aber ist jeder Theoriebezug besser als ein *unreflektierter* Rückgriff auf rein alltagsprachliche oder intuitive Vorstellungen von bestimmten Gegenständen, wie zum Beispiel jenem der Macht, des Staates oder der internationalen Politik.

Auch in methodischer Hinsicht sollten jegliche dogmatisch vorgegebenen Beschränkungen unbedingt überwunden werden. Das bedeutet jedoch keineswegs, dass mit einem bestimmten Ansatz nicht auch eine Präferenz für gewisse Untersuchungsmethoden verbunden sein kann. Nur sollte diese Auswahl in jedem Fall unter kritischem Anschluss an den aktuellen Stand der allgemeinen methodischen und methodologischen Diskussion vorgenommen werden. Dies gilt grundsätzlich auch für die gewählte Form der Darstellung. Allerdings besteht heute kaum noch Uneinigkeit darüber, dass Forschungsstudien argumentative Darstellungen sind, die *eine* konkrete und problemorientierte Fragestellung auf der Grundlage einer realitätsbezogenen Untersuchung in stringenter und konsistenter Weise zu beantworten suchen und sich dabei grundlegend von breit angelegten und mehr einen Überblick vermittelnden historiographischen Gesamtdarstellungen und Handbüchern unterscheiden. Ferner können analytische Begriffe und Konzepte, sollen sie tatsächlich als solche fungieren (und nicht als zeitgenössische bloß ermittelt werden), nur *allgemein* entwickelt werden. Auch deren inhaltliche Bestimmung ist an der jeweils gegenwärtigen theoretischen Diskussion auszurichten. Welche allgemeine Forschungsabsicht die Paradigmen vertreten wollen, ist dagegen ihnen überlassen, auch wenn hier eine regelmäßige Reflexion angesichts der parallel stattfindenden und stetig voranschreitenden gesamt(geschichts)wissenschaftlichen Diskussion notwendig bleibt.

Die hier vorgelegte *inhaltliche*, das heißt auf die jeweilige Forschungskonzeption konzentrierte, Rekonstruktion der zentralen Paradigmen der gegenwärtigen Internationalen Politikgeschichte, die im Wesentlichen auf die (west)deutsche Geschichtswissenschaft beschränkt ist, versteht sich als ein unabgeschlossenes Projekt. Dessen Fortsetzung führt zum einen über eine ebenfalls inhaltliche Rekonstruktion derjenigen internationalen politikhistorischen Paradigmen, die zumindest in den anderen wichtigen Geschichtswissenschaftsländern (Amerika, Britannien, Frankreich und Italien)

Bedeutung erlangt haben und häufig grenzübergreifende Verbindungen aufweisen. Dies könnte schließlich in einer umfassenden Geschichte der Internationalen Politikgeschichte münden.[168] Zum anderen ist die Gesamtzahl der in diesem Aufsatz behandelten Forschungsansätze keineswegs ausgeschöpft. Nur am Rand behandelt worden ist der klassische Historismus. Aber auch der Materialismus wäre hier zu nennen, der sich im 20. Jahrhundert nicht allein innerhalb der marxistisch-leninistisch geprägten staatsdoktrinären Geschichtswissenschaft Ostdeutschlands und des gesamten sogenannten ‚Ostblocks' während der Phase des Ost-West-Konflikts, sondern in freier Weise etwa auch in Amerika und in den lateinamerikanischen Ländern entfalten konnte.

Neben den großen Paradigmen gibt es innerhalb der Internationalen Politikgeschichte eine ganze Reihe weiterer, allerdings kleinerer und spezieller Forschungsansätze.[169] Eine besondere Hervorhebung scheint dabei die Internationale Politische System-Forschung zu verdienen, die bisher einen durchaus beachtlichen konzeptionellen Diskussionsstand erreicht hat, aus der allerdings bislang kaum eine Forschungsstudie oder Gesamtdarstellung hervorgegangen ist, in welcher tatsächlich der Versuch einer konsequenten Untersuchung und Rekonstruktion von veritablen ‚Systemen' unternommen wurde.[170] Dennoch erweisen sich gerade internationale politische Systeme

---

168 Der schmale Band von Luise Schorn-Schütte, der verschiedene Paradigmen und Teilbereichsforschungen der allgemeinen Politikgeschichte in (West)Deutschland, Amerika, Britannien und Italien seit dem 19. Jahrhundert, allerdings auf der Basis eines inhaltlich noch wenig entfalteten kategorialen Gerüsts zusammenfasst, schafft für ein solches Unterfangen einen recht guten Ausgangspunkt. Vgl. Luise Schorn-Schütte, 2006.

169 Eine aktuelle Auswahl bieten die Bände: Patrick Finney, 2005; Jost Dülffer/Wilfried Loth, 2012.

170 Siehe zur Entwicklungsgeschichte und zur konzeptionellen Diskussion der Internationalen Politischen System-Forschung die Ausführungen in meinem Aufsatz „System – Organisation – Gouvernanz – Ordnung. Überlegungen zur Konzeption des interdisziplinären Ansatzes der Internationalen Politischen Ordnungs-Forschung" (Kapitel II) in diesem Band. Bei der forscherischen und historiographischen Umsetzung hat man das Konzept des internationalen politischen Systems dagegen häufig nicht sonderlich ernst genommen und es schlechterdings als bloßes Synonym etwa für ‚Staatenwelt' verwendet. Siehe zu den empirischen Arbeiten etwa: Walther Kienast, 1936; Werner Hahlweg, 1959; Stanley Hoffmann, 1970; Ole R. Holsti/Randolph M. Siverson/Alexander L. George, 1980; Ekkehart Krippendorff, 1982[2]; Paul W. Schroeder, 1986; Klaus Hildebrand, 1989; Kalevi J. Holsti, 1991a; Peter Krüger, 1991; ders., 1996; Hans-Heinrich Nolte, 1993[2]; Heinz Schilling, 1993; Andreas Osiander, 1994; Heinz Duchhardt, 1995; Holger T. Gräf, 1998; Harald Kleinschmidt, 1998; Gabriele Metzler, 1999; Anselm Doering-Manteuffel, 2000; Jens Siegelberg/Klaus Schlichte, 2000; Wolf D. Gruner, 2001; Reiner Pommerin, 2003; Klaus Malettke, 2007; Matthias Schulz, 2010; Matthew S. Anderson, 2014. Außer als ‚internationales politisches System' bezeichnen die Vertreter dieses Ansatzes ihren Gegenstand auch als (im Grunde davon zu unterscheidendes) ‚internationales System', ‚Staatensystem' oder ‚(Groß)Mächtesystem' sowie seit seiner Prägung durch den amerikanischen Soziologen und Historiker Immanuel Wallerstein in

als eine hervorragende Möglichkeit, um echte internationale Politik und zwischenstaatliche Beziehungen jenseits der (eher nationalen) Außenpolitikperspektive zu untersuchen.[171]

Mit der Verfasstheit und dem Funktionieren zeitgenössischer internationaler politischer Systeme unmittelbar verbunden ist die Frage nach den Möglichkeiten der strukturellen Form und Gestaltung zwischenstaatlicher Beziehungen. Mit diesem Problemkreis beschäftigen sich unter anderem die häufig ebenfalls interdisziplinär angelegten Ansätze der Internationalen Organisations-Forschung,[172] der Übernationalen Gouvernanz-Forschung,[173] der Internationalen Politischen Ordnungs-Forschung[174] und der Internatio-

---

den 1970er Jahren zudem als (davon gänzlich separiertes) ,Weltsystem'. Vgl. zu Letzterem: Immanuel Wallerstein, 2012.

171 So auch das völlig zu Recht geäußerte Plädoyer von: Andreas Wirsching, 2006[2]: Seite 124.

172 Anders als die Bezeichnung vielleicht vermuten lässt geht es bei diesem Ansatz zunächst nicht um Internationale Organisationen, sondern darum, wie die internationalen politischen Beziehungen *organisiert* sind. Siehe zur Entwicklungsgeschichte und zur konzeptionellen Diskussion der Internationalen Organisations-Forschung die Ausführungen in meiner Arbeit „System – Organisation – Gouvernanz – Ordnung. Überlegungen zur Konzeption des interdisziplinären Ansatzes der Internationalen Politischen Ordnungs-Forschung" (Kapitel III) in diesem Band. Siehe zudem die 1899 begründete und bis heute veröffentlichte Zeitschrift „Die Friedens-Warte. Journal of International Peace and Organization" (FW) und das seit 1947 erscheinende Fachblatt *„International Organization"* (IO). Zur forscherischen Umsetzung siehe vor allem die älteren rechts- und politikwissenschaftlichen Arbeiten: Walther Schücking, 1909; Hans Wehberg, 1912; ders., 1929; Rafael Erich, 1914; Werner Link, 1988[2]; Volker Rittberger, 2006. Dieser im 19. Jahrhundert in der Rechtswissenschaft entstandene und seit dem 20. Jahrhundert auch in der Politikwissenschaft beheimatete Ansatz ist erst jüngst von Madeleine Herren-Oesch in die geschichtswissenschaftliche Diskussion eingeführt worden, wobei sie die Internationale Organisations-Forschung zugleich mit bereits vorhandenen Ansätzen des Faches, vor allem mit der Internationalen Geschichte und der Globalgeschichte, auf innovative Weise konzeptionell verbunden hat. Vgl. Madeleine Herren, 2009.

173 Der Ansatz ist vor allem bekannt unter seiner englischen Bezeichnung *‚global governance studies'*. Siehe zu seiner Entwicklungsgeschichte und seiner konzeptionellen Diskussion die Ausführungen in meinem Aufsatz „System – Organisation – Gouvernanz – Ordnung. Überlegungen zur Konzeption des interdisziplinären Ansatzes der Internationalen Politischen Ordnungs-Forschung" (Kapitel IV) in diesem Band. Siehe ferner das 1995 gegründete Fachjournal *„Global Governance. A Review of Multilateralism and International Organizations"* (GGov). Zur forscherischen Umsetzung insbesondere innerhalb der Politikwissenschaft siehe von den zahlreichen Studien etwa: Christopher Flavin/Brigitte Young/Christoph Scherrer/Klaus Zwickel, 2002; Reiner Kern, 2002; Janina Curbach, 2003; Sieglinde Gstöhl, 2003. Auf Initiative von Ursula Lehmkuhl erhielt der ursprünglich politologische Ansatz schließlich auch Einzug in die Geschichtswissenschaft. Vgl. Ursula Lehmkuhl, 2002.

174 Siehe zur Entwicklungsgeschichte und zur konzeptionellen Diskussion der Internationalen Politischen Ordnungs-Forschung meinen Beitrag „System – Organisation – Gouvernanz – Ordnung. Überlegungen zur Konzeption des interdisziplinären Ansatzes der Internationalen Politischen Ordnungs-Forschung" (besonders Kapitel V) in diesem Band. Zur (bislang allerdings noch wenig konzeptorientierten) forscherischen Umsetzung: Theodor Mayer, 1959; Ulrich Scheuner, 1964; Wolfgang Preiser, 1978; Kalevi J.

nale Institutionalismus (als Forschungsansatz, nicht als Theoriegruppe)[175] sowie das verwandte rechtshistorische Teilgebiet der Internationalen Rechtsgeschichte respektive der Völkerrechtsgeschichte.[176] Darüber hinaus wird es höchste Zeit, dass auch die Historiker die hauptsächlich in der Politikwissenschaft entwickelten Theorien der internationalen Politik tatsächlich zur Kenntnis nehmen.[177] Diese auf den Gesamtgegenstand bezogene Theorierezeption ist offenkundig die wichtigste und im Grunde einzig unabdingbare, soll eine ernsthaft reflektierte Auseinandersetzung mit dem Phänomen der internationalen Politik stattfinden. Dabei ist es durchaus auch an den Historikern, zur kritischen Diskussion wie zur Erweiterung dieser Theorien offensiv beizutragen.

Abschließend lässt sich zur Beantwortung der eingangs gestellten Frage, wie Internationale Politikgeschichte betrieben werden kann, aus dem Vorangegangenen folgern, dass es keinen Königsweg bei der Erforschung inter-

---

Holsti, 1991b; Peter Krüger, 1991; Torbjørn L. Knutsen, 1999; Karl Otmar von Aretin, 2001; Heinz Duchhardt, 2001; Sabine Jaberg/Peter Schlotter, 2005; Heinhard Steiger, 2009a; ders., 2009b; ders., 2010; Ulrich Menzel, 2015. Im Hinblick auf die Beschäftigung mit der ‚internationalen politischen Ordnung' werden in der Literatur auch die (im Grunde nur bedingt äquivalenten) Bezeichnungen ‚internationale Ordnung', ‚Staatenordnung', ‚(Groß)Mächteordnung', ‚Weltordnung' und ‚globale Ordnung' verwendet.

[175] Vgl. dazu immerhin: Robert O. Keohane, 1988; Lisa L. Martin/Beth A. Simmons, 1998; Marco Overhaus/Siegfried Schieder, 2010; Matthias Schulz, 2012.

[176] Siehe zur konzeptionellen Diskussion sowie zur forscherischen und historiographischen Umsetzung der Völkerrechtsgeschichte die entsprechenden Ausführungen in meinem Aufsatz „Was ist Internationale Politikgeschichte?" (Kapitel II) in diesem Band. Siehe zudem die seit 2001 bestehende und von Bardo Fassbender, Miloš Vec und Wolfgang Graf Vitzthum herausgegebene Schriftenreihe „Studien zur Geschichte des Völkerrechts" sowie das bereits zwei Jahre zuvor begründete und vom Max-Planck-Institut für europäische Rechtsgeschichte in Frankfurt (am Main) mitherausgegebene *„Journal of the History of International Law"* (JHIL).

[177] Bislang sind innerhalb der politikwissenschaftlichen Teildisziplin der Internationalen Politik eine ganze Reihe von Einzeltheorien entwickelt worden, die sich im Großen und Ganzen den vier übergreifenden Theoriegruppen des Realismus, des Institutionalismus, des Liberalismus und des Materialismus zuordnen lassen. Siehe zur Theoriediskussion zusammenfassend vor allem: Gerhard Kümmel, 1999; Ursula Lehmkuhl, 2001³b; Andrea K. Riemer, 2006; Günther Auth, 2008; Reinhard Meyers, 2008¹¹; Gert Krell, 2009⁴; ders., 2012⁵; Xuewu Gu, 2010²; Siegfried Schieder/Manuela Spindler, 2010³; Scott Burchill/Andrew Linklater/Richard Devetak/Jack Donnelly/Terry Nardin/Matthew Paterson/Christian Reus-Smit/Jacqui True, 2013⁵; Tim Dunne/Milja Kurki/Steve Smith, 2013³. Darüber hinaus haben aber auch die Vertreter (und von ihnen vor allem die Klassiker) der politikwissenschaftlichen Subdisziplin der Politischen Theorie beziehungsweise des philosophischen Teilfaches der Politikphilosophie sich explizit oder implizit Gedanken über internationale Politik gemacht, deren intensive Rezeption nun nicht allein für die politologische Internationale Politik mehr als ansteht. Zu den ersten Erfassungen dieser disziplinär und historisch umfassenderen Theoriediskussion siehe: Heinz Gollwitzer, 1972; ders., 1982; Jürgen Bellers, 1996; Kees van der Pijl, 1996; Torbjørn L. Knutsen, 1997²; Ian Clark/Iver B. Neumann, 1999; Harald Kleinschmidt, 2000; Beate Jahn, 2006; Thomas Risse, 2007; Manuel Fröhlich, 2010; Jürgen Bellers/Markus Porsche-Ludwig, 2011; Frank Dietrich/Véronique Zanetti, 2014; Regina Kreide/Andreas Niederberger, 2016.

nationaler Politik gibt. Die drei behandelten Paradigmen bieten jeweils eigene Zugangsweisen und Instrumentarien zur Erforschung dieses Wirklichkeitsausschnittes an. Keiner der Ansätze ist jedoch derart umfassend angelegt, dass er die anderen vollständig integrieren würde. Es bleibt mithin beim multiparadigmatischen Charakter der Internationalen Politikgeschichte, zu dem, wie erwähnt, nicht allein die drei hier vorgestellten Forschungskonzepte zu rechnen sind und dem man sich als Historiker allerdings ebenso entziehen kann. Kein Wissenschaftler kann (und soll auch keineswegs) gezwungen werden, seine Forschungen im Rahmen eines bestimmten Paradigmas durchzuführen, wenn dieser das selbst nicht möchte oder wenn dies für sein konkretes Vorhaben kaum nutzbringend wäre.

Aus diesem Grund gilt es, die einzelnen Paradigmen, die grundsätzlich den gesamten Gegenstandsbereich der Internationalen Politikgeschichte handzuhaben beanspruchen, wie auch die kleineren Spezialansätze weiterhin zu nutzen, dabei aber ihre jeweilige konzeptionelle Weiterentwicklung nicht zu vernachlässigen. Hierzu ist die Förderung eines eigentlich bereits überwundenen kombattanten Dualismus, wie er vor allem die Debatte in den 1970er Jahren prägte, oder gar ein erneutes Aufflammen von Revierkämpfen zwischen den einzelnen Ansätzen keinesfalls *inhaltlich* hilfreich.[178] Vielmehr sollte ein Diskussionsstil gewahrt werden, der darauf bedacht ist, „die Stärken und Schwächen von Vorgehensweisen abzuwägen, [statt ...] darauf, Vorgehensweisen in eine grundsätzliche Hierarchie – ‚gute' versus ‚schlechte' Ansätze – zu bringen".[179] Auch kann es letztlich nicht darum gehen, erst auf eine empirische Bewährung der einzelnen Ansätze zu warten.[180] Denn das Ergebnis könnte dann nur lauten: entweder der Ansatz hat sich in der einen

[178] Ein derartiger, nicht wünschenswerter Dualismus aber wird geschürt durch Arbeiten wie diese: Hans-Ulrich Wehler, 2001. In seinem Stil völlig aus der Zeit geraten ist dagegen der Aufsatz von Thomas Nicklas aus dem Jahr 2004. Er stellt darin zwar einen programmatischen Entwurf einer allgemeinen Politikgeschichte zur Diskussion. Dabei schließt er durchaus an den aktuellen Stand der forschungskonzeptionellen Diskussion an, trägt eigene Überlegungen vor und sucht diese auf einer erkenntnistheoretischen Ebene zu begründen. Umso irritierender wirkt jedoch der ausgreifend harte apologetische und lagerabsteckende Ton, in dem dieser Text verfasst ist. Ein solch verfeindender Stil ist aber nicht nur unnötig und eines wissenschaftlichen Diskurses eigentlich unwürdig, sondern auch inhaltlich nicht weiterführend. Die folgende mehrfache Kritik an dem Aufsatz ist deshalb weder zu Unrecht geäußert worden noch verwunderlich. Man muss doch vorgetragene sachliche Kritik nicht als Frontalangriff auf die prinzipielle Seinsberechtigung des jeweils eigenen Ansatzes (miss)verstehen und sogleich gegen diese vermeintliche Totalkritik zur entsprechend grundsätzlich angelegten Gegenwehr schreiten. Wer Ideen vorträgt – und das ist das tägliche Geschäft aller Wissenschaftler –, der muss auch mit Kritik umgehen können. Und Kritik in der Sache ist deswegen noch lange keine Kritik an der Person. Zum Aufsatz selbst: Thomas Nicklas, 2004. Kritisch dazu: Barbara Stollberg-Rilinger, 2005b: Seite 15 (Anmerkung 14); Andreas Rödder, 2006: Seite 659 (Anmerkung 8).

[179] Ute Daniel, 2006[5]: Seite 16.

[180] Vgl. zum Beispiel: Andreas Rödder, 2006: Seite 687.

unternommenen Studie bewährt oder er hat es nicht. Käme Letzteres heraus, würde er sogleich (vorschnell) als schlecht, unnütz oder (wissenschaftstheoretisch gesehen allerdings unangemessen) schlicht als widerlegt dahingestellt werden. Genau das aber ist weder Sinn noch Ziel des Ganzen. Ansätze werden entwickelt und sind allein schon deswegen zu ihrer eigenen Entität berechtigt. Ob und wie gut sich ein bestimmter Ansatz *praktisch* zur Beantwortung einer konkreten Fragestellung eignet, das muss innerhalb des Forschungsdesigns der einzelnen Studien eruiert werden. Grundsätzlich jedoch ist kein Ansatz von vornherein besser oder schlechter als ein anderer. Es kommt nicht auf wissenschaftssoziale oder wissenschaftspolitische Dominanz an, sondern vielmehr immer auf die einzelne Fragestellung, für die ein bestimmtes Forschungskonzept nutzbar gemacht werden kann oder nicht.

Alle Forschungsansätze – sowohl ältere (etwa der klassische Historismus und der Neohistorismus) als auch neuere (etwa der Sozietarismus und der Kulturalismus) – haben also mehr oder weniger etwas für sich. Sie besitzen eigene, jeweils unterschiedliche Erkenntnispotenziale und sind in ihrem Kern zunächst einmal gleichermaßen ‚aktuell'.[181] Die Kritik der wissenschaftlichen Gemeinschaft und die Aufgeschlossenheit der einzelnen Forscher, ihren jeweiligen Ansatz angesichts stichhaltiger Einwände zu modifizieren oder durch Integration anderer, bereits bestehender Ansätze (oder Teilsegmente davon) zu erweitern, dienen dem wissenschaftlichen Fortschritt nicht allein auf der Ebene der konzeptionellen Überlegungen, wie man Forschung (bestmöglich) betreiben kann, sondern auch auf der praktischen Umsetzungsebene der konkreten Forschungsarbeit an gewählten empirischen Gegenständen.

Insgesamt sollte es das Ziel sein, die alternativen Paradigmen und Spezialansätze ernst zu nehmen und ihre theoretischen Prämissen und ihre empirischen Zugangsweisen empathisch, aber auch kritisch zu reflektieren. Man kann sich im Rahmen einer einzelnen Studie oder auch generell einem bestimmten Forschungsansatz verschreiben. Vielfach lassen sich mehrere alternative Programme aber auch miteinander zu einem integrierten verbinden. Der größte und letztendliche Gewinn entsteht jedoch dann, wenn forschungskonzeptionelle Überlegungen nicht mehr lediglich einem bestimmten Ansatz zugeordnet werden, sondern wenn diese Überlegungen in den allgemeinen Fundus des übergreifenden wissenschaftlichen Arbeitsfeldes beziehungsweise Forschungsansatzes, hier der Internationalen Politikgeschichte, übergegangen sind.

---

[181] Der Zeitpunkt seiner Formulierung respektive das Alter seines Bestehens gibt für sich allein genommen keinerlei Auskunft über die *inhaltliche* Qualität eines Forschungsansatzes. ‚Konventionell' kann daher eine Forschungspraxis nur dann genannt werden, nicht wenn sie einem vor längerer Zeit entwickelten Ansatz, sondern wenn sie einem für das jeweilige Arbeitsfeld typischen oder auch überhaupt keinem bestimmten Ansatz folgt.

Literatur

ACHAM, KARL/SCHULZE, WINFRIED (Hrsg.), 1990: *Teil und Ganzes. Zum Verhältnis von Einzel- und Gesamtanalyse in Geschichts- und Sozialwissenschaft.* [Reihe Beiträge zur Historik. Band 6], München.

ALTENA, BERT/LENTE, DICK VAN, 2009 [2006²]: *Gesellschaftsgeschichte der Neuzeit 1750 – 1989.* Übers. von Thomas Kroll, Göttingen.

ALTERMATT, URS/GARAMVÖLGYI, JUDIT (Hrsg.), 1980: *Innen- und Außenpolitik. Primat oder Interdependenz? Festschrift zum 60. Geburtstag von Walther Hofer.* Bern/Stuttgart.

ANDERSON, MATTHEW S., 2014 [1998]: *The Origins of the Modern European State System, 1494 – 1618.* [The Modern European State System. Band 1], London/New York.

ARETIN, KARL OTMAR VON, 2001: *Friede und Friedensordnungen im neuzeitlichen Europa.* In: Gabriele Clemens (Hrsg.), Nation und Europa. Studien zum internationalen Staatensystem im 19. und 20. Jahrhundert. Festschrift für Peter Krüger zum 65. Geburtstag. Stuttgart, Seite 285 – 294.

ASCHMANN, BIRGIT (Hrsg.), 2005: *Gefühl und Kalkül. Der Einfluss von Emotionen auf die Politik des 19. und 20. Jahrhunderts.* [Reihe Historische Mitteilungen. Im Auftrage der Ranke-Gesellschaft. Vereinigung für Geschichte im öffentlichen Leben (HMRG). Beiheft. Band 62], Stuttgart.

AUTH, GÜNTHER, 2008: *Theorien der Internationalen Beziehungen kompakt.* München.

BAHNERS, PATRICK/CAMMANN, ALEXANDER, 2009: *Vorwort.* In: dies. (Hrsg.), Bundesrepublik und DDR. Die Debatte um Hans-Ulrich Wehlers „Deutsche Gesellschaftsgeschichte". München, Seite 11 – 19.

BALTRUSCH, ERNST, 2008: *Außenpolitik, Bünde und Reichsbildung in der Antike.* [Reihe Enzyklopädie der griechisch-römischen Antike. Band 7], München.

BELLERS, JÜRGEN (Hrsg.), 1996: *Klassische Staatsentwürfe. Außenpolitisches Denken von Aristoteles bis heute.* Darmstadt.

BELLERS, JÜRGEN/PORSCHE-LUDWIG, MARKUS, 2011: *Geistesgeschichte der Internationalen Politik. Theorien und Philosophien seit Aristoteles.* [Reihe Internationale Politik. Band 7], Berlin.

BERDING, HELMUT/BEYME, KLAUS VON/GEYER, DIETRICH/JECK, ALBERT/KOCKA, JÜRGEN/KOSELLECK, REINHART/LEPENIES, WOLF/MOMMSEN, WOLFGANG J./PUHLE, HANS-JÜRGEN/RÜRUP, REINHARD/SACK, FRITZ/SCHIEDER, WOLFGANG/SCHRÖDER, HANS-CHRISTOPH/TILLY, RICHARD H./WEHLER, HANS-ULRICH/WINKLER, HEINRICH AUGUST, 1975: *Vorwort der Herausgeber.* In: Geschichte und Gesellschaft. Zeitschrift für Historische Sozialwissenschaft (GG). 1 (1), Seite 5 – 7.

BERG-SCHLOSSER, DIRK, 2004²: *Politische Kultur/Kulturforschung.* In: Dieter Nohlen/Rainer-Olaf Schultze (Hrsg.), Lexikon der Politikwissenschaft. Theorien, Methoden, Begriffe. Band 2, N – Z. München, Seite 713 – 718.

BERSTEIN, SERGE, 1997: *La culture politique.* In: Jean-Pierre Rioux/Jean-François Sirinelli (Hrsg.), Pour une histoire culturelle. [Reihe L'univers historique], Paris, Seite 371 – 386.

BOROWSKY, PETER/NICOLAYSEN, RAINER, 2007³: *Politische Geschichte.* In: Hans-Jürgen Goertz (Hrsg.), Geschichte. Ein Grundkurs. [Reihe Rowohlts Enzyklopädie], Reinbek, Seite 527 – 540.

BRACHER, KARL-DIETRICH, 1963: *Kritische Betrachtungen über den Primat der Außenpolitik.* In: Gerhard A. Ritter/Gilbert Ziebura (Hrsg.), Faktoren der politischen Entscheidung. Festgabe für Ernst Fraenkel zum 65. Geburtstag. Berlin, Seite 115 – 148.

BURCHILL, SCOTT/LINKLATER, ANDREW/DEVETAK, RICHARD/DONNELLY, JACK/NARDIN, TERRY/PATERSON, MATTHEW/REUS-SMIT, CHRISTIAN/TRUE, JACQUI, 2013⁵: *Theories of International Relations.* Basingstoke/New York.

BURK, KATHLEEN, 2000: *Britische Traditionen internationaler Geschichtsschreibung.* Übers. von Frank Bärenbrinker/Wilfried Loth, in: Wilfried Loth/Jürgen Osterhammel (Hrsg.),

Internationale Geschichte. Themen - Ergebnisse - Aussichten. [Reihe Studien zur Internationalen Geschichte. Band 10], München, Seite 45 - 59.

BURKE, PETER, 2005 [2004]: *Was ist Kulturgeschichte?* Übers. von Michael Bischoff, Frankfurt.

BUTKEVYCH, OLGA V., 2003: *History of Ancient International Law: Challenges and Prospects*. In: Journal of the History of International Law (JHIL). 5 (2), Seite 189 - 235.

CHARTIER, ROGER, 2006[2] [2002]: *New Cultural History*. Übers. von Raingard Esser/Joachim Eibach, in: Joachim Eibach/Günther Lottes (Hrsg.), Kompass der Geschichtswissenschaft. Ein Handbuch. Göttingen, Seite 193 - 205.

CHWASZCZA, CHRISTINE, 2004: *Kulturwissenschaft der internationalen Politik*. In: Friedrich Jaeger/Jörn Rüsen (Hrsg.), Handbuch der Kulturwissenschaften. Band 3, Themen und Tendenzen. Stuttgart/Weimar, Seite 458 - 473.

CLARK, IAN/NEUMANN, IVER B. (Hrsg.), 1999 [1996]: *Classical Theories of International Relations*. [St. Antony's Series], Basingstoke.

CONRAD, CHRISTOPH/KESSEL, MARTINA (Hrsg.), 1998: *Kultur & Geschichte. Neue Einblicke in eine alte Beziehung*. Stuttgart.

CONZE, ECKART, 1998: *„Moderne Politikgeschichte". Aporien einer Kontroverse*. In: Guido Müller (Hrsg.), Deutschland und der Westen. Internationale Beziehungen im 20. Jahrhundert. Festschrift für Klaus Schwabe zum 65. Geburtstag. [Reihe Historische Mitteilungen. Im Auftrage der Ranke-Gesellschaft. Vereinigung für Geschichte im öffentlichen Leben (HMRG). Beiheft. Band 29], Stuttgart, Seite 19 - 30.

CONZE, ECKART, 2000: *Zwischen Staatenwelt und Gesellschaftswelt. Die gesellschaftliche Dimension in der Internationalen Geschichte*. In: Wilfried Loth/Jürgen Osterhammel (Hrsg.), Internationale Geschichte. Themen - Ergebnisse - Aussichten. [Reihe Studien zur Internationalen Geschichte. Band 10], München, Seite 117 - 140.

CONZE, ECKART, 2005: *Sicherheit als Kultur. Überlegungen zu einer „modernen Politikgeschichte" der Bundesrepublik Deutschland*. In: Vierteljahrshefte für Zeitgeschichte (VfZ). 53 (3), Seite 357 - 380.

CORNELIßEN, CHRISTOPH, 2009[4]: *Politische Geschichte*. In: ders. (Hrsg.), Geschichtswissenschaften. Eine Einführung. Frankfurt, Seite 133 - 148.

CURBACH, JANINA, 2003: *Global Governance und NGOs. Transnationale Zivilgesellschaft in internationalen Politiknetzwerken*. Opladen.

CZEMPIEL, ERNST-OTTO, 1963: *Der Primat der auswärtigen Politik. Kritische Würdigung einer Staatsmaxime*. In: Politische Vierteljahresschrift (PVS). 4 (3), Seite 266 - 287.

DANIEL, UTE, 1997a: *Clio unter Kulturschock. Zu den aktuellen Debatten der Geschichtswissenschaft*. Teil 1, in: Geschichte in Wissenschaft und Unterricht (GWU). 48 (4), Seite 195 - 219.

DANIEL, UTE, 1997b: *Clio unter Kulturschock. Zu den aktuellen Debatten der Geschichtswissenschaft*. Teil 2, in: Geschichte in Wissenschaft und Unterricht (GWU). 48 (5/6), Seite 259 - 278.

DANIEL, UTE, 2006[5]: *Kompendium Kulturgeschichte. Theorien, Praxis, Schlüsselwörter*. Frankfurt.

DAVIS, NATALIE ZEMON, 1987 [1975]: *Humanismus, Narrenherrschaft und die Riten der Gewalt. Gesellschaft und Kultur im frühneuzeitlichen Frankreich*. Übers. von Nele Löw Beer, Frankfurt.

DEHIO, LUDWIG, 1996 [1948]: *Gleichgewicht oder Hegemonie. Betrachtungen über ein Grundproblem der neueren Staatengeschichte*. Hrsg. von Klaus Hildebrand, Zürich.

DIETRICH, FRANK/ZANETTI, VÉRONIQUE, 2014: *Philosophie der internationalen Politik zur Einführung*. [Reihe Zur Einführung], Hamburg.

DINGES, MARTIN, 1993: *Ehrenhändel als „Kommunikative Gattungen". Kultureller Wandel und Volkskulturbegriff*. In: Archiv für Kulturgeschichte (AKG). 75 (2), Seite 359 - 393.

DINGES, MARTIN, 2006[2] [2002]: *Neue Kulturgeschichte*. In: Joachim Eibach/Günther Lottes (Hrsg.), Kompass der Geschichtswissenschaft. Ein Handbuch. Göttingen, Seite 179 - 192.

DOERING-MANTEUFFEL, ANSELM, 2000: *Internationale Geschichte als Systemgeschichte. Strukturen und Handlungsmuster im europäischen Staatensystem des 19. und 20. Jahrhunderts.* In: Wilfried Loth/Jürgen Osterhammel (Hrsg.), Internationale Geschichte. Themen – Ergebnisse – Aussichten. [Reihe Studien zur Internationalen Geschichte. Band 10], München, Seite 93 – 115.

DRESSEL, GERT, 1996: *Historische Anthropologie. Eine Einführung.* Wien/Köln/Weimar.

DUCHHARDT, HEINZ, 1990: *Altes Reich und europäische Staatenwelt 1648 – 1806.* [Enzyklopädie deutscher Geschichte. Band 4], München.

DUCHHARDT, HEINZ, 1995: *Reich und europäisches Staatensystem seit dem Westfälischen Frieden.* In: Volker Press (Hrsg.), Alternativen zur Reichsverfassung in der Frühen Neuzeit? [Reihe Schriften des Historischen Kollegs. Kolloquien. Band 23], München, Seite 179 – 187.

DUCHHARDT, HEINZ, 2001: *Zwischenstaatliche Friedens- und Ordnungskonzepte im Ancien Régime: Idee und Realität.* In: Ronald G. Asch/Wulf Eckart Voß/Martin Wrede (Hrsg.), Frieden und Krieg in der Frühen Neuzeit. Die europäische Staatenordnung und die außereuropäische Welt. [Reihe Der Frieden. Rekonstruktion einer europäischen Vision. Band 2], München, Seite 37 – 45.

DUCHHARDT, HEINZ, 2004: *Politische Geschichte.* In: Michael Maurer (Hrsg.), Aufriß der Historischen Wissenschaften in sieben Bänden. Band 3, Sektoren. Stuttgart, Seite 14 – 71.

DUCHHARDT, HEINZ, 2017: *Heeren, Ranke und die Folgen: Die Entwicklung der historischen Subdisziplin „Internationale Beziehungen" in Deutschland.* In: Barbara Haider-Wilson/William D. Godsey/Wolfgang Mueller (Hrsg.), Internationale Geschichte in Theorie und Praxis. [Reihe Internationale Geschichte/International History. Band 4], Wien, Seite 333 – 347.

DÜLFFER, JOST, 2008: *Historische UN-Forschung in Deutschland: Themen, Methoden und Möglichkeiten.* In: Manuel Fröhlich (Hrsg.), UN Studies. Umrisse eines Lehr- und Forschungsfeldes. [Reihe The United Nations and Global Change. Band 1], Baden-Baden, Seite 101 – 115.

DÜLFFER, JOST/LOTH, WILFRIED (Hrsg.), 2012: *Dimensionen internationaler Geschichte.* [Reihe Studien zur Internationalen Geschichte. Band 30], München.

DÜLMEN, RICHARD VAN, 2001²: *Historische Anthropologie. Entwicklung, Probleme, Aufgaben.* Köln/Weimar/Wien.

DUNNE, TIM/KURKI, MILJA/SMITH, STEVE (Hrsg.), 2013³: *International Relations Theories. Discipline and Diversity.* Oxford.

EIBACH, JOACHIM, 2006² [2002]: *Verfassungsgeschichte als Verwaltungsgeschichte.* In: Joachim Eibach/Günther Lottes (Hrsg.), Kompass der Geschichtswissenschaft. Ein Handbuch. Göttingen, Seite 142 – 151.

EMICH, BIRGIT, 2009: *Politikgeschichte aus kulturalistischer Perspektive.* In: Martin Jehne/Winfried Müller/Peter E. Fäßler (Hrsg.), Ungleichheiten. 47. Deutscher Historikertag in Dresden 2008. Berichtsband. Göttingen, Seite 145 – 146.

ERICH, RAFAEL, 1914: *Probleme der internationalen Organisation. Völkerrechtliche Studien.* [Reihe Völkerrechtliche Monographien. Band 1], Breslau.

ETZEMÜLLER, THOMAS, 2001: *Sozialgeschichte als politische Geschichte. Werner Conze und die Neuorientierung der westdeutschen Geschichtswissenschaft nach 1945.* [Reihe Ordnungssysteme. Studien zur Ideengeschichte der Neuzeit. Band 9], München.

EXTERNBRINK, SVEN, 2007: *Internationale Politik in der Frühen Neuzeit. Stand und Perspektiven der Forschung zu Diplomatie und Staatensystem.* In: Hans-Christof Kraus/Thomas Nicklas (Hrsg.), Geschichte der Politik. Alte und Neue Wege. [Reihe Historische Zeitschrift (HZ). Beihefte (neue Folge). Band 44], München, Seite 15 – 39.

FABER, KARL-GEORG/MEIER, CHRISTIAN (Hrsg.), 1978: *Historische Prozesse.* [Reihe Beiträge zur Historik. Band 2], München.

FAHRMEIR, ANDREAS, 2006: *Von der Sozialgeschichte des Politischen zur Politikgeschichte des Sozialen? Trends und Kontexte der Politikgeschichte.* In: Gisela Miller-Kipp/Bernd

Zymek (Hrsg.), Politik in der Bildungsgeschichte - Befunde, Prozesse, Diskurse. Bad Heilbrunn, Seite 19 - 34.

FINNEY, PATRICK (Hrsg.), 2005: *Palgrave advances in international history*. Basingstoke.

FLAVIN, CHRISTOPHER/YOUNG, BRIGITTE/SCHERRER, CHRISTOPH/ZWICKEL, KLAUS (Hrsg.), 2002: *Global Governance. Gewerkschaften und NGO's - Akteure für Gerechtigkeit und Solidarität*. Hamburg.

FORNDRAN, ERHARD, 1977: *Zur Theorie der internationalen Beziehungen - Das Verhältnis von Innen-, Außen- und internationaler Politik und die historischen Beispiele der 30er Jahre*. In: Erhard Forndran/Frank Golczewski/Dieter Riesenberger (Hrsg.), Innen- und Außenpolitik unter nationalsozialistischer Bedrohung. Determinanten internationaler Beziehungen in historischen Fallstudien. Opladen, Seite 315 - 361.

FREVERT, UTE, 2000: *Angst vor Gefühlen? Die Geschichtsmächtigkeit von Emotionen im 20. Jahrhundert*. In: Paul Nolte/Manfred Hettling/Frank-Michael Kuhlemann/Hans-Walter Schmuhl (Hrsg.), Perspektiven der Gesellschaftsgeschichte. München, Seite 95 - 111.

FREVERT, UTE, 2005: *Neue Politikgeschichte: Konzepte und Herausforderungen*. In: Ute Frevert/Heinz-Gerhard Haupt (Hrsg.), Neue Politikgeschichte. Perspektiven einer historischen Politikforschung. [Reihe Historische Politikforschung. Band 1], Frankfurt/New York, Seite 7 - 26.

FREVERT, UTE, 2006[2] [2002]: *Neue Politikgeschichte*. In: Joachim Eibach/Günther Lottes (Hrsg.), Kompass der Geschichtswissenschaft. Ein Handbuch. Göttingen, Seite 152 - 164.

FREVERT, UTE, 2009: *Was haben Gefühle in der Geschichte zu suchen?* In: Geschichte und Gesellschaft. Zeitschrift für Historische Sozialwissenschaft (GG). 35 (2), Seite 183 - 208.

FREVERT, UTE/HAUPT, HEINZ-GERHARD (Hrsg.), 2005: *Neue Politikgeschichte. Perspektiven einer historischen Politikforschung*. [Reihe Historische Politikforschung. Band 1], Frankfurt/New York.

FRÖHLICH, MANUEL, 2010: *Politische Philosophie*. In: Carlo Masala/Frank Sauer/Andreas Wilhelm (Hrsg.), Handbuch der Internationalen Politik. Wiesbaden, Seite 13 - 26.

GAL, MICHAEL, 2015: *Der Staat in historischer Sicht. Zum Problem der Staatlichkeit in der Frühen Neuzeit*. In: Der Staat. Zeitschrift für Staatslehre und Verfassungsgeschichte, deutsches und europäisches öffentliches Recht. 54 (2), Seite 241 - 266.

GETHMANN, CARL F., 1995: *Paradigma*. In: Jürgen Mittelstraß (Hrsg.), Enzyklopädie Philosophie und Wissenschaftstheorie. Band 3, P - So. Stuttgart/Weimar, Seite 33 - 37.

GETHMANN, CARL F., 2008[2]: *Geschichtlichkeit*. In: Jürgen Mittelstraß (Hrsg.), Enzyklopädie Philosophie und Wissenschaftstheorie. Band 3, G - Inn. Stuttgart/Weimar, Seite 106 - 107.

GIENOW-HECHT, JESSICA C. E./SCHUMACHER, FRANK (Hrsg.), 2003: *Culture and International History*. [Explorations in Culture and International History Series], New York/Oxford.

GOLLWITZER, HEINZ, 1972: *Geschichte des weltpolitischen Denkens*. Band 1, *Vom Zeitalter der Entdeckungen bis zum Beginn des Imperialismus*. Göttingen.

GOLLWITZER, HEINZ, 1982: *Geschichte des weltpolitischen Denkens*. Band 2, *Zeitalter des Imperialismus und der Weltkriege*. Göttingen.

GRÄF, HOLGER T., 1998: *Das europäische Mächtesystem*. In: Olaf Mörke/Michael North (Hrsg.), Die Entstehung des modernen Europa 1600 - 1900. [Reihe Wirtschafts- und Sozialhistorische Studien. Band 7], Köln/Weimar/Wien, Seite 11 - 24.

GROH, DIETER, 1973: *Kritische Geschichtswissenschaft in emanzipatorischer Absicht. Überlegungen zur Geschichtswissenschaft als Sozialwissenschaft*. Stuttgart/Berlin/Köln/Mainz.

GRUNER, WOLF D., 2001: *Europäischer Völkerbund, weltweiter Völkerbund und die Frage der Neuordnung des Internationalen Systems 1880 - 1930*. In: Gabriele Clemens (Hrsg.), Nation und Europa. Studien zum internationalen Staatensystem im 19. und 20. Jahrhundert. Festschrift für Peter Krüger zum 65. Geburtstag. Stuttgart, Seite 307 - 329.

GSTÖHL, SIEGLINDE (Hrsg.), 2003: *Global Governance und die G8. Gipfelimpulse für Weltwirtschaft und Weltpolitik.* [Reihe Politikwissenschaft. Band 88], Münster/Hamburg/London.

GU, XUEWU, 2010²: *Theorien der internationalen Beziehungen. Einführung.* [Lehr- und Handbücher der Politikwissenschaft], München.

HAHLWEG, WERNER, 1959: *Barriere – Gleichgewicht – Sicherheit. Eine Studie über die Gleichgewichtspolitik und die Strukturwandlung des Staatensystems in Europa 1646 – 1715.* In: Historische Zeitschrift (HZ). 187 (1), Seite 54 – 89.

HARDTWIG, WOLFGANG/WEHLER, HANS-ULRICH (Hrsg.), 1996: *Kulturgeschichte Heute.* [Reihe Geschichte und Gesellschaft. Zeitschrift für Historische Sozialwissenschaft (GG). Sonderheft. Band 16], Göttingen.

HEFFTER, HEINRICH, 1951: *Vom Primat der Außenpolitik.* In: Historische Zeitschrift (HZ). 171 (1), Seite 1 – 20.

HEINZMANN, GUSTAV, 1971: *Gesellschaftsgeschichte als Soziologie und Politologie. Archetypen.* Neuburgweier.

HERODOT, 1988⁴a [um 424 v. Chr.]: *Historien. Griechisch – deutsch.* Band 1, *Buch I – V.* Hrsg. und übers. von Josef Feix, [Reihe Sammlung Tusculum], München/Zürich.

HERODOT, 1988⁴b [um 424 v. Chr.]: *Historien. Griechisch – deutsch.* Band 2, *Buch VI – IX.* Hrsg. und übers. von Josef Feix, [Reihe Sammlung Tusculum], München/Zürich.

HERREN, MADELEINE, 2009: *Internationale Organisationen seit 1865. Eine Globalgeschichte der internationalen Ordnung.* [Reihe Geschichte kompakt], Darmstadt.

HETTLING, MANFRED/HUERKAMP, CLAUDIA/NOLTE, PAUL/SCHMUHL, HANS-WALTER (Hrsg.), 1991: *Was ist Gesellschaftsgeschichte? Positionen, Themen, Analysen.* München.

HILDEBRAND, KLAUS, 1976: *Geschichte oder „Gesellschaftsgeschichte"? Die Notwendigkeit einer Politischen Geschichtsschreibung von den internationalen Beziehungen.* In: Historische Zeitschrift (HZ). 223 (2), Seite 328 – 357.

HILDEBRAND, KLAUS, 1989: *Europäisches Zentrum, überseeische Peripherie und neue Welt. Über den Wandel des Staatensystems zwischen dem Berliner Kongress (1878) und dem Pariser Frieden (1919/20).* In: Historische Zeitschrift (HZ). 249 (1), Seite 53 – 94.

HILDEBRAND, KLAUS, 1990: *Mars oder Merkur? Das Relative der Macht. Oder: Vom Aufstieg und Fall großer Reiche.* In: Historische Zeitschrift (HZ). 250 (2), Seite 347 – 356.

HILDEBRAND, KLAUS, 1995: *Von Richelieu bis Kissinger. Die Herausforderungen der Macht und die Antworten der Staatskunst.* In: Vierteljahrshefte für Zeitgeschichte (VfZ). 43 (2), Seite 195 – 219.

HILDEBRAND, KLAUS, 1996: *Nachwort.* In: Ludwig Dehio, Gleichgewicht oder Hegemonie. Betrachtungen über ein Grundproblem der neueren Staatengeschichte. Hrsg. von Klaus Hildebrand, Zürich, Seite 387 – 414.

HILDEBRAND, KLAUS, 2008²a: *Das vergangene Reich. Deutsche Außenpolitik von Bismarck bis Hitler 1871 – 1945.* München.

HILDEBRAND, KLAUS, 2008³b: *Deutsche Außenpolitik 1871 – 1918.* [Enzyklopädie deutscher Geschichte. Band 2], München.

HILLGRUBER, ANDREAS, 1970: *Gedanken zu einer politischen Geschichte moderner Prägung.* In: Freiburger Universitätsblätter. 9 (30), Seite 33 – 43.

HILLGRUBER, ANDREAS, 1973: *Politische Geschichte in moderner Sicht.* In: Historische Zeitschrift (HZ). 216 (3), Seite 529 – 552.

HILLGRUBER, ANDREAS, 1976: *Methodologie und Theorie der Geschichte der Internationalen Beziehungen.* In: Geschichte in Wissenschaft und Unterricht (GWU). 27 (4), Seite 193 – 210.

HILLGRUBER, ANDREAS, 1979² [1977]: *Vorwort.* In: ders., Deutsche Großmacht- und Weltpolitik im 19. und 20. Jahrhundert. Düsseldorf, Seite 7 – 11.

HILLGRUBER, ANDREAS, 1989² [1987]: *Die Diskussion über den „Primat der Außenpolitik" und die Geschichte der Internationalen Beziehungen in der westdeutschen Geschichtswissenschaft seit 1945.* In: ders., Die Zerstörung Europas. Beiträge zur Weltkriegsepoche 1914 bis 1945. Frankfurt/Berlin, Seite 32 – 47.

HILLGRUBER, ANDREAS, 1993[3]: *Bismarcks Außenpolitik.* [Rombach Wissenschaft - Reihe Historiae. Band 3], Freiburg.

HOBSBAWM, ERIC J., 1984[2] [1971]: *Von der Sozialgeschichte zur Geschichte der Gesellschaft.* Übers. von Angelika Jaeger, in: Hans-Ulrich Wehler (Hrsg.), Geschichte und Soziologie. Königstein, Seite 331 - 353.

HOCHEDLINGER, MICHAEL, 1998: *Die Frühneuzeitforschung und die „Geschichte der internationalen Beziehungen". Oder: Was ist aus dem „Primat der Außenpolitik" geworden?* In: Mitteilungen des Instituts für Österreichische Geschichtsforschung (MIÖG). 106 (3/4), Seite 167 - 179.

HOFFMANN, STANLEY, 1970 [1968]: *Gulliver's Troubles. Oder die Zukunft des internationalen Systems.* Übers. von Otto Kimminich, [Reihe Krieg und Frieden. Beiträge zu Grundproblemen der internationalen Politik], Bielefeld.

HOLSTI, KALEVI J., 1991a: *Change in the International System. Essays on the Theory and Practice of International Relations.* Aldershot/Brookfield.

HOLSTI, KALEVI J., 1991b: *Peace and war: Armed conflicts and international order 1648 - 1989.* [Reihe Cambridge Studies in International Relations. Band 14], Cambridge/New York/Port Chester/Melbourne/Sydney.

HOLSTI, OLE R./SIVERSON, RANDOLPH M./GEORGE, ALEXANDER L. (Hrsg.), 1980: *Change in the international system.* Boulder.

HÜBINGER, GANGOLF, 2009[4]: *Die „Rückkehr" der Kulturgeschichte.* In: Christoph Cornelißen (Hrsg.), Geschichtswissenschaften. Eine Einführung. Frankfurt, Seite 162 - 177.

HÜBINGER, GANGOLF, 2010 [2002]: *Kulturgeschichte.* In: Stefan Jordan (Hrsg.), Lexikon Geschichtswissenschaft. Hundert Grundbegriffe. Stuttgart, Seite 198 - 202.

HUNT, LYNN (Hrsg.), 1989: *The new cultural history.* [Reihe Studies on the History of Society and Culture], Berkeley/Los Angeles/London.

HUNT, MICHAEL H., 2000 [1992]: *Die lange Krise der amerikanischen Diplomatiegeschichte und ihr Ende.* Übers. von Corinna Steinert/Wilfried Loth, in: Wilfried Loth/Jürgen Osterhammel (Hrsg.), Internationale Geschichte. Themen - Ergebnisse - Aussichten. [Reihe Studien zur Internationalen Geschichte. Band 10], München, Seite 61 - 90.

IGGERS, GEORG G., 2007[2]: *Geschichtswissenschaft im 20. Jahrhundert. Ein kritischer Überblick im internationalen Zusammenhang.* Göttingen.

IRIYE, AKIRA, 1979: *Culture and Power: International Relations as Intercultural Relations.* In: Diplomatic History (DH). 3 (2), Seite 115 - 128.

IRIYE, AKIRA, 2007[2] [2004[2]]: *Culture and International History.* In: Michael J. Hogan/Thomas G. Paterson (Hrsg.), Explaining the History of American Foreign Relations. Cambridge/New York/Melbourne/Madrid/Cape Town/Singapore/São Paulo/Delhi, Seite 241 - 256.

IWAND, WOLF MICHAEL, 1985: *Paradigma Politische Kultur. Konzepte, Methoden, Ergebnisse der Political-Culture Forschung in der Bundesrepublik. Ein Forschungsbericht.* Opladen.

JABERG, SABINE/SCHLOTTER, PETER (Hrsg.), 2005: *Imperiale Weltordnung - Trend des 21. Jahrhunderts?* [Reihe AFK-Friedensschriften. Band 32], Baden-Baden.

JACOBSEN, HANS-ADOLF, 1968: *Nationalsozialistische Außenpolitik 1933 - 1938.* Frankfurt/Berlin.

JAEGER, FRIEDRICH, 2004: *Historische Kulturwissenschaft.* In: Friedrich Jaeger/Jürgen Straub (Hrsg.), Handbuch der Kulturwissenschaften. Band 2, Paradigmen und Disziplinen. Stuttgart/Weimar, Seite 518 - 545.

JAEGER, FRIEDRICH/LIEBSCH, BURKHARD/RÜSEN, JÖRN/STRAUB, JÜRGEN (Hrsg.), 2004: *Handbuch der Kulturwissenschaften.* 3 Bände. Stuttgart/Weimar.

JAEGER, FRIEDRICH/RÜSEN, JÖRN, 1992: *Geschichte des Historismus. Eine Einführung.* München.

JAHN, BEATE, 2006: *Classical Theory in International Relations.* [Reihe Cambridge Studies in International Relations. Band 103], Cambridge/New York.

JARAUSCH, KONRAD H., 2007: *Kulturgeschichte nach der Postmoderne*. In: Matthias Middell (Hrsg.), Dimensionen der Kultur- und Gesellschaftsgeschichte. Festschrift für Hannes Siegrist zum 60. Geburtstag. Leipzig, Seite 22 - 39.

JARAUSCH, KONRAD H./SABROW, MARTIN (Hrsg.), 2002: *Die historische Meistererzählung. Deutungslinien der deutschen Nationalgeschichte nach 1945*. Göttingen.

JARZEBOWSKI, CLAUDIA/KWASCHIK, ANNE (Hrsg.), 2013: *Performing Emotions. Interdisziplinäre Perspektiven auf das Verhältnis von Politik und Emotion in der Frühen Neuzeit und in der Moderne*. Göttingen.

JORDAN, STEFAN, 2013[2]: *Theorien und Methoden der Geschichtswissenschaft*. [Reihe Orientierung Geschichte], Paderborn.

JÖRKE, DIRK, 2005: *Politische Anthropologie. Eine Einführung*. [Reihe Studienbücher Politische Theorie und Ideengeschichte], Wiesbaden.

JÖRKE, DIRK/LADWIG, BERND (Hrsg.), 2009: *Politische Anthropologie. Geschichte - Gegenwart - Möglichkeiten*. [Schriftenreihe der Sektion Politische Theorien und Ideengeschichte in der Deutschen Vereinigung für Politische Wissenschaft. Band 15], Baden-Baden.

JUCKER, MICHAEL, 2011: *Mittelalterliches Völkerrecht als Problem: Befunde, Methoden, Desiderate*. In: Michael Jucker/Martin Kintzinger/Rainer C. Schwinges (Hrsg.), Rechtsformen internationaler Politik. Theorie, Norm und Praxis vom 12. bis 18. Jahrhundert. [Reihe Zeitschrift für Historische Forschung. Vierteljahresschrift zur Erforschung des Spätmittelalters und der frühen Neuzeit (ZHF). Beiheft. Band 45], Berlin, Seite 27 - 46.

KEHNE, PETER, 2007[2]: *Internationale Beziehungen*. In: Eckhard Wirbelauer (Hrsg.), Antike. [Oldenbourg Geschichte Lehrbuch. Band 1], München, Seite 225 - 236.

KEHR, ECKART, 1976[2] [1970[2]]: *Der Primat der Innenpolitik. Gesammelte Aufsätze zur preußisch-deutschen Sozialgeschichte im 19. und 20. Jahrhundert*. Hrsg. von Hans-Ulrich Wehler, Frankfurt/Berlin/Wien.

KEOHANE, ROBERT O., 1988: *International Institutions: Two Approaches*. In: International Studies Quarterly (ISQ). 32 (4), Seite 379 - 396.

KERN, REINER, 2002: *Global Governance durch UN und Regionalorganisationen. OAU und OSZE als Partner der Weltorganisation beim Konfliktmanagement*. [Reihe Demokratie, Sicherheit, Frieden. Band 145], Baden-Baden.

KIENAST, WALTHER, 1936: *Die Anfänge des europäischen Staatensystems im späteren Mittelalter*. In: Historische Zeitschrift (HZ). 153 (2), Seite 229 - 271.

KIEẞLING, FRIEDRICH, 2002: *Der „Dialog der Taubstummen" ist vorbei. Neue Ansätze in der Geschichte der internationalen Beziehungen des 19. und 20. Jahrhunderts*. In: Historische Zeitschrift (HZ). 275 (3), Seite 651 - 680.

KINTZINGER, MARTIN, 2011: *Thinking International Law in Late Medieval Europe*. In: Thilo Marauhn/Heinhard Steiger (Hrsg.), Universality and Continuity in International Law. Den Haag/Portland, Seite 311 - 322.

KINTZINGER, MARTIN, 2017: *Neukonfigurationen der Internationalität: Europäisches Hoch- und Spätmittelalter*. In: Barbara Haider-Wilson/William D. Godsey/Wolfgang Mueller (Hrsg.), Internationale Geschichte in Theorie und Praxis. [Reihe Internationale Geschichte/International History. Band 4], Wien, Seite 123 - 141.

KITTSTEINER, HEINZ DIETER, 1997: *Was heißt und zu welchem Ende studiert man Kulturgeschichte?* In: Geschichte und Gesellschaft. Zeitschrift für Historische Sozialwissenschaft (GG). 23 (1), Seite 5 - 27.

KLEINSCHMIDT, HARALD, 1998: *Geschichte der internationalen Beziehungen. Ein systemgeschichtlicher Abriß*. Stuttgart.

KLEINSCHMIDT, HARALD, 2000: *The Nemesis of Power. A History of International Relations Theories*. London.

KNUTSEN, TORBJØRN L., 1997[2]: *A history of International Relations theory*. Manchester/New York.

KNUTSEN, TORBJØRN L., 1999: *The rise and fall of world orders*. Manchester/New York.

KOCKA, JÜRGEN, 1986[2]: *Sozialgeschichte. Begriff - Entwicklung - Probleme*. Göttingen.

KOCKA, JÜRGEN, 1999: *Historische Sozialwissenschaft. Auslaufmodell oder Zukunftsvision?* [Reihe Oldenburger Universitätsreden. Vorträge - Ansprachen - Aufsätze. Band 107], Oldenburg.

KOCKA, JÜRGEN, 2000: *Historische Sozialwissenschaft heute.* In: Paul Nolte/Manfred Hettling/Frank-Michael Kuhlemann/Hans-Walter Schmuhl (Hrsg.), Perspektiven der Gesellschaftsgeschichte. München, Seite 5 - 24.

KOCKA, JÜRGEN, 2010 [2002]: *Historische Sozialwissenschaft.* In: Stefan Jordan (Hrsg.), Lexikon Geschichtswissenschaft. Hundert Grundbegriffe. Stuttgart, Seite 164 - 167.

KOCKA, JÜRGEN/NIPPERDEY, THOMAS (Hrsg.), 1979: *Theorie und Erzählung in der Geschichte.* [Reihe Beiträge zur Historik, Band 3], München.

KOSELLECK, REINHART/LUTZ, HEINRICH/RÜSEN, JÖRN (Hrsg.), 1982: *Formen der Geschichtsschreibung.* [Reihe Beiträge zur Historik. Band 4], München.

KOSELLECK, REINHART/MOMMSEN, WOLFGANG J./RÜSEN, JÖRN (Hrsg.), 1977: *Objektivität und Parteilichkeit in der Geschichtswissenschaft.* [Reihe Beiträge zur Historik. Band 1], München.

KOWALCZUK, ILKO-SASCHA (Hrsg.), 1994: *Paradigmen deutscher Geschichtswissenschaft. Ringvorlesung an der Humboldt-Universität zu Berlin.* [Reihe Berliner Debatte], Berlin.

KRAUS, HANS-CHRISTOF/NICKLAS, THOMAS, 2007a: *Einleitung.* In: dies. (Hrsg.), Geschichte der Politik. Alte und Neue Wege. [Reihe Historische Zeitschrift (HZ). Beihefte (neue Folge). Band 44], München, Seite 1 - 12.

KRAUS, HANS-CHRISTOF/NICKLAS, THOMAS (Hrsg.), 2007b: *Geschichte der Politik. Alte und Neue Wege.* [Reihe Historische Zeitschrift (HZ). Beihefte (neue Folge). Band 44], München.

KRAUSS, MARITA, 2004: *Migration, Assimilierung, Hybridität. Von individuellen Problemlösungsstrategien zu transnationalen Gesellschaftsbeziehungen.* In: Eckart Conze/Ulrich Lappenküper/Guido Müller (Hrsg.), Geschichte der internationalen Beziehungen. Erneuerung und Erweiterung einer historischen Disziplin. Köln/Weimar/Wien, Seite 259 - 276.

KREIDE, REGINA/NIEDERBERGER, ANDREAS (Hrsg.), 2016: *Internationale Politische Theorie. Eine Einführung.* Stuttgart.

KRELL, GERT, 2009[4]: *Weltbilder und Weltordnung. Einführung in die Theorie der internationalen Beziehungen.* [Studienkurs Politikwissenschaft], Baden-Baden.

KRELL, GERT, 2012[5]: *Theorien in den Internationalen Beziehungen.* In: Michael Staack (Hrsg.), Einführung in die Internationale Politik. Studienbuch. München, Seite 31 - 81.

KRILL, HANS-HEINZ, 1962: *Die Rankerenaissance. Max Lenz und Erich Marcks. Ein Beitrag zum historisch-politischen Denken in Deutschland 1880 - 1935.* [Reihe Veröffentlichungen der Berliner Historischen Kommission beim Friedrich-Meinecke-Institut der Freien Universität Berlin. Band 3], Berlin.

KRIPPENDORFF, EKKEHART, 1982[2] [1975]: *Internationales System als Geschichte. Einführung in die internationalen Beziehungen.* Band 1, [Reihe Campus Studium: Kritische Sozialwissenschaft], Frankfurt/New York.

KRONENBITTER, GÜNTHER, 2006: *Staaten, Nationen und Internationale Beziehungen als Bezugspunkte historischer Forschung.* In: Andreas Wirsching (Hrsg.), Neueste Zeit. [Oldenbourg Geschichte Lehrbuch. Band 4], München, Seite 177 - 194.

KRÜGER, PETER (Hrsg.), 1991: *Kontinuität und Wandel in der Staatenordnung der Neuzeit. Beiträge zur Geschichte des internationalen Systems.* [Reihe Marburger Studien zur neueren Geschichte. Band 1], Marburg.

KRÜGER, PETER (Hrsg.), 1996: *Das europäische Staatensystem im Wandel. Strukturelle Bedingungen und bewegende Kräfte seit der Frühen Neuzeit.* [Reihe Schriften des Historischen Kollegs. Kolloquien. Band 35], München.

KRÜGER, PETER, 2001: *Internationale Beziehungen - Verfassung - Perzeption.* In: Sven Externbrink/Jörg Ulbert (Hrsg.), Formen internationaler Beziehungen in der Frühen Neuzeit. Frankreich und das Alte Reich im europäischen Staatensystem. Festschrift für

Klaus Malettke zum 65. Geburtstag. [Reihe Historische Forschungen. Band 71], Berlin, Seite 21 - 33.

KUGELER, HEIDRUN/SEPP, CHRISTIAN/WOLF, GEORG, 2006: *Einführung: Internationale Beziehungen in der Frühen Neuzeit. Ansätze und Perspektiven.* In: dies. (Hrsg.), Internationale Beziehungen in der Frühen Neuzeit. Ansätze und Perspektiven. [Reihe Wirklichkeit und Wahrnehmung in der Frühen Neuzeit. Band 3], Hamburg, Seite 9 - 35.

KÜMMEL, GERHARD, 1999: *Internationale Politik.* In: Dirk Berg-Schlosser/Sven Quenter (Hrsg.), Literaturführer Politikwissenschaft. Eine kritische Einführung in Standardwerke und „Klassiker" der Gegenwart. Stuttgart/Berlin/Köln, Seite 157 - 192.

LABOUVIE, EVA, 2004: *Leiblichkeit und Emotionalität: Zur Kulturwissenschaft des Körpers und der Gefühle.* In: Friedrich Jaeger/Jörn Rüsen (Hrsg.), Handbuch der Kulturwissenschaften. Band 3, Themen und Tendenzen. Stuttgart/Weimar, Seite 79 - 91.

LANDWEHR, ACHIM, 2003: *Diskurs - Macht - Wissen. Perspektiven einer Kulturgeschichte des Politischen.* In: Archiv für Kulturgeschichte (AKG). 85 (1), Seite 71 - 117.

LANDWEHR, ACHIM, 2013: *Kulturgeschichte.* In: Docupedia-Zeitgeschichte. Begriffe, Methoden und Debatten der zeithistorischen Forschung. Version vom: 14.05.2013, URL: http://docupedia.de/images/5/55/Kulturgeschichte.pdf.

LANGEWIESCHE, DIETER, 1986: *Sozialgeschichte und Politische Geschichte.* In: Wolfgang Schieder/Volker Sellin (Hrsg.), Sozialgeschichte in Deutschland. Entwicklungen und Perspektiven im internationalen Zusammenhang. Band 1, Die Sozialgeschichte innerhalb der Geschichtswissenschaft. Göttingen, Seite 9 - 32.

LAPPENKÜPER, ULRICH, 1998: *Morgenluft für die Internationalen Beziehungen in der Geschichtswissenschaft.* In: Neue Politische Literatur. Berichte über das internationale Schrifttum (NPL). 43 (3), Seite 368 - 373.

LEFFLER, MELVYN P., 1995: *New Approaches, Old Interpretations, and Prospective Reconfigurations.* In: Diplomatic History (DH). 19 (2), Seite 173 - 196.

LEHMANN, HARTMUT (Hrsg.), 1995: *Wege zu einer neuen Kulturgeschichte.* [Reihe Göttinger Gespräche zur Geschichtswissenschaft. Band 1], Göttingen.

LEHMKUHL, URSULA, 2000: *Entscheidungsprozesse in der internationalen Geschichte: Möglichkeiten und Grenzen einer kulturwissenschaftlichen Fundierung außenpolitischer Entscheidungsmodelle.* In: Wilfried Loth/Jürgen Osterhammel (Hrsg.), Internationale Geschichte. Themen - Ergebnisse - Aussichten. [Reihe Studien zur Internationalen Geschichte. Band 10], München, Seite 187 - 207.

LEHMKUHL, URSULA, 2001a: *Diplomatiegeschichte als internationale Kulturgeschichte: Theoretische Ansätze und empirische Forschung zwischen Historischer Kulturwissenschaft und Soziologischem Institutionalismus.* In: Geschichte und Gesellschaft. Zeitschrift für Historische Sozialwissenschaft (GG). 27 (3), Seite 394 - 423.

LEHMKUHL, URSULA, 2001[3]b: *Theorien Internationaler Politik. Einführung und Texte.* [Lehr- und Handbücher der Politikwissenschaft], München/Wien.

LEHMKUHL, URSULA, 2002: *Konflikt und Kooperation in der Geschichte der Internationalen Beziehungen: Analyseperspektiven und Forschungsfelder des „Global Governance"-Ansatzes.* In: Benjamin Ziemann (Hrsg.), Perspektiven der Historischen Friedensforschung. [Reihe Frieden und Krieg. Beiträge zur Historischen Friedensforschung. Band 1], Essen, Seite 173 - 193.

LINK, WERNER, 1988[2]: *Der Ost-West-Konflikt. Die Organisation der internationalen Beziehungen im 20. Jahrhundert.* Stuttgart/Berlin/Köln/Mainz.

LIPP, CAROLA, 1996: *Politische Kultur oder das Politische und Gesellschaftliche in der Kultur.* In: Wolfgang Hardtwig/Hans-Ulrich Wehler (Hrsg.), Kulturgeschichte heute. [Reihe Geschichte und Gesellschaft. Zeitschrift für Historische Sozialwissenschaft (GG). Sonderheft. Band 16], Göttingen, Seite 78 - 110.

LOTH, WILFRIED, 2012: *Angst und Vertrauensbildung.* In: Jost Dülffer/Wilfried Loth (Hrsg.), Dimensionen internationaler Geschichte. [Reihe Studien zur Internationalen Geschichte. Band 30], München, Seite 29 - 46.

LUHMANN, NIKLAS, 2002 [2000 posthum]: *Die Politik der Gesellschaft.* Hrsg. von André Kieserling, [Theorie der Gesellschaft. Band 5], Darmstadt.

MAJER, ULRICH, 1980: *Paradigma*. In: Josef Speck (Hrsg.), Handbuch wissenschaftstheoretischer Begriffe. Band 2, G - Q. Göttingen, Seite 468 - 469.

MALETTKE, KLAUS, 2007: *Das europäische Staatensystem im 17. und 18. Jahrhundert*. In: Markus Kremer/Hans-Richard Reuter (Hrsg.), Macht und Moral - Politisches Denken im 17. und 18. Jahrhundert. [Reihe Theologie und Frieden. Band 31], Stuttgart, Seite 39 - 58.

MARTIN, LISA L./SIMMONS, BETH A., 1998: *Theories and Empirical Studies of International Institutions*. In: International Organization (IO). 52 (4), Seite 729 - 757.

MAURER, MICHAEL, 2004: *Kulturgeschichte*. In: ders. (Hrsg.), Aufriß der Historischen Wissenschaften in sieben Bänden. Band 3, Sektoren. Stuttgart, Seite 339 - 418.

MAYER, THEODOR, 1959: *Papsttum und Kaisertum im hohen Mittelalter. Werden, Wesen und Auflösung einer Weltordnung. Ein kritischer Überblick*. In: Historische Zeitschrift (HZ). 187 (1), Seite 1 - 53.

MEDICK, HANS, 1984: *„Missionare im Ruderboot"? Ethnologische Erkenntnisweisen als Herausforderung an die Sozialgeschichte*. In: Geschichte und Gesellschaft. Zeitschrift für Historische Sozialwissenschaft (GG). 10 (3), Seite 295 - 319.

MEIER, CHRISTIAN/RÜSEN, JÖRN (Hrsg.), 1988: *Historische Methode*. [Reihe Beiträge zur Historik. Band 5], München.

MENZEL, ULRICH, 2015: *Die Ordnung der Welt. Imperium oder Hegemonie in der Hierarchie der Staatenwelt*. Berlin.

MERGEL, THOMAS, 2002: *Überlegungen zu einer Kulturgeschichte der Politik*. In: Geschichte und Gesellschaft. Zeitschrift für Historische Sozialwissenschaft (GG). 28 (4), Seite 574 - 606.

MERGEL, THOMAS, 2004: *Kulturwissenschaft der Politik: Perspektiven und Trends*. In: Friedrich Jaeger/Jörn Rüsen (Hrsg.), Handbuch der Kulturwissenschaften. Band 3, Themen und Tendenzen. Stuttgart/Weimar, Seite 413 - 425.

MERGEL, THOMAS, 2012[2]: *Kulturgeschichte der Politik*. In: Docupedia-Zeitgeschichte. Begriffe, Methoden und Debatten der zeithistorischen Forschung. Version vom: 22.10.2012, URL:
http://docupedia.de/docupedia/images/8/8d/Kulturgeschichte_der_Politik_Version_2.0_Thomas_Mergel.pdf.

MERGEL, THOMAS/WELSKOPP, THOMAS (Hrsg.), 1997: *Geschichte zwischen Kultur und Gesellschaft. Beiträge zur Theoriedebatte*. München.

METZLER, GABRIELE, 1999: *Strukturmerkmale des europäischen Staatensystems, 1815 - 1871*. In: Historische Mitteilungen. Im Auftrage der Ranke-Gesellschaft. Vereinigung für Geschichte im öffentlichen Leben (HMRG). 12, Seite 161 - 181.

MEYERS, REINHARD, 2008[11]: *Theorien der internationalen Beziehungen*. In: Wichard Woyke (Hrsg.), Handwörterbuch Internationale Politik. Opladen/Farmington Hills, Seite 473 - 504.

MIDDELL, MATTHIAS (Hrsg.), 2007: *Dimensionen der Kultur- und Gesellschaftsgeschichte. Festschrift für Hannes Siegrist zum 60. Geburtstag*. Leipzig.

MOLLIN, GERHARD T., 2000: *Internationale Beziehungen als Gegenstand der deutschen Neuzeit-Historiographie seit dem 18. Jahrhundert. Eine Traditionskritik in Grundzügen und Beispielen*. In: Wilfried Loth/Jürgen Osterhammel (Hrsg.), Internationale Geschichte. Themen - Ergebnisse - Aussichten. [Reihe Studien zur Internationalen Geschichte. Band 10], München, Seite 3 - 30.

MOMMSEN, HANS, 1997[5]: *Politische Geschichte*. In: Klaus Bergmann/Klaus Fröhlich/Annette Kuhn/Jörn Rüsen/Gerhard Schneider (Hrsg.), Handbuch der Geschichtsdidaktik. Seelze-Velber, Seite 197 - 200.

MOMMSEN, WOLFGANG J., 1972[2]: *Die Geschichtswissenschaft jenseits des Historismus*. Düsseldorf.

MOMMSEN, WOLFGANG J., 1987: *Geschichte als Historische Sozialwissenschaft*. In: Pietro Rossi (Hrsg.), Theorie der modernen Geschichtsschreibung. Frankfurt, Seite 107 - 146.

MOOSER, JOSEF, 2007[3]: *Sozial- und Wirtschaftsgeschichte, Historische Sozialwissenschaft, Gesellschaftsgeschichte.* In: Hans-Jürgen Goertz (Hrsg.), Geschichte. Ein Grundkurs. [Reihe Rowohlts Enzyklopädie], Reinbek, Seite 568 - 591.

MUHLACK, ULRICH, 2003: *Die Frühe Neuzeit als Geschichte des europäischen Staatensystems.* In: Renate Dürr/Gisela Engel/Johannes Süßmann (Hrsg.), Eigene und fremde Frühe Neuzeiten. Genese und Geltung eines Epochenbegriffs. [Reihe Historische Zeitschrift (HZ). Beihefte (neue Folge). Band 35], München, Seite 23 - 41.

MÜLLER, GUIDO, 2004: *Internationale Gesellschaftsgeschichte und internationale Gesellschaftsbeziehungen aus Sicht der deutschen Geschichtswissenschaft.* In: Eckart Conze/Ulrich Lappenküper/Guido Müller (Hrsg.), Geschichte der internationalen Beziehungen. Erneuerung und Erweiterung einer historischen Disziplin. Köln/Weimar/Wien, Seite 231 - 258.

NATHAUS, KLAUS, 2012: *Sozialgeschichte und Historische Sozialwissenschaft.* In: Docupedia-Zeitgeschichte. Begriffe, Methoden und Debatten der zeithistorischen Forschung. Version vom: 24.09.2012, URL: http://docupedia.de/images/f/f3/Sozialgeschichte_und_Historische_Sozialwissenschaft.pdf.

NICKLAS, THOMAS, 2004: *Macht - Politik - Diskurs. Möglichkeiten und Grenzen einer Politischen Kulturgeschichte.* In: Archiv für Kulturgeschichte (AKG). 86 (1), Seite 1 - 25.

NIEDHART, GOTTFRIED, 2000: *Selektive Wahrnehmung und politisches Handeln: Internationale Beziehungen im Perzeptionsparadigma.* In: Wilfried Loth/Jürgen Osterhammel (Hrsg.), Internationale Geschichte. Themen - Ergebnisse - Aussichten. [Reihe Studien zur Internationalen Geschichte. Band 10], München, Seite 141 - 157.

NOLTE, HANS-HEINRICH, 1993[2]: *Die eine Welt. Abriß der Geschichte des internationalen Systems.* Hannover.

NOLTE, PAUL, 2006[2] [2002]: *Historische Sozialwissenschaft.* In: Joachim Eibach/Günther Lottes (Hrsg.), Kompass der Geschichtswissenschaft. Ein Handbuch. Göttingen, Seite 53 - 68.

NOLTE, PAUL, 2015: *Hans-Ulrich Wehler. Historiker und Zeitgenosse.* München.

NOLTE, PAUL/HETTLING, MANFRED/KUHLEMANN, FRANK-MICHAEL/SCHMUHL, HANS-WALTER (Hrsg.), 2000: *Perspektiven der Gesellschaftsgeschichte.* München.

NORDALM, JENS, 2003: *Historismus und moderne Welt. Erich Marcks (1861 - 1938) in der deutschen Geschichtswissenschaft.* [Reihe Historische Forschungen. Band 76], Berlin.

NOVOTNY, ALEXANDER, 1965: *Über den Primat der äußeren Politik. Bemerkungen zu einem Gedankengang Leopold von Rankes.* In: Institut für österreichische Geschichtsforschung/Wiener Katholische Akademie (Hrsg.), Österreich und Europa. Festgabe für Hugo Hantsch zum 70. Geburtstag. Graz/Wien/Köln, Seite 311 - 323.

OSIANDER, ANDREAS, 1994: *The States System of Europe, 1640 - 1990. Peacemaking and the Conditions of International Stability.* Oxford.

OSTERHAMMEL, JÜRGEN, 2001: *Transnationale Gesellschaftsgeschichte: Erweiterung oder Alternative?* In: Geschichte und Gesellschaft. Zeitschrift für Historische Sozialwissenschaft (GG). 27 (3), Seite 464 - 479.

OSTERHAMMEL, JÜRGEN/LANGEWIESCHE, DIETER/NOLTE, PAUL (Hrsg.), 2006: *Wege der Gesellschaftsgeschichte.* [Reihe Geschichte und Gesellschaft. Zeitschrift für Historische Sozialwissenschaft (GG). Sonderheft. Band 22], Göttingen.

OVERHAUS, MARCO/SCHIEDER, SIEGFRIED, 2010: *Institutionalismus.* In: Carlo Masala/Frank Sauer/Andreas Wilhelm (Hrsg.), Handbuch der Internationalen Politik. Wiesbaden, Seite 117 - 134.

PATZELT, WERNER J., 2013[7]: *Einführung in die Politikwissenschaft. Grundriss des Faches und studiumbegleitende Orientierung.* Passau.

PIJL, KEES VAN DER, 1996: *Vordenker der Weltpolitik. Einführung in die internationale Politik aus ideengeschichtlicher Perspektive.* Übers. von Walter Linsewski, [Reihe Grundwissen Politik. Band 13], Opladen.

POMMERIN, REINER, 1996: *Stehende Diplomatie und Mächtesystem. Internationale Beziehungen im Ancien régime.* In: Neues Archiv für sächsische Geschichte (NASG). 67, Seite 323 - 334.

POMMERIN, REINER, 2003 [1993]: *Das europäische Staatensystem zwischen Kooperation und Konfrontation 1739 - 1856.* In: ders., Mächtesystem und Militärstrategie. Ausgewählte Aufsätze. Hrsg. von Reiner Marcowitz, Köln/Weimar/Wien, Seite 21 - 41.

PREISER, WOLFGANG, 1978: *Macht und Norm in der Völkerrechtsgeschichte. Kleine Schriften zur Entwicklung der internationalen Rechtsordnung und ihrer Grundlegung.* Hrsg. von Klaus Lüderssen/Karl-Heinz Ziegler, Baden-Baden.

RADKAU, JOACHIM, 1983: *Aufstieg und Krise der deutschen Atomwirtschaft 1945 - 1975. Verdrängte Alternativen in der Kerntechnik und der Ursprung der nuklearen Kontroverse.* Reinbek.

RAPHAEL, LUTZ, 2010[2]: *Geschichtswissenschaft im Zeitalter der Extreme. Theorien, Methoden, Tendenzen von 1900 bis zur Gegenwart.* München.

REINHARD, WOLFGANG, 2001: *Was ist europäische politische Kultur? Versuch zur Begründung einer politischen Historischen Anthropologie.* In: Geschichte und Gesellschaft. Zeitschrift für Historische Sozialwissenschaft (GG). 27 (4), Seite 593 - 616.

RENOUVIN, PIERRE/DUROSELLE, JEAN-BAPTISTE, 1991[4]: *Introduction à l'histoire des relations internationales.* Paris.

RIEMER, ANDREA K., 2006: *Theorien Internationaler Beziehungen und neue methodische Ansätze.* [Reihe International Security Studies. Band 2], Frankfurt/Berlin/Bern/Bruxelles/New York/Oxford/Wien.

RIOUX, JEAN-PIERRE/SIRINELLI, JEAN-FRANÇOIS (Hrsg.), 1997: *Pour une histoire culturelle.* [Reihe L'univers historique], Paris.

RISSE, THOMAS, 2007: *Politische Theorie und Internationale Beziehungen. Zum Dialog zwischen zwei Subdisziplinen der Politikwissenschaft.* In: Hubertus Buchstein/Gerhard Göhler (Hrsg.), Politische Theorie und Politikwissenschaft. Wiesbaden, Seite 105 - 125.

RITTBERGER, VOLKER (Hrsg.), 2006: *Weltordnung durch Weltmacht oder Weltorganisation? USA, Deutschland und die Vereinten Nationen, 1945 - 2005.* [Reihe Theodor Eschenburg-Vorlesungen. Band 3], Baden-Baden.

RÖDDER, ANDREAS, 2006: *Klios neue Kleider. Theoriedebatten um eine Kulturgeschichte der Politik in der Moderne.* In: Historische Zeitschrift (HZ). 283 (3), Seite 657 - 688.

RÖDDER, ANDREAS, 2009: *Politikgeschichte aus „klassischer" Perspektive.* In: Martin Jehne/Winfried Müller/Peter E. Fäßler (Hrsg.), Ungleichheiten. 47. Deutscher Historikertag in Dresden 2008. Berichtsband. Göttingen, Seite 147 - 148.

ROHE, KARL, 1990: *Politische Kultur und ihre Analyse. Probleme und Perspektiven der politischen Kulturforschung.* In: Historische Zeitschrift (HZ). 250 (2), Seite 321 - 346.

ROHE, KARL, 1996 [1994]: *Politische Kultur: Zum Verständnis eines theoretischen Konzepts.* In: Oskar Niedermayer/Klaus von Beyme (Hrsg.), Politische Kultur in Ost- und Westdeutschland. [Reihe Kommission für die Erforschung des Sozialen und politischen Wandels in den neuen Bundesländern. Transformationsprozesse. Band 3], Opladen, Seite 1 - 21.

ROTHFELS, HANS, 1950: *Vom Primat der Außenpolitik.* In: Außenpolitik. Zeitschrift für internationale Fragen (AP). 1 (4), Seite 274 - 283.

ROTHFELS, HANS, 1955: *Sinn und Grenzen des Primats der Außenpolitik.* In: Außenpolitik. Zeitschrift für internationale Fragen (AP). 6 (5), Seite 277 - 285.

ROTTER, ANDREW J., 2005: *Culture.* In: Patrick Finney (Hrsg.), Palgrave advances in international history. Basingstoke, Seite 267 - 299.

RÜRUP, REINHARD (Hrsg.), 1977: *Historische Sozialwissenschaft. Beiträge zur Einführung in die Forschungspraxis.* Göttingen.

SCHATTENBERG, SUSANNE, 2008: *Die Sprache der Diplomatie. Oder das Wunder von Portsmouth. Überlegungen zu einer Kulturgeschichte der Außenpolitik.* In: Jahrbücher für Geschichte Osteuropas (JBfGOE) (neue Folge). 56 (1), Seite 3 - 26.

SCHEUNER, ULRICH, 1964: *Die großen Friedensschlüsse als Grundlage der europäischen Staatenordnung zwischen 1648 und 1815.* In: Konrad Repgen/Stephan Skalweit (Hrsg.), Spiegel der Geschichte. Festgabe für Max Braubach zum 10. April 1964. Münster, Seite 220 - 250.

SCHIEDER, SIEGFRIED/SPINDLER, MANUELA (Hrsg.), 2010³: *Theorien der Internationalen Beziehungen.* Opladen/Farmington Hills.

SCHILLING, HEINZ, 1993: *Konfessionalisierung und Formierung eines internationalen Systems während der frühen Neuzeit.* In: Hans R. Guggisberg/Gottfried G. Krodel (Hrsg.), Die Reformation in Deutschland und Europa: Interpretationen und Debatten. Beiträge zur gemeinsamen Konferenz der Society for Reformation Research und des Vereins für Reformationsgeschichte, 25. - 30. September 1990, im Deutschen Historischen Institut, Washington, D. C. [Reihe Archiv für Reformationsgeschichte. Internationale Zeitschrift zur Erforschung der Reformation und ihrer Weltwirkungen (AfR). Sonderband], Gütersloh, Seite 591 - 613.

SCHLÖGL, RUDOLF, 2006² [2002]: *Politik- und Verfassungsgeschichte.* In: Joachim Eibach/Günther Lottes (Hrsg.), Kompass der Geschichtswissenschaft. Ein Handbuch. Göttingen, Seite 95 - 111.

SCHMIDT, GUSTAV, 1975: *Wozu noch „politische Geschichte"? Zum Verhältnis von Innen- und Außenpolitik am Beispiel der englischen Friedensstrategie 1918/1919.* In: Aus Politik und Zeitgeschichte. Beilage zur Wochenzeitung „Das Parlament" (APuZ). 25 (B 17/75), 26.04.1975, Seite 21 - 45.

SCHOLTZ, GUNTER (Hrsg.), 1997: *Historismus am Ende des 20. Jahrhunderts. Eine internationale Diskussion.* Berlin.

SCHORN-SCHÜTTE, LUISE, 2006: *Historische Politikforschung. Eine Einführung.* München.

SCHORN-SCHÜTTE, LUISE, 2007³: *Ideen-, Geistes-, Kulturgeschichte.* In: Hans-Jürgen Goertz (Hrsg.), Geschichte. Ein Grundkurs. [Reihe Rowohlts Enzyklopädie], Reinbek, Seite 541 - 567.

SCHRÖDER, IRIS, 2011: *Die Wiederkehr des Internationalen. Eine einführende Skizze.* In: Zeithistorische Forschungen (ZF). 8 (3), Seite 340 - 349.

SCHROEDER, PAUL W., 1986: *The 19th-Century International System. Changes in the Structure.* In: World Politics. A Quarterly Journal of International Relations (WP). 39 (1), Seite 1 - 26.

SCHÜCKING, WALTHER, 1909: *Die Organisation der Welt.* Leipzig.

SCHULZ, MATTHIAS, 2010: *Macht, internationale Politik und Normenwandel im Staatensystem des 19. Jahrhunderts.* In: Ulrich Lappenküper/Reiner Marcowitz (Hrsg.), Macht und Recht. Völkerrecht in den internationalen Beziehungen. [Otto-von-Bismarck-Stiftung. Wissenschaftliche Reihe. Band 13], Paderborn/München/Wien/Zürich, Seite 113 - 134.

SCHULZ, MATTHIAS, 2012: *Internationale Institutionen.* In: Jost Dülffer/Wilfried Loth (Hrsg.), Dimensionen internationaler Geschichte. [Reihe Studien zur Internationalen Geschichte. Band 30], München, Seite 211 - 232.

SIEGELBERG, JENS/SCHLICHTE, KLAUS (Hrsg.), 2000: *Strukturwandel internationaler Beziehungen. Zum Verhältnis von Staat und internationalem System seit dem Westfälischen Frieden.* Wiesbaden.

SIMMS, BRENDAN, 2003: *The Return of the Primacy of Foreign Policy.* In: German History. The Journal of the German History Society (GH). 21 (3), Seite 275 - 291.

SOUTOU, GEORGES-HENRI, 2000: *Die französische Schule der Geschichte internationaler Beziehungen.* Übers. von Frank Bärenbrinker/Wilfried Loth, in: Wilfried Loth/Jürgen Osterhammel (Hrsg.), Internationale Geschichte. Themen - Ergebnisse - Aussichten. [Reihe Studien zur Internationalen Geschichte. Band 10], München, Seite 31 - 44.

STEIGER, HEINHARD, 2009a [1999]: *Rechtliche Strukturen der Europäischen Staatenordnung 1648 - 1792.* In: ders., Von der Staatengesellschaft zur Weltrepublik? Aufsätze zur Geschichte des Völkerrechts aus vierzig Jahren. [Reihe Studien zur Geschichte des Völkerrechts. Band 22], Baden-Baden, Seite 191 - 232.

STEIGER, HEINHARD, 2009b [2003]: *Remarks concerning the normative structure of modern World Order in a historical perspective.* In: ders., Von der Staatengesellschaft zur Weltrepublik? Aufsätze zur Geschichte des Völkerrechts aus vierzig Jahren. [Reihe Studien zur Geschichte des Völkerrechts. Band 22], Baden-Baden, Seite 749 - 775.

STEIGER, HEINHARD, 2010: *Die Ordnung der Welt. Eine Völkerrechtsgeschichte des karolingischen Zeitalters (741 bis 840).* Köln/Weimar/Wien.

STOLLBERG-RILINGER, BARBARA (Hrsg.), 2005a: *Was heißt Kulturgeschichte des Politischen?* [Reihe Zeitschrift für Historische Forschung. Vierteljahresschrift zur Erforschung des Spätmittelalters und der frühen Neuzeit (ZHF). Beihefte. Band 35], Berlin.

STOLLBERG-RILINGER, BARBARA, 2005b: *Was heißt Kulturgeschichte des Politischen? Einleitung.* In: dies. (Hrsg.), Was heißt Kulturgeschichte des Politischen? [Reihe Zeitschrift für Historische Forschung. Vierteljahresschrift zur Erforschung des Spätmittelalters und der frühen Neuzeit (ZHF). Beihefte. Band 35], Berlin, Seite 9 - 24.

TANNER, JAKOB, 2008[2] [2004]: *Historische Anthropologie zur Einführung.* [Reihe Zur Einführung. Band 301], Hamburg.

THAMER, HANS-ULRICH, 2003[3]: *Politische Geschichte, Geschichte der internationalen Beziehungen.* In: Richard van Dülmen (Hrsg.), Das Fischer Lexikon Geschichte. Frankfurt, Seite 38 - 55.

THIESSEN, HILLARD VON/WINDLER, CHRISTIAN, 2010: *Einleitung: Außenbeziehungen in akteurszentrierter Perspektive.* In: dies. (Hrsg.), Akteure der Außenbeziehungen. Netzwerke und Interkulturalität im historischen Wandel. [Reihe Externa. Geschichte der Außenbeziehungen in neuen Perspektiven. Band 1], Köln/Weimar/Wien, Seite 1 - 12.

THUKYDIDES, 2004 [um 397 v. Chr.]: *Der Peloponnesische Krieg.* Hrsg. und übers. von Helmuth Vretska/Werner Rinner, Stuttgart.

ULBRICHT, OTTO, 2003[3]: *Neue Kulturgeschichte, Historische Anthropologie.* In: Richard van Dülmen (Hrsg.), Das Fischer Lexikon Geschichte. Frankfurt, Seite 56 - 83.

URFALINO, PHILIPPE, 1997: *L'histoire de la politique culturelle.* In: Jean-Pierre Rioux/Jean-François Sirinelli (Hrsg.), Pour une histoire culturelle. [Reihe L'univers historique], Paris, Seite 311 - 324.

VOIGT, RÜDIGER (Hrsg.), 1989: *Symbole der Politik. Politik der Symbole.* Opladen.

WALLERSTEIN, IMMANUEL, 2012 [1974 - 2011]: *Das moderne Weltsystem.* 4 Bände, [Reihe Edition Weltgeschichte], Wien.

WEBER, MAX, 2009[5] [1972[5] posthum]: *Wirtschaft und Gesellschaft. Grundriss der verstehenden Soziologie.* Hrsg. von Johannes Winckelmann, Tübingen.

WEHBERG, HANS, 1912: *Völkerorganisation.* In: Nord und Süd. Eine deutsche Monatsschrift (NuS). 37 (10), Seite 17 - 22.

WEHBERG, HANS, 1929: *Probleme der rechtlichen Organisation der Welt. (Die New Yorker Tagung des „Institut de Droit international", 10. - 18. Oktober 1929.)* In: Die Friedens-Warte. Blätter für internationale Verständigung und zwischenstaatliche Organisation (FW). 29 (12), Seite 353 - 363.

WEHLER, HANS-ULRICH (Hrsg.), 1974[2]: *Geschichte und Psychoanalyse.* Frankfurt/Berlin/Wien.

WEHLER, HANS-ULRICH, 1975: *Moderne Politikgeschichte oder „Große Politik der Kabinette"?* In: Geschichte und Gesellschaft. Zeitschrift für Historische Sozialwissenschaft (GG). 1 (2/3), Seite 344 - 369.

WEHLER, HANS-ULRICH, 1976[2] [1970[2]]: *Einleitung.* In: Eckart Kehr, Der Primat der Innenpolitik. Gesammelte Aufsätze zur preußisch-deutschen Sozialgeschichte im 19. und 20. Jahrhundert. Hrsg. von Hans-Ulrich Wehler, Frankfurt/Berlin/Wien, Seite 1 - 29.

WEHLER, HANS-ULRICH, 1977: *Kritik und kritische Antikritik.* In: Historische Zeitschrift (HZ). 225 (2), Seite 347 - 384.

WEHLER, HANS-ULRICH, 1980[3]a [1973]: *Geschichte als Historische Sozialwissenschaft.* Frankfurt.

WEHLER, HANS-ULRICH, 1980b: *Historische Sozialwissenschaft und Geschichtsschreibung. Studien zu Aufgaben und Traditionen deutscher Geschichtswissenschaft.* Göttingen.

WEHLER, HANS-ULRICH, 1980c [1978]: *Vorüberlegungen zu einer modernen deutschen Gesellschaftsgeschichte*. In: ders., Historische Sozialwissenschaft und Geschichtsschreibung. Studien zu Aufgaben und Traditionen deutscher Geschichtswissenschaft. Göttingen, Seite 161 - 180.

WEHLER, HANS-ULRICH (Hrsg.), 1984[2] [1972]: *Geschichte und Soziologie*. Königstein.

WEHLER, HANS-ULRICH (Hrsg.), 1985[2]: *Geschichte und Ökonomie*. Königstein.

WEHLER, HANS-ULRICH, 1988a [1985]: *Moderne Politikgeschichte exemplarisch. Aufstieg und Krise der westdeutschen Atomwirtschaft 1945 - 1975*. In: ders., Aus der Geschichte lernen? Essays. München, Seite 91 - 97.

WEHLER, HANS-ULRICH, 1988b [1986]: *Was ist Gesellschaftsgeschichte?* In: ders., Aus der Geschichte lernen? Essays. München, Seite 115 - 129.

WEHLER, HANS-ULRICH, 1996: *„Moderne" Politikgeschichte? Oder: Willkommen im Kreis der Neorankeaner vor 1914*. In: Geschichte und Gesellschaft. Zeitschrift für Historische Sozialwissenschaft (GG). 22 (2), Seite 257 - 266.

WEHLER, HANS-ULRICH, 1998a: *Die Herausforderung der Kulturgeschichte*. München.

WEHLER, HANS-ULRICH, 1998b [1993]: *Gelungene Rückkehr zur Politikgeschichte?* In: ders., Politik in der Geschichte. Essays. München, Seite 178 - 188.

WEHLER, HANS-ULRICH, 1998c: *Historische Sozialwissenschaft. Eine Zwischenbilanz nach dreißig Jahren*. In: ders., Die Herausforderung der Kulturgeschichte. München, Seite 142 - 153.

WEHLER, HANS-ULRICH, 2001: *Das Duell zwischen Sozialgeschichte und Kulturgeschichte: Die deutsche Kontroverse im Kontext der westlichen Historiographie*. In: Francia. Forschungen zur westeuropäischen Geschichte. 28 (3), Seite 103 - 110.

WEHLER, HANS-ULRICH, 2006: *Transnationale Geschichte - Der neue Königsweg historischer Forschung?* In: Gunilla Budde/Sebastian Conrad/Oliver Janz (Hrsg.), Transnationale Geschichte. Themen, Tendenzen und Theorien. Göttingen, Seite 161 - 174.

WEHLER, HANS-ULRICH, 2008a [2008[5, 5, 3, 4, 1]]: *Deutsche Gesellschaftsgeschichte*. 5 Bände, München.

WEHLER, HANS-ULRICH, 2008[5]b: *Deutsche Gesellschaftsgeschichte*. Band 1, *Vom Feudalismus des alten Reiches bis zur defensiven Modernisierung der Reformära 1700 - 1815*. München.

WEHLER, HANS-ULRICH, 2010 [2008]: *Was ist und was will Gesellschaftsgeschichte?* In: ders., Land ohne Unterschichten? Neue Essays zur deutschen Geschichte. München, Seite 133 - 151.

WEICHLEIN, SIEGFRIED, 2010 [2002]: *Politische Geschichte*. In: Stefan Jordan (Hrsg.), Lexikon Geschichtswissenschaft. Hundert Grundbegriffe. Stuttgart, Seite 238 - 241.

WEIDNER, TOBIAS, 2012: *Die Geschichte des Politischen in der Diskussion*. [Reihe Das Politische als Kommunikation. Band 11], Göttingen.

WELSKOPP, THOMAS, 1998: *Die Sozialgeschichte der Väter. Grenzen und Perspektiven der Historischen Sozialwissenschaft*. In: Geschichte und Gesellschaft. Zeitschrift für Historische Sozialwissenschaft (GG). 24 (2), Seite 173 - 198.

WIESEHÖFER, JOSEF, 2017: *Alte Geschichte und Internationale Geschichte*. In: Barbara Haider-Wilson/William D. Godsey/Wolfgang Mueller (Hrsg.), Internationale Geschichte in Theorie und Praxis. [Reihe Internationale Geschichte/International History. Band 4], Wien, Seite 65 - 79.

WIRSCHING, ANDREAS, 2006[2] [2002]: *Internationale Beziehungen*. In: Joachim Eibach/Günther Lottes (Hrsg.), Kompass der Geschichtswissenschaft. Ein Handbuch. Göttingen, Seite 112 - 125.

WIRZ, ALBERT, 2001: *Für eine transnationale Gesellschaftsgeschichte*. In: Geschichte und Gesellschaft. Zeitschrift für Historische Sozialwissenschaft (GG). 27 (3), Seite 489 - 498.

WULF, CHRISTOPH (Hrsg.), 1997: *Vom Menschen. Handbuch historische Anthropologie*. Weinheim/Basel.

ZIEGLER, KARL-HEINZ, 2007[2]: *Völkerrechtsgeschichte. Ein Studienbuch.* [Reihe Kurzlehrbücher für das juristische Studium], München.

ZIEMANN, BENJAMIN, 2003[3]: *Sozialgeschichte, Geschlechtergeschichte, Gesellschaftsgeschichte.* In: Richard van Dülmen (Hrsg.), Das Fischer Lexikon Geschichte. Frankfurt, Seite 84 – 105.

TEIL II:

ZU ALLGEMEINEN WISSENSCHAFTSTHEORETISCHEN UND BEGRIFFLICHEN GRUNDLAGEN DER INTERNATIONALEN POLITIKGESCHICHTE

3
Was ist Theorie?
Über Begriff, Vielfältigkeit und Nutzungsmöglichkeiten von Theorie in der Geschichtswissenschaft

„In den Kreisen derer, die in den historischen Studien ihren Beruf sehen, sind, wie es scheint, die Fragen nach dem Wesen ihrer Wissenschaft, nach ihrer Theorie und ihren Methoden, nach ihrem Verhältnis zu anderen Gebieten menschlicher Erkenntnis, wenig beliebt. Vielleicht weil sie dem einen für unerheblich, dem andern für seitabliegend gelten, dem dritten es genügend erscheint, aus der eigenen wissenschaftlichen und Lebenserfahrung die für ihn endgültigen Anschauungen gewonnen zu haben."[1]

Johann Gustav Droysen

„Es kann also niemand sich für praktisch bewandert in einer Wissenschaft ausgeben und doch die Theorie verachten, ohne sich bloß zu geben, daß er in seinem Fache ein Ignorant sei: indem er glaubt, durch Herumtappen in Versuchen und Erfahrungen, ohne sich gewisse Prinzipien (die eigentlich das ausmachen, was man Theorie nennt) zu sammeln und ohne sich ein Ganzes (welches, wenn dabei methodisch verfahren wird, System heißt) über sein Geschäft gedacht zu haben, weiter kommen zu können, als ihn die Theorie zu bringen vermag."[2]

Immanuel Kant

I. Einleitung

Theorie ist in den Augen vieler Historiker noch immer etwas, mit dem man sich nicht zu befassen braucht. Dies kommt nicht nur in geschichtswissenschaftlichen Vorträgen oder Diskussionsrunden immer wieder zum Ausdruck, sondern auch in den schriftlichen Publikationen. Kaum eine geschichtswissenschaftliche Studie der letzten Jahre oder Jahrzehnte enthält in ihrer Einleitung eine theoretische Reflexion ihrer eigenen Forschungsgrundlagen oder in ihrem Hauptteil eine explizite Auseinandersetzung mit einer bestimmten Theorie. Theorie scheint für diese Forscher schlichtweg eine ignorierbare wissenschaftstheoretische Metaangelegenheit zu sein, die mit der konkreten praktischen Arbeit allenfalls wenig zu tun hat. Diese Abneigung gegenüber dem Thema Theorie ist mitunter sogar derart ausgeprägt

---

1 Johann Gustav Droysen, 1972: Seite 66.

2 Immanuel Kant, 1992: Seite 4 (Seite 203 (Originaltext); Seite 276 (Akademie-Ausgabe)).

und verhärtet, dass man von einer regelrechten ‚Theorieresistenz' sprechen kann.[3]

Diese Verdrossenheit gegenüber theoretischen Erkenntnisformen ist jedoch vielfach schlicht auf die Unkenntnis wissenschaftstheoretischer Grundlagen zurückzuführen.[4] In diesem Zusammenhang ist es besonders bedauerlich, dass etwa die Philosophie mit den verschiedenen Erkenntnissen und Denkkonzepten ihrer allgemeinen Wissenschaftstheorie bislang nur wenig Einfluss auf die Grundlagenreflexion in den Einzelwissenschaften genommen hat. Das erklärt sich vor allem dadurch, dass es im Wesentlichen noch immer Praxis in der Wissenschaftsphilosophie ist, sich vorwiegend mit sich selbst zu beschäftigen.[5] Diese Lage hat sich durch die Dominanz des in der Gegen-

---

3 Vgl. Christian Meier, 1982²: Seite 36; Lynn Hunt, 1994: Seite 95; Philipp Müller, 2008: Seite 133. Thomas Welskopp spricht in diesem Zusammenhang gar von einer „Theoriefeindschaft". Vgl. Thomas Welskopp, 2008: Seite 140 – 141 (Zitat: Seite 141).

4 Dieser Befund rekurriert in nicht zu unterschätzendem Maße auf entsprechenden Schwächen und Defiziten im geschichtswissenschaftlichen Curriculum, welche selbst durch die Studienreformen im Zuge des sogenannten ‚Bologna-Prozesses' kaum eingedämmt worden sind. Was in anderen Disziplinen schon lange als unabdingbare und daher selbstverständliche Voraussetzung für eine angemessen fundierte Wissenschaftsarbeit erkannt und entsprechend umgesetzt worden ist, nämlich dass es einer umfassenden (fach)wissenschaftlichen *Grund*ausbildung im universitären Studium bedarf, die auch zentrale wissenschaftstheoretische Grundlagen miteinschließt, ist in der Geschichtswissenschaft allenthalben nur sehr zögerlich registriert und internalisiert worden.

5 Dieser Zustand ist noch immer vorherrschend, weil man sich innerhalb der Wissenschaftsphilosophie zu stark auf deskriptive Positionsdarstellungen im Sinne einer wissenschaftstheoretischen Ideen- oder Diskursgeschichte beschränkt, anstatt die einzelnen vorgebrachten Standpunkte durch eine problemorientierte und systematische Herangehensweise einander gegenüberzustellen, dabei kritisch zu analysieren und schließlich in solcher Weise miteinander ergänzend wie abwägend zu verbinden, dass dadurch ein verwertbarer Erkenntnisstand für die Forschungspraxis der Einzelwissenschaften generiert wird. Vgl. Werner J. Patzelt, 1986: Seite XIII – XIV; Karel Lambert/Gordon G. Brittan, 1991: Seite 13 – 23; Wolfgang Balzer, 1993: Seite 124; Karl R. Popper, 2005¹¹: Seite XVII – XXIX; Gerhard Schurz, 2014⁴: Seite 11 – 12. Zur Bezeichnung des sowohl fachgebunden als auch disziplinübergreifend bearbeiteten Forschungsfeldes der Wissenschaftstheorie ist neben dieser Denomination und jener der ‚Wissenschaftsphilosophie' zuweilen auch der Ausdruck der ‚Wissenschaftslehre' üblich. Ferner findet sich in der Literatur der fremdsprachliche Terminus der ‚Epistemologie' (von altgriechisch *ἐπιστήμη*, in Deutsch: Wissen oder Wissenschaft, und altgriechisch *λόγος*, übersetzt: Rede, Wort, Vernunft oder Lehre), der jedoch überwiegend von der Erkenntnisphilosophie in Anspruch genommen wird, da diese sich – entgegen ihrer Bezeichnung und ihrer Provenienz – heute sehr viel stärker mit Wissen als mit Erkenntnis beschäftigt. Allerdings verfügt die Erkenntnisphilosophie mit dem Wort ‚Gnoseologie' (von altgriechisch *γνῶσις*, in Deutsch: Erkenntnis oder Urteil, und altgriechisch *λόγος*) bereits seit langem über eine angemessene fremdsprachliche Alternativbezeichnung, die zumindest ihrem klassischen Tätigkeitsfeld und ihrer deutschen Benennung gerecht wird. Zudem entspricht dieser Ausdruck der Begrifflichkeit, wie sie in der neugriechischen Philosophie gegenwärtig üblich ist. Dort heißt die Teildisziplin ‚*γνωσιολογία*'. Vgl. bereits: Johann Gottlieb Fichte, 1986²; Max Weber, 1988⁷b; sowie: Karel Lambert/Gordon G. Brittan, 1991; Elisabeth Ströker, 1992⁴; Rudolph Carnap, 1995; Volker Gadenne/Aldo Visintin, 1999; Theo Hug, 2001b; Peter Godfrey-

wartsphilosophie vorherrschenden, hauptsächlich an sprachanalytischen Fragen interessierten Ansatzes der sogenannten ‚Analytischen Philosophie' sogar noch verstärkt. Weil jedoch die Einzelwissenschaften auf eine Diskussion, Überprüfung und Weiterentwicklung ihrer speziellen kognitiven, methodischen und arbeitspraktischen Fundamente angewiesen sind, entwickelten einige von ihnen in Reaktion auf dieses Defizit im Zuge der intensiven wissenschaftstheoretischen Auseinandersetzungen der 1960er und 1970er Jahre eigene Ansätze einer *anwendungsorientierten* (speziellen) Wissenschaftstheorie. Vor diesem Hintergrund ist jedenfalls innerhalb der Gesellschaftswissenschaften ein Diskussionsfeld etabliert worden, das bezeichnenderweise mit dem deutlich praxisnäher erscheinenden Ausdruck der ‚Forschungslogik' belegt worden ist.[6] Während für die meisten gesellschaftswissenschaftlichen Fächer die Forschungslogik schließlich der im Grunde einzige etablierte Ort einer umfassenden individualdisziplinären wissenschaftstheoretischen Auseinandersetzung blieb – zumindest wenn sie mehr als lediglich eine Methodologie[7] sein wollte –, verfügte dagegen die

---

Smith, 2003; Helmut Seiffert, 2003[13], 2006[11], 2001[3], 1997; Andreas Bartels/Manfred Stöckler, 2007; Alan F. Chalmers, 2007[6]; Lisa Bortolotti, 2008; Hans-Jörg Rheinberger, 2008[2]; Wolfgang Balzer, 2009[2]; Dominique Lecourt, 2012[5]; Hans Poser, 2012[2]; Martin Curd/Stathis Psillos, 2014[2]; Gerhard Schurz, 2014[4]. Außer den gerade genannten gibt es noch den Begriff der ‚Wissenschaftskunde'. Mit diesem ist jedoch weniger ein weiteres Synonym für Wissenschaftstheorie benannt. Vielmehr meint man damit tatsächlich eine Bestand aufnehmende ‚Kunde' davon, in welche Einzeldisziplinen sich die Wissenschaft als Ganzes aufspaltet, wie sich die einzelnen Fächer institutionalisiert haben, welche Gegenstände von ihnen jeweils behandelt werden und welche individuell verschiedenen Arbeitsweisen, Zugriffe und Methoden sie dafür herausgebildet haben. Vgl. Werner Schuder, 1955; Hans Schmeer, 1959[2]; Oskar Holl, 1976[2]a; ders., 1976[2]b.

6 In den 1960er Jahren wurde die 1934 zunächst nur in deutscher Sprache erschienene Schrift „Logik der Forschung" des seinerzeit noch jungen Karl R. Popper vor allem von Gesellschafts- und Geisteswissenschaftlern aus Amerika und Britannien, aber auch aus Westdeutschland gewissermaßen (wieder)entdeckt (erst 1959 kam es zur Veröffentlichung einer englischen Übersetzung und 1966 schließlich erschien eine zweite, erweiterte deutsche Ausgabe, woraufhin nunmehr jeweils zahlreiche weitere Druckausgaben in rascher Folge aufgelegt wurden). Dieses Werk wurde schließlich zum Ausgangs- und Angelpunkt des in dieser Zeit entstehenden gesellschaftswissenschaftlichen Diskussionsfeldes der Forschungslogik. Neben diesem Terminus gebrauchten die daran anknüpfenden Autoren allerdings auch den synonymen und bereits von Popper gelegentlich selbst verwendeten Ausdruck der ‚Wissenschaftslogik'. Um die Abgrenzung des neuen gesellschaftswissenschaftlichen Arbeitsfeldes von jenem der allgemeinen Wissenschaftsphilosophie entsprechend zu verdeutlichen, soll hier jedoch allein die von Popper offiziell eingeführte Bezeichnung der ‚Forschungslogik' verwendet werden. Vgl. Karl R. Popper, 2005[11]. Darauf folgend bereits: Ernst Cassirer, 2011 (zuerst 1942); sowie: Gerald L. Eberlein/Werner Kroeber-Riel/Werner Leinfellner, 1974; Jürgen Ritsert, 1976; ders., 1996; Jürgen Habermas, 1985[6]; Werner J. Patzelt, 1986; Ernst Topitsch, 1993[12]; Udo Kelle, 1994; Arthur L. Stinchcombe, 2005.

7 Einzelwissenschaftliche Methodologien verfügen über eine längere Tradition als die umfassendere Forschungslogik und sind vor allem in den Gesellschaftswissenschaften trotz ihrer Beschränkung allein auf eine Reflexion von Methoden und allgemeinen Vorgehensweisen noch immer ein ähnlich stark bearbeitetes Feld. Vgl. Max Weber,

Geschichtswissenschaft mit der von Johann Gustav Droysen etablierten Historik bereits seit dem 19. Jahrhundert über eine eigene fachgebundene Wissenschaftstheorie.[8] Trotz dieser überaus komfortablen Lage ist das inner-

1968; Gerhard Steiner/Urs K. Hedinger/August Flammer, 1975; Michael Schecker, 1976; Jerzy Topolski, 1976; Heinrich Busshoff, 1978; Martinus J. Langeveld/Helmut Danner, 1981; Albert Menne, 1992[3]; Nikolaus Wenturis/Walter van Hove/Volker Dreier, 1992; Udo Kelle, 1994; Peter Koslowski, 1997; Theo Hug, 2001a; Thomas Stolz/Katja Kolbe, 2003; Andreas Frings/Johannes Marx, 2008; Karl-Dieter Opp, 2014[7].

8 Die Historik konstituierte sich als fester disziplinärer Bestandteil der Geschichtswissenschaft mit den veröffentlichten Fassungen der ab der Mitte des 19. Jahrhunderts gehaltenen Vorlesungen Johann Gustav Droysens über „Historik. Oder Methodologie und Enzyklopädie der historischen Wissenschaften" (zuerst unter dem lateinischen Titel *„Encyclopaediam et methodologiam historiarum"*). Vgl. Johann Gustav Droysen, 1977. Für das von Droysen eröffnete geschichtswissenschaftliche Arbeitsfeld ist besonders nach 1945 eine beachtliche Zahl an Diskussionsbeiträgen zu registrieren, während es an entsprechenden Synthesen, die den jeweils aktuellen Erkenntnisstand zusammenfassen und zugleich handbuchartig aufbereiten, mangelt. Zu den wichtigsten Arbeiten aber sind vor allem die sechs Bände der Reihe „Beiträge zur Historik", die zwischen 1977 und 1990 von der Studiengruppe ‚Theorie der Geschichte' der Werner-Reimers-Stiftung herausgegeben wurden, zu zählen sowie: Ludwig Rieß, 1912; Hans-Walter Hedinger, 1969; Ernst Bernheim, 1970[5, 6]; Werner Conze, 1972; Karl Lamprecht, 1974; Jörn Rüsen, 1976; ders., 1983; ders., 1986; ders., 1989; ders., 2013; Jerzy Topolski, 1976; Erich Kosthorst, 1977; Theodor Schieder, 1979[2]; Hans Michael Baumgartner/Jörn Rüsen, 1982[2]; Karl-Georg Faber, 1982[5]; Jacob Burckhardt, 1987; Thomas Haussmann, 1991; Marc Bloch, 1992[3]; ders., 2000; Horst Walter Blanke/Friedrich Jaeger/Thomas Sandkühler, 1998; Reinhart Koselleck, 2003; Karl Brunner, 2004[4]; William H. Sewell, 2005; Wolfgang Eichhorn/Wolfgang Küttler, 2008. Allgemein dazu: Jörn Rüsen, 1982[2]; Friedrich Jaeger/Jörn Rüsen, 1992: Seite 53 – 66; Horst Walter Blanke, 2010. Einige Autoren bezeichnen die Historik auch als ‚Geschichtstheorie'. So etwa: Hans-Jürgen Goertz, 1995; Chris Lorenz, 1997; Ludolf Herbst, 2004; Friedrich Jaeger, 2007[3]; Lothar Kolmer, 2008; sogar: Jörn Rüsen, 2010. Diese Gleichsetzung ist allerdings irreführend. Der Terminus ‚Geschichtstheorie' bedeutet seiner Wortbildung nach nichts anderes als ‚Theorie der Geschichte'. Und „Geschichte" ist fraglos etwas völlig anderes als Geschichtswissenschaft (nämlich der Gegenstand letzterer oder allenfalls das darstellerische Ergebnis von Geschichtsschreibung). Viel eher gibt es drei verschiedene Arten von Theoriearbeit innerhalb der Geschichtswissenschaft. Das sind zum ersten die Geschichtswissenschaftliche Wissenschaftstheorie respektive die Historik; zum zweiten die Geschichtliche Theorie oder Geschichtstheorie (oder auch Historische Theorie – in der Philosophie gibt es dieses wissenschaftliche Arbeitsfeld ebenfalls und heißt dort ‚Geschichtsphilosophie'), die sich auf einer grundsätzlichen Ebene gesondert mit der Geschichte (insbesondere als geschichtswissenschaftlichem Gegenstand) auseinandersetzt und zwar vor allem mit ihrem Begriff, ihrer Stellung, ihrem Wesens, ihren Verlaufsprinzipien und ihren Antriebskräften; und zum dritten die Geschichtswissenschaftliche Theorie, was die alltägliche Auseinandersetzung der Historiker mit konkreten Theorien über Sachverhalte der vergangenen Wirklichkeit meint und die entweder im geschichtswissenschaftlichen Forschungsprozess unterstützend herangezogen oder als Erkenntnisziel selbst erst hergestellt werden. Diese dritte Art der geschichtswissenschaftlichen Theoriearbeit lässt sich wiederum scheiden in theorieanalysierende und theoriebildende Forschung. Siehe dazu den Katalog von Bedeutungen für den Terminus der ‚Geschichtstheorie' bei: Detlef Junker, 2004[2]; ferner die begriffliche Differenzierung in: Jörn Rüsen, 2003[3]: Seite 15; sowie zu den generellen Formen von „Theorieforschung" insbesondere den Beitrag: Werner J. Patzelt, 1993.

fachliche Interesse für die Diskussionen und Ergebnisse der Historik jedoch nur sehr schwach ausgeprägt. Gerade deshalb erscheint es an dieser Stelle betonenswert, dass die Aufgabe der Historik bereits seit Droysen nicht lediglich in einer Untersuchung und Fortentwicklung der geschichtswissenschaftlichen Forschungsgrundlagen besteht, sondern auch in einer propädeutischen Vermittlung des bisher erarbeiteten wissenschaftstheoretischen Diskussionsstandes gegenüber der gesamten Historikerschaft.

In den Rahmen dieser als forschungspraktische Wissenschaftstheorie der Geschichtswissenschaft verstandenen Historik lässt sich nun die seit den späten 1960er Jahren in unterschiedlich intensiver Weise geführte Theorie-Debatte einordnen, die sich in ihrem Kern um die Fragen nach der „Theoriefähigkeit"[9] und nach der „Theoriebedürftigkeit"[10] der Geschichtswissenschaft dreht, also um die Frage nach den Verwendungsmöglichkeiten von Theorie in der alltäglichen Forschungspraxis der Historiker.[11] Wie ein entsprechender im Jahr 1979 herausgebrachter und breit rezipierter Tagungsband der Studiengruppe ‚Theorie der Geschichte' suggeriert, schien in der Debatte offenbar recht schnell ein grundsätzlicher Konsens erreicht worden zu sein. Selbst Historiker wie Hermann Lübbe und Golo Mann, die dort eigentlich als Kritiker auftreten sollten, stellten die prinzipielle Theoriefähigkeit der historischen Forschung nicht in Frage.[12] Auch wenn in der Auseinandersetzung nur bedingt handfeste und wirklich praktisch verwertbare Ergebnisse erzielt wurden, schien die Debatte damit im Wesentlichen beendet und das eigentliche Problem wieder in den Hintergrund gerückt. Erst im Jahr 2008 wurde das Thema in einem neuen Sammelband wieder dezidiert aufgegriffen und einer vielschichtigen Diskussion unterzogen.[13]

---

[9] Thomas Welskopp, 2002.

[10] Reinhart Koselleck, 1972.

[11] Siehe einführend zu diesem Problemfeld: Manfred Asendorf, 1994; Jörn Rüsen, 2003[3]; Friedrich Jaeger, 2007[3]; Thomas Welskopp, 2008; Stefan Haas, 2012[2]. Die wichtigsten forscherischen Beiträge sind in aufsteigender zeitlicher Folge ihres Erscheinens: Werner Conze, 1972; Hans Michael Baumgartner/Jörn Rüsen, 1982[2] (erste Auflage zuerst 1976); Jürgen Kocka, 1977b; Theodor Schieder/Kurt Gräubig, 1977; Jürgen Kocka/Thomas Nipperdey, 1979; Jörn Rüsen/Hans Süssmuth, 1980; Josef Meran, 1985; Jörn Rüsen, 1986: Seite 19 – 86; ders., 2013: Seite 149 – 156; David Carroll, 1994; Thomas Welskopp, 2002; Ludolf Herbst, 2004: Seite 99 – 125; William H. Sewell, 2005; Karl Acham, 2008; Jens Hacke/Matthias Pohlig, 2008; Hansjörg Siegenthaler, 2008; Jörg Baberowski, 2009. Nach der Zählung von Hans-Ulrich Wehler handle es sich bei dieser Debatte nach der Kontroverse um den Historismus zur Zeit Leopold von Rankes, der Auseinandersetzung zwischen Johann Gustav Droysen und Thomas Henry Buckles um eine geschichtswissenschaftliche Hermeneutik und dem sogenannten ‚Lamprecht-Streit' um die vierte ‚große Grundlagendiskussion' innerhalb der deutschen Geschichtswissenschaft. Vgl. Hans-Ulrich Wehler, 1997: Seite 351.

[12] Vgl. Hermann Lübbe, 1979: besonders Seite 68 – 71; Golo Mann, 1979: besonders Seite 41 – 42. Zum Band selbst: Jürgen Kocka/Thomas Nipperdey, 1979.

[13] Vgl. Jens Hacke/Matthias Pohlig, 2008.

Im Anschluss an diese wiederentfachte Theorie-Debatte innerhalb der Historik soll im Folgenden eine Antwort auf die Frage gegeben werden, inwiefern innerhalb der Geschichtswissenschaft Theorie sinnvoll und ertragreich genutzt werden kann. Dazu soll zunächst geklärt werden, was Theorie überhaupt ist (Kapitel II). Anschließend sollen die verschiedenen Arten von Theorie herausgestellt werden (Kapitel III), wobei ausgehend von diesen begrifflichen und klassifikatorischen Grundlagen einerseits gezeigt werden soll, inwieweit innerhalb der Geschichtswissenschaft tatsächlich schon theoretisch gearbeitet wird, und andererseits, inwieweit von den Historikern Theorie darüber hinaus gewinnbringend genutzt werden kann.

II. Der Begriff der ‚Theorie'

Versteht man unter Wissen den überzeugten Besitz von gerechtfertigten und wahren Informationen über die Wirklichkeit,[14] wird nach etwas Überlegung

[14] Die inhaltliche Bedeutung des Wissensbegriffs ist in der Philosophie relativ unumstritten. Die angeführte Definition ist dementsprechend angelehnt an die klassische und bis heute im Wesentlichen noch stichhaltige begriffliche Bestimmung durch Platon von Athen. In seiner ‚mittleren Schrift' „Theätet" beschreibt Platon Wissen (in Altgriechisch: *ἐπιστήμη*) als ‚wahre Meinung verbunden mit Erklärung'. Vgl. Platon, 1989: 201c – 202d. Dazu etwa: Jörg Hardy, 2001. Platons im Kern sehr treffender Definitionsvorschlag ist indes an einigen kleineren Stellen zu explizieren respektive zu modifizieren. Zum ersten ist Wissen im Allgemeinen (also ‚das Wissen einer Person' im Unterschied zu ‚ich weiß' oder ‚ich meine') weniger eine geistige Tätigkeit (Meinen) als vielmehr ein geistiger Zustand (*Besitz von Informationen*). Zum zweiten ist für Platon ‚Meinen' der Geist beziehungsweise das Bewusstsein einer Person, wenn diese eine rational ergründete und ohne Zweifel behaftete Aussage über die Wirklichkeit trifft. Vgl. Platon, 1989: 187a, 190a. Zu erklären ist hierbei, dass die mit Wissen verbundene ‚Meinung' oder ‚Überzeugung' (*Überzeugtheit*) notwendig nicht nur von dieser Person innerlich fest anerkannt sein muss, das heißt geglaubt werden muss. Eine Meinung stützt sich zudem in letzter Konsequenz *allein* auf die Gewissheit der Person, ihren Glauben von der Korrektheit der Information rechtfertigen zu können. Man ist nur deswegen von etwas überzeugt, weil man gute Gründe für diese Überzeugung anführen und etwaige widersprechende Argumente ausräumen kann. Demzufolge ist die Überzeugtheit von Wissen unmittelbar mit einem weiteren Kriterium, dem der *Gerechtfertigtkeit* desselben, verbunden, welche bei Platon die ‚Erklärung' ist. Wer, zum dritten, keine Gründe für eine Meinung anführen kann, hat eben lediglich eine bloße, unbegründete Meinung, verfügt aber nicht über Wissen. Ähnlich auch: ders., 1989: 201c – 202c. Eine wissende Person muss darüber hinaus jedoch *hinreichende* Gründe besitzen, welche sie *gerechtfertigt* davon ausgehen lassen können, dass ihre Information tatsächlich der Wirklichkeit entspricht. Mit ‚hinreichend' ist hierbei gemeint, dass die angeführten Gründe tatsächlich zum Inhalt der Information passen und überhaupt erst dadurch eine wenigstens minimale Nachweisleistung für deren Korrektheit erbringen können. Der entscheidende Punkt ist hier, dass die rechtfertigenden Gründe ganz unterschiedlicher Art sein können. Es kann sich dabei um eigene Erfahrung, eigene Beobachtung, eigenes kombinatives Nachdenken, eigenes Forschen, die Rezeption der Aussagen von sogenannten ‚epistemischen Autoritäten' (wie Eltern, ältere Personen, Lehrer, Journalisten oder Wissenschaftler) oder Anderem handeln. Die gewusste

---

Information muss also von dem Wissenden *nicht* notwendigerweise *selbst* inhaltlich begründet werden können. Um über Wissen zu verfügen, reicht die Referenz auf eine Quelle, der man grundsätzlich zutraut, diese (möglicherweise außerhalb der eigenen Fähigkeiten liegende) Leistung der inhaltlichen Rechtfertigung einer Information zu erbringen. Wer könnte denn schon ernsthaft wenigstens einen Bruchteil von dem, was man zu wissen glaubt, tatsächlich selbst vollständig inhaltlich begründen? Wir wissen sehr vieles doch nur deshalb, weil wir diese Informationen von unseren Eltern, von unserem weiteren sozialen Umfeld, aus der Schule, aus Büchern oder aus den Medien mitbekommen haben, und nicht, weil wir immer selbst Erfahrungen gemacht oder eigens entsprechende Untersuchungen angestellt haben. Zum vierten könne es Platon zufolge kein ‚falsches Meinen' geben, da man keine Meinung von etwas Erfahrenem haben könne, was es nicht gibt und was man demzufolge eigentlich hätte gar nicht wahrnehmen können. Jedoch sei der Geist einer Person nicht frei von Irrtümern und Verwechslungen, weshalb man unter Umständen doch etwas meinen könnte, das tatsächlich falsch ist. Wissen sei dagegen aber notwendig eine Meinung, die nicht falsch, sondern wahr ist. Vgl. ders., 1989: 187b – 189c. Hiernach muss eine gewusste Information also auch die Eigenschaft der *Wahrheit* besitzen, das heißt sie muss hinsichtlich ihres propositionalen Gehalts mit den tatsächlichen Gegebenheiten der Wirklichkeit übereinstimmen. An dieser Stelle braucht man nun nicht erst die verschiedenen Wahrheitstheorien zu bemühen. Denn seit Aristoteles von Stageira – und im Grunde schon seit Platon selbst – gibt es nur eine einzige Grund*bedeutung* von Wahrheit, die sowohl sich mit der heutigen alltagsdenkerischen und allgemein wissenschaftlichen Vorstellung deckt als auch letztlich jeder einzelnen der zahlreichen Wahrheitstheorien zugrunde liegt, und das ist die eben genannte. Die Gewissheit von der propositionalen Übereinstimmung einer Wissensinformation mit der Wirklichkeit rekurriert, wie gesagt, auf den rechtfertigenden Gründen, die der Wissende anführen kann und die ihn von der Richtigkeit seiner Information ausgehen lassen können. Wahrheit ist daher weder irgendeine metaphysische Idee, wie sie hin und wieder von einigen verstanden werden will, noch ist sie eine von der Wirklichkeit unabhängige, absolute und irgendwie objektiv bestehende Größe. Stattdessen ist Wahrheit eine *relative* Größe, die stets an die Rechtfertigung einer Aussage oder Meinung gebunden ist, welche diese legitimiert und eben als wahr begründet. Eine Aussage ist wahr, das heißt ihr propositionaler Gehalt stimmt mit den tatsächlichen Gegebenheiten der Realität überein, nicht weil das absolut und nach objektiver (gewissermaßen von Gott erbrachter) Erkenntnis so sein mag, sondern weil diese Aussage (hinreichend) *begründet* worden ist und genau deshalb als wahr angenommen werden kann. Mithin ist die Wahrheit einer epistemischen Information auch abhängig von dem jeweiligen subjektiven Träger dieses Wissens. Als wahr gilt eine Information immer nur innerhalb eines bestimmten Personenkreises, der diese mit denselben rechtfertigenden Gründen als wahr ansieht (Für-Wahr-Halten) und der sowohl aus einer einzigen wissenden Person allein (epistemische Person) als auch aus einer Gruppe von wissenden Personen (epistemische Gemeinschaft) bestehen kann. Innerhalb eines solchen Personenkreises gilt die Information letztlich solange als wahr, bis sie einmal widerlegt worden ist und sie sich dadurch als ein ‚falsches Wissen', das heißt als ein Irrtum, herausgestellt hat. Zum fünften handelt es sich bei Wissen ausschließlich um Informationen über die Wirklichkeit (*Wirklichkeitsbezogenheit*). Das sah schon Platon so, auch wenn er diesen Punkt nicht expliziert hat. So würde es doch unserem intuitiven Verständnis widersprechen, bezeichneten wir frei erfundene Sachverhalte für sich genommen als Wissen. Freilich ist wiederum eine gerechtfertigte Aussage darüber, dass jemand bestimmte Sachverhalte frei erfunden hat, als Wissen zu qualifizieren. Aus dieser begrifflichen Bestimmung folgt nun beispielsweise, dass die meisten Völker und Gesellschaften bis in die Frühneuzeit hinein tatsächlich und zu Recht ‚gewusst' haben, dass die Erde eine Scheibe oder dass die Erde der Mittelpunkt des Universums sei. Denn sie hatten hinreichende Gründe, die diese Vorstellungen innerhalb ihrer jeweiligen epistemischen Gemein-

klar, dass es Informationsformen gibt, welche die mit dieser Definition verbundenen Voraussetzungen nicht erfüllen. So können dogmatische Informationen (Glaubensinhalte) und fiktionale Informationen (Fantasieinhalte) nicht als Wissen qualifiziert werden, weil sie über keinerlei rechtfertigende Gründe für einen Wahrheitsanspruch ihrer Propositionen verfügen und Fantasieinhalte zudem gar keine korrekten Aussagen über die Wirklichkeit treffen wollen.[15] Hingegen handelt es sich bei faktualen Informationen (Tatsacheninhalten) um Wissensinhalte, die vor allem durch Sinneseindrücke, Erfahrungen und Beobachtungen, aber häufig auch durch methodische Analyse unmittelbar erlangt werden. Eine Zwischenform zwischen Tatsachenaussagen und Glaubensinhalten stellen in gewisser Weise Informationen theoretischen Charakters dar, die besonders mithilfe methodischer Interpretation auf mittelbarem Wege gewonnen werden.[16]

---

schaft als wahr begründeten. Dass wir diese Weltbilder später als falsch verworfen und andere an ihre Stelle gesetzt haben, ändert an dem Überzeugtheits-, Gerechtfertigtkeits- und Wahrheitsstatus dieser Informationen innerhalb dieser epistemischen Personenkreise zu jenen Zeiten nichts. Vgl. Karen Gloy, 2005: Seite 10. Vor dem Hintergrund dieser terminologischen Reflexion lässt sich außerdem das gleichermaßen in der Erkenntnistheorie und in der Wissenschaftstheorie diskutierte sogenannte ‚Gettier-Problem' lösen. Denn in den von Edmund L. Gettier vorgetragenen Gedankenbeispielen gibt der Autor zwar Geltungsgründe an, doch übersieht er, dass diese Gründe überhaupt keine *hinreichende* Rechtfertigungskraft für die jeweilige Proposition besitzen. Es ist eben gerade nicht im Sinne der Platonschen Wissensdefinition, auf welche sich Gettier in diesem Fall bezieht, wenn beispielswiese die Information, dass der Nachbar von jemandem ein Choleriker ist, damit begründet wird, dass der Rasen in dessen Garten grün ist (oder nach Gettiers exemplarischen Fällen: wenn die Information, dass eine bestimmte Person eine ausgeschriebene Arbeitsstelle erhalten wird, damit gerechtfertigt wird, dass diese Person zehn Münzen in ihrer Hosentasche hat; oder die Information, dass eine bestimmte Person ein bestimmtes Automobil besitzt, damit, dass eine andere Person sich in einer bestimmten Stadt aufhält). Die angeführten Rechtfertigungsgründe müssen notwendigerweise zur zu rechtfertigenden Proposition passen, sodass diese Information dadurch hinreichend und damit durch echte Gründe gerechtfertigt wird und erst dadurch als Wissen gelten kann. Hinzu kommt, dass die Protagonisten in Gettiers Gedankenbeispielen die in Frage stehende Information nicht ohne Zweifel glauben und damit allenfalls vermuten, dass ihre jeweilige Überlegung wahr sein könnte, da der Philosoph die Hauptakteure hier mehrere Wirklichkeitsannahmen vornehmen lässt, von denen keine vor oder zu dem Zeitpunkt der Wissensfeststellung widerlegt wird. Vgl. Edmund L. Gettier, 1997[4]. Zu Wissen allgemein siehe besonders die Anthologie zentraler Schriften von: Peter Bieri, 1997[4]. Ferner: Wolfgang Balzer, 2009[2]: Seite 29 – 33; Gerhard Ernst, 2010[2]: Seite 45 – 68. Ansätze wie jene der Sprachpragmatik, welche in der Tradition von Gottlob Frege unter Wissen einen Vorgang des Gebens einer richtigen Antwort verstehen will, halte ich dagegen für wenig aufschlussreich. Vgl. Rudolf zur Lippe, 2005; Hans Julius Schneider, 2005.

15 Entgegen anders lautenden Vorstellungen halte ich Propositionen von Glauben und von Fantasie nicht für Wissen. Zwar bergen beide Formen jeweils einen informationellen Gehalt, können allerdings angesichts des Fehlens der genannten, notwendig aufzuweisenden Eigenschaften nicht als Wissen qualifiziert werden. Vgl. Max Scheler, 1980[3]: Seite 63.

16 Siehe insgesamt dazu auch Übersicht 3.1.

Übersicht 3.1: Formen von Informationen

Informationsform	Art von Wissen
Fiktionale Informationen (Fantasieinhalte)	*Kein Wissen*
Dogmatische Informationen (Glaubensinhalte)	*Kein Wissen*
Theoretische Informationen (Theorieinhalte)	Theoretisches Wissen
Faktuale Informationen (Tatsacheninhalte)	Faktuales Wissen

Was also ist das, was wir als ‚Theorie' bezeichnen? In der fachübergreifenden Literatur sind dazu zum Teil stark divergierende Antwortvorschläge vorgebracht worden.[17] Während einige Autoren Theorien mit Hypothesen in Verbindung bringen, halten andere sie für Generalisierungen oder gar Gesetze. Wiederum andere Autoren sehen eine Identität mit Paradigmen oder Ideologien. Manche Forscher bestreiten sogar den grundsätzlichen wissenschaftlichen Charakter von Theorien, indem sie diese in den Bereich wirklichkeitsunabhängiger Konstruktionen und Fiktionen verbannen. Hinsichtlich konkreter begrifflicher Verständnisse reicht die Bandbreite von bloßen forschungskonzeptionellen Vorklärungen von Untersuchungsgegenstand, Thema, Fragestellung, Forschungsansatz, Quellenkorpus, Methodik, allge-

[17] Erstaunlicherweise hat sich in der bisherigen multidisziplinären Forschungsdiskussion über die Frage, was genau eigentlich Theorie ist, noch kaum jemand systematisch Gedanken gemacht. Die bisher vorgetragenen Begriffsvorstellungen rekurrieren demzufolge im Wesentlichen auf den je eigenen und deshalb hinsichtlich ihrer Reflexionsbreite stark begrenzten Überlegungen der einzelnen Autoren. Während die Historiker sich zunächst einmal eher darum bemühten, die von den gesellschafts- und geisteswissenschaftlichen Nachbardisziplinen entwickelten Theorien in ihre eigene Arbeit zu integrieren, haben es von diesen selbst die stark theorieorientierten Fächer wie die Soziologie, die Politikwissenschaft, die Wirtschaftswissenschaft, die Medienwissenschaft, die Psychologie und sogar die Philosophie bislang versäumt, eine explizite und gründliche terminologische Auseinandersetzung um den Theoriebegriff zu führen, bei der speziell die (weniger noch etymologischen und begriffsgeschichtlichen, als vor allem) semasiologischen Grundfragen in den Blick genommen werden. Vgl. Peter V. Zima, 2004: Seite 1 - 4; Philipp Müller, 2008: Seite 145 - 146; Matthias Pohlig/Jens Hacke, 2008: Seite 13 - 14.

meinem Vorgehen und der Darstellungsform[18] über nicht-empirische Begriffssysteme,[19] reine Aussagensysteme[20] und abstrakte und konstruierte Ordnungsgefüge realer Gegenstände[21] sowie allgemeine Aussagen,[22] allgemeine Prinzipien[23] und subjektgebundene Erzählungen[24] bis hin zu Zusammenhängen zwischen Einzelerscheinungen der Wirklichkeit[25] und bloßen Zusammenfassungen wissenschaftlicher Erkenntnisse.[26]

Betrachtet man dagegen diese nicht lediglich auf die Geschichtswissenschaft und die benachbarten Gesellschafts- und Geisteswissenschaften beschränkte Diskussion um Theorie, die sich dort vorrangig um deren praktische Anwendung dreht, sowie die im heutigen Alltagsdenken verhafteten Vorstellungen genauer, ergibt sich eine im Kern dennoch einigermaßen klare und einheitliche Vorstellung vom Begriff der Theorie, welche mit folgender Definition zusammengefasst werden kann: Theorie ist ein (mittels kombinativer (Kontemplation) oder kreativer Denkleistung (Ingeniosität) ersonnener) mehr oder minder umfangreicher Komplex (Kohärenz) von begründeten, zugleich aber (noch) nicht durch realitätsbezogenen Nachweis *vollständig* bestätigten (Spekulativität) Informationen über die Wirklichkeit, die als (vorläufig) gültig angenommen werden (Geltungsanspruch). Jede Theorie besteht aus der summarischen Einheit all ihrer einzelnen Theorieaussagen (Theoreme), wobei insbesondere komplexere Theorien darüber hinaus mit speziell ihnen zugrunde liegenden Theoriegrundannahmen (Axiomen) sowie gegebenenfalls mit speziellen Begriffen verbunden sein können.[27]

---

18 Vgl. Stefan Haas, 2012². Siehe zu dieser unter Historikern recht verbreiteten Theorievorstellung ferner die Bemerkungen bei: Rüdiger Graf, 2008: Seite 129. Ein mehr wissenschaftssoziologisches Verständnis vertreten: Thomas Mergel/Thomas Welskopp, 1997: Seite 27.

19 Vgl. Jürgen Kocka, 1975: Seite 9; ders., 1977a: Seite 10; Hans-Ulrich Wehler, 1979a: Seite 17 – 18; Robert K. Merton, 1995: Seite 3.

20 Vgl. Werner J. Patzelt, 1986: Seite 212; ders., 1993: Seite 112; Albert Menne, 1992³: Seite 120; Ludolf Herbst, 2004: Seite 101 – 103; Peter Atteslander, 2010¹³: Seite 24; Rainer Schnell/Paul B. Hill/Elke Esser, 2013¹⁰: Seite 49 – 50; Michael Häder, 2015³: Seite 14.

21 Vgl. Josef Meran, 1985: Seite 36 – 37; Nikolaus Wenturis/Walter van Hove/Volker Dreier, 1992: Seite 330 – 331.

22 Vgl. William O. Aydelotte, 1977; Max Weber, 1988⁷a: Seite 187 – 190; Jörn Rüsen, 2003³: Seite 37; ders., 2013: Seite 23, 149 – 156; Karl R. Popper, 2005¹¹: Seite 36; Philipp Müller, 2008; Matthias Pohlig, 2008: Seite 34 – 35; Peter Atteslander, 2010¹³: Seite 25; Rainer Schnell/Paul B. Hill/Elke Esser, 2013¹⁰: Seite 49 – 50; Karl-Dieter Opp, 2014⁷: Seite 36 – 44.

23 Vgl. Jonathan R. T. Hughes, 1985²: besonders Seite 203 – 204; Immanuel Kant, 1992: Seite 3 (Seite 201 (Originaltext); Seite 275 (Akademie-Ausgabe)); Thomas Welskopp, 2008: Seite 139.

24 Vgl. Peter V. Zima, 2004: Seite 20.

25 Vgl. Jörn Rüsen, 2003³: Seite 36; Friedrich Jaeger, 2007³: Seite 817.

26 Vgl. Lothar Kolmer, 2008: Seite 13.

27 Der Begriff der ‚Theorie' geht entstehungsgeschichtlich auf das altgriechische Wort ‚θεωρία' zurück, das mit Betrachtung, Anschauung, Überlegung oder Untersuchung

Abbildung 3.1: Idealer Aufbau einer *komplexen* Theorie[28]

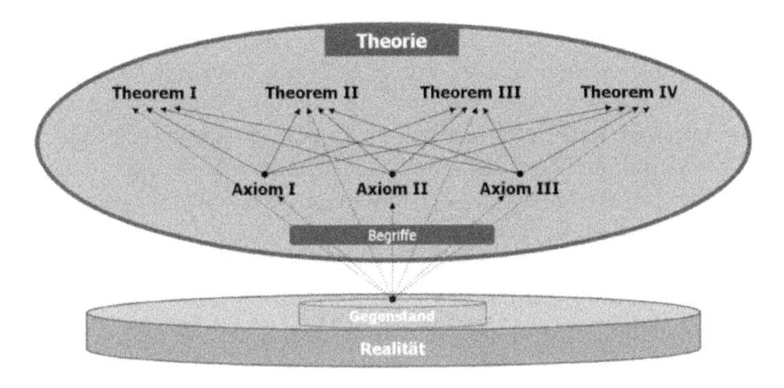

übersetzt werden kann. Zur allgemeinen und außergeschichtswissenschaftlichen Literatur siehe insbesondere: Patrick Suppes, 1967; Wolfgang Stegmüller, 1974; ders., 1985²; ders., 1987⁸: Seite 468 - 518; Joseph D. Sneed, 1979²: Seite 1 - 14; Frederick Suppe, 1979²; Johann Götschl, 1980; Wolfgang Balzer, 1982; ders., 2009²: Seite 46 - 152, 254 - 263; Wolfgang Balzer/Michael Heidelberger, 1983; Jürgen Habermas, 1985⁶: Seite 89 - 330; Werner J. Patzelt, 1986: Seite 212 - 250; ders., 1993; Max Weber, 1988⁷a; Ronald N. Giere, 1990: Seite 62 - 91; Karel Lambert/Gordon G. Brittan, 1991: Seite 143 - 209; Immanuel Kant, 1992; Nikolaus Wenturis/Walter van Hove/Volker Dreier, 1992: Seite 329 - 366; Hans Albert, 1993¹²; Dietrich Dörner, 1993³; Wesley Salmon/Gereon Wolters, 1994; Helmut Seiffert, 1994²; Jürgen Ritsert, 1996: Seite 150 - 167; Christian Thiel, 1996; Gebhard Rusch, 2001; Dieter Nohlen/Rainer-Olaf Schultze, 2004²; Peter V. Zima, 2004; Karl R. Popper, 2005¹¹: Seite 36 - 53; Karl-Heinz Hillmann, 2007⁵: Seite 895 - 897 (Artikel: Theorie); Paul Davidson Reynolds, 2007; Peter Atteslander, 2010¹³: Seite 24 - 37; Hanns Wienold, 2011⁵; Hans Poser, 2012²: Seite 68 - 79, 97 - 110; Rainer Schnell/Paul B. Hill/Elke Esser, 2013¹⁰: Seite 49 - 52; Karl-Dieter Opp, 2014⁷: Seite 36 - 44; Gerhard Schurz, 2014⁴: Seite 166 - 222; Michael Häder, 2015³: Seite 14 - 15. Siehe dazu außerdem Abbildung 3.1. Es sei an dieser Stelle angemerkt, dass es in dem Streit um eine enunziative Theorieauffassung (in der Literatur häufig, aber weniger treffend ‚semantisch' genannt) oder eine strukturale Theorieauffassung (in der Literatur vor allem als ‚strukturalistisch', mitunter auch als ‚syntaktisch' bezeichnet) nicht darum gehen kann, sich für eine von beiden Seiten entscheiden zu müssen. Vielmehr sollte man versuchen, aus beiden Vorstellungen den größtmöglichen inhaltlichen Mehrwert zu ziehen, der ein besseres Verständnis, eine bessere Handhabbarkeit und eine bessere Erschließbarkeit des Konzepts der Theorie eröffnet. So lässt sich der enunziativen Auffassung des sogenannten *‚statement view of theories'* (Aussagenkonzeption von Theorien) entnehmen, dass Theorien aus Aussagen über die Wirklichkeit, aus Theoremen, bestehen. Dass insbesondere komplexere und mehr noch formalisierte Theorien darüber hinaus auf speziellen Grundsätzen (‚Fundamentalgesetzen'), das heißt auf Axiomen, fußen können und in der Regel durch einen intendierten Anwendungsbereich begrenzt sind, hat der strukturale sogenannte *‚non-statement view of theories'* (Nicht-Aussagen-Konzeption von Theorien) verdeutlicht. Vgl. Wolfgang Stegmüller, 1979; Frederick Suppe, 1989. Dazu ferner: Wolfgang Stegmüller, 1987⁸: Seite 468 - 518; Martin Carrier, 1996; Steven French, 2014².

[28] Angelehnt an: Werner J. Patzelt, 1986: Seite 213.

Aus der Definition geht deutlich hervor, warum Theorie eine Mittelposition zwischen Faktenwissen und nicht-epistemischen Glaubensinhalten einnimmt. Einerseits werden mit einer Theorie Aussagen über Gegenstände der Wirklichkeit getroffen, denen wiederum Material und Kenntnisse der Realität sowie eine entsprechende Begründung zugrunde liegen. Andererseits ist der Umfang ihrer Rechtfertigung begrenzt, weshalb diese die Theorie nicht im Ganzen bestätigen kann. Sie mag daher zwar begründet und auch plausibel sein, kommt aber letztlich über den Status einer Spekulation mit mehr oder minder großer Wahrscheinlichkeit nicht hinaus.[29] Dennoch sind ihre Geltungsgründe *hinreichend* (im Sinne von inhaltlich passend), sodass Theorie gleichwohl als vollwertiges Wissen anzusehen ist.

III. Arten, Falltypen und geschichtswissenschaftliche Verwendung von Theorie

Nimmt man die vielfältigen Denkkonzepte der allgemeinen und der fachgebundenen Wissenschaftstheorie sowie die Forschungspraxis der Einzelwissenschaften als solche aufmerksam in den Blick, fallen zugleich mehrere unterschiedliche Elemente und Gebilde auf, die einen theoretischen Charakter im Sinne der angeführten Definition aufweisen. Auf dieser Grundlage lässt sich eine ganze Reihe von theoretischen Falltypen zusammentragen, welche sich wiederum unter verschiedene übergeordnete Theoriearten subsumieren lassen. Dabei kann zunächst einmal eine grobe Einteilung vorgenommen werden zwischen *gegenstandsbezogenen Theorien* oder *Objekttheorien*, welche sich auf jeweils bestimmte Gegenstände der Wirklichkeit beziehen, und *grundlagenbezogene Theorien* oder *Metatheorien*, welche auf die Fundamente von denkerischen Produkten und wissenschaftlichen Erkenntnispraxen referieren.[30] Eine wesentlich differenziertere Klassifikation wird nun im Folgenden entwickelt und in ihren Einzelteilen unter besonderer Berücksichtigung des Vorkommens der verschiedenen Theoriearten in der Geschichtswissenschaft besprochen.[31]

---

[29] Wird eine Theorie schließlich doch einmal durch eine oder mehrere realitätsbezogene Untersuchungen vollständig bestätigt, verliert sie in diesem Augenblick ihren theoretischen Charakter und geht in die Form des Tatsachenwissens über. In der Praxis werden manche Theorien, die nicht vollständig empirisch belegt sind, nach gewisser Zeit trotzdem wie Fakten behandelt, weil sie schlechterdings so gut und häufig bestätigt sind und zudem nicht selten dermaßen evident erscheinen, dass eine weitere Behandlung als nur möglicherweise korrekt unnötig erscheint.

[30] Eine Unterscheidung von Objekttheorien und Metatheorien wird vorgenommen von: Jörn Rüsen, 1986: Seite 19; ders., 2003[3]: Seite 15 – 24.

[31] Eine Auseinandersetzung mit den verschiedenen *Arten* von Theorie ist in der fachübergreifenden wissenschaftstheoretischen Diskussion bisher kaum ein Thema gewe-

1. Terminative Theorien

Wenn Max Weber den Terminus ‚Macht' bestimmt als „jede Chance, innerhalb einer sozialen Beziehung den eigenen Willen auch gegen Widerstreben durchzusetzen, gleichviel worauf diese Chance beruht",[32] oder wenn sowohl Vertreter der Korrespondenztheorie der Wahrheit als auch Anhänger epistemischer Wahrheitstheorien Wahrheit als einen „inhaltsreichen Begriff" auffassten, wie Gerhard Ernst behauptet,[33] dann ist das bereits eine erste Form einer hauptsächlich geistigen Auseinandersetzung mit der Wirklichkeit. Solche begrifflichen Überlegungen werden von allen Wissenschaftlern vorgenommen, wenn sie sich forscherisch mit einem Gegenstand der Realität beschäftigen, auch wenn terminologische Reflexionen in den einzelnen Forschungsstudien nicht immer explizit unternommen werden. Implizite Begriffsbestimmungen werden hingegen schon dann (gewissermaßen automatisch) vorgenommen, wenn Historiker beispielsweise über die Geschichte der „europäischen Universität"[34] oder über die Geschichte der „internationalen Beziehungen"[35] schreiben. Weil solche theoretischen Falltypen mit bestimmten Begriffen verbunden sind, sollen sie ‚Terminative Theorien' genannt werden.[36]

2. Präsumptive und Hypothetische Theorien

Daneben kursieren in der wissenschaftlichen Literatur theoretische Konzeptionen, die in Form einzelner Aussagen etwas von der Wirklichkeit annehmen, und solche, die Vermutungen über sie anstellen. Zur ersten Gruppe, den

sen. Nur vereinzelt haben einige wenige Autoren Differenzierungsvorschläge eingebracht. So etwa: Werner J. Patzelt, 1993: Seite 112; Gebhard Rusch, 2001; Wolfgang Balzer, 2009²: Seite 46 - 152, 254 - 263; Peter Atteslander, 2010¹³: Seite 34 - 37. Siehe dazu auch die Lexikonbeiträge: Christian Thiel, 1996: Seite 263 - 266; Dieter Nohlen/Rainer-Olaf Schultze, 2004²: Seite 988 - 991. Neben den nur bedingt weitsichtigen und daher noch wenig ertragreichen Versuchen innerhalb der Geschichtswissenschaft beispielsweise von Jörn Rüsen und Friedrich Jaeger ist hingegen die von Chris Lorenz erarbeitete Zusammentragung ein hilfreicher Anfang für eine Klassifizierung von all dem, was Theorie sein kann. Vgl. Chris Lorenz, 1997: Seite 340 - 346. Für die beiden anderen Autoren siehe: Jörn Rüsen, 1986: Seite 22 - 47; ders., 2003³: Seite 15, 20 - 24, 34 - 37; Friedrich Jaeger, 2007³: Seite 817 - 822. Keine umfassende Systematik, dafür einige weiterführende Gedanken zu den Theoriearten trägt vor: Herbert Schnädelbach, 1979. Siehe zur folgenden Klassifikation der Theoriearten auch Übersicht 3.2.

32 Max Weber, 2009⁵: Seite 28.

33 Vgl. Gerhard Ernst, 2010²: Seite 53.

34 Vgl. Wolfgang E. J. Weber, 2002.

35 Vgl. Harald Kleinschmidt, 1998.

36 Siehe zu Begriffen und ihren Grundlagen vor allem meine Arbeit „Begriff, Definition, Begriffsanalyse. Grundzüge der Terminologie" in diesem Band.

Präsumptiven Theorien, gehören Axiome[37] wie die ursprünglich innerhalb der Philosophie entwickelten Prinzipien des ‚Satzes vom ausgeschlossenen Widerspruch'[38] und des ‚Satzes vom zureichenden Grund'.[39] Unter diese Theorieart fallen aber auch die auf einer anderen Aussagenebene angesiedelten Theoreme,[40] von denen das aus der Soziologie stammende ‚Thomas-Theorem'[41] und das ‚Theorem vom komparativen Kostenvorteil' der Wirtschaftswissenschaft[42] zwei bekannte Beispiele darstellen. Falltypen der

---

[37] Ein Axiom (Grundprinzip) ist eine allgemein geltende und als korrekt angenommene Aussage, die einen für einen bestimmten Sachzusammenhang fundamentalen Grundsatz beschreibt. Im Rahmen von komplexen Theorien sind sie die selbst nicht ableitbaren, postulierten Grundannahmen, auf die in *idealer* Hinsicht der zentrale informationelle Gehalt dieser Theorien zurückgeht. Oftmals haben die Entwickler von Theorien die ihnen zugrunde liegenden Annahmen nicht oder nur unvollständig herausgearbeitet, weshalb sie vielfach implizit bleiben. Mitunter enthalten Theorien – gerade bei geringer Komplexität – aber auch gar keine speziellen Axiome. Vgl. Christian Thiel, 2005².

[38] Zwei Aussagen, die sich in einem kontradiktorischen Gegensatz zueinander befinden, können nicht gleichzeitig wahr sein. Dieses Grundprinzip des Satzes vom ausgeschlossenen Widerspruch diskutierte zuerst Aristoteles von Stageira. Vgl. Aristoteles, 2003a: 4,1 – 4,8 (1003a – 1012b). Siehe dazu ferner: Eberhard Conze, 1976; Niels Öffenberger/Mirko Skarica, 2000; Andreas Josef Schlick, 2011.

[39] Obwohl die geistigen Wurzeln des Satzes vom zureichenden Grund bis in die griechische und römische Antike zurückreichen, wurde er erst wesentlich später von Gottfried Wilhelm Leibniz explizit zu einem Grundprinzip der Philosophie verarbeitet. In seiner allgemeinen klassischen Formel lautet das Axiom: ‚Nichts ist ohne Grund'. Vgl. Gottfried Wilhelm Leibniz, 1996: Seite 273 – 275 (Paragraph 44); ders., 2012²: Seite 26 – 27 (Paragraph 32). Siehe dazu auch: Martin Heidegger, 2006⁹.

[40] Ein Theorem (Lehrsatz) ist eine allgemein geltende Aussage über einen spezifischen Sachzusammenhang der Wirklichkeit. Im Rahmen von komplexen Theorien stellen sie die einzelnen inhaltlichen Aussagen dieser Theorien dar, wobei sie *idealerweise* hinsichtlich ihres zentralen informationellen Gehalts auf den der jeweiligen Theorie zugrunde liegenden Axiomen fußen. Vgl. Gereon Wolters, 1996.

[41] Das von William I. Thomas und Dorothy Swaine Thomas entwickelte Theorem besagt: Wenn Personen eine bestimmte (subjektive) Vorstellung von der Wirklichkeit besitzen (Situationsdefinition), dann richten sie ihr Verhalten stets nach dieser Vorstellung aus, weshalb die Folgen ihres Verhaltens auch dann *real* sind, wenn die Wirklichkeitsvorstellung selbst (aus objektiver Sicht) *irreal* gewesen ist. Die klassische Formel dazu lautet in ihrer originalen englischsprachigen Form: *„If men define situations as real, they are real in their consequences."* Vgl. William I. Thomas/Dorothy Swaine Thomas, 1970: Seite 571 – 572 (Zitat: Seite 572); William I. Thomas, 1978³.

[42] Zum ursprünglich von David Ricardo beschriebenen Theorem siehe: David Ricardo, 2006²: Seite 109 – 128 (Kapitel 7: Über den auswärtigen Handel), Seite 317 – 322 (Kapitel 28: Über den komparativen Wert von Gold, Getreide und Arbeit in reichen und armen Ländern). Siehe dazu ferner: Simon-Martin Neumair, 2006: Seite 195 – 198; Juan José Güida, 2007: Seite 46 – 50. Das Theorem vom komparativen Kostenvorteil besagt, dass „der Außenhandel zwischen zwei Ländern selbst dann von Vorteil [ist], wenn in einem Zwei-Länder/Zwei-Güter-Modell das eine Land imstande ist, beide Güter absolut kostengünstiger als das andere herzustellen. Ausschlaggebend sind nach Ricardo nämlich nicht die absoluten, sondern die komparativen Kosten, {das heißt} die Produktionskosten- {beziehungsweise} Preisverhältnisse, die auf internationalen Produktivitätsunterschieden beruhen, indem {zum Beispiel} durch günstige klimatische Bedingungen, Know-how-Vorteile {*et cetera*} der Faktoraufwand je erzeugter Einheit

zweiten Gruppe, der Hypothetischen Theorien, sind, wie ihre Bezeichnung bereits sagt, insbesondere Hypothesen,[43] aber auch Prognosen über zukünftige Geschehnisse und Entwicklungen sowie Retrodiktionen, welche versuchen, inhaltlich oder raumzeitlich unbekannte Erscheinungen und Ereignisse der Vergangenheit rückzubestimmen, wie es bei Datierungsangaben gerade zu vormodernen Epochen häufig der Fall ist oder bei Aussagen etwa über die Konstellation der Gestirne über einem bestimmten Ort zu einem bestimmten Zeitpunkt in der Geschichte.[44] Es liegt auf der Hand, dass wenn Historiker komplexe Theorien selbst entwerfen oder anderen Disziplinen entlehnen, dass sie dann freilich auch die mit diesen Theorien verbundenen Theoreme und die ihnen zugrunde liegenden Axiome akzeptieren. Neben Axiomen und Theoremen gehören selbstredend auch Hypothesen und ganz besonders Retrodiktionen zum Grundstock geschichtswissenschaftlicher Forschungsarbeit. Prognosen stellen dagegen traditionellerweise kein übliches Erkenntnisziel von Historikern dar, obwohl prinzipiell auch sie innerhalb der Geschichtswissenschaft entwickelt werden können.[45]

3. Taxonomische Theorien

Eine andere Theorieart versucht, die schier unendliche Vielfalt und Komplexität realer Erscheinungen und Sachzusammenhänge in eine bestimmte Ordnung zu bringen, sie zu systematisieren oder zu modellieren. Diese Taxonomischen Theorien sind eine sehr häufig als Ergebnis von Forschung auf-

relativ geringer ist als in anderen Ländern". Simon-Martin Neumair, 2006: Seite 195 (Hervorhebung vom Verfasser).

43 Eine Hypothese ist eine begründete Vermutung darüber, wie die Wirklichkeit sein könnte beziehungsweise nach bestem Wissen und Denken sein müsste. Im Forschungsprozess bezeichnet sie eine in Thesenform formulierte vermutende Antwort auf die Fragestellung einer Arbeit, deren Korrektheit durch die anschließende Untersuchung geprüft und entweder bestätigt oder widerlegt werden soll. Eine Identität von Hypothese und einem wissenschaftlich formulierten Gesetz, wie sie in der Literatur häufig reklamiert wird, erscheint mir hingegen wenig einleuchtend und sinnvoll, schließlich handelt es sich bei Gesetzen doch mehr um eine gesonderte Art von Theorie mit allgemeinem Aussagegehalt als weniger um wissenschaftlich angestellte Vermutungen. Vgl. Wolfgang Stegmüller, 1980; Helmut Seiffert, 1997: Seite 88 – 89 (Artikel: Hypothese); Kuno Lorenz, 2008[2]. Wenig überzeugend und hilfreich erscheint außerdem die Überlegung, eine Hypothese mit so etwas wie einer ‚Unterthese' – im Gegensatz zu einer (normalen) These – zu verbinden. Vgl. Birgit Emich, 2006: Seite 104.

44 Es sei hier unter anderem an die Diskussion um die Historizität des in der Bibel erwähnten Sterns von Bethlehem erinnert. Siehe hierzu etwa: Konradin Ferrari d'Occhieppo, 2003[4].

45 Ein gutes Beispiel für eine geschichtswissenschaftliche Arbeit mit prognostischer Ausrichtung ist: Paul Kennedy, 2002.

tretende Art theoretischer Konzeptionen.[46] Als ein systematisierendes Ordnungsgebilde theoretischen Charakters kann zum Beispiel das Periodensystem der Elemente in der Chemie genannt werden. Ein anderes Exempel ist die Unterteilung der Menschheitsgeschichte in Epochen.[47]

Neben diesen einfacheren Systematiken gehören auch die etwas komplexeren Formen der Klassifikation und der Typologie zu dieser Theorieart. Bei ersterer geht es um eine Zuordnung ähnlicher oder verwandter realer Erscheinungen zu bestimmten Gruppen, zu sogenannten ‚Klassen'. Hierzu zählen unter anderem die biologische Klassifikation der Pflanzen und Tiere nach Arten, Gattungen, Familien und so weiter sowie die bibliothekarische Sortierung von literarischen Medien nach der Regensburger Verbundklassifikation. Entsprechende Beispiele, auf die speziell in der Geschichtswissenschaft zurückgegriffen wird, sind das berühmte Sechser-Schema der Herrschaftsformen des Aristoteles von Stageira,[48] die verschiedenen Formen von Kolonien in der Kolonialismus-Forschung[49] und die in der Internationalen Politikgeschichte vorherrschende Unterscheidung der Staaten nach ihrem (zeitgenössisch oder wissenschaftlich) zugeschriebenen Status als Kleinmacht, Mittelmacht oder Großmacht.[50] Das Ziel der anderen Theorieart, der Typologie, ist die Bildung von Idealtypen, denen die Objekte der Wirklichkeit, die sogenannten ‚Realtypen', in der Regel nicht vollständig, sondern lediglich weitestgehend oder normalerweise entsprechen.[51] Mit solchen Idealtypen hantieren Historiker etwa dann, wenn sie herausbekommen wollen, inwieweit ein von ihnen in den Blick genommenes reales Phänomen einem be-

---

[46] Zu dem, was Taxonomien sind, siehe vor allem: Werner J. Patzelt, 1986: Seite 152 – 161. Dass es sich hierbei generell um ein wichtiges Denkkonzept handelt, zeigt Nelson Goodman im Hinblick auf die „Weisen der Welterzeugung" (im englischen Original: ‚*ways of worldmaking*'). Vgl. Nelson Goodman, 1984: Seite 20 – 30.

[47] Konkrete Beispiele für geschichtswissenschaftliche Arbeiten, die auf eine Systematisierung ihres Gegenstandes abzielen, sind die Bände von Jochen Bleicken und Ingemar König zu den sozialen und politischen Strukturen des antiken Rom: Jochen Bleicken, 1994[3]; ders., 1995[4]; ders., 2008[8]; Ingemar König, 2009.

[48] Vgl. Aristoteles, 2003b: 3,7 (1279a – 1279b). Aristoteles von Stageira unterscheidet hier zwischen Königtum, Aristokratie und Politie sowie zwischen den entsprechenden entarteten Formen Tyrannis, Oligarchie und Demokratie.

[49] Vgl. Jürgen Osterhammel/Jan C. Jansen, 2012[7]: Seite 16 – 18. Jürgen Osterhammel und Jan C. Jansen teilen die neuzeitlichen Kolonien in drei verschiedene Gruppen ein, namentlich in Beherrschungskolonien, in Stützpunktkolonien und in Siedlungskolonien, wobei letztere von ihnen wiederum untergliedert werden in neuenglische, afrikanische und karibische Siedlungskolonien.

[50] Die wissenschaftliche Etablierung der Idee, bestimmte Staaten der Gruppe der Großmächte zuzuordnen, wird üblicherweise Leopold von Ranke zugeschrieben. Die Einführung der beiden anderen Gruppen hat sich daraus sinngemäß ergeben. Vgl. Leopold von Ranke, 1995.

[51] Das Konzept der Idealtypen wurde zu Beginn des 20. Jahrhunderts von Max Weber entwickelt. Vgl. Max Weber, 1988[7]a: Seite 190 – 212; ders., 2009[5]: Seite 9 – 11. Daran innerhalb der Geschichtswissenschaft anschließend bereits: Theodor Schieder, 1958. Siehe dazu ferner: Karl-Georg Faber, 1982[5]: Seite 89 – 100.

stimmten elaborierten Konzept von diesem Phänomen entspricht, also konkret inwieweit eine bestimmte völkerrechtliche Bündniskonstruktion in der griechischen Antike dem damaligen Idealbild einer Symmachie entsprach[52] oder inwieweit die ideale Vorstellung von einem Kabinettskrieg zur Kennzeichnung der militärisch ausgetragenen Staatenkonflikte in der zweiten Hälfte der Frühneuzeit geeignet ist.[53]

Ein vierter Falltyp Taxonomischer Theorien sind Modelle, verstanden als bewusst vereinfachende und systematisierte Nachbildungen entscheidender Elemente, Eigenschaften und innerer Zusammenhänge von bestimmten Sachverhalten der Wirklichkeit.[54] Einige Exempel hierfür sind die Sender-Empfänger-Modelle der Kommunikation aus der Sprachwissenschaft, der Medienwissenschaft, der Psychologie und der Soziologie[55] oder auch die verschiedenen Stufenmodelle der historischen Entwicklung, wie sie von Karl Marx und Friedrich Engels,[56] als direkter Gegenentwurf zum Marxismus von Walt Whitman Rostow[57] sowie von weiteren Gelehrten[58] vorgelegt wurden.

4. Empirische und Metaempirische Theorien

Eine besondere Bedeutung kommt in den Wissenschaften jenen Theorien zu, die in Form von Aussagenkomplexen Aufschluss über bestimmte Gegenstände der Wirklichkeit geben wollen. Entsprechend der Differenzierung der Realität ist dabei zwischen Empirischen Theorien und Metaempirischen Theorien zu trennen, wobei letztere vor allem in den Arbeitsbereich der Philosophie fallen und Historiker daher zunächst nicht weiter zu interessieren brauchen.[59] Bei den Empirischen Theorien handelt es sich dagegen um

52 Zu Idee und realen Erscheinungsformen der antiken Symmachie siehe: Klaus Tausend, 1992; Ernst Baltrusch, 1994.

53 Vgl. zum Kabinettskrieg: Siegfried Fiedler, 1986; Frank Göse, 2007.

54 Zu theoretischen Modellen siehe: Ronald N. Giere, 1990: Seite 62 – 91; Dietrich Dörner, 1993³; Demetris Portides, 2014².

55 Vgl. Aleida Assmann, 2006: Seite 35; Jessica Röhner/Astrid Schütz, 2012: Seite 15 – 20.

56 Vgl. Karl Marx/Friedrich Engels, 2004: Seite 19 – 33 (Kapitel 1: Bourgeois und Proletarier).

57 Vgl. Walt Whitman Rostow, 1967².

58 Unter anderem von: Kurt Breysig, 1927².

59 In den vergangenen rund 2.500 Jahren philosophischer Auseinandersetzung mit Wirklichkeit speziell innerhalb der Ontologie und der Erkenntnistheorie hat man sich letztlich im Wesentlichen um die Abgrenzung von so etwas wie Immanenter Realität (Empirie) und so etwas wie Transzendenter Realität (Metaphysis oder Metaempirie) gestritten. Diese zwei Wirklichkeitsbereiche scheinen letztlich die beiden grundlegenden Ebenen der gesamten, subjektiv wie objektiv bestehenden Realität darzustellen. Weil Theorien über die metaempirische Wirklichkeit eine ganz eigene Qualität aufweisen – so besitzen sie etwa einen erheblich andersartigen Status der Überprüfbarkeit ihrer Theoreme als Empirische Theorien –, ist diese Ebenenunterscheidung der Realität sinnvollerweise auf die Differenzierung der Arten von Theorie zu übertragen. Wahr-

(noch) nicht vollständig realitätsbezogen bestätigte Darstellungen zu Wesensmerkmalen und Seinszusammenhängen empirischer Gegenstände. Die Empirischen Theorien lassen sich in drei Unterarten gliedern.[60]

Zum einen gibt es *Idiographische Theorien*, auch *,Theorien geringer Reichweite'* genannt, die auf jeweils *einen einzigen* konkreten Gegenstand der empirischen Wirklichkeit beschränkt sind.[61] Sie werden gebildet, wenn individuelle, raumzeitlich relativ eng begrenzte empirische Sachverhalte erklärt werden sollen und der dabei produzierte Aussagenkomplex durch den Rückgriff auf die Empirie aus gleichwelchen Gründen (zunächst) nicht vollständig bewiesen werden kann. Wenn etwa Wolfgang J. Mommsen in einem Handbuch das Zusammenwirken dreier unterschiedlicher Entwicklungstrends als ausschlaggebend für den Ausbruch des Ersten Weltkrieges bestimmt, kann diese These praktisch gesehen niemals zu 100 Prozent verifiziert werden.[62] Jeder dieser drei Entwicklungstrends hat mit Sicherheit vielerlei Indizien, zum Teil schlagkräftige Beweise und damit prinzipiell gute Gründe sowie insgesamt eine hohe Plausibilität auf ihrer Seite, doch treffen die Einzelbehauptungen Aussagen über einen zwar relativ gut eingrenzbaren, doch noch immer schier unendlich komplexen Wirklichkeitsausschnitt, sodass ein *vollständiger* Nachweis, dass es sich *tatsächlich* und *ausschließlich* so verhalten hat, wie die Partialaussagen und erst recht die Gesamtthese es behaupten, praktisch unmöglich ist.[63] Die kausale Erklärung Mommsens ist zwar eine gut begründete und in Teilen tatsächlich durch die bisherige Forschung bestätigte, aber letztlich doch nur eine (wenn auch gerechtfertigte) *Behauptung*. Folglich ist der mit dieser These verbundene Aussagenkomplex – genau genommen – nichts anderes als eine Theorie. Immer dann, wenn es um Fragen von individuellen Abhängigkeiten und Kausalitäten geht, kommen empirische Aussagen häufig über den Status von Theorie nicht hinaus. Somit gehören Idiographische Theorien zu den vollkommen üblichen und vermutlich

---

nehmungsabhängige, rein subjektive Wirklichkeitsverfassungen bleiben dagegen für die Unterteilung der Theoriearten ohne weitere Relevanz, da diese von den Empirischen Theorien miterfasst werden.

60 Zur wissenschaftstheoretischen Diskussion um Empirische Theorien siehe unter anderem: Wolfgang Balzer, 1982; Wolfgang Balzer/Michael Heidelberger, 1983.

61 Idiographische Theorien (von altgriechisch *ἴδιος*, in Deutsch: eigen, eigenartig, besonders, persönlich oder privat, und altgriechisch *γράφειν*, deutsch: schreiben oder darstellen) sind Theorien, die über einzelne, individuelle Gegenstände Aussagen treffen.

62 Vgl. Wolfgang J. Mommsen, 2002[10]: Seite 22 – 34. Wolfgang J. Mommsen nennt als die drei zusammen genommen entscheidenden Gründe für den Ausbruch des Ersten Weltkrieges, erstens, die in dieser Zeit vorherrschenden und zu konkreten Handlungen führenden imperialistischen Bestrebungen der Großmächte und bedeutenderen Mittelmächte, zweitens, deren untereinander geführter Rüstungswettkampf und, drittens, die zunehmende Verfestigung der von diesen Mächten geschaffenen und am Leben gehaltenen bündnispolitischen Lager.

63 Ohne Bezug auf dieses Beispiel argumentiert im Kern ähnlich: Reinhart Koselleck, 1972: Seite 24 – 25.

zahlreichsten Forschungsergebnissen innerhalb der vorrangig an singulären Erscheinungen und Sachzusammenhängen der Wirklichkeit interessierten Geschichtswissenschaft. Neben der Mommsenschen Theorie von den Ursachen des Ersten Weltkrieges sind die Erklärungen zum Untergang des römischen Westkaisertums am Ende der Antike,[64] zu Martin Luthers angeblicher öffentlicher Aushängung seiner 95 Thesen an der Tür der Wittenberger Schlosskirche[65] und zum sogenannten ‚deutschen Sonderweg'[66] weitere bekannte Fälle von Idiographischen Theorien innerhalb der Geschichtswissenschaft.

Eine zweite Form Empirischer Theorien umfasst Aussagenkomplexe, deren Geltungsanspruch sich jeweils – häufig in quantitativer Weiterführung Idiographischer Theorien – über die *Gesamtheit* von bestimmten gleichförmigen Gegenständen eines jedoch raumzeitlich eingegrenzten Ausschnitts aus der empirischen Wirklichkeit erstreckt. Diese *Nomothetischen Theorien*, die auch als *‚Theorien mittlerer Reichweite'* bezeichnet werden, werden vorrangig entwickelt, um für ausgewählte Epochen oder Regionen allgemeine Aussagen über spezifische Gegenstandstypen, wie etwa die vorherrschende Staatsform, Rechtsgesinnung, Sozialstruktur oder Wirtschaftsweise oder etwa typische Rituale, Mentalitäten oder Weltbilder, zu treffen.[67] Ein konkre-

---

64 Vgl. Peter Heather, 2010; Alexander Demandt, 2014².

65 Vgl. Erwin Iserloh, 1968³; Joachim Ott/Martin Treu, 2008.

66 Vgl. Horst Möller, 1982; Helga Grebing, 1986.

67 Im Gegensatz zu Idiographischen Theorien treffen Nomothetische Theorien (von altgriechisch *νόμος*, übersetzt: Brauch, Sitte, Gewohnheit, Regel oder Gesetz, und altgriechisch *τιθέναι*, in Deutsch: setzen, aufstellen oder behaupten) keine individualisierenden Aussagen zu einzelnen Gegenständen, sondern generalisierende Aussagen (in wortwörtlicher Übersetzung des zusammengesetzten Fremdwortes daher ‚Gesetzessetzungen' oder ‚Regelbehauptungen') über einen bestimmten, raumzeitlich gebundenen Gegenstandstypen. Den äquivalenten Begriff der ‚Theorie mittlerer Reichweite' (im englischen Original: *‚theory of the middle range'*) führte 1949 Robert K. Merton in die Diskussion ein. Vgl. Robert K. Merton, 1995: Seite 3 – 8 (erste Auflage zuerst 1949). Für Merton sollten diese Theorien „zwischen den kleinen Arbeitshypothesen" der soziologischen Forschung „und den allumfassenden Spekulationen einschließlich eines theoretischen Globalschemas" der großen Entwürfe der Vergangenheit (wie etwa dem Marxismus oder der später entwickelten soziologischen Systemtheorie), die letztlich stets die gesamte Gesellschaft zu erklären versuchen, angesiedelt sein. Ders., 1995: Seite 3. Dabei kritisiert er besonders den geringen kognitiven Mehrwert, den diese totalen Theoriekonzeptionen für die Lösung gegenwärtiger Probleme der Gesellschaft aufweisen würden. Jenseits einer solchen primär auf ganze Gesellschaften fixierten Betrachtungsweise lässt sich der Begriff der ‚Theorie mittlerer Reichweite' hingegen allgemeiner – und zugleich passender – auf diejenigen Theorien übertragen, die zwischen Idiographischen Theorien minimaler raumzeitlicher Reichweite und den großen Theorien mit endloser Reichweite stehen. Mithin treffen Theorien mittlerer Reichweite Aussagen über eine Mehrzahl von gleichförmigen Gegenständen, deren Reichweite weder minimal noch endlos ist, sondern sich über einen gewissen abgesteckten raumzeitlichen Rahmen erstreckt. Einen anderen, insgesamt allerdings weitgehend zusammenhangslosen Vorschlag dazu, was man unter einer Theorie mittlerer Reichweite verstehen könnte, unterbreitet: Hartmut Esser, 2002. Keinesfalls zu verwechseln sind

tes Beispiel sind die besonders von Johannes Kunisch und Johannes Burkhardt vorgetragenen Thesen dazu, wie die Vielzahl von zwischenstaatlichen Kriegen im Europa der Frühneuzeit erklärt werden kann.[68] Weitere Exempel für Nomothetische Theorien, die in der Geschichtswissenschaft einen größeren Bekanntheitsgrad erlangt haben, sind die globalen Entwicklungstheorien samt den ihnen zuzuordnenden globalen Modernisierungstheorien und Dependenztheorien,[69] ferner die Theorien des europäischen, nordamerikanischen und zunächst auch japanischen Imperialismus von der Mitte des 19. Jahrhunderts bis zum Ersten Weltkrieg beziehungsweise in seiner eher informellen, für die Adressatenländer jedoch keineswegs weniger gravierend wirkenden Form seit 1945[70] und die Theorien der Nation-Werdung der europäischen Gesellschaften insbesondere seit dem 19. Jahrhundert.[71]

---

in diesem Zusammenhang (idiographische) Individualität und (nomothetische) Allgemeinheit mit (individuellen) Mikro-Phänomenen und (kollektiven) Makro-Phänomenen. Bei Idiographischen Theorien geht es nicht zwangsläufig darum, Aussagen auf der Mikroebene ausschließlich über Einzelpersonen zu treffen, sondern um singuläre Phänomene, was zwar einzelne Personen für sich allein genommen sein können, genauso aber auch Personengruppen (wie Familien, Parteien oder Schulen) bis hin zu ganzen Gesellschaften. Entsprechend geht es bei Nomothetische Theorien auch nicht um die Behandlung allein von Sachverhalten auf der überindividuellen Makroebene von Gesellschaften, Staaten oder Volkswirtschaften, sondern um allgemeine Aussagen über eine Mehrzahl gleichförmiger Phänomene, was Gesellschaften genauso umfassen kann wie Einzelpersonen. Derartige Verwechslungen finden sich unter anderem bei: Thomas Mergel/Thomas Welskopp, 1997: Seite 12 – 27; Karl Acham, 2008. Zum im 19. Jahrhundert entstandenen und bis ins 20. Jahrhundert hinein andauernden Streit in den Gesellschafts- und Geisteswissenschaften um idiographische oder nomothetische Erkenntnisformen siehe: Eckhardt Fuchs, 2010. Vgl. dagegen zur systematischen Auseinandersetzung um Individualität und Generalität innerhalb der Geschichtswissenschaft: Karl-Georg Faber, 1982[5]: Seite 45 – 65.

68 Während Johannes Kunisch davon ausgeht, dass die Monopolisierung der Gewalt in den frühneuzeitlichen Staaten und ihre Unterstellung unter jeweils einen obersten Herrschaftsträger die große Zahl zwischenstaatlicher Kriege hervorgebracht hatte, vertritt Johannes Burkhardt die Auffassung, dass diese Konflikte aus einem dreifachen Entwicklungsdefizit der sich formierenden ‚modernen Staaten' entsprungen war, welches, erstens, deren innere institutionelle Stabilität (‚Institutionalisierungsdefizit'), zweitens, deren Angewiesensein auf staatsexterne gesellschaftliche Kräfte (‚Autonomiedefizit'), und, drittens, deren völkerrechtliche Ebenbürtigkeit (‚Egalitätsdefizit') betraf. Vgl. Johannes Kunisch, 1979; ders., 1992; Johannes Burkhardt, 1997.

69 Vgl. Ulrich Menzel, 1995[3]. Das von den globalen Entwicklungstheorien in den Blick genommene Problem der gegenwärtig vorherrschenden ‚Unterentwicklung' der Länder des weltweiten Südens gegenüber denjenigen des weltweiten Nordens wurde beispielsweise von Immanuel Wallerstein in seiner Theorie der Weltsysteme auch historisch verarbeitet. Vgl. Immanuel Wallerstein, 2012. Siehe dazu auch: Hans-Heinrich Nolte, 2005. Im Übrigen sind die globalen Modernisierungstheorien keinesfalls mit den rein gesellschaftsbezogenen Modernisierungstheorien gleichzusetzen. Siehe zu letzteren: Nina Degele/Christian Dries, 2005. Ebenso stellen die historischen Modernisierungstheorien ein gesondertes Erklärungsfeld dar. Vgl. Thomas Mergel, 1997.

70 Vgl. Hans-Ulrich Wehler, 1979[3]b; Wolfgang J. Mommsen, 1987[3].

71 Vgl. Miroslav Hroch, 2005.

Nomothetische Theorien erweisen sich folglich als eine Theorieart, die ebenfalls zum ordinären Geschäft geschichtswissenschaftlicher Forschung gehört.

Als dritte Unterart Empirischer Theorien sind *Nomologische Theorien* oder *Theorien großer Reichweite* zu nennen. Sie stellen eine typische Art theoretischer Entwürfe in den meisten Gesellschaftswissenschaften dar und beziehen sich jeweils – mitunter auch in Weiterführung Idiographischer und Nomothetischer Theorien – auf die *Gesamtheit* von bestimmten gleichförmigen Gegenständen, diesmal jedoch der ganzen, raumzeitlich unbegrenzten empirischen Wirklichkeit.[72] Auch in der Geschichtswissenschaft durchaus bekannte oder genuin heimische Beispiele hierfür sind die grenzenlos geltenden Theorien des Systems,[73] der Gesellschaft,[74] der Medien,[75] des Wirtschaftswachstums,[76] des Kulturtransfers,[77] der Emotion[78] und so weiter sowie nicht zuletzt der Geschichte als dem Gegenstand der Geschichtswissenschaft selbst.[79] Ihrem Charakter nach kommt den empirischen Referenten

[72] Anders als Nomothetische Theorien treffen Nomologische Theorien (von altgriechisch *νόμος*, in Deutsch: Brauch, Sitte, Gewohnheit, Regel oder Gesetz, und altgriechisch *λόγος*, deutsch: Rede, Wort, Vernunft oder Lehre) generalisierende Aussagen (ganz ähnlich im direkt übersetzten Sinne von ‚Gesetzesaussagen' oder ‚Regelaussagen') über einen bestimmten Gegenstandstypen, der hier allerdings nicht mehr auf einen speziellen, raumzeitlich eingegrenzten Wirklichkeitsausschnitt beschränkt ist. Diese Theorien gelten ihrem Anspruch nach vielmehr zu jeder Zeit und an jedem räumlichen Ort der gesamten vergangenen, gegenwärtigen und grundsätzlich auch zukünftigen sowie die Oberfläche unseres Planeten wie auch alle weiteren Räume des Universums umfassenden Empirie. Der korrespondierende Begriff der ‚Großen Theorie' (im englischen Original: *‚grand theory'*), welcher hier im Anschluss an Robert K. Mertons Begriff von der ‚Theorie mittlerer Reichweite' in die Form der Theorie großer Reichweite gebracht wird, wurde 1959 von C. Wright Mills geprägt. Vgl. C. Wright Mills, 1963: Seite 64 - 92. Ähnlich wie Merton versteht auch Mills darunter „universelle Schemata" totaler Theoriekonzeptionen wie den Marxismus oder die soziologische Systemtheorie, die aufgrund ihres sehr hohen Abstraktionsgrades von vielen Rezipienten nicht (mehr) zureichend verstanden werden könnten. Wie bereits in der Anmerkung zu den Nomothetischen Theorien angedeutet, sollen mit den Theorien großer Reichweite jedoch *keine* totalen Entwürfe, also Theorien, die im Grunde alles, das heißt jedwede (oder zumindest alle essenziellen) Aspekte von Gesellschaften, auf einmal erklären wollen, bezeichnet werden. Solche Theorien müssen notwendigerweise derart abstrakt sein, dass man mit ihnen in der Tat nur sehr eingeschränkt praktisch etwas anfangen könnte. Zudem sind diese Theorien extrem selten, was ihre forschungsbezogene Rolle gleichfalls erheblich mindert. Aus diesem Grund sollen unter Theorien großer Reichweite demgegenüber allgemeine theoretische Konzeptionen zu bestimmten Gegenstandstypen verstanden werden, deren raumzeitliche Reichweite tatsächlich unbegrenzt ist.

[73] Vgl. Frank Becker/Elke Reinhardt-Becker, 2001; Frank Becker, 2004.

[74] Vgl. Thomas Mergel/Thomas Welskopp, 1997.

[75] Vgl. Jan-Friedrich Mißfelder, 2008.

[76] Vgl. Walther G. Hoffmann, 1985[2].

[77] Vgl. Thomas Fuchs/Sven Trakulhun, 2003.

[78] Vgl. Birgit Aschmann, 2005; Ute Frevert, 2009.

[79] Zu den Theorien der Geschichte siehe insbesondere: Erhard Wiersing, 2007; Lothar Kolmer, 2008; Jörg Baberowski, 2013[2]; Johannes Rohbeck, 2015[3].

von Nomologischen Theorien der Status von Gesetzen im Sinne von Gesetzmäßigkeiten beziehungsweise Regelmäßigkeiten zu, da es sich hierbei um stets in gleichförmiger Art und Weise auftretende Objekte handelt.[80]

Hinsichtlich der forschungspraktischen Nutzbarkeit derart allgemeiner und damit vermeintlich (denn nur bis zu einem gewissen Grad) inhaltsleerer Theoriekonzeptionen hatte seinerzeit bereits Max Weber Bedenken angeführt.[81] Die vor allem von den Vertretern der Sozialgeschichte und der sogenannten ‚Historischen Sozialwissenschaft' seit den 1970er Jahren aufgeworfene Grundsatzdiskussion drehte sich daran anschließend dann hauptsächlich um die Frage, ob es der primär an individuellen Gegenständen der Wirklichkeit interessierten Geschichtswissenschaft prinzipiell möglich sei, solche grenzenlos allgemeinen Theorien sinnvoll und ohne Realitätsverzerrung zu nutzen.[82] Indessen haben die seit dieser Zeit von den Historikern unternommenen Forschungen in der Tat gezeigt, dass eine Verwendung Nomologischer Theorien sowohl möglich als auch ertragreich sein kann. Dabei konnte vorgeführt werden, dass eine Anwendung von allgemeinen gegenstandsbezogenen Theorien keineswegs zu einer verfälschenden Vorstrukturierung respektive zu einer „unzulässige[n] Verformung der jeweiligen historischen Realität"[83] führen muss. Viel eher besteht ihr Zweck für Historiker darin, bei der Auseinandersetzung mit empirischen Sachverhalten einerseits als heuristische Hilfskonstruktionen zu dienen, um dabei vornehmlich die Identifizierung entscheidender Elemente und Zusammenhänge zu erleichtern und zu begründen - so etwa, wenn die Entwicklung von transnationalen Unternehmen unter Zuhilfenahme einer evolutorischen Institutionstheorie analysiert wird[84] oder wenn ausgewählte Entscheidungstheorien zur Untersuchung von Außenpolitik herangezogen werden.[85] Andererseits fungieren solche Theorien auch als qualifizierende Interpretationsmittel, beispielsweise wenn die Herrschaftsformen sowohl der Nationalsozi-

---

80 Um einem weit verbreiteten Missverständnis entgegenzuwirken, sei hier darauf hingewiesen, dass sich solche Gesetze beziehungsweise Gesetzmäßigkeiten auf Verhältnisse *in der Realität* beziehen und somit - in der Art von Naturgesetzen - als der Wirklichkeit inhärent angenommen werden. Demzufolge sind die Theoreme Nomologischer Theorien selbst keine Gesetze, sondern *Aussagen über* Regelmäßigkeiten innerhalb der jeweils betrachteten Empirie. Die Ebenen von (nomologischen) Denkinhalten einerseits und (gesetzmäßigen) Seinsformen andererseits sind auch in diesem Zusammenhang strikt voneinander zu trennen. Zur wissenschaftstheoretischen Problematik von Gesetzen siehe: Elisabeth Ströker, 1992^{4}: Seite 60 - 76; Hans Poser, 2012^{2}: Seite 68 - 79.

81 Vgl. Max Weber, 1988^{7}a: Seite 178 - 180.

82 Vgl. Stefan Haas, 2012^{2}: Seite 2, 4 - 6, 11. Siehe ausführlich zu dieser Diskussion und den entsprechenden Reaktionen der neohistoristischen Kritiker die diesbezüglichen Ausführungen in: Michael Gal, 2017 (sowie mehr noch die erweiterte Fassung in diesem Band).

83 Klaus Hildebrand, 1976: Seite 339.

84 Vgl. Peter E. Fäßler, 2007.

85 Vgl. Ursula Lehmkuhl, 2000.

alisten in Deutschland als auch der Bolschewisten und Staatskommunisten in Russland als Totalitarismus apostrophiert werden.[86] Auch Nomologische Theorien tragen also ein für die konkrete geschichtswissenschaftliche Arbeit überaus nützliches, die forscherischen Erkenntnismöglichkeiten vielfach erheblich steigerndes Potenzial in sich.[87]

5. Normative Theorien

Weit weniger Beachtung als die Empirischen Theorien erhalten in der alltäglichen Wissenschaft für gewöhnlich die Normativen Theorien. Mit ihnen sind Aussagen darüber verbunden, wie die Wirklichkeit (wünschenswerterweise) sein soll. Solche Konzeptionen begründen vor allem Wertmaßstäbe, Werturteile, Verhaltensanleitungen und Idealgebilde, wobei für Letzteres der von Platon von Athen entworfene Idealstaat ein wirkmächtiges Beispiel darstellt.[88] Allerdings wird innerhalb der Geschichtswissenschaft mit derartigen idealen Konstrukten in der Regel nicht gearbeitet. Dagegen sind Wertmaßstäbe und Werturteile theoretische Falltypen, die gerade in der Zeitgeschichte und vor allem auch in der Geschichtsdidaktik von Historikern Verwendung finden. Im Rahmen der Historik bilden zudem Verhaltensanleitungen ein übliches Erkenntnisziel.

6. Theoretische und Kognitive Theorien

Während die bisher vorgestellten Theoriearten allesamt gegenstandsbezogene Theorien darstellen, handelt es sich bei den nächsten beiden um grundlagenbezogene Theorien. In diesem Sinne beinhalten, zum ersten, die sogenannten ‚Theoretischen Theorien' Aussagen über die konzeptionellen Grundlagen einzelner oder auch zugleich mehrerer ausgewählter Theorien. Solche Theorie-Theorien werden von Historikern dann entwickelt, nicht wenn sie sich mit empirischen Gegenständen, sondern wenn sie sich mit bestimmten,

[86] Vgl. Leonid Luks, 2007. Dazu auch: Eckhard Jesse, 1999[2]; Uwe Backes, 2003.

[87] Mit dem Argument der Anwendbarkeit Nomologischer Theorien in der Geschichtswissenschaft ist allerdings nicht zugleich gesagt, dass Historiker nun für jedwede Behandlung historischer Gegenstände notwendigerweise derartige Theorien zugrunde legen müssen. Erstens gibt es auch legitime Forschungsweisen, die ohne Anwendung unbegrenzt allgemeiner Theoriekonzeptionen auskommen, wie Untersuchungen zeigen, deren Ziel etwa Idiographische Theorien oder Tatsacheninformationen sind. Zweitens sind ausgearbeitete Nomologische Theorien keineswegs für jeden einzelnen Gegenstandstypen der praktisch unendlich komplexen Realität verfügbar, sodass die Historiker in diesen Fällen ohnehin zunächst auf den Gebrauch solcher Theorien verzichten müssen.

[88] Vgl. Platon, 2003.

bereits vorhandenen Theorien reflektierend (und jedenfalls mehr als bloß rezipierend und resümierend) beschäftigen und diese dadurch für die weitere wissenschaftliche Arbeit aufbereiten und gegebenenfalls weiterentwickeln.[89]

Zum zweiten treffen Kognitive Theorien Aussagen über die Grundlagen der Erlangung von Erkenntnissen über die Wirklichkeit. Als Erkenntnistheorien geht es ihnen um die Möglichkeit des Wahrnehmens und Erkennens realer Gegenstände überhaupt. Bei den Wissenschaftstheorien stehen dagegen die speziellen Grundlagen von Wissenschaft, ihrer Arbeitsweise, ihrer Untersuchungsinstrumente, ihrer Wissens- und Kommunikationsformen und so weiter im Zentrum der Betrachtung. Es ist daher vor allem das Ziel der Historik, Überlegungen zum Funktionieren und zu den Erkenntnismöglichkeiten der Geschichtswissenschaft anzustellen und dabei solche Wissenschaftstheorien zu produzieren.[90]

7. Ideologische Pseudotheorien

Als Letztes werden auch Ideologien typischerweise als eine Form von Theorie verstanden. Dabei handelt es sich bei ihnen um gar keine echten Theorien. Zwar stellen sie theorieartige Aussagenkomplexe dar. Jedoch wollen Ideologien keinen ernsthaften Aufschluss über die Wirklichkeit geben. In der Regel entstehen sie aus Nomothetischen oder Nomologischen Theorien, gehen dann aber in einen realitätsbezogene Reflexionen und Weiterentwicklungen kaum mehr zulassenden Status eines Dogmas über. Aus diesem Grund sind diese – entsprechend als ‚Ideologische Pseudotheorien' zu bezeichnenden – Theoriekonzeptionen die einzigen, die für die Wissenschaft – und damit auch für Historiker – als *Erkenntnis*form keinerlei forschungspraktischen Wert besitzen.[91]

---

89 In dieser Form etwa: Wolfgang J. Mommsen, 1987³; Thomas Mergel, 1997.

90 Solche Wissenschaftstheorien haben beispielsweise Richard J. Evans und Hayden White mit ihren jeweils einflussreichen Überlegungen zu einigen Grundlagen der geschichtswissenschaftlichen Arbeit entwickelt. Vgl. Richard J. Evans, 1999; Hayden White, 2008.

91 Unter einer Ideologie wird in der Wissenschaft gemeinhin eine Weltanschauung verstanden, die falsch ist. Vgl. Ulrich Weiß, 2004²; Herbert R. Ganslandt, 2008². Der Kern von Ideologie ist dementgegen jedoch vielmehr der, dass sie eine Weltanschauung darstellt, die inhaltlich reflexionslos bleibt und die weniger ernsthaften Aufschluss über die Wirklichkeit geben als vielmehr die realen Zustände und Geschehnisse bewerten, rechtfertigen und in vorausschauender Perspektive vorentscheiden will. Ideologien müssen dabei keineswegs *notwendigerweise* falsch sein. Sie können (allerdings mit entsprechend geringer Wahrscheinlichkeit) auch *zufällig* Richtiges behaupten. Im Übrigen können Ideologien für Historiker natürlich sehr wohl von Interesse sein und zwar dann, wenn sie zum *Gegenstand* geschichtswissenschaftlicher Untersuchungen gemacht werden.

IV. Schlussbetrachtung

Theorie hat offenbar viele Gesichter. Weil Theorie sich nicht allein auf Konzeptionen mit sehr hohem Abstraktionsgrad beschränkt, sondern sich in ganz unterschiedlicher Weise auf alle möglichen Gegenstände der Wirklichkeit beziehen kann, erschöpft sich ihre Artenvielfalt nicht in den komplexen Entwürfen Empirischer und insbesondere Nomologischer Theorien. Ebenso ist eine Reduktion des Theorieverständnisses allein auf Hypothesen oder einen hypothetischen Charakter sowie auf allgemeine Aussagen oder vermeintliche Gesetze zu kurz gegriffen. Im Ergebnis der hier vorgenommenen klassifikatorischen Auseinandersetzung hat sich stattdessen gezeigt, dass Theorie eine durchaus typische von der Geschichtswissenschaft produzierte Erkenntnisform darstellt.[92] Als solche bedarf sie keiner einhundertprozentigen Bestätigung ihrer inhaltlichen Korrektheit. Sondern diese theoretischen Inhalte gelten allein aufgrund ihrer (nichtsdestoweniger hinreichenden) rechtfertigenden Gründe solange als wahr, bis sie einmal widerlegt oder durch eine bessere Theorie abgelöst worden sind. In diesem Sinn entspricht Theorie in vollumfänglicher Weise der angeführten Definition von Wissen. Sie ist begründetes Wissen, das jedoch nur teilweise nachgewiesen ist.

Nicht selten ist die Behauptung aufgestellt worden, eine Definition von Theorie sei nicht möglich.[93] Das hatte man vor allem daraus abgeleitet, dass, wie gesehen, einige Autoren darunter Gesetze, andere Hypothesen und wiederum andere bloße Begriffsreihungen oder unspezifische Aussagensysteme verstanden. Eine endgültige Entscheidung für eine der zahlreichen Vorstellungen schien folglich wenig plausibel. Dabei ist die Frage nach dem, was wir unter Theorie verstehen, aber keine Frage der Entscheidung. Es ist viel eher eine Frage der Integration und damit der Einsicht, dass im Grunde sämtliche Auffassungen von Theorie in gewisser Hinsicht Richtiges und Berechtigtes enthalten. Auf der Suche nach den notwendigen Wesensmerkmalen, die alle Theoriearten aufweisen, besteht die hauptsächliche Aufgabe folglich in einer Harmonisierung der einzelnen Begriffsvorstellungen.[94] Entgegen den erwähnten Bekundungen ist es, wie die vorangehenden Ausführungen zeigen, deshalb doch möglich, eine einheitliche und umfassende Definition von Theorie mit der erforderlichen Übersicht zu erarbeiten, die zudem den for-

---

92 Im Ansatz ähnlich bei: Reinhart Koselleck, 1977: besonders Seite 45, wenn dieser von einem „Primat der Theorie" spricht, dem zufolge sich die geschichtswissenschaftliche Erkenntnisgewinnung zunächst in kritischer Distanz zu den jeweiligen Quellen vollziehe.

93 Zuletzt in aller Deutlichkeit vertreten von: Stefan Haas, 2012²: Seite 2.

94 Zur Definition und Analyse von Begriffen siehe im Allgemeinen die entsprechenden Ausführungen in meinem Beitrag „Begriff, Definition, Begriffsanalyse. Grundzüge der Terminologie" (Kapitel III, IV) in diesem Band.

schungspraktischen Anforderungen der Gesellschafts- und Geisteswissenschaften im Allgemeinen und der Geschichtswissenschaft im Besonderen gerecht wird. Eine solche integrierende und zugleich möglichst umsichtige Begriffsklärung zugrunde gelegt lässt sich, wie ebenfalls gezeigt, schließlich ein umfangreicher Katalog von Theoriearten zusammenstellen, der zum einen verdeutlicht, in welch vielfältigen Formen Theorie in Erscheinung treten kann.[95] Zum anderen geht daraus ebenso hervor, dass die Historiker die allermeisten Theoriearten dieser Auflistung – abgesehen von Metaempirischen Theorien und Ideologischen Pseudotheorien – bereits seit langem oder gar schon immer in ihrer alltäglichen Forschungspraxis erfolgreich verwenden. Die Frage nach der ‚Theoriefähigkeit' der Geschichtswissenschaft muss daher klar bejaht werden. Dagegen ist die Frage nach ihrer ‚Theoriebedürftigkeit' nicht prinzipiell in gleicher Weise zu beantworten. Neben theoretischen Erkenntnissen kann das Ziel wissenschaftlicher Betätigung auch in der Herstellung von Faktenwissen liegen, was üblicherweise erst die Grundlage für weitergehende und vor allem interpretative Untersuchungen ist, deren Ergebnisse dann in der Regel Erkenntnisse theoretischen Charakters sind.[96]

Aus den Ergebnissen der vorliegenden Arbeit geht außerdem hervor, dass die Geschichtswissenschaft, will sie sich auch mit komplexeren Sachverhalten der historischen Wirklichkeit beschäftigen, dennoch kaum ohne eine Nutzung theoretischer Konzeptionen auskommen kann. Aus diesem Grund gilt es, die Grundlagen des Begriffs, der verschiedenen Arten und des Gebrauchs von Theorie innerhalb der Geschichtswissenschaft in einem ernsthaft und qualifiziert geführten Diskussionsprozess im Rahmen der Historik weiterhin zu reflektieren und fortzuentwickeln und – nicht weniger bedeutsam – die dabei generierten Ergebnisse auch zu vermitteln.

---

95 Siehe dazu auch die Zusammenstellung in Übersicht 3.2.

96 Vgl. Jörn Rüsen, 2003³: Seite 25. Dementsprechend ist das häufig vorgebrachte Argument zu widerlegen, dem nach Historiker in jedem Fall Theorien anwenden gleich, ob sie es wollen oder nicht, und gleich, ob sie es bewusst tun oder nicht. So etwa: Ludolf Herbst, 2004: Seite 100 – 101; Lothar Kolmer, 2008: Seite 11, 13; Thomas Welskopp, 2008: Seite 143. Dass bei einer betont theorielosen Behandlung eines historischen Gegenstandes bestimmte Auffassungen des Historikers bezüglich Gesellschaft, Kultur, Politik, Elite, Verhalten, Moral, Krieg und so weiter sichtbar werden, ist kein Indiz für eine dennoch vermeintlich bestehende Theorieabhängigkeit der geschichtswissenschaftlichen Forschung. Vielmehr sind solche Vorstellungen von der Wirklichkeit genuine und zugleich konstitutive Bestandteile von Sprache und geistigem Denkvermögen schlechthin. Die gesellschaftliche Schaffung und Weitergabe sowie die entsprechende, im Rahmen von Sozialisations- und Bildungsprozessen sich vollziehende individuelle Aufnahme derartiger Verständnisse von Teilen der Welt, in welcher schließlich jeder Wissenschaftler selbst lebt und geistig verankert ist, sind etwas Grundverschiedenes von dem geistigen Akt der Konstruktion oder Anwendung einer bestimmten Theorie zur Erlangung von Kenntnissen über die Wirklichkeit.

Übersicht 3.2: Theoriearten

Theorieart	**Erklärung**	**Falltypen**
Gegenstandsbezogene Theorien (Objekttheorien)		
Terminative Theorien	Sind Inhalte beziehungsweise Vorstellungen, die bestimmten Begriffen zugeschrieben werden	▪ Begriffe ▪ Begriffsauffassungen
Präsumptive Theorien	Sind einzelne Aussagen, die etwas von der Wirklichkeit annehmen	▪ Axiome ▪ Theoreme
Hypothetische Theorien	Sind vermutende Aussagen darüber, wie unbekannte Teile der Wirklichkeit möglicherweise beziehungsweise wahrscheinlich sein könnten	▪ Hypothesen ▪ Prognosen ▪ Retrodiktionen
Taxonomische Theorien	Sind systematisierende oder modellierende Aussagen, durch die Gegenstände der Wirklichkeit in eine bestimmte Ordnung gebracht werden	▪ Systematiken ▪ Klassifikationen ▪ Typologien ▪ Modelle
Empirische Theorien	Sind Aussagenkomplexe über Gegenstände der empirischen Wirklichkeit	▪ (Theoretische) Darstellungen zu empirischen Gegenständen
Idiographische Theorien (Theorien geringer Reichweite)	Sind Aussagenkomplexe, die sich auf jeweils einen einzigen Gegenstand der empirischen Wirklichkeit beziehen	
Nomothetische Theorien (Theorien mittlerer Reichweite)	Sind Aussagenkomplexe, die sich auf die Gesamtheit von bestimmten gleichförmigen Gegenständen der empirischen Wirklichkeit innerhalb einer raumzeitlichen Begrenzung beziehen	
Nomologische Theorien (Theorien großer Reichweite)	Sind Aussagenkomplexe, die sich auf die Gesamtheit von bestimmten gleichförmigen Gegenständen der empirischen Wirklichkeit ohne irgendeine raumzeitliche Begrenzung beziehen	
Metaempirische Theorien	Sind Aussagenkomplexe über Gegenstände der metaempirischen Wirklichkeit	▪ Darstellungen zu metaempirischen Gegenständen

Normative Theorien	Sind einzelne Aussagen oder Aussagenkomplexe darüber, wie Teile der Wirklichkeit sein sollen	▪ Wertmaßstäbe ▪ Werturteile ▪ Verhaltensanleitungen ▪ Idealgebilde
(Ideologische Pseudotheorien)	Sind theorieartige Aussagenkomplexe, die jedoch keinen echten Aufschluss über die Wirklichkeit geben wollen	▪ Ideologien
Grundlagenbezogene Theorien (Metatheorien)		
Theoretische Theorien	Sind Aussagenkomplexe über die Grundlagen von einzelnen oder mehreren konkreten Theorien	▪ Theorie-Theorien
Kognitive Theorien	Sind Aussagenkomplexe über die Grundlagen der Erlangung von Erkenntnissen über die Wirklichkeit	▪ Erkenntnistheorien ▪ Wissenschaftstheorien

Literatur

ACHAM, KARL, 2008: *Zur Komplementarität von Allgemeinem und Besonderem, Theorie und Erzählung.* In: Andreas Frings/Johannes Marx (Hrsg.), Erzählen, Erklären, Verstehen. Beiträge zur Wissenschaftstheorie und Methodologie der Historischen Kulturwissenschaften. [Reihe Beiträge zu den Historischen Kulturwissenschaften. Band 3], Berlin, Seite 191 - 215.

ALBERT, HANS, 1993[12]: *Theorie und Prognose in den Sozialwissenschaften.* In: Ernst Topitsch (Hrsg.), Logik der Sozialwissenschaften. [Reihe Neue Wissenschaftliche Bibliothek], Frankfurt, Seite 126 - 143.

ARISTOTELES, 2003a [um 357 v. Chr.]: *Metaphysik.* Übers. von Hans Günter Zekl, Würzburg.

ARISTOTELES, 2003b [um 335 v. Chr.]: *Politik. Schriften zur Staatstheorie.* Hrsg. und übers. von Franz F. Schwarz, Stuttgart.

ASCHMANN, BIRGIT, 2005: *Vom Nutzen und Nachteil der Emotionen in der Geschichte. Eine Einführung.* In: dies. (Hrsg.), Gefühl und Kalkül. Der Einfluss von Emotionen auf die Politik des 19. und 20. Jahrhunderts. [Reihe Historische Mitteilungen. Im Auftrage der Ranke-Gesellschaft. Vereinigung für Geschichte im öffentlichen Leben (HMRG). Beiheft. Band 62], Stuttgart, Seite 9 - 32.

ASENDORF, MANFRED, 1994: *Theorie - Praxis.* In: Manfred Asendorf/Jens Flemming/Achatz von Müller/Volker Ullrich, Geschichte. Lexikon der wissenschaftlichen Grundbegriffe. Reinbek, Seite 608 - 610.

ASSMANN, ALEIDA, 2006: *Einführung in die Kulturwissenschaft. Grundbegriffe, Themen, Fragestellungen.* [Reihe Grundlagen der Anglistik und Amerikanistik. Band 27], Berlin.

ATTESLANDER, PETER, 2010[13]: *Methoden der empirischen Sozialforschung.* Berlin.

AYDELOTTE, WILLIAM O., 1977 [1971]: *Das Problem der historischen Generalisierung.* Übers. von Kurt Gräubig, in: Theodor Schieder/Kurt Gräubig (Hrsg.), Theorieprobleme der Geschichtswissenschaft. [Reihe Wege der Forschung. Band 378], Darmstadt, Seite 205 - 250.

BABEROWSKI, JÖRG (Hrsg.), 2009: *Arbeit an der Geschichte. Wie viel Theorie braucht die Geschichtswissenschaft?* [Reihe Eigene und fremde Welten. Repräsentationen sozialer Ordnung im Vergleich. Band 18], Frankfurt/New York.

BABEROWSKI, JÖRG, 2013[2] [2005]: *Der Sinn der Geschichte. Geschichtstheorien von Hegel bis Foucault.* München.

BACKES, UWE (Hrsg.), 2003: *Rechtsextreme Ideologien in Geschichte und Gegenwart.* [Reihe Schriften des Hannah-Arendt-Instituts für Totalitarismusforschung. Band 23], Köln/Weimar/Wien.

BALTRUSCH, ERNST, 1994: *Symmachie und Spondai. Untersuchungen zum griechischen Völkerrecht der archaischen und klassischen Zeit (8. - 5. Jahrhundert v. Chr.).* [Reihe Untersuchungen zur antiken Literatur und Geschichte. Band 43], Berlin/New York.

BALZER, WOLFGANG, 1982: *Empirische Theorien: Modelle - Strukturen - Beispiele. Die Grundzüge der modernen Wissenschaftstheorie.* [Reihe Wissenschaftstheorie. Wissenschaft und Philosophie. Band 20], Braunschweig/Wiesbaden.

BALZER, WOLFGANG, 1993: *Theorieforschung und Wissenschaftstheorie.* In: Ethik und Sozialwissenschaften. Streitforum für Erwägungskultur (EuS). 4 (1), Seite 123 - 125.

BALZER, WOLFGANG, 2009[2]: *Die Wissenschaft und ihre Methoden. Grundsätze der Wissenschaftstheorie. Ein Lehrbuch.* [Reihe Alber-Lehrbuch], Freiburg/München.

BALZER, WOLFGANG/HEIDELBERGER, MICHAEL (Hrsg.), 1983: *Zur Logik empirischer Theorien.* [Reihe Grundlagen der Kommunikation], Berlin/New York.

BARTELS, ANDREAS/STÖCKLER, MANFRED (Hrsg.), 2007: *Wissenschaftstheorie. Ein Studienbuch.* Paderborn.

BAUMGARTNER, HANS MICHAEL/RÜSEN, JÖRN (Hrsg.), 1982[2]: *Seminar: Geschichte und Theorie. Umrisse einer Historik.* Frankfurt.

BECKER, FRANK (Hrsg.), 2004: *Geschichte und Systemtheorie. Exemplarische Fallstudien.* [Reihe Campus Historische Studien, Band 37], Frankfurt/New York.

BECKER, FRANK/REINHARDT-BECKER, ELKE, 2001: *Systemtheorie. Eine Einführung für die Geschichts- und Kulturwissenschaften.* Frankfurt/New York.

BERNHEIM, ERNST, 1970^{5,6} [1914^{5,6}]: *Lehrbuch der Historischen Methode und der Geschichtsphilosophie. Mit Nachweis der wichtigsten Quellen und Hilfsmittel zum Studium der Geschichte.* [Burt Franklin: Bibliography and Reference Series. Reihe 21, Selected Essays in History, Economics, and Social Science. Band 175], New York.

BIERI, PETER (Hrsg.), 1997^{4}: *Analytische Philosophie der Erkenntnis.* [Reihe Neue Wissenschaftliche Bibliothek], Weinheim.

BLANKE, HORST WALTER, 2010 [2002]: *Historik.* In: Stefan Jordan (Hrsg.), Lexikon Geschichtswissenschaft. Hundert Grundbegriffe. Stuttgart, Seite 148 – 151.

BLANKE, HORST WALTER/JAEGER, FRIEDRICH/SANDKÜHLER, THOMAS (Hrsg.), 1998: *Dimensionen der Historik. Geschichtstheorie, Wissenschaftsgeschichte und Geschichtskultur heute. Jörn Rüsen zum 60. Geburtstag.* Köln/Weimar/Wien.

BLEICKEN, JOCHEN, 1994^{3}: *Verfassungs- und Sozialgeschichte des Römischen Kaiserreiches.* Band 2, Paderborn/München/Wien/Zürich.

BLEICKEN, JOCHEN, 1995^{4}: *Verfassungs- und Sozialgeschichte des Römischen Kaiserreichs.* Band 1, Paderborn/München/Wien/Zürich.

BLEICKEN, JOCHEN, 2008^{8} [1995^{7}]: *Die Verfassung der Römischen Republik. Grundlagen und Entwicklungen.* Paderborn.

BLOCH, MARC, 1992^{3} [1949 posthum]: *Apologie der Geschichte. Oder der Beruf des Historikers.* Hrsg. von Lucien Febvre, übers. von Siegfried Furtenbach/Friedrich J. Lucas, Stuttgart.

BLOCH, MARC, 2000 [1995 posthum]: *Aus der Werkstatt des Historikers. Zur Theorie und Praxis der Geschichtswissenschaft.* Hrsg. von Peter Schöttler, übers. von Holger Fock/Matthias Middell/Claudia Moisel/Sabine Müller/Stefan Sammler/Peter Schöttler, Frankfurt/New York/Paris.

BORTOLOTTI, LISA, 2008: *An Introduction to the Philosophy of Science.* Cambridge/Malden.

BREYSIG, KURT, 1927^{2}: *Der Stufenbau und die Gesetze der Weltgeschichte.* Stuttgart.

BRUNNER, KARL, 2004^{4}: *Einführung in den Umgang mit Geschichte.* Wien.

BURCKHARDT, JACOB, 1987 [1905 posthum]: *Über das Studium der Geschichte. Der Text der „Weltgeschichtlichen Betrachtung" auf Grund der Vorarbeiten von Ernst Ziegler.* Hrsg. von Peter Ganz, München.

BURKHARDT, JOHANNES, 1997: *Die Friedlosigkeit der Frühen Neuzeit. Grundlegung einer Theorie der Bellizität Europas.* In: Zeitschrift für Historische Forschung. Vierteljahresschrift zur Erforschung des Spätmittelalters und der frühen Neuzeit (ZHF). 24 (4), Seite 509 – 574.

BUSSHOFF, HEINRICH, 1978: *Methodologie der Politikwissenschaft.* Stuttgart.

CARNAP, RUDOLPH, 1995 [1966]: *An Introduction to the Philosophy of Science.* Hrsg. von Martin Gardner, New York.

CARRIER, MARTIN, 1996: *Theorieauffassung, semantische.* In: Jürgen Mittelstraß (Hrsg.), Enzyklopädie Philosophie und Wissenschaftstheorie. Band 4, Sp – Z. Stuttgart/Weimar, Seite 271 – 272.

CARROLL, DAVID (Hrsg.), 1994 [1990]: *The States of „Theory". History, Art, and Critical Discourse.* [Reihe Irvine Studies in the Humanities], Stanford.

CASSIRER, ERNST, 2011 [1942]: *Zur Logik der Kulturwissenschaften. Fünf Studien. Mit einem Anhang: Naturalistische und humanistische Begründung der Kulturphilosophie.* Hamburg.

CHALMERS, ALAN F., 2007^{6} [1999^{3}]: *Wege der Wissenschaft. Einführung in die Wissenschaftstheorie.* Hrsg. und übers. von Niels Bergemann/Christine Altstötter-Gleich, Berlin/Heidelberg.

CONZE, EBERHARD, 1976 [1932]: *Der Satz vom Widerspruch. Zur Theorie des dialektischen Materialismus.* Frankfurt.

CONZE, WERNER (Hrsg.), 1972: *Theorie der Geschichtswissenschaft und Praxis des Geschichtsunterrichts*. Stuttgart.

CURD, MARTIN/PSILLOS, STATHIS (Hrsg.), 2014[2]: *The Routledge Companion to Philosophy of Science*. London/New York.

DEGELE, NINA/DRIES, CHRISTIAN, 2005: *Modernisierungstheorie. Eine Einführung*. Paderborn/München.

DEMANDT, ALEXANDER, 2014[2]: *Der Fall Roms. Die Auflösung des römischen Reiches im Urteil der Nachwelt*. München.

DÖRNER, DIETRICH, 1993[3]: *Modellbildung und Simulation*. In: Erwin Roth (Hrsg.), Sozialwissenschaftliche Methoden. Lehr- und Handbuch für Forschung und Praxis. München/Wien, Seite 327 - 340.

DROYSEN, JOHANN GUSTAV, 1972 [1878]: *Philosophie der Geschichte*. In: ders., Texte zur Geschichtstheorie. Mit ungedruckten Materialien zur „Historik". Hrsg. von Günter Birtsch/Jörn Rüsen, Göttingen, Seite 66 - 78.

DROYSEN, JOHANN GUSTAV, 1977 [1857/1858/1882]: *Historik. Historisch-kritische Ausgabe*. Band 1, *Rekonstruktion der ersten vollständigen Fassung der Vorlesungen (1857). Grundriß der Historik in der ersten handschriftlichen (1857/1858) und in der letzten gedruckten Fassung (1882)*. Hrsg. von Peter Leyh, Stuttgart.

EBERLEIN, GERALD L./KROEBER-RIEL, WERNER/LEINFELLNER, WERNER (Hrsg.), 1974: *Forschungslogik der Sozialwissenschaften*. [Reihe Wissenschaftstheorie der Wirtschafts- und Sozialwissenschaften. Band 3], Düsseldorf.

EICHHORN, WOLFGANG/KÜTTLER, WOLFGANG (Hrsg.), 2008: *Was ist Geschichte? Aktuelle Entwicklungstendenzen von Geschichtsphilosophie und Geschichtswissenschaft*. [Reihe Abhandlungen der Leibniz-Sozietät der Wissenschaften. Band 19], Berlin.

EMICH, BIRGIT, 2006: *Geschichte der Frühen Neuzeit studieren*. [Reihe UTB basics], Konstanz.

ERNST, GERHARD, 2010[2]: *Einführung in die Erkenntnistheorie*. [Reihe Einführungen Philosophie], Darmstadt.

ESSER, HARTMUT, 2002: *Was könnte man (heute) unter einer „Theorie mittlerer Reichweite" verstehen?* In: Renate Mayntz (Hrsg.), Akteure - Mechanismen - Modelle. Zur Theoriefähigkeit makro-sozialer Analysen. [Reihe Schriften des Max-Planck-Instituts für Gesellschaftsforschung Köln. Band 42], Frankfurt/New York, Seite 128 - 150.

EVANS, RICHARD J., 1999 [1997]: *Fakten und Fiktionen. Über die Grundlagen historischer Erkenntnis*. Übers. von Ulrich Speck, Frankfurt/New York.

FABER, KARL-GEORG, 1982[5]: *Theorie der Geschichtswissenschaft*. München.

FÄßLER, PETER E., 2007: *Die Genese global agierender Unternehmen in evolutionstheoretischer Perspektive*. In: Werner J. Patzelt (Hrsg.), Evolutorischer Institutionalismus. Theorie und exemplarische Studien zu Evolution, Institutionalität und Geschichtlichkeit. [Reihe Politikwissenschaftliche Theorie. Band 3], Würzburg, Seite 689 - 706.

FERRARI D'OCCHIEPPO, KONRADIN, 2003[4]: *Der Stern von Bethlehem in astronomischer Sicht. Legende oder Tatsache?* [Reihe Biblische Archäologie und Zeitgeschichte. Band 3], Gießen/Basel.

FICHTE, JOHANN GOTTLIEB, 1986[2] [1804[2]]: *Die Wissenschaftslehre. Zweiter Vortrag im Jahre 1804 vom 16. April bis 8. Juni*. Hrsg. von Reinhard Lauth/Joachim Widmann/Peter Schneider, Hamburg.

FIEDLER, SIEGFRIED, 1986: *Kriegswesen und Kriegführung im Zeitalter der Kabinettskriege*. [Reihe Heerwesen der Neuzeit. Abteilung 2, Das Zeitalter der Kabinettskriege. Band 2], Koblenz.

FRENCH, STEVEN, 2014[2]: *The structure of theories*. In: Martin Curd/Stathis Psillos (Hrsg.), The Routledge Companion to Philosophy of Science. London/New York, Seite 301 - 312.

FREVERT, UTE, 2009: *Was haben Gefühle in der Geschichte zu suchen?* In: Geschichte und Gesellschaft. Zeitschrift für Historische Sozialwissenschaft (GG). 35 (2), Seite 183 - 208.

FRINGS, ANDREAS/MARX, JOHANNES (Hrsg.), 2008: *Erzählen, Erklären, Verstehen. Beiträge zur Wissenschaftstheorie und Methodologie der Historischen Kulturwissenschaften*. [Reihe Beiträge zu den Historischen Kulturwissenschaften. Band 3], Berlin.

FUCHS, ECKHARDT, 2010 [2002]: *Nomothetisch/idiographisch*. In: Stefan Jordan (Hrsg.), Lexikon Geschichtswissenschaft. Hundert Grundbegriffe. Stuttgart, Seite 224 - 227.

FUCHS, THOMAS/TRAKULHUN, SVEN, 2003: *Kulturtransfer in der Frühen Neuzeit. Europa und die Welt*. In: dies. (Hrsg.), Das eine Europa und die Vielfalt der Kulturen. Kulturtransfer in Europa 1500 - 1850. [Reihe Aufklärung und Europa. Band 12], Berlin, Seite 7 - 24.

GADENNE, VOLKER/VISINTIN, ALDO (Hrsg.), 1999: *Wissenschaftsphilosophie*. [Reihe Alber-Texte Philosophie. Band 5], Freiburg/München.

GAL, MICHAEL, 2017: *Internationale Politikgeschichte. Alte und neue Wege*. In: Archiv für Kulturgeschichte (AKG). 99 (1), Seite 157 - 198.

GANSLANDT, HERBERT R., 2008²: *Ideologie*. In: Jürgen Mittelstraß (Hrsg.), Enzyklopädie Philosophie und Wissenschaftstheorie. Band 3, G - Inn. Stuttgart/Weimar, Seite 538 - 542.

GETTIER, EDMUND L., 1997⁴ [1963]: *Ist gerechtfertigte, wahre Meinung Wissen?* Übers. von Ralf Stoecker, in: Peter Bieri (Hrsg.), Analytische Philosophie der Erkenntnis. [Reihe Neue Wissenschaftliche Bibliothek], Weinheim, Seite 91 - 93.

GIERE, RONALD N., 1990 [1988]: *Explaining Science. A Cognitive Approach*. [Reihe Science and Its Conceptual Foundations], Chicago/London.

GLOY, KAREN, 2005: *Einführung: Die verschiedenen Wissenstypen*. In: Karen Gloy/Rudolf zur Lippe (Hrsg.), Weisheit - Wissen - Information. Göttingen, Seite 7 - 19.

GODFREY-SMITH, PETER, 2003: *Theory and reality. An introduction to the philosophy of science*. [Reihe Science and its conceptual foundations], Chicago/London.

GOERTZ, HANS-JÜRGEN, 1995: *Umgang mit Geschichte. Eine Einführung in die Geschichtstheorie*. [Reihe Rowohlts Enzyklopädie], Reinbek.

GOODMAN, NELSON, 1984 [1978]: *Weisen der Welterzeugung*. Übers. von Max Looser, Frankfurt.

GÖSE, FRANK, 2007: *Der Kabinettskrieg*. In: Dietrich Beyrau/Michael Hochgeschwender/Dieter Langewiesche (Hrsg.), Formen des Krieges. Von der Antike bis zur Gegenwart. [Reihe Krieg in der Geschichte. Band 37], Paderborn/München/Wien/Zürich, Seite 121 - 147.

GÖTSCHL, JOHANN, 1980: *Theorie*. In: Josef Speck (Hrsg.), Handbuch wissenschaftstheoretischer Begriffe. Band 3, R - Z. Göttingen, Seite 636 - 646.

GRAF, RÜDIGER, 2008: *Was macht die Theorie in der Geschichte? „Praxeologie" als Anwendung des „gesunden Menschenverstandes"*. In: Jens Hacke/Matthias Pohlig (Hrsg.), Theorie in der Geschichtswissenschaft. Einblicke in die Praxis des historischen Forschens. [Reihe Eigene und fremde Welten. Repräsentationen sozialer Ordnung im Vergleich. Band 7], Frankfurt/New York, Seite 109 - 129.

GREBING, HELGA, 1986: *Der „deutsche Sonderweg" in Europa 1806 - 1945. Eine Kritik*. Stuttgart/Berlin/Köln/Mainz.

GÜIDA, JUAN JOSÉ, 2007: *Internationale Volkswirtschaftslehre. Eine empirische Einführung*. Stuttgart.

HAAS, STEFAN, 2012²: *Theoriemodelle der Zeitgeschichte*. In: Docupedia-Zeitgeschichte. Begriffe, Methoden und Debatten der zeithistorischen Forschung. Version vom: 22.10.2012, URL: http://docupedia.de/docupedia/images/8/85/Theoriemodelle_Version_2.0_Stefan_Haas.pdf.

HABERMAS, JÜRGEN, 1985⁶ [1982⁵]: *Zur Logik der Sozialwissenschaften*. Frankfurt.

HACKE, JENS/POHLIG, MATTHIAS (Hrsg.), 2008: *Theorie in der Geschichtswissenschaft. Einblicke in die Praxis des historischen Forschens*. [Reihe Eigene und fremde Welten. Repräsentationen sozialer Ordnung im Vergleich. Band 7], Frankfurt/New York.

HÄDER, MICHAEL, 2015³: *Empirische Sozialforschung. Eine Einführung*. Wiesbaden.

HARDY, JÖRG, 2001: *Platons Theorie des Wissens im „Theaitet"*. [Reihe Hypomnemata. Untersuchungen zur Antike und zu ihrem Nachleben. Band 128], Göttingen.

HAUSSMANN, THOMAS, 1991: *Erklären und Verstehen: Zur Theorie und Pragmatik der Geschichtswissenschaft. Mit einer Fallstudie über die Geschichtsschreibung zum Deutschen Kaiserreich von 1871 - 1918*. Frankfurt.

HEATHER, PETER, 2010 [2005]: *Der Untergang des Römischen Weltreichs*. Übers. von Klaus Kochmann, Reinbek.

HEDINGER, HANS-WALTER, 1969: *Subjektivität und Geschichtswissenschaft. Grundzüge einer Historik*. [Reihe Historische Forschungen. Band 2], Berlin.

HEIDEGGER, MARTIN, 2006[9] [1957]: *Der Satz vom Grund*. Stuttgart.

HERBST, LUDOLF, 2004: *Komplexität und Chaos. Grundzüge einer Theorie der Geschichte*. München.

HILDEBRAND, KLAUS, 1976: *Geschichte oder „Gesellschaftsgeschichte"? Die Notwendigkeit einer Politischen Geschichtsschreibung von den internationalen Beziehungen*. In: Historische Zeitschrift (HZ). 223 (2), Seite 328 - 357.

HILLMANN, KARL-HEINZ, 2007[5]: *Wörterbuch der Soziologie*. Stuttgart.

HOFFMANN, WALTHER G., 1985[2] [1961]: *Wachstumstheorie und Wirtschaftsgeschichte*. In: Hans-Ulrich Wehler (Hrsg.), Geschichte und Ökonomie. Königstein, Seite 94 - 103.

HOLL, OSKAR, 1976[2]a [1973]: *Wissenschaftskunde*. Band 1, München.

HOLL, OSKAR, 1976[2]b [1973]: *Wissenschaftskunde*. Band 2, München.

HROCH, MIROSLAV, 2005: *Das Europa der Nationen. Die moderne Nationsbildung im europäischen Vergleich*. Hrsg. von Philipp Ther/Holm Sundhaussen, übers. von Eližka Melville/Ralph Melville, [Reihe Synthesen. Probleme europäischer Geschichte. Band 2], Göttingen.

HUG, THEO (Hrsg.), 2001a: *Wie kommt Wissenschaft zu Wissen?* Band 3, *Einführung in die Methodologie der Sozial- und Kulturwissenschaften*. Baltmannsweiler.

HUG, THEO (Hrsg.), 2001b: *Wie kommt Wissenschaft zu Wissen?* Band 4, *Einführung in die Wissenschaftstheorie und Wissenschaftsforschung*. Baltmannsweiler.

HUGHES, JONATHAN R. T., 1985[2] [1966]: *Tatsache und Theorie in der Wirtschaftsgeschichte*. Übers. von H. Bruchhold, in: Hans-Ulrich Wehler (Hrsg.), Geschichte und Ökonomie. Königstein, Seite 203 - 226.

HUNT, LYNN, 1994 [1990]: *History beyond Social Theory*. In: David Carroll (Hrsg.), The States of „Theory". History, Art, and Critical Discourse. [Reihe Irvine Studies in the Humanities], Stanford, Seite 95 - 111.

ISERLOH, ERWIN, 1968[3]: *Luther zwischen Reform und Reformation. Der Thesenanschlag fand nicht statt*. [Reihe Katholisches Leben und Kämpfen im Zeitalter der Glaubensspaltung. Vereinsschriften der Gesellschaft zur Herausgabe des Corpus Catholicorum. Band 23/24], Münster.

JAEGER, FRIEDRICH, 2007[3]: *Geschichtstheorie*. In: Hans-Jürgen Goertz (Hrsg.), Geschichte. Ein Grundkurs. [Reihe Rowohlts Enzyklopädie], Reinbek, Seite 796 - 827.

JAEGER, FRIEDRICH/RÜSEN, JÖRN, 1992: *Geschichte des Historismus. Eine Einführung*. München.

JESSE, ECKHARD (Hrsg.), 1999[2]: *Totalitarismus im 20. Jahrhundert. Eine Bilanz der internationalen Forschung*. Baden-Baden.

JUNKER, DETLEF, 2004[2]: *Geschichtstheorie*. In: Dieter Nohlen/Rainer-Olaf Schultze (Hrsg.), Lexikon der Politikwissenschaft. Theorien, Methoden, Begriffe. Band 1, A - M. München, Seite 280 - 282.

KANT, IMMANUEL, 1992 [1793]: *Über den Gemeinspruch: Das mag in der Theorie richtig sein, taugt aber nicht für die Praxis*. In: ders., Über den Gemeinspruch: Das mag in der Theorie richtig sein, taugt aber nicht für die Praxis. Zum ewigen Frieden. Ein philosophischer Entwurf. Hrsg. von Heiner F. Klemme, Hamburg, Seite 1 - 48.

KELLE, UDO, 1994: *Empirisch begründete Theoriebildung. Zur Logik und Methodologie interpretativer Sozialforschung*. [Reihe Status Passages and the Life Course. Band 6], Weinheim.

KENNEDY, PAUL, 2002 [1993]: *In Vorbereitung auf das 21. Jahrhundert.* Übers. von Gerd Hörmann, Frankfurt.

KLEINSCHMIDT, HARALD, 1998: *Geschichte der internationalen Beziehungen. Ein systemgeschichtlicher Abriß.* Stuttgart.

KOCKA, JÜRGEN, 1975: *Theorien in der Sozial- und Gesellschaftsgeschichte. Vorschläge zur historischen Schichtungsanalyse.* In: Geschichte und Gesellschaft. Zeitschrift für Historische Sozialwissenschaft (GG). 1 (1), Seite 9 - 42.

KOCKA, JÜRGEN, 1977a: *Einleitende Fragestellungen.* In: ders. (Hrsg.), Theorien in der Praxis des Historikers. Forschungsbeispiele und ihre Diskussion. [Reihe Geschichte und Gesellschaft. Zeitschrift für Historische Sozialwissenschaft (GG). Sonderheft. Band 3], Göttingen, Seite 9 - 12.

KOCKA, JÜRGEN (Hrsg.), 1977b: *Theorien in der Praxis des Historikers. Forschungsbeispiele und ihre Diskussion.* [Reihe Geschichte und Gesellschaft. Zeitschrift für Historische Sozialwissenschaft (GG). Sonderheft. Band 3], Göttingen.

KOCKA, JÜRGEN/NIPPERDEY, THOMAS (Hrsg.), 1979: *Theorie und Erzählung in der Geschichte.* [Reihe Beiträge zur Historik. Band 3], München.

KOLMER, LOTHAR, 2008: *Geschichtstheorien.* [Reihe UTB Profile], Paderborn.

KÖNIG, INGEMAR, 2009 [2007]: *Der römische Staat. Ein Handbuch.* Stuttgart.

KOSELLECK, REINHART, 1972: *Über die Theoriebedürftigkeit der Geschichtswissenschaft.* In: Werner Conze (Hrsg.), Theorie der Geschichtswissenschaft und Praxis des Geschichtsunterrichts. Stuttgart, Seite 10 - 28.

KOSELLECK, REINHART, 1977: *Standortbindung und Zeitlichkeit. Ein Beitrag zur historiographischen Erschließung der geschichtlichen Welt.* In: Reinhart Koselleck/Wolfgang J. Mommsen/Jörn Rüsen (Hrsg.), Objektivität und Parteilichkeit in der Geschichtswissenschaft. [Reihe Beiträge zur Historik. Band 1], München, Seite 17 - 46.

KOSELLECK, REINHART, 2003 [2000]: *Zeitschichten. Studien zur Historik.* Frankfurt.

KOSLOWSKI, PETER (Hrsg.), 1997: *Methodology of the Social Sciences, Ethics, and Economics in the Newer Historical School. From Max Weber and Rickert to Sombart and Rothacker.* Berlin/Heidelberg/New York/Barcelona/Budapest/Hong Kong/London/Milan/Paris/Santa Clara/Singapore/Tokyo.

KOSTHORST, ERICH (Hrsg.), 1977: *Geschichtswissenschaft. Didaktik - Forschung - Theorie.* Göttingen.

KUNISCH, JOHANNES, 1979: *Staatsverfassung und Mächtepolitik. Zur Genese von Staatenkonflikten im Zeitalter des Absolutismus.* [Reihe Historische Forschungen. Band 15], Berlin.

KUNISCH, JOHANNES, 1992: *Fürst, Gesellschaft, Krieg. Studien zur bellizistischen Disposition des absoluten Fürstenstaates.* Köln/Weimar/Wien.

LAMBERT, KAREL/BRITTAN, GORDON G., 1991 [1987[3]]: *Eine Einführung in die Wissenschaftsphilosophie.* Übers. von Joachim Schulte, Berlin/New York.

LAMPRECHT, KARL, 1974 [posthum]: *Ausgewählte Schriften zur Wirtschafts- und Kulturgeschichte und zur Theorie der Geschichtswissenschaft.* Hrsg. von Herbert Schönebaum, Aalen.

LANGEVELD, MARTINUS J./DANNER, HELMUT, 1981: *Methodologie und ‚Sinn'-Orientierung in der Pädagogik.* Übers. von Helmut Danner, München.

LECOURT, DOMINIQUE, 2012[5] [2010[5]]: *La philosophie des sciences.* [Reihe Que sais-je?], Paris.

LEHMKUHL, URSULA, 2000: *Entscheidungsprozesse in der internationalen Geschichte: Möglichkeiten und Grenzen einer kulturwissenschaftlichen Fundierung außenpolitischer Entscheidungsmodelle.* In: Wilfried Loth/Jürgen Osterhammel (Hrsg.), Internationale Geschichte. Themen - Ergebnisse - Aussichten. [Reihe Studien zur Internationalen Geschichte. Band 10], München, Seite 187 - 207.

LEIBNIZ, GOTTFRIED WILHELM, 1996 [1710]: *Die Theodizee von der Güte Gottes, der Freiheit des Menschen und dem Ursprung des Übels. Vorwort, Abhandlung, erster und zweiter Teil.* Hrsg. und übers. von Herbert Herring, [Philosophische Schriften. Band 2,1], Frankfurt.

LEIBNIZ, GOTTFRIED WILHELM, 2012[2] [1720 posthum]: *Monadologie. Französisch/Deutsch.* Hrsg. und übers. von Hartmut Hecht, Stuttgart.

LIPPE, RUDOLF ZUR, 2005: *Epistemische und andere Formen des Wissens.* In: Karen Gloy/Rudolf zur Lippe (Hrsg.), Weisheit - Wissen - Information. Göttingen, Seite 23 - 38.

LORENZ, CHRIS, 1997 [1994[4]]: *Konstruktion der Vergangenheit. Eine Einführung in die Geschichtstheorie.* Übers. von Annegret Böttner, [Reihe Beiträge zur Geschichtskultur. Band 13], Köln/Weimar/Wien.

LORENZ, KUNO, 2008[2]: *Hypothese.* In: Jürgen Mittelstraß (Hrsg.), Enzyklopädie Philosophie und Wissenschaftstheorie. Band 3, G - Inn. Stuttgart/Weimar, Seite 490 - 492.

LÜBBE, HERMANN, 1979: *Wieso es keine Theorie der Geschichte gibt.* In: Jürgen Kocka/Thomas Nipperdey (Hrsg.), Theorie und Erzählung in der Geschichte. [Reihe Beiträge zur Historik. Band 3], München, Seite 65 - 84.

LUKS, LEONID, 2007: *Zwei Gesichter des Totalitarismus. Bolschewismus und Nationalsozialismus im Vergleich.* Köln/Weimar/Wien.

MANN, GOLO, 1979: *Plädoyer für die historische Erzählung.* In: Jürgen Kocka/Thomas Nipperdey (Hrsg.), Theorie und Erzählung in der Geschichte. [Reihe Beiträge zur Historik. Band 3], München, Seite 40 - 56.

MARX, KARL/ENGELS, FRIEDRICH, 2004 [1848 - 1890]: *Manifest der Kommunistischen Partei.* In: dies., Manifest der Kommunistischen Partei. Grundsätze des Kommunismus. Stuttgart, Seite 3 - 56.

MEIER, CHRISTIAN, 1982[2]: *Der Alltag des Historikers und die historische Theorie.* In: Hans Michael Baumgartner/Jörn Rüsen (Hrsg.), Seminar: Geschichte und Theorie. Umrisse einer Historik. Frankfurt, Seite 36 - 58.

MENNE, ALBERT, 1992[3]: *Einführung in die Methodologie. Elementare allgemeine wissenschaftliche Denkmethoden im Überblick.* [Reihe Die Philosophie. Einführungen in Gegenstand, Methoden und Ergebnisse ihrer Disziplinen], Darmstadt.

MENZEL, ULRICH, 1995[3]: *Geschichte der Entwicklungstheorie. Einführung und systematische Bibliographie.* [Reihe Schriften des Deutschen Übersee-Instituts Hamburg. Band 31], Hamburg.

MERAN, JOSEF, 1985: *Theorien in der Geschichtswissenschaft. Die Diskussion über die Wissenschaftlichkeit der Geschichte.* [Reihe Kritische Studien zur Geschichtswissenschaft. Band 66], Göttingen.

MERGEL, THOMAS, 1997: *Geht es weiterhin voran? Die Modernisierungstheorie auf dem Weg zu einer Theorie der Moderne.* In: Thomas Mergel/Thomas Welskopp (Hrsg.), Geschichte zwischen Kultur und Gesellschaft. Beiträge zur Theoriedebatte. München, Seite 203 - 232.

MERGEL, THOMAS/WELSKOPP, THOMAS, 1997: *Geschichtswissenschaft und Gesellschaftstheorie.* In: dies. (Hrsg.), Geschichte zwischen Kultur und Gesellschaft. Beiträge zur Theoriedebatte. München, Seite 9 - 35.

MERTON, ROBERT K., 1995 [1957[2]]: *Soziologische Theorie und soziale Struktur.* Hrsg. von Volker Meja/Nico Stehr, übers. von Hella Beister, Berlin/New York.

MILLS, C. WRIGHT, 1963 [1959]: *Kritik der soziologischen Denkweise.* Übers. von Albrecht Kruse, [Reihe Soziologische Texte. Band 8], Neuwied/Berlin.

MIẞFELDER, JAN-FRIEDRICH, 2008: *Endlich Klartext. Medientheorie und Geschichte.* In: Jens Hacke/Matthias Pohlig (Hrsg.), Theorie in der Geschichtswissenschaft. Einblicke in die Praxis des historischen Forschens. [Reihe Eigene und fremde Welten. Repräsentationen sozialer Ordnung im Vergleich. Band 7], Frankfurt/New York, Seite 181 - 198.

MÖLLER, HORST (Red.), 1982: *Deutscher Sonderweg - Mythos oder Realität?* [Reihe Kolloquien des Instituts für Zeitgeschichte], München/Wien.

MOMMSEN, WOLFGANG J., 1987[3]: *Imperialismustheorien. Ein Überblick über die neueren Imperialismusinterpretationen.* Göttingen.

MOMMSEN, WOLFGANG J., 2002[10]: *Die Urkatastrophe Deutschlands. Der Erste Weltkrieg 1914 - 1918.* [Gebhardt. Handbuch der deutschen Geschichte. Band 17], Stuttgart.

MÜLLER, PHILIPP, 2008: *Das Individuelle und das Allgemeine. „Theorie" in der Tradition des geschichtswissenschaftlichen Methodenstreits*. In: Jens Hacke/Matthias Pohlig (Hrsg.), Theorie in der Geschichtswissenschaft. Einblicke in die Praxis des historischen Forschens. [Reihe Eigene und fremde Welten. Repräsentationen sozialer Ordnung im Vergleich. Band 7], Frankfurt/New York, Seite 131 - 146.

NEUMAIR, SIMON-MARTIN, 2006: *Theorie des Außenhandels*. In: Hans-Dieter Haas/Simon-Martin Neumair (Hrsg.), Internationale Wirtschaft. Rahmenbedingungen, Akteure, räumliche Prozesse. [Reihe Edition Internationale Wirtschaft], München/Wien, Seite 187 - 213.

NOHLEN, DIETER/SCHULTZE, RAINER-OLAF, 2004[2]: *Theorie*. In: dies. (Hrsg.), Lexikon der Politikwissenschaft. Theorien, Methoden, Begriffe. Band 2, N - Z. München, Seite 987 - 993.

NOLTE, HANS-HEINRICH, 2005: *Das Weltsystem-Konzept - Debatte und Forschung*. In: Margarete Grandner/Dietmar Rothermund/Wolfgang Schwentker (Hrsg.), Globalisierung und Globalgeschichte. [Reihe Globalgeschichte und Entwicklungspolitik. Band 1], Wien, Seite 115 - 138.

ÖFFENBERGER, NIELS/SKARICA, MIRKO (Hrsg.), 2000: *Beiträge zum Satz vom Widerspruch und zur Aristotelischen Prädikationstheorie*. [Reihe Zur modernen Deutung der Aristotelischen Logik. Band 8], Hildesheim/Zürich/New York.

OPP, KARL-DIETER, 2014[7]: *Methodologie der Sozialwissenschaften. Einführung in Probleme ihrer Theorienbildung und praktischen Anwendung*. Wiesbaden.

OSTERHAMMEL, JÜRGEN/JANSEN, JAN C., 2012[7]: *Kolonialismus. Geschichte, Formen, Folgen*. München.

OTT, JOACHIM/TREU, MARTIN (Hrsg.), 2008: *Luthers Thesenanschlag - Faktum oder Fiktion*. [Reihe Schriften der Stiftung Luthergedenkstätten in Sachsen-Anhalt. Band 9], Leipzig.

PATZELT, WERNER J., 1986: *Sozialwissenschaftliche Forschungslogik. Einführung*. München/Wien.

PATZELT, WERNER J., 1993: *Formen und Aufgaben von ‚Theorieforschung' in den Sozialwissenschaften*. In: Ethik und Sozialwissenschaften. Streitforum für Erwägungskultur (EuS). 4 (1), Seite 111 - 123.

PLATON, 1989 [um 369 v. Chr.]: *Theätet. Griechisch/deutsch*. Hrsg. und übers. von Ekkehard Martens, Stuttgart.

PLATON, 2003 [um 372 v. Chr.]: *Der Staat. (Politeia)*. Hrsg. und übers. von Karl Vretska, Stuttgart.

POHLIG, MATTHIAS, 2008: *Geschmack und Urteilskraft. Historiker und die Theorie*. In: Jens Hacke/Matthias Pohlig (Hrsg.), Theorie in der Geschichtswissenschaft. Einblicke in die Praxis des historischen Forschens. [Reihe Eigene und fremde Welten. Repräsentationen sozialer Ordnung im Vergleich. Band 7], Frankfurt/New York, Seite 25 - 39.

POHLIG, MATTHIAS/HACKE, JENS, 2008: *Einleitung: Was bedeutet Theorie für die Praxis des Historikers?* In: Jens Hacke/Matthias Pohlig (Hrsg.), Theorie in der Geschichtswissenschaft. Einblicke in die Praxis des historischen Forschens. [Reihe Eigene und fremde Welten. Repräsentationen sozialer Ordnung im Vergleich. Band 7], Frankfurt/New York, Seite 7 - 23.

POPPER, KARL R., 2005[11] [posthum]: *Logik der Forschung*. Hrsg. von Herbert Keuth, [Gesammelte Werke in deutscher Sprache. Band 3], Tübingen.

PORTIDES, DEMETRIS, 2014[2]: *Models*. In: Martin Curd/Stathis Psillos (Hrsg.), The Routledge Companion to Philosophy of Science. London/New York, Seite 429 - 439.

POSER, HANS, 2012[2]: *Wissenschaftstheorie. Eine philosophische Einführung*. Stuttgart.

RANKE, LEOPOLD VON, 1995 [1833]: *Die großen Mächte. Fragment historischer Ansichten*. In: ders., Die großen Mächte. Politisches Gespräch. Hrsg. von Ulrich Muhlack, Frankfurt/Leipzig, Seite 9 - 70.

REYNOLDS, PAUL DAVIDSON, 2007 [1971]: *A Primer in Theory Construction*. [Reihe Allyn and Bacon classics], Boston/London.

RHEINBERGER, HANS-JÖRG, 2008[2]: *Historische Epistemologie zur Einführung*. [Reihe Zur Einführung. Band 336], Hamburg.

RICARDO, DAVID, 2006[2] [1817]: *Über die Grundsätze der Politischen Ökonomie und der Besteuerung*. Hrsg. von Heinz D. Kurz/Christian Gehrke, übers. von Gerhard Bondis/Ottmar Kotheimer, Marburg.

RIEß, LUDWIG, 1912: *Historik. Ein Organon geschichtlichen Denkens und Forschens*. Band 1, Berlin/Leipzig.

RITSERT, JÜRGEN (Hrsg.), 1976: *Zur Wissenschaftslogik einer kritischen Soziologie*. Frankfurt.

RITSERT, JÜRGEN, 1996: *Einführung in die Logik der Sozialwissenschaften*. Münster.

ROHBECK, JOHANNES, 2015[3]: *Geschichtsphilosophie. Zur Einführung*. [Reihe Zur Einführung. Band 302], Hamburg.

RÖHNER, JESSICA/SCHÜTZ, ASTRID, 2012: *Psychologie der Kommunikation*. [Reihe Basiswissen Psychologie], Wiesbaden.

ROSTOW, WALT WHITMAN, 1967[2] [1960]: *Stadien wirtschaftlichen Wachstums: Eine Alternative zur marxistischen Entwicklungstheorie*. Übers. von Elisabeth Müller, Göttingen.

RUSCH, GEBHARD, 2001: *Was sind eigentlich Theorien? Über Wirklichkeitsmaschinen in Alltag und Wissenschaft*. In: Theo Hug (Hrsg.), Wie kommt Wissenschaft zu Wissen? Band 4, Einführung in die Wissenschaftstheorie und Wissenschaftsforschung. Baltmannsweiler, Seite 93 - 116.

RÜSEN, JÖRN, 1976: *Für eine erneuerte Historik. Studien zur Theorie der Geschichtswissenschaft*. [Reihe Kultur und Gesellschaft. Neue historische Forschungen. Band 1], Stuttgart.

RÜSEN, JÖRN, 1982[2]: *Ursprung und Aufgabe der Historik*. In: Hans Michael Baumgartner/Jörn Rüsen (Hrsg.), Seminar: Geschichte und Theorie. Umrisse einer Historik. Frankfurt, Seite 59 - 93.

RÜSEN, JÖRN, 1983: *Historische Vernunft. Grundzüge einer Historik*. Band 1, *Die Grundlagen der Geschichtswissenschaft*. Göttingen.

RÜSEN, JÖRN, 1986: *Rekonstruktion der Vergangenheit. Grundzüge einer Historik*. Band 2, *Die Prinzipien der historischen Forschung*. Göttingen.

RÜSEN, JÖRN, 1989: *Lebendige Geschichte. Grundzüge einer Historik*. Band 3, *Formen und Funktionen des historischen Wissens*. Göttingen.

RÜSEN, JÖRN, 2003[3]: *Theorie der Geschichte*. In: Richard van Dülmen (Hrsg.), Das Fischer Lexikon Geschichte. Frankfurt, Seite 15 - 37.

RÜSEN, JÖRN, 2010 [2002]: *Geschichtstheorie*. In: Stefan Jordan (Hrsg.), Lexikon Geschichtswissenschaft. Hundert Grundbegriffe. Stuttgart, Seite 120 - 124.

RÜSEN, JÖRN, 2013: *Historik. Theorie der Geschichtswissenschaft*. Köln/Weimar/Wien.

RÜSEN, JÖRN/SÜSSMUTH, HANS (Hrsg.), 1980: *Theorien in der Geschichtswissenschaft*. [Reihe Geschichte und Sozialwissenschaften. Studientexte zur Lehrerbildung. Band 2], Düsseldorf.

SALMON, WESLEY/WOLTERS, GEREON (Hrsg.), 1994: *Logic, Language, and the Structure of Scientific Theories. Proceedings of the Carnap-Reichenbach Centennial, University of Konstanz, 21 - 24 May 1991*. [Pittsburgh-Konstanz Series in the Philosophy and History of Science. Band 2], Pittsburgh/Konstanz.

SCHECKER, MICHAEL (Hrsg.), 1976: *Methodologie der Sprachwissenschaft*. [Reihe Kritische Wissenschaft], Hamburg.

SCHELER, MAX, 1980[3]: *Die Wissensformen und die Gesellschaft*. [Gesammelte Werke. Band 8], Bern/München.

SCHIEDER, THEODOR, 1958 [1952]: *Der Typus in der Geschichtswissenschaft*. In: ders., Staat und Gesellschaft im Wandel unserer Zeit. Studien zur Geschichte des 19. und 20. Jahrhunderts. München, Seite 172 - 187.

SCHIEDER, THEODOR, 1979[2] [1968[2]]: *Geschichte als Wissenschaft. Eine Einführung*. München/Wien.

SCHIEDER, THEODOR/GRÄUBIG, KURT (Hrsg.), 1977: *Theorieprobleme der Geschichtswissenschaft*. [Reihe Wege der Forschung. Band 378], Darmstadt.

SCHLICK, ANDREAS JOSEF, 2011: *Über den Satz vom Widerspruch im vierten Buch der aristotelischen Metaphysik.* [Epistemata. Würzburger wissenschaftliche Schriften. Reihe Philosophie. Band 491], Würzburg.

SCHMEER, HANS, 1959[2]: *Wissenschaftskunde. Ein Überblick.* Hamburg/Uelzen.

SCHNÄDELBACH, HERBERT, 1979: *Zum Theoriegebrauch in den Geschichtswissenschaften. Diskussionsbemerkungen.* In: Jürgen Kocka/Thomas Nipperdey (Hrsg.), Theorie und Erzählung in der Geschichte. [Reihe Beiträge zur Historik. Band 3], München, Seite 224 - 226.

SCHNEIDER, HANS JULIUS, 2005: *Die Vielfalt westlicher Wissensformen. Skizze einer Systematisierung aus sprachpragmatischer Sicht.* In: Karen Gloy/Rudolf zur Lippe (Hrsg.), Weisheit - Wissen - Information. Göttingen, Seite 39 - 51.

SCHNELL, RAINER/HILL, PAUL B./ESSER, ELKE, 2013[10]: *Methoden der empirischen Sozialforschung.* München.

SCHUDER, WERNER (Hrsg.), 1955: *Universitas Litterarum. Handbuch der Wissenschaftskunde.* Berlin.

SCHURZ, GERHARD, 2014[4]: *Einführung in die Wissenschaftstheorie.* Darmstadt.

SEIFFERT, HELMUT, 1994[2] [1989]: *Theorie.* In: Helmut Seiffert/Gerard Radnitzky (Hrsg.), Handlexikon der Wissenschaftstheorie. München, Seite 368 - 369.

SEIFFERT, HELMUT, 1997: *Einführung in die Wissenschaftstheorie.* Band 4, *Wörterbuch der wissenschaftstheoretischen Terminologie.* München.

SEIFFERT, HELMUT, 2003[13] [1996[12]], 2006[11], 2001[3], 1997: *Einführung in die Wissenschaftstheorie.* 4 Bände, München.

SEWELL, WILLIAM H., 2005: *Logics of History. Social Theory and Social Transformation.* [Reihe Chicago Studies in Practices of Meaning], Chicago/London.

SIEGENTHALER, HANSJÖRG, 2008: *Theorienvielfalt in den Geschichtswissenschaften und die Heuristik der Rationalitätspräsumption.* In: Andreas Frings/Johannes Marx (Hrsg.), Erzählen, Erklären, Verstehen. Beiträge zur Wissenschaftstheorie und Methodologie der Historischen Kulturwissenschaften. [Reihe Beiträge zu den Historischen Kulturwissenschaften. Band 3], Berlin, Seite 27 - 48.

SNEED, JOSEPH D., 1979[2]: *The Logical Structure of Mathematical Physics.* [Reihe Pallas Paperbacks. Band 14], Dordrecht/Boston/London.

STEGMÜLLER, WOLFGANG, 1974 [1970]: *Probleme und Resultate der Wissenschaftstheorie und Analytischen Philosophie.* Band 2, *Theorie und Erfahrung.* Teilband 1, *Begriffsformen, Wissenschaftssprache, empirische Signifikanz und theoretische Begriffe.* Berlin/Heidelberg/New York/Tokyo.

STEGMÜLLER, WOLFGANG, 1979: *The Structuralist View of Theories. A Possible Analogue of the Bourbaki Programme in Physical Science.* Berlin/Heidelberg/New York.

STEGMÜLLER, WOLFGANG, 1980: *Hypothese.* In: Josef Speck (Hrsg.), Handbuch wissenschaftstheoretischer Begriffe. Band 2, G - Q. Göttingen, Seite 284 - 287.

STEGMÜLLER, WOLFGANG, 1985[2]: *Probleme und Resultate der Wissenschaftstheorie und Analytischen Philosophie.* Band 2, *Theorie und Erfahrung.* Teilband 2, *Theorienstrukturen und Theoriendynamik.* Berlin/Heidelberg/New York/Tokyo.

STEGMÜLLER, WOLFGANG, 1987[8]: *Hauptströmungen der Gegenwartsphilosophie. Eine kritische Einführung.* Band 2, Stuttgart.

STEINER, GERHARD/HEDINGER, URS K./FLAMMER, AUGUST, 1975: *Sprache, soziales Verhalten, Methoden der Forschung. Zum aktuellen Forschungsstand der Sprachpsychologie und der pädagogischen Soziologie mit einer Einführung in die Statistik und Methodologie der erziehungswissenschaftlichen Forschung.* [Reihe Lehrerbildung von morgen. Band 3], Stuttgart.

STINCHCOMBE, ARTHUR L., 2005: *The Logic of Social Research.* Chicago/London.

STOLZ, THOMAS/KOLBE, KATJA (Hrsg.), 2003: *Methodologie in der Linguistik.* Frankfurt/Berlin/Bern/Bruxelles/New York/Oxford/Wien.

STRÖKER, ELISABETH, 1992[4] [1977[2]]: *Einführung in die Wissenschaftstheorie.* [Reihe Die Philosophie. Einführung in Gegenstand, Methoden und Ergebnisse ihrer Disziplinen], Darmstadt.

SUPPE, FREDERICK (Hrsg.), 1979[2] [1977[2]]: *The Structure of Scientific Theories.* Urbana/Chicago/London.

SUPPE, FREDERICK, 1989: *The Semantic Conception of Theories and Scientific Realism.* Urbana/Chicago.

SUPPES, PATRICK, 1967: *What Is a Scientific Theory?* In: Sidney Morgenbesser (Hrsg.), Philosophy of science today. New York/London, Seite 55 - 67.

TAUSEND, KLAUS, 1992: *Amphiktyonie und Symmachie. Formen zwischenstaatlicher Beziehungen im archaischen Griechenland.* [Reihe Historia. Zeitschrift für Alte Geschichte. Einzelschriften. Band 73], Stuttgart.

THIEL, CHRISTIAN, 1996: *Theorie.* In: Jürgen Mittelstraß (Hrsg.), Enzyklopädie Philosophie und Wissenschaftstheorie. Band 4, Sp - Z. Stuttgart/Weimar, Seite 260 - 270.

THIEL, CHRISTIAN, 2005[2]: *Axiom.* In: Jürgen Mittelstraß (Hrsg.), Enzyklopädie Philosophie und Wissenschaftstheorie. Band 1, A - B. Stuttgart/Weimar, Seite 332 - 333.

THOMAS, WILLIAM I., 1978[3] [1931]: *The Definition of the Situation.* In: Jerome G. Manis/Bernard N. Meltzer (Hrsg.), Symbolic Interaction. A Reader in Social Psychology. Boston/London/Sydney/Toronto, Seite 254 - 258.

THOMAS, WILLIAM I./THOMAS, DOROTHY SWAINE, 1970 [1928]: *The Child in America. Behavior Problems and Programs.* New York/London.

TOPITSCH, ERNST (Hrsg.), 1993[12]: *Logik der Sozialwissenschaften.* [Reihe Neue Wissenschaftliche Bibliothek], Frankfurt.

TOPOLSKI, JERZY, 1976 [1973]: *Methodology of History.* Übers. von Olgierd Wojtasiewicz, [Reihe Synthese library. Band 88], Warszawa/Dordrecht/Boston.

WALLERSTEIN, IMMANUEL, 2012 [1974 - 2011]: *Das moderne Weltsystem.* 4 Bände, [Reihe Edition Weltgeschichte], Wien.

WEBER, MAX, 1968 [posthum]: *Methodologische Schriften.* Hrsg. von Johannes Winckelmann, Frankfurt.

WEBER, MAX, 1988[7]a [1904]: *Die „Objektivität" sozialwissenschaftlicher und sozialpolitischer Erkenntnis.* In: ders., Gesammelte Aufsätze zur Wissenschaftslehre. Hrsg. von Johannes Winckelmann, Tübingen, Seite 146 - 214.

WEBER, MAX, 1988[7]b [1922 posthum]: *Gesammelte Aufsätze zur Wissenschaftslehre.* Hrsg. von Johannes Winckelmann, Tübingen.

WEBER, MAX, 2009[5] [1972[5] posthum]: *Wirtschaft und Gesellschaft. Grundriss der verstehenden Soziologie.* Hrsg. von Johannes Winckelmann, Tübingen.

WEBER, WOLFGANG E. J., 2002: *Geschichte der europäischen Universität.* Stuttgart.

WEHLER, HANS-ULRICH, 1979a: *Anwendung von Theorien in der Geschichtswissenschaft.* In: Jürgen Kocka/Thomas Nipperdey (Hrsg.), Theorie und Erzählung in der Geschichte. [Reihe Beiträge zur Historik. Band 3], München, Seite 17 - 39.

WEHLER, HANS-ULRICH (Hrsg.), 1979[3]b [1979[4]]: *Imperialismus.* Königstein.

WEHLER, HANS-ULRICH, 1997: *Kommentar.* In: Thomas Mergel/Thomas Welskopp (Hrsg.), Geschichte zwischen Kultur und Gesellschaft. Beiträge zur Theoriedebatte. München, Seite 351 - 366.

WEIß, ULRICH, 2004[2]: *Ideologie/Ideologiekritik.* In: Dieter Nohlen/Rainer-Olaf Schultze (Hrsg.), Lexikon der Politikwissenschaft. Theorien, Methoden, Begriffe. Band 1, A - M. München, Seite 341 - 342.

WELSKOPP, THOMAS, 2002: *Die Theoriefähigkeit der Geschichtswissenschaft.* In: Renate Mayntz (Hrsg.), Akteure - Mechanismen - Modelle. Zur Theoriefähigkeit makrosozialer Analysen. [Reihe Schriften des Max-Planck-Instituts für Gesellschaftsforschung Köln. Band 42], Frankfurt/New York, Seite 61 - 90.

WELSKOPP, THOMAS, 2008: *Theorien in der Geschichtswissenschaft.* In: Gunilla Budde/Dagmar Freist/Hilke Günther-Arndt (Hrsg.), Geschichte. Studium - Wissenschaft - Beruf. [Reihe Akademie Studienbücher. Geschichte], Berlin, Seite 138 - 157.

WENTURIS, NIKOLAUS/HOVE, WALTER VAN/DREIER, VOLKER, 1992: *Methodologie der Sozialwissenschaften. Eine Einführung.* Tübingen.

WHITE, HAYDEN, 2008 [1973]: *Metahistory. Die historische Einbildungskraft im 19. Jahrhundert in Europa.* Übers. von Peter Kohlhaas, Frankfurt.

WIERSING, ERHARD, 2007: *Geschichte des historischen Denkens. Zugleich eine Einführung in die Theorie der Geschichte.* Paderborn/München/Wien/Zürich.

WIENOLD, HANNS, 2011[5]: *Theorie.* In: Werner Fuchs-Heinritz/Daniela Klimke/Rüdiger Lautmann/Otthein Rammstedt/Urs Stäheli/Christoph Weischer/Hanns Wienold (Hrsg.), Lexikon zur Soziologie. Wiesbaden, Seite 685.

WOLTERS, GEREON, 1996: *Theorem.* In: Jürgen Mittelstraß (Hrsg.), Enzyklopädie Philosophie und Wissenschaftstheorie. Band 4, Sp – Z. Stuttgart/Weimar, Seite 258.

ZIMA, PETER V., 2004: *Was ist Theorie? Theoriebegriff und Dialogische Theorie in den Kultur- und Sozialwissenschaften.* Tübingen/Basel.

4
Begriff, Definition, Begriffsanalyse
Grundzüge der Terminologie

I. Einleitung

Innerhalb der Geschichtswissenschaft ist zuweilen bis heute ein von einfachen Alltagsvorstellungen der Zeitgenossen oder der Historiker selbst weitgehend unreflektierter Umgang mit wissenschaftlichen Begriffen vorherrschend. Diese (irritierenderweise sogar gewollte) fachliche Eigentümlichkeit wird im Wesentlichen damit begründet, dass die Geschichtswissenschaft „eine lebensnahe Wissenschaft" sei, die ihre „Gegenstände und ihre Erklärungen [...] zum großen Teil mit den Kategorien der alltäglichen Erfahrung [...] erfasse[...]", weshalb ihre „Begrifflichkeit [...] nur begrenzt fachsprachlich festgelegt" sei. „Dagegen [übernehme man ...] häufig mit voller Absicht Ausdrücke und Wendungen aus der Gemeinsprache [...], um einen höheren Grad an Anschaulichkeit und Angemessenheit zu erreichen."[1]

Sicher, beabsichtigt man in die Gedankenwelt einzelner historischer Personen und Personengruppen vorzudringen oder die Sprachkultur innerhalb einer bestimmten Institution einzufangen, so kann es durchaus sinnvoll sein, auch die zeitgenössische Begrifflichkeit zur Geltung kommen zu lassen. Allerdings gibt es demgegenüber wissenschaftliche Fachbegriffe, wie etwa die ‚Person', die ‚Sprachkultur' oder die ‚Institution', mittels derer wir uns der Wirklichkeit im Grunde überhaupt erst geistig nähern und Erkenntnisse über diese gewinnen können. Würde man nicht klar und eindeutig ausdrü-

---

[1] Volker Sellin, 2008[2]: Seite 126. Einschlägige allgemeine Handwörterbücher und Handlexikons (zumindest der deutschsprachigen Geschichtswissenschaft) weisen bezeichnenderweise nicht einmal die Lemmas ‚Begriff', ‚Definition', ‚Terminologie' oder ‚Terminus' auf: Manfred Asendorf/Jens Flemming/Achatz von Müller/Volker Ullrich, 1994; Erich Bayer/Frank Wende, 1995[5]; Konrad Fuchs/Heribert Raab, 2002[13]; Richard van Dülmen, 2003[3]; Stefan Jordan, 2010; Anne Kwaschik/Mario Wimmer, 2010. Im Hinblick auf entsprechende Lehrbücher und einführende Handbücher ist die Lage kaum besser: Wolfgang Hardtwig, 1990; Vera Nünning/Ralf Saal, 1995; Sören Dengg/Inge Swolek, 1996; Egon Boshof/Kurt Düwell/Hans Kloft, 1997[5]; Peter Burschel/Heinrich Schwendemann/Kirsten Steiner/Eckhard Wirbelauer, 1997; John H. Arnold, 2001; Michael Maurer, 2001 – 2005; Bertrand Michael Buchmann, 2002; Stefan Jordan, 2005; Joachim Eibach/Günther Lottes, 2006[2]; Hans-Jürgen Goertz, 2007[3]; Gunilla Budde/Dagmar Freist/Hilke Günther-Arndt, 2008; Volker Sellin, 2008[2]; Christoph Cornelißen, 2009[4]; Ulinka Rublack, 2013. Siehe zum Status von Begriffen innerhalb der Geschichtswissenschaft ferner: Alun Munslow, 2006[2]: Seite 63 – 66 (Artikel: *Concepts in history*).

cken können, was mit den von einem Forscher verwendeten Ausdrücken genau gemeint ist, was an Realität also mit diesen Begriffen eingefangen werden soll, wären die produzierten Untersuchungsergebnisse sachlich ohne Kontext und in dieser Form nur sehr schwer zugänglich. Der Forscher würde in diesem Fall kaum von der zeitgenössischen Sprache und ihrer Begrifflichkeit abweichen können. So könnte er beispielsweise nicht klar zum Ausdruck bringen, dass das altgriechische Phänomen der *συμμαχία* eine kriegs- und sicherheitspolitisch ausgerichtete Internationale Organisation war. Historische Gegebenheiten, die Jahrhunderte oder Jahrtausende zurückliegen, lediglich in der Sprache ihrer jeweiligen Zeitgenossen zu reformulieren, erzeugt insofern noch keinen Mehrwert für die Forschungsarbeit der Gegenwart. Innerhalb der Wissenschaft ist es daher unabdingbar, sich von der zeitgenössischen Alltags- und Fachsprache, der sogenannten ‚Beobachtungssprache' oder ‚Quellensprache', zu emanzipieren und stattdessen eine reflektierte (aktuelle) Wissenschaftssprache oder Untersuchungssprache mit einer klaren und einheitlichen Begrifflichkeit zu nutzen. Nur dann ist es möglich, präzise und eindeutige Aussagen über die analysierte Wirklichkeit zu treffen und gewonnene Erkenntnisse den anderen Forschern der Wissenschaftsgemeinschaft gegenüber, die ihrerseits dieselbe Wissenschaftssprache pflegen, unmittelbar mitzuteilen.[2] Im Grunde aber wird in dieser zugespitzten Weise auch innerhalb der Geschichtswissenschaft letztlich nicht gearbeitet. Nur ist hier die Bedeutung von (*wissenschaftlichen*) Fachbegriffen bislang erst in Ansätzen erkannt und internalisiert worden.

Zur Auseinandersetzung mit den wissenschaftlichen Fachbegriffen haben die Philosophie, die Sprachwissenschaft und die anderen Einzelwissenschaften ein spezielles, fachübergreifend bestehendes Arbeitsfeld etabliert, das unter der Bezeichnung ‚Terminologie' (Begriffskunde) firmiert. Es ist die Lehre von der Gesamtheit der Begriffe einer Sprache oder eines bestimmten Fachgebietes, wie etwa einer ganzen Wissenschaftsdisziplin, eines speziellen Forschungsfeldes oder auch nur einer einzelnen wissenschaftlichen Arbeit.[3] Die bloße Gesamtheit der Begriffe stellt die Nomenklatur (der sogenannte

---

2 Vgl. Karl Brunner, 2004[4]: Seite 78; Ludolf Herbst, 2004: Seite 166 – 167.

3 Die Terminologie ist disziplinär in vielfältiger Weise einzuordnen. Zunächst einmal ist sie ein zentrales Arbeitsfeld einer jeden Wissenschaft. Gleichzeitig ist sie aber auch ein ordinärer Teil sowohl der speziellen Wissenschaftstheorie (der Einzelwissenschaften) als auch der allgemeinen Wissenschaftstheorie (der Philosophie). Daneben bildet sie innerhalb der Sprachwissenschaft einen Spezialbereich neben der (mit ihr eng verbundenen) Lexikologie. Aufgrund ihrer teilweisen historischen Ausrichtung ist die Terminologie schließlich auch ein Arbeitsfeld der (geschichtswissenschaftlichen wie linguistischen) Subdisziplin der Sprachgeschichte. Siehe allgemein zur Terminologie: Helmut Felber/Gerhard Budin, 1989; Eugen Wüster, 1991[3]; Alain Rey, 1992[2]; Helmi B. Sonneveld/Kurt L. Loening, 1993; Kuno Lorenz, 1996a; Marie-Claude L'Homme, 2004; Reiner Arntz/Heribert Picht/Klaus-Dirk Schmitz, 2014[7]. Vgl. daneben zur (multidisziplinären) Sprachgeschichte etwa: Hermann Paul, 1995[10]; Andrew L. Sihler, 2000.

'Fachwortschatz') eines solchen (sprachlichen oder fachlichen) Gebietes dar. Demgegenüber wird die Gesamtheit der Wörter einer ganzen Sprache, die sowohl von ihren jeweiligen Sprachvertretern oder Sprachvertretergruppen in individuellen Ausprägungsvarianten verwendet wird als auch nutzerübergreifend als allgemeine Sprachform besteht, als 'Lexik' (Sprachwortschatz) bezeichnet, deren wissenschaftliche Bearbeitung wiederum innerhalb der Lexikologie (Wortkunde) stattfindet.[4]

Das Anliegen dieser Arbeit ist es, einige zentrale Grundlagen des Umgangs mit und der Untersuchung von Begriffen auf dem aktuellen Stand der multidisziplinären terminologischen Diskussion und Forschung zusammenzutragen und somit für die geschichtswissenschaftliche Arbeit bereitzustellen. Dazu wird im Folgenden zuerst geklärt, was unter einem Begriff überhaupt zu verstehen ist (Kapitel II). Danach geht es darum, wie der Gehalt eines Terminus durch eine Definition bestimmt wird (Kapitel III). Zum Abschluss wendet sich die Arbeit schließlich den verschiedenen Grundformen der Analyse von Begriffen zu (Kapitel IV).

II. Der Begriff

Wenn man sich mit Begriffen beschäftigt, ist es zunächst einmal notwendig, sich Klarheit darüber zu verschaffen, was ein Begriff als solcher überhaupt ist. Unter einem Begriff (Terminus)[5] wird ein inhaltsreicher sprachlicher

---

4 Vgl. zur Lexikologie: Christoph Schwarze/Dieter Wunderlich, 1985; Ingrid Kühn, 1994; Inge Pohl/Horst Ehrhardt, 1995; Roland Eluerd, 2000; Michael A. K. Halliday/Colin Yallop, 2007; Volker Harm, 2015.

5 Das Wort 'Begriff' geht zurück auf das mittelhochdeutsche begrif, was Bezirk, Umfang oder Vorstellungsinhalt meint. Der äquivalente Ausdruck 'Terminus' stammt seinerseits vom altlateinischen *terminus*, was mit Grenze oder Ziel übersetzt werden kann. Demgegenüber ist ein Wort (Lexem), wie im fortlaufenden Text noch gezeigt wird, nur bedingt dasselbe wie ein Begriff. Keine Identität besteht dagegen zwischen einem Begriff und einem sogenannten 'Konzept', wie sie in der Literatur – angesichts entsprechender fremdsprachlicher Übersetzungen (beispielsweise wird das Wort 'Begriff' üblicherweise mit dem englischen *concept* identifiziert, obgleich der Ausdruck *'term'* als das eigentlich angemessenere Äquivalent erscheint) – allerdings vielfach vertreten wird. Ein Konzept ist weit mehr als ein Begriff, da es sich hierbei um eine in der Regel wesentlich umfangreichere Vorstellung oder Theorie von einem bestimmten, gegebenenfalls durch einen speziellen Begriff sprachlich eingefangenen Wirklichkeitsobjekt handelt, bei der weitergehende Zusammenhänge in den Blick genommen werden. Beispielsweise kann mit dem *Begriff* des 'Imperialismus' gemeint sein „die Politik eines Staates [...], die darauf abzielt, Macht und Einfluß außerhalb der eigenen Staatsgrenzen über Völker auszuüben, entweder direkt durch Vergrößerung des Staatsgebiets oder indirekt, [(sic)] durch politische, wirtschaftliche, militärische und/oder kulturelle Dominanz, wobei die betroffenen Völker i{n} d{er} R{egel} nicht bereit sind, sich diesem Druck oder Einfluß zu unterwerfen {beziehungsweise} deren eigene Willensbekundungen und Interessen von der imperialen Macht ignoriert werden". Helmut Volger, 1997: Seite 217. Wie genau eine solche imperialistische Politik nun funktio-

Ausdruck verstanden, der mit einem bestimmten Wirklichkeitsausschnitt verknüpft ist.[6] Dabei steht dem damit angesprochenen Objekt der Realität, dem sogenannten ‚Designat' (auch: Designatum, Begriffsreferent oder Begriffsgegenstand), der eigentliche Begriff (Begriffsgehalt) gegenüber. Dieser setzt sich seinerseits aus mehreren Bestandteilen zusammen:

(1) Der sogenannte ‚Designator' (auch: Signifikant, Signans, Begriffslexem, Begriffsdenomination, Begriffsbenennung oder Begriffsbezeichnung) ist das bloße Begriffs*wort*, durch welches ein Begriff bezeichnet wird (etwa die Wörter ‚Kindheit', ‚Adel', ‚totalitäre Diktatur' oder ‚Krieg'). Dieses Wort lässt sich auf zweierlei Arten ausdrücken: (a) durch ein *Begriffssignum* (Begriffszeichen), also jener (schriftlichen) Schreibzeichenfolge, aus der ein bestimmtes Begriffswort besteht (beispielsweise wird das Wort ‚Gesellschaft' in der deutschen Sprache durch eine Aneinanderreihung der entsprechenden Buchstaben in der (graphematischen) Form <Gesellschaft> skriptural dargestellt);[7] oder (b) durch ein *Begriffsphonat* (Begriffslaut), das heißt

---

niert, in welchen Kontexten sie entsteht und umgesetzt wird, wie sie gegenüber den abhängigen Ländern und Völkern wirkt und welche unterschiedlichen Erscheinungsformen sich dafür ausmachen lassen, kurzum: wie das *Konzept* des Imperialismus im Detail aussieht, darüber geben etwa die zahlreichen Imperialismustheorien Auskunft (nicht jedoch der bloße Imperialismusbegriff selber). Vgl. Hans-Ulrich Wehler, 1979[3]; Wolfgang J. Mommsen, 1987[3]; Michael Heinrich, 2010[3].

[6] Zu dem, was ein Begriff ist und wie er aufgebaut ist, siehe: Wolfgang Stegmüller, 1980; Werner J. Patzelt, 1986: Seite 112 – 147; Jörn Rüsen, 1986: Seite 80 – 86; ders., 2013: Seite 156 – 161; Helmut Felber/Gerhard Budin, 1989: Seite 2 – 3, 69 – 103; Eugen Wüster, 1991[3]: Seite 8 – 9; Albert Menne, 1992[3]: Seite 25 – 32; Nikolaus Wenturis/Walter van Hove/Volker Dreier, 1992: Seite 332 – 347; Christian Thiel/Helmut Seiffert, 1994[2]; Hans-Jürgen Goertz, 1995: Seite 161 – 165; Kuno Lorenz, 1996b; Chris Lorenz, 1997: Seite 40 – 45; Helmut Seiffert, 1997: Seite 39 – 40 (Artikel: Begriff); Ludolf Herbst, 2004: Seite 167 – 168; Marie-Claude L'Homme, 2004: Seite 52 – 53; Jürgen Mittelstraß, 2005[2]; Arno Anzenbacher, 2007[12]: Seite 219 – 222; Hadumod Bußmann, 2008[4]: Seite 84 – 85 (Artikel: Begriff); Peter Atteslander, 2010[13]: Seite 40 – 41; Rainer Schnell/Paul B. Hill/Elke Esser, 2013[10]: Seite 48; Reiner Arntz/Heribert Picht/Klaus-Dirk Schmitz, 2014[7]: Seite 48 – 56; Karl-Dieter Opp, 2014[7]: Seite 117 – 147; Gerhard Schurz, 2014[4]: Seite 66 – 79; Michael Häder, 2015[3]: Seite 26 – 28.

[7] Die kleinsten Einheiten von Sprachzeichen sind Graphen (einfache Sprachzeichen; Schriftzeichen (zum Beispiel Buchstaben eines Alphabets), die jedoch in jeweils verschiedenen individuellen Ausformungen auftreten) und Grapheme (distinktive Sprachzeichen; Schriftzeichen (zum Beispiel Buchstaben eines Alphabets) in ihrer allgemeinen Grundform). Die Sequenz von Graphen oder Graphemen, die ein vollständiges Wort ergeben, soll hier ‚Signum' genannt werden. Innerhalb der Sprachwissenschaft sind die Sprachzeichen Gegenstand der Semiologie (oder Semiotik), wobei sich die Graphetik mit den Graphen und die Graphemik (oder Graphematik) mit den Graphemen befasst (und zwar beides einschließlich Ziffern und Sonderzeichen). Die Begrifflichkeit insbesondere der Teildisziplinen und der speziellen Arbeitsfelder ist allerdings höchst umstritten und ihre jeweilige Konzeption bisweilen noch inkonsequent. Im Übrigen ergeben sich hier enge Verbindungsmöglichkeiten mit den geschichtswissenschaftlichen Hilfsdisziplinen der Paläographie und der Kodikologie. Vgl. Winfried Nöth, 2000[2]; Ugo Volli, 2002; Christa Dürscheid, 2012[4]; Nanna Fuhrhop/Jörg Peters, 2013.

durch jene (mündliche) Sprechlautfolge, die einem bestimmten Begriffswort zugeordnet ist (beispielsweise wird das Wort ‚Gesellschaft' im Deutschen durch eine Aneinanderreihung der entsprechenden Laute in der (phonetischen) Form [gəˈzɛlʃaft] akustisch ausgedrückt).[8]

(2) Demgegenüber meint das sogenannte ‚Designans' (auch: Signifikat, Signatum oder Begriffsproposition) den reinen Begriffs*inhalt*, durch den ein Begriff etwas bezeichnet. Dieser weist zweierlei verschiedene Dimensionen auf: (a) Die *Begriffsintension* (auch: Konnotation, Konnotat oder Begriffsbedeutung) bezieht sich auf jenen informationellen Gehalt respektive auf jene Menge von Merkmalen, den beziehungsweise die ein bestimmter Begriff enthält (etwa wenn Max Weber ‚Macht' definiert als „jede Chance, innerhalb einer sozialen Beziehung den eigenen Willen auch gegen Widerstreben durchzusetzen, gleichviel worauf diese Chance beruht").[9] (b) Dagegen ist mit der *Begriffsextension* (auch: Denotation, Denotat oder Begriffsumfang) jene Menge von Gegenständen der Wirklichkeit verbunden, welche von einem bestimmten Begriff eingefangen werden (etwa wenn man als ‚demokratische Staaten' unter anderem versteht Athen im 5. und 4. vorchristlichen Jahrhundert, Amerika seit seiner Gründung 1789, Britannien seit dem 19. Jahrhundert oder (West)Deutschland zwischen 1919 und 1933 sowie seit 1949).[10]

---

[8] Die kleinsten Einheiten von Sprachlauten sind Phone (einfache Sprachlaute; Sprechlaute (schriftlich dargestellt durch die Elemente eines phonetischen Alphabets), die jedoch als jeweils unterschiedliche individuelle Ausprägungsvarianten vorkommen) und Phoneme (distinktive Sprachlaute; Sprechlaute in ihrer allgemeinen Grundform). Die Sequenz von Phonen oder Phonemen, die ein vollständiges Wort ergeben, soll hier ‚Phonat' genannt werden. Innerhalb der Sprachwissenschaft sind die Sprachlaute Gegenstand der Phonologie, wobei sich die Phonetik mit den Phonen und die Phonemik (oder Phonematik) mit den Phonemen befasst. Auch hier ist die Begrifflichkeit insbesondere der Teildisziplinen und der speziellen Arbeitsfelder höchst umstritten und ihre jeweilige Konzeption mitunter noch inkonsequent. Vgl. Karl Heinz Ramers, 2001²; Magnús Pétursson/Joachim M. H. Neppert, 2002³; P. Ritter, 2005⁵; Michael Dürr/Peter Schlobinski, 2006³: Seite 27 – 74; Bernd Pompino-Marschall, 2009³; T. Alan Hall, 2011²; Richard Wiese, 2011; Elmar Ternes, 2012³; Nanna Fuhrhop/Jörg Peters, 2013.

[9] Max Weber, 2009⁵: Seite 28.

[10] Eine Unterscheidung von ‚Begriffs*umfang*' im Sinne der Summe aller unter einen Terminus subsumierbarer Unterbegriffe (auf jeweils gleicher Hierarchieebene) einerseits und von ‚begrifflicher Gegenstands*klasse*' im Sinne der Gesamtheit der Objekte, die unter den Begriff fallen, andererseits wird hier nicht vorgenommen, da sie überflüssig erscheint. Erstens ist nicht zu sehen, was man damit gewonnen hat, einen auch noch so grundlegenden Begriff in mehrere Unterbegriffe aufzugliedern. Und zweitens ist die Konstitution eines Terminus konzeptionell gesehen nicht an die Entität subsumierbarer (Unter)Begriffe oder an andere Begriffe überhaupt gebunden, was historisch gesehen doch zur Folge haben müsste, dass es niemals einen ersten Begriff hätte geben können. Vielmehr besteht ein Terminus dadurch, dass er eine Bedeutung (Begriffsintension) enthält und zugleich klar ist, was an Realität damit konkret eingeschlossen wird (Begriffsextension). Eine derartige Differenzierung aber vertreten: Helmut Felber/Gerhard Budin, 1989: Seite 2, 70; Reiner Arntz/Heribert Picht/Klaus-Dirk Schmitz, 2014⁷: Seite 52 – 54. Siehe zum allgemeinen Aufbau eines Begriffs ferner Abbildung 4.1.

Abbildung 4.1: Die Bestandteile eines Begriffs

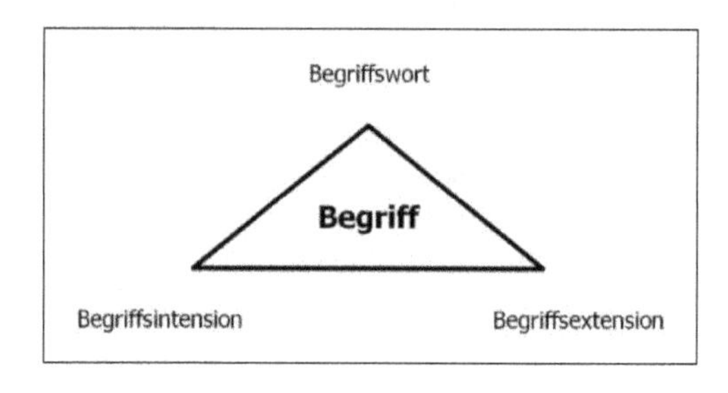

Aus dem allgemeinen Aufbau von Begriffen geht unter anderem hervor, dass es sich hierbei nicht lediglich um sprachliche Kommunikationsmittel handelt, sondern dass darüber hinaus durch einen Terminus dem durch ihn angesprochenen Gegenstand der Realität bestimmte Eigenschaften zugeordnet werden. Begriffe enthalten demnach Aussagen über die Wirklichkeit, ohne dass deren Stimmigkeit innerhalb des begrifflichen Rahmens vollständig nachgewiesen wird. Insofern verfügen Begriffe über einen theoretischen Charakter und stellen damit zugleich eine erste, inhaltlich allerdings noch sehr begrenzte Form von Wissen dar.[11]

Dem Begriff in der Sache ähnlich ist das Wort (Lexem).[12] Obwohl es sich bei einem Wort zwar um ein vieldiskutiertes, aber dennoch bisweilen unkla-

---

[11] Siehe dazu die entsprechenden Ausführungen in meiner Arbeit „Was ist Theorie? Über Begriff, Vielfältigkeit und Nutzungsmöglichkeiten von Theorie in der Geschichtswissenschaft" (Kapitel II, III.1) in diesem Band.

[12] Vgl. zum Konzept des Wortes: Albert Menne, 1992³: Seite 39 – 45; Ingrid Kühn, 1994: Seite 18 – 21; Kuno Lorenz, 1996c; Roland Eluerd, 2000: Seite 34 – 68; Johannes Volmert, 2005⁵: Seite 22 – 24; Michael Dürr/Peter Schlobinski, 2006³: Seite 75 – 78; Michael A. K. Halliday/Colin Yallop, 2007: Seite 1 – 5; Hadumod Bußmann, 2008⁴: Seite 398 (Artikel: Lexem), Seite 794 (Artikel: Wort); Volker Harm, 2015: Seite 12 – 23. Den Unterschied und das Verhältnis von Wort und Begriff allerdings vorrangig vor dem Hintergrund der von Reinhart Koselleck vertretenen Konzeption der Begriffsgeschichte diskutieren: Hans Erich Bödeker, 2002²b: Seite 85 – 97; Ludolf Herbst, 2004: Seite 167 – 168; Stefan Jordan, 2013²: Seite 125 – 126, 130. Es ist an dieser Stelle generell festzustellen, dass die wortbezogenen (Teil)Gebilde des (lexikalischen, genauer: lexetischen) *Lex*, des (morphologischen, genauer: morphetischen) *Morph*, des (semiologischen, genauer: graphetischen) *Graph* und des (phonologischen, genauer: phonetischen) *Phon*, welche sich auf die einzelfallbezogene Ausdrucksweise jeweils konkreter individueller Sprachvertreter oder Sprachvertretergruppen (der in Französisch sogenannten *‚parole'*, übersetzt: Rede) beziehen, sowie diejenigen des (lexikalischen, genauer: lexematischen) *Lexem*, des (morphologischen, genauer: morphematischen) *Morphem*, des (semiologischen, genauer: graphematischen) *Graphem* und des (phonologischen, genauer: phonematischen) *Phonem*, welche dagegen der jeweils nutzer-

res Konzept handelt, tendiert die Sprachwissenschaft dazu, darunter die kleinste inhaltsreiche und selbstständig vorkommende Einheit einer Sprache zu verstehen. Dieser (strukturell-funktionellen) Vorstellung wird hier im Kern gefolgt, wenngleich ein Wort seinem Wesen nach zunächst einmal – genau wie ein Begriff – als ein inhaltsreicher sprachlicher *Ausdruck* aufgefasst wird, der seinerseits mit einem bestimmten Wirklichkeitsausschnitt verknüpft ist. Beides, das Wort und der Begriff, sind demnach sprachliche Verbindungen von Bezeichnung und Inhalt, die auf bestimmte Gegenstände der Wirklichkeit referieren. Dennoch unterscheiden sich beide in ihrem jeweiligen Hauptfokus auf eines dieser beiden Beziehungselemente. Während ein Wort zunächst einmal eine sprachliche Benennungseinheit darstellt, die mit einer bestimmten (gedachten) Sache, das heißt mit einer speziellen Proposition, verknüpft ist, handelt es sich bei einem Begriff vorrangig um einen Vorstellungsinhalt, der seinerseits mit einer bestimmten Bezeichnung belegt worden ist. Daraus ist in der praktischen Verwendungsweise beider Konzepte häufig die pauschale Gleichsetzung eines Wortes mit einer Bezeichnung sowie eines Begriffes mit einem Vorstellungsinhalt abgeleitet worden, was in der Tendenz zwar zutrifft, aber allein noch unvollständig ist. Insofern gibt es weder bei einem Wort noch bei einem Begriff eine Scheidung zwischen der Kennzeichnung auf der einen Seite und der (gedachten) Sache auf der anderen Seite. Vielmehr konstituieren sich beide Konzepte erst durch die Einheit

übergreifend vorherrschenden allgemeinen Sprachform (der französisch sogenannten ‚*langue*', in Deutsch: Sprache) zugeordnet werden, noch nicht zufriedenstellend konzeptionell herausgearbeitet und in ihrer sachlichen wie untersuchungspraktischen Bedeutung gegenseitig voneinander abgegrenzt worden sind. Sinnvoll erscheint jedoch das Folgende: (1) Das von einem konkreten individuellen Sprachvertreter verwendete Wort ‚Straße' (als Lex) in der Schreibung |Straße| oder |STRASSE|, in der flektierten Form <Straße> oder <Straßen> und in welcher Aussprache auch immer entspricht dem allgemeinsprachlichen Wort <Straße> (als Lexem). (2) Sowohl bei dem Wort ‚Behausung', das sich in die individualsprachlichen Morphe <Be>, <haus> und <ung> auftrennen lässt, als auch bei dem Wort ‚Haustür', das aus den individualsprachlichen Mophen <Haus> und <tür> besteht, lässt sich das (beiden gemeinsame) allgemeinsprachliche Morphem <haus> identifizieren, welches seinerseits als *langue*-Form über stabile skripturale, tonale und propositionale Merkmale verfügt. (3) Die Schriftzeichen |S|, |*S*| und |𝕾| (als (noch nicht distinktive) Graphen) lassen sich als individuelle Ausformungen dem allgemeinen Schriftzeichen <S> (als (distinktivem) Graphem) zuordnen. (4) Schließlich sind die (in phonetischer Form dargestellten) Sprechlaute [ʁ], [ʀ] oder [r] (als (noch nicht distinktive) Phone) als konkrete Umsetzungsvarianten des allgemeinsprachlichen (distinktiven) Phonems /r/ aufzufassen. An dieser Stelle besteht allerdings – anders als im äquivalenten Sinn bei der Graphemik – das Problem, dass die phonematische Darstellungsform /r/ selbst keine *lautlichen* Realisierungshinweise beinhaltet und für ihre entsprechende (allgemeine) Ausdrucksweise wiederum (zusätzlich) auf phonetische Zeichen zurückgegriffen werden muss. (Die sprachwissenschaftliche Darstellungsform erfolgt hier gemäß den üblichen Klammernkonventionen, sodass Graphen in gerade, senkrechte Klammern (| |), Grapheme in spitze Klammern (< >), Phone in eckige Klammern ([ ]) und Phoneme in schräge, senkrechte Klammern (/ /) gesetzt werden.)

von Bezeichnendem und Bezeichnetem, wobei ein Wort von der Benennungsseite her angelegt ist und ein Begriff demgegenüber von der Inhaltsseite her.

Aus dieser Unterscheidung folgt unter anderem, dass Wörter (als vorrangige Bezeichnungen) flektierbar sind, was man für Begriffe (als hauptsächliche Vorstellungsinhalte) so nicht sagen würde. Außerdem lässt sich häufig eine Unmenge an Wörtern – auch gleicher oder ähnlicher Bedeutung – bilden, die dadurch zu einem umfangreichen Sprachwortschatz führen. Begriffe hingegen beziehen sich jeweils auf einen einzigen Bedeutungskern und weisen allein schon deswegen eine geringere Quantität auf. Durch ihre inhaltsbezogene Ausrichtung tauchen sie insbesondere als Fachbegriffe (als ein sogenannter ‚technischer Begriff' beziehungsweise in Lateinisch: *terminus technicus*) nicht zuletzt innerhalb der einzelnen Wissenschaftsdisziplinen auf und bilden als solche häufig den Gegenstand intensiver (terminologischer) Auseinandersetzungen.

Wenn wir beispielsweise von dem *Wort* ‚Gesellschaft' sprechen, meinen wir damit zunächst einmal nur den bloßen schriftlichen oder mündlichen Ausdruck, verstehen dabei jedoch nicht in erster Linie zugleich auch das entsprechende reale Phänomen, obgleich das Wort an genau diesen Gegenstand gebunden ist (und dadurch schließlich seine inhaltsreiche Qualität erhält). In genau diesem Sinn reden wir auch von den Wörtern, mit denen ein Text formuliert ist, oder von den Wörtern, die in einem Wörterbuch aufgelistet sind. Um etwas auszudrücken, benutzen wir Lexeme, mit denen wir innerhalb einer (traditionell eingeübten oder postulierten Kommunikationskonventionen unterliegenden) Sprache jeweils eine bestimmte Sache ‚bezeichnen'. Anders verhält es sich demgegenüber, wenn es etwa um den *Begriff* ‚Gesellschaft' geht. Dann ist damit zunächst einmal jener Bedeutungskern angesprochen, der dem realen Phänomen begrifflich zugeschrieben wird. Dass es, um diesen Vorstellungsinhalt zu benennen, zwölf aneinandergereihter Buchstaben bedarf, bleibt dagegen Nebensache, ist aber dennoch ein konstitutives Element (denn es geht schließlich nicht etwa um die Begriffe ‚Parlament' oder ‚Tourismus'). Es macht folglich Sinn, von einem *Wortbegriff* zu reden, womit auf den inhaltlichen Bereich des Wortes (als allgemeinem Konzeptbestandteil) abgezielt wird. Andersherum bezieht sich das *Begriffswort* dagegen auf diejenige spezielle Ausdrucksform, durch welche eine begrifflich eingefangene Sache individuell benannt wird.

Es ist durchaus möglich, dass sich ein und dasselbe Wort auf verschiedene Wirklichkeitsobjekte bezieht. Dagegen kann ein bestimmter Begriff niemals mehrere Bedeutungen enthalten. Beispielsweise meint man mit ‚Regime' im Kontext nationaler Politik etwas völlig anderes als mit Blick auf die internationale Politik.[13] Es handelt sich folglich um *zwei* verschiedene Begrif-

[13] Vgl. etwa: Michael Zürn, 2004².

fe, obwohl das zugeordnete Begriffswort jeweils dasselbe ist. Andersherum betrachtet kann ein Begriff aber durch unterschiedliche Bezeichnungen dargestellt werden, etwa wenn wir von einem Bündnis, einer Allianz oder einer *alliance* (in Englisch) reden und damit stets genau dasselbe, nämlich in der Tat denselben Begriff, meinen. Demnach können Wörter als Ausdrücke mit feststehender Bezeichnung mehrere Bedeutungen aufweisen und in diesem Sinne unter anderem als Homonyme vorkommen. Begriffe als Ausdrücke mit festem Inhalt können das nicht. Sie können demgegenüber jedoch über verschiedene Denominationen verfügen und somit zum Beispiel als Synonyme in Erscheinung treten.[14]

Im Hinblick auf die Reichweite der Begriffsextension lassen sich schließlich zweierlei Arten von Begriffen unterscheiden: (1) *Individualbegriffe* (auch: Existenzbegriffe, Einzelbegriffe oder Singulärbegriffe) sind Begriffe für einen jeweils konkreten und einmaligen Gegenstand der Wirklichkeit vor allem in Form von Personen, Erscheinungen und Ereignissen. Sie werden in der Regel durch einen ‚(Eigen)Namen' bezeichnet (etwa ‚Leonardo da Vinci', ‚Bundesrepublik Deutschland' oder ‚Französische Revolution'). (2) Anders verhält es sich dagegen mit *Allgemeinbegriffen* (auch: Allbegriffe, Generalbegriffe, Universalbegriffe, Pluralbegriffe oder Ordnungsbegriffe). Sie fassen auf einer übergeordneten begrifflichen Abstraktionsebene zugleich mehrere, jedoch (innerhalb des gedachten inhaltlichen Rahmens) stets gleichförmige Gegenstände der Realität zusammen, wozu vor allem Dinge, Zustände, Beziehungen, Prozesse und Entwicklungen gehören (etwa ‚Kutsche', ‚Stabilität', ‚Handel', ‚Okkupation' oder ‚Modernisierung').[15]

III. Die Definition

Weil Begriffe einen durchaus komplexen Charakter aufweisen, kommt der möglichst sorgsamen Feststellung oder Festlegung ihrer inneren Ausgestaltung eine besondere Bedeutung zu. Zuständig dafür ist die Definitorik (Begriffsbestimmungslehre). Sie ist die Lehre von der Bestimmung einzelner Begriffe (Definition), um diesen dadurch einen jeweils klaren, präzisen und einheitlichen Gehalt zuzuweisen. Zu diesem Zweck unterscheidet sie zwischen dem Definitionsgegenstand (auch: Definiendum), also dem, was defi-

[14] Insofern wird hier in einer grundsätzlichen Hinsicht der von Reinhart Koselleck vertretenen Konzeption der Begriffsgeschichte widersprochen, die gerade die Vieldeutigkeit von Begriffen hervorhebt. Vgl. Reinhart Koselleck, 2004: Seite XXI – XXIII.

[15] Siehe zu den Begriffsarten: Werner J. Patzelt, 1986: Seite 126 – 147; Helmut Felber/Gerhard Budin, 1989: Seite 2; Albert Menne, 1992³: Seite 28; Karl R. Popper, 2005¹¹: Seite 41 – 45; Reiner Arntz/Heribert Picht/Klaus-Dirk Schmitz, 2014⁷: Seite 51 – 52; Gerhard Schurz, 2014⁴: Seite 66 – 79.

niert werden soll, und dem Definitionsgehalt (auch: Definiens), das heißt dem, was definiert.[16]

Obgleich die Wissenschaftstheorie zahlreiche, zum Teil stark voneinander abweichende Varianten von Definitionen, wie sie von den verschiedenen Wissenschaftlern praktiziert worden sind, herausgearbeitet hat, geht es der Definitorik letztlich um die Klärung – und gegebenenfalls Explizierung und Präzisierung – von bereits vorhandenen Begriffsvorstellungen oder darum, noch unbezeichnete Gegenstände der Wirklichkeit gleichsam auf den Begriff zu bringen und insofern gänzlich neue Begriffe (Neologismen) zu bilden. Dazu wird zunächst der entsprechende Designator festgehalten, um anschließend den inhaltlichen Kern des Terminus zu bestimmen, das heißt das Wesen des von ihm gemeinten realen Gegenstandes so genau wie möglich durch die Herausstellung von dessen notwendigen und insgesamt hinreichenden Eigenschaften (Attributen)[17] zu beschreiben (Realdefinition). Hinzu kommt schließlich die Eingrenzung der konkreten empirischen Fälle, für welche die erhaltene Begriffsbedeutung gelten soll. In diesem Zusammenhang kommt vor allem Grenzfällen eine herausragende Rolle zu, da an ihnen der Inhalt eines Terminus besonders geschärft werden kann. Damit wird klar, dass es bei einer Definition nicht nur darum geht, eine einzelne Bezeichnung mit einer konkreten Bedeutung zu versehen, sondern vielmehr darum, alle drei Grundbestandteile eines Terminus, namentlich das Begriffswort, die Begriffsintension und die Begriffsextension, zu bestimmen.[18]

---

[16] Es ist im Übrigen so, dass, entgegen der bisherigen Auffassung in der terminologischen Diskussion, grundsätzlich alle drei Bestandteile eines Begriffs (das heißt Begriffswort, Begriffsintension und Begriffsextension) sowohl das Definiendum als auch das Definiens bilden können – eben je nachdem, was zu definieren ist. Vgl. zu Definitorik und Definition: Tadeusz Pawłowski, 1980; Patrick Suppes, 1980; Walter Dubislav, 1981[4]; Werner J. Patzelt, 1986: Seite 147 – 152; Helmut Felber/Gerhard Budin, 1989: Seite 3, 96 – 103; Eugen Wüster, 1991[3]: Seite 33 – 35; Albert Menne, 1992[3]: Seite 13 – 37; Alain Rey, 1992[2]: Seite 39 – 44; Gerard Radnitzky/Helmut Seiffert, 1994[2]; Chris Lorenz, 1997: Seite 42 – 43; Helmut Seiffert, 1997: Seite 49 – 50 (Artikel: Definition); Gottfried Gabriel, 2005[2]; Arno Anzenbacher, 2007[12]: Seite 222; Hadumod Bußmann, 2008[4]: Seite 115 – 116 (Artikel: Definition); Wolfgang Balzer, 2009[2]: Seite 71 – 77; Rainer Schnell/Paul B. Hill/Elke Esser, 2013[10]: Seite 46 – 49; Reiner Arntz/Heribert Picht/Klaus-Dirk Schmitz, 2014[7]: Seite 63 – 75; Karl-Dieter Opp, 2014[7]: Seite 119 – 141; Gerhard Schurz, 2014[4]: Seite 85 – 89; Michael Häder, 2015[3]: Seite 26 – 32.

[17] Zur Bedeutung und Unterscheidung von ‚notwendigen' und ‚hinreichenden' Wesensmerkmalen siehe: Gerhard Ernst, 2010[2]: Seite 28 – 29.

[18] Siehe dazu auch Abbildung 4.2.

Abbildung 4.2: Vorgehen bei der Definition eines Begriffs

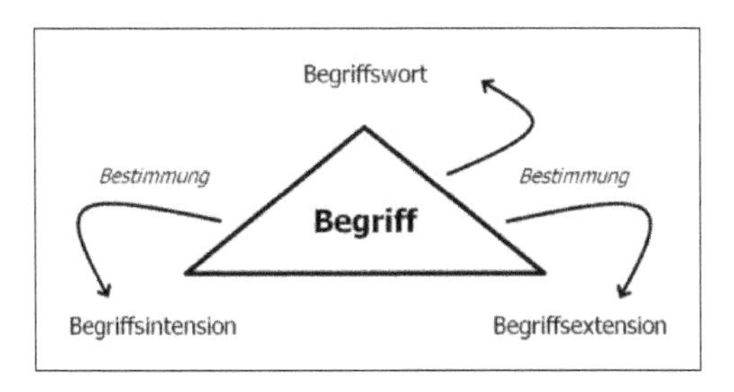

Eine Definition ist demnach, anders als sie vielfach in der Literatur verstanden wird, mehr als lediglich eine Zusammentragung von einzelnen mit einem bestimmten Begriff gemeinten empirischen Fallbeispielen (extensionale Definition, ostensive Definition und Aufzählungsdefinition) und mehr als eine ausschließliche Angabe von einzelnen Merkmalen, welche der mit einem bestimmten Begriff erfasste Gegenstand aufweist (intensionale Definition). Nicht nur keine vollständige, sondern überhaupt keine (echte) Definition ist dagegen die Nennung (nicht von wesenseigenen, sondern) von bloß kontingenten Merkmalen des Begriffsreferenten, die dieser gerade wegen seines Charakters zwar aufweisen kann, die diesen selbst aber nicht unbedingt kennzeichnen (konsequenziale Definition). Gleiches gilt für eine solche Begriffsbestimmung, die allein dazu dient, einem bestimmten Terminus einen positiven oder einen negativen Akzent zu verleihen (persuasive Definition).

IV. Die Begriffsanalyse

Wie sich nun konkrete Begriffe untersuchen lassen, dazu gibt es angesichts ihres oben dargestellten allgemeinen Aufbaus verschiedene Wege. Es lassen sich hier insgesamt fünf miteinander kombinierbare Grundformen der Analyse von Begriffen erkennen, die im Wesentlichen bereits innerhalb der terminologischen Grundlagenreflexion erarbeitet worden sind oder die sich relativ einfach aus der Lexikologie heraus übertragen lassen:

(1) Die *Etymologie* (auch: Wortherkunftslehre oder Wortgeschichte)[19] fragt in diachronischer Perspektive nach der Provenienz und der historischen Entwicklung eines Begriffs*wortes* und damit grundsätzlich nach der Geschichte sowohl seiner Schreibung als auch seiner Aussprache (also von Begriffssignum *und* Begriffsphonat).

(2) Ebenfalls der (diachronisch betrachteten) historischen Entwicklung eines Terminus wendet sich die *Begriffsgeschichte* zu – diesmal jedoch nicht im Hinblick auf das Begriffswort, sondern auf den Begriffs*inhalt* (also auf die Begriffsintension *und* die Begriffsextension). Ausgehend vom konkreten informationellen Gehalt und der Verwendungsweise eines Begriffs bei seinen verschiedenen zeitgenössischen Nutzern wird das allgemeine propositionale Begriffsverständnis in den einzelnen Epochen und Regionen der Geschichte und damit sein entsprechender Entwicklungsgang rekonstruiert. Demzufolge geht es der Begriffsgeschichte letztlich um die Herausarbeitung der historischen (das heißt der gesamthistorischen, nicht der jeweils zeitgenössischen) Variabilität von Begriffen und ihrem Inhalt.[20]

---

19 Die terminologische Etymologie unterscheidet sich von der lexikologischen Etymologie lediglich durch ihren entsprechend anderen Gegenstand, nicht aber in ihrer grundsätzlichen Arbeitsweise. Siehe zum bisherigen konzeptionellen Stand der allgemeinen Etymologie: Vittore Pisani, 1975; Rüdiger Schmitt, 1977; Elmar Seebold, 1981; Harri Meier, 1986. Es ist an dieser Stelle darauf hinzuweisen, dass die Vertreter der Etymologie nicht immer konsequent zwischen der (von ihnen unternommenen) Wortgeschichte und der anders ausgerichteten Begriffsgeschichte unterscheiden.

20 Zur Forschungsprogrammatik der Begriffsgeschichte siehe: Reinhart Koselleck, 1978; ders., 2010b; Dietrich Busse/Fritz Hermanns/Wolfgang Teubert, 1994; Gunter Scholtz, 2000; Hans Erich Bödeker, 2002²a; Hans Ulrich Gumbrecht, 2006; Riccardo Pozzo/Marco Sgarbi, 2010; Ernst Müller/Falko Schmieder, 2016. Einführend dazu: Jens Flemming, 1994; Reinhart Koselleck, 2010a; Stefan Jordan, 2013²: Seite 125 – 130. Der von Reinhart Koselleck vertretenen Konzeption der Begriffsgeschichte kann in diesem Zusammenhang allerdings, von einigen theoretischen Grundverständnissen einmal abgesehen, nur soweit gefolgt werden, bis sie das Interesse an den Begriffen als solchen verliert und – im Sinne der entsprechend benannten ‚Historischen Semantik' – eher die durch die Begriffe sprachlich ausgedrückten und verstandenen historischen Gegebenheiten und Geschehnisse zu erforschen sucht. Vgl. insbesondere: Reinhart Koselleck, 1978; ders., 2010b. Dazu ferner: Dietrich Busse/Fritz Hermanns/Wolfgang Teubert, 1994; Raingard Eßer, 2006². Praktisch gesehen eng verbunden mit der Begriffsgeschichte ist die Ideengeschichte, gleichwohl beide keinesfalls miteinander gleichzusetzen sind. Anders als die Begriffsgeschichte ist die Ideengeschichte einerseits auf über den bloßen Begriff hinausgehende *konzeptionelle* Überlegungen von Zeitgenossen (Konzepte beziehungsweise Ideen) ausgerichtet und andererseits überhaupt auf *Inhalte* fokussiert, für welche eine eindeutige begriffliche Erfassung nicht notwendigerweise gegeben sein muss. Das heißt die Ideengeschichte kann sich grundsätzlich auch solchen Inhalten zuwenden, für die es (noch) keinen speziellen Begriff gibt. Siehe zur Ideengeschichte: Mark Bevir, 1999; Iain Hampsher-Monk, 2006²; Günther Lottes, 2006²; Luise Schorn-Schütte, 2007³; dies., 2010; Andreas Dorschel, 2010; Barbara Stollberg-Rilinger, 2010. Enge Kooperationsmöglichkeiten ergeben sich außerdem gegenüber einer historisch angelegten Diskursanalyse. Vgl. zur geschichtswissenschaftlichen Diskursanalyse: Dietrich Busse/Fritz Hermanns/Wolfgang Teubert,

(3) Demgegenüber zielt die *Onomasiologie* (auch: Begriffswortlehre)[21] darauf ab, auf dem aktuellen Stand der wissenschaftlichen Diskussion und Forschung die Vielfalt von Begriffs*wörtern* (in Form von Begriffssignum *und* Begriffsphonat), mit denen ein bestimmter Begriff bezeichnet wird, in entsprechend synchronischer Zugangsweise zu erarbeiten. Dabei gehört es zur Aufgabe der onomasiologischen Forschung, unter den gegebenenfalls mehrzähligen Bezeichnungen schließlich auch die angemessenste Denomination des jeweiligen Begriffs herauszustellen.

(4) Die *Semasiologie* (auch: Begriffsinhaltslehre)[22] beschäftigt sich in gleichermaßen synchronischer Hinsicht dagegen mit dem Verständnis von Begriffen in der jeweils heutigen Zeit. Sie geht davon aus, dass ein Terminus einen gewissen (von der Begriffsgeschichte zu rekonstruierenden) Entwicklungsgang durchlaufen haben kann, bei dem in der jeweils heutigen Gegenwart schließlich ein aktueller Stand hinsichtlich der Vorstellung von diesem Begriff erreicht worden ist. Diesen gegenwärtig vorherrschenden Begriffs*inhalt* (im Sinne von Begriffsintension *und* Begriffsextension) sucht die Semasiologie zu erfassen.

Dabei registriert sie zwar einen etwaigen Entwicklungsverlauf, konzentriert sich jedoch allein auf das Begriffsverständnis in der mehr oder minder breit anzulegenden Gegenwart.[23] Eine Historisierung findet allerdings im Hinblick auf die Begriffsextension statt. In Verbindung mit der Intension des Terminus wird hier danach gefragt, welche konkreten, in der Geschichte vorkommenden Gegenstände mit dem Begriff angesprochen werden und welche demgegenüber ausgeschlossen bleiben (sollen). Auch die ‚heutige' Begriffsvorstellung besteht nicht im luftleeren Raum, sondern bezieht sich stets auf einen bestimmten Wirklichkeitsausschnitt. Je größer die zu betrachtende Realität gezogen wird, an desto mehr Gegenständen kann die fragliche

---

1994; Hans Erich Bödeker, 2002[2]a; Philipp Sarasin, 2003; ders., 2007[3]; ders., 2010; Franz X. Eder, 2006; Robert Jütte, 2006[2]; Achim Landwehr, 2008[2].

21 Die terminologische Onomasiologie und die lexikologische Onomasiologie differieren allein in ihrem jeweiligen Gegenstand, nicht jedoch in ihrer grundsätzlichen Arbeitsweise. Vgl. zur Onomasiologie: Bruno Quadri, 1952; Herbert Ernst Wiegand, 1970; Kurt Baldinger, 1978; Andreas Blank/Peter Koch, 2003; Joachim Grzega, 2004; Agnes Tafreschi, 2006.

22 Der Unterschied zwischen der terminologischen Semasiologie und der lexikologischen Semasiologie liegt in ihren verschiedenen Gegenständen und davon ausgehend ebenso in ihrer unterschiedlichen Arbeitsweise. Vgl. zur bislang allein lexikologisch ausgerichteten Semasiologie: Heinz Kronasser, 1968[2]; Herbert Ernst Wiegand, 1970; Thea Schippan, 1975[2]; Kurt Baldinger, 1978; Andreas Blank/Peter Koch, 2003; Agnes Tafreschi, 2006.

23 Als Gegenwart wird hier bewusst ein jeweils unterschiedlich breit anzulegender Zeitraum verstanden. Es ist beispielsweise genauso möglich, die Gegenwart auf die letzten ein, zwei Jahre zu beschränken, wie in ihr die Zeit der letzten ein oder zwei Jahrhunderte zu sehen, wie es etwa in der französischen Zeitgeschichte der Fall ist.

Begriffsintension geprüft werden und desto präziser fällt das Ergebnis der semasiologischen Untersuchung aus.

Um nun aber den gegenwärtigen Stand eines Begriffsinhaltes zu rekonstruieren, zieht die Semasiologie entsprechende Äußerungen sowie Verwendungsweisen eines Terminus heran. Die hierbei zum Tragen kommenden explizit oder implizit gehaltenen Begriffsverständnisse werden sodann im Hinblick auf ihren jeweiligen inhaltlichen Kern analysiert. Dabei gilt es, die einzelnen Propositionen so weit zu zerlegen und miteinander zu harmonisieren, dass ein einheitlicher Grundinhalt für den entsprechenden Terminus herauspräpariert werden kann. Finden sich jedoch Begriffsverständnisse, die dem (auch von den Wissenschaftlern) schon *intuitiv* erfassbaren Sprachgebrauch offenbar widersprechen, ist es die Aufgabe der Semasiologie, solche Vorstellungen zu prüfen und gegebenenfalls als sprachlich unangemessen beiseite zu stellen (beispielsweise wenn der Begriff der ‚Gesellschaft' derart (entstellend) verstanden wird, dass damit nicht mehr die Gesellschaft erfasst wird, sondern etwa eher der Staat). Werden tatsächlich völlig verschiedene und somit nicht miteinander zu harmonisierende Bedeutungen eines Begriffs ermittelt, ist zu konstatieren, dass es sich dabei nicht um ein und denselben Terminus mit mehreren Vorstellungsinhalten handelt (was es angesichts der eingangs vorgenommenen Reflexion nicht gibt), sondern dass es sich hier offenbar um verschiedene Begriffe handelt. Das Ziel der semasiologischen Arbeit ist dann erreicht, wenn der aktuelle Stand der begriffspropositionalen Entwicklung insofern festgestellt ist, dass der *eine* heutige Begriffsinhalt in möglichst vollständiger und präziser Weise rekonstruiert und bestenfalls in Form einer Definition dargestellt worden ist.

Es geht also darum, die (mit Blick auf die Begriffsextension überzeitlich und überräumlich verwendbare) Vorstellung von einem sich tendenziell fortwährend weiterentwickelnden Terminus aus heutiger Sicht zu erarbeiten. Damit ist die Semasiologie etwas völlig anderes als eine Begriffsgeschichte allein der Gegenwart. Denn im Zentrum steht weniger die potenzielle historische Variabilität eines Begriffs als vielmehr seine realitätsbezogene Allgemeingültigkeit – auch wenn sich ein solcher allgemeingültiger Begriffsinhalt bereits in wenigen Jahren, etwa aufgrund neuer Erkenntnisse oder anderer Gegebenheiten, wieder verändern kann. Demzufolge ist es nicht vordergründig das Anliegen der Semasiologie, Aussagen über einen bestimmten raumzeitlichen Wirklichkeitsausschnitt zu treffen, sondern vielmehr ein reflektiertes und elaboriertes begriffliches Instrumentarium bereitzustellen, mit dessen Hilfe die verschiedenen Gegenstände der Wirklichkeit überhaupt erst (fach)sprachlich erfasst werden können – und zwar auf der Grundlage der *aktuellen* wissenschaftlichen Begriffsdiskussion.

(5) Schließlich ist es die Aufgabe einer *Terminativen Taxologie* (auch: Begriffsordnungslehre),[24] im Rahmen eines synchronischen Zugriffs und damit auf dem aktuellen Stand der wissenschaftlichen Diskussion eine systematisierende und differenzierende Ordnung unter den verschiedenen *Begriffseinheiten* eines bestimmten Fachgebietes zu schaffen, indem – besonders in Form einer (einfachen) Systematik oder einer Klassifikation (Gruppierung) – deren jeweilige horizontalen und vertikalen Verhältnisse zueinander herausgestellt werden. Ein Beispiel hierfür wäre die Sortierung der zentralen Begriffe der Geld-Forschung, wie etwa ‚Finanz', ‚Geld', ‚Kapital', ‚Vermögen', ‚Währung' und ‚Zahlungsmittel'.

V. Schlussbetrachtung

Aus dem Vorangegangenen ist deutlich geworden, dass Begriffe mehr sind als bloße Bezeichnungen, aber auch mehr als reine Vorstellungsinhalte. Sie sind vielmehr die Einheit von Begriffswort, Begriffsintension und Begriffsextension. Dieser Aufbau ist folglich sowohl bei der Definition von Begriffen zu berücksichtigen als auch bei deren Erforschung. Insofern handelt es sich bei einem Terminus um ein relativ komplexes sprachliches wie wissenschaftstheoretisches Konzept, dessen Reflexion auch von Seiten der Historiker letztlich unabdingbar ist. Zwar wäre eine Forschung auch ohne reflektierte wissenschaftliche (Fach)Begriffe grundsätzlich denkbar. Doch will die Geschichtswissenschaft gerade auch komplexere Sachverhalte der historischen Wirklichkeit erfassen und feststellen, dass bestimmte Erscheinungen beispielsweise als ‚Staat', als ‚Kolonie', als ‚Diktatur', als ‚Parlament', als ‚Diaspora', als ‚Klasse', als ‚Zivilgesellschaft', als ‚Investition' oder als ‚Glaube' zu qualifizieren und entsprechend analytisch handzuhaben sind, braucht (auch) sie notwendigerweise eindeutige und einheitliche Begriffe.

[24] Gemeint ist hier eine spezielle Ausformung der allgemeinen Taxologie für das Arbeitsfeld der Terminologie. Vgl. zur Taxologie und ihrem Ergebnis, der Taxonomie, vor allem: Werner J. Patzelt, 1986: Seite 152 – 161; sowie: die entsprechenden Ausführungen in meiner Schrift „Was ist Theorie? Über Begriff, Vielfältigkeit und Nutzungsmöglichkeiten von Theorie in der Geschichtswissenschaft" (Kapitel III.3) in diesem Band.

Literatur

ANZENBACHER, ARNO, 2007[12] [2002[8]]: *Einführung in die Philosophie*. Freiburg/Basel/Wien.

ARNOLD, JOHN H., 2001 [2000]: *Geschichte. Eine kurze Einführung*. Übers. von Karin Schuler, Stuttgart.

ARNTZ, REINER/PICHT, HERIBERT/SCHMITZ, KLAUS-DIRK, 2014[7]: *Einführung in die Terminologiearbeit*. Hildesheim/Zürich/New York.

ASENDORF, MANFRED/FLEMMING, JENS/MÜLLER, ACHATZ VON/ULLRICH, VOLKER, 1994: *Geschichte. Lexikon der wissenschaftlichen Grundbegriffe*. Reinbek.

ATTESLANDER, PETER, 2010[13]: *Methoden der empirischen Sozialforschung*. Berlin.

BALDINGER, KURT, 1978 [1964]: *Semasiologie und Onomasiologie*. Übers. von Gisela Köhler, in: Horst Geckeler (Hrsg.), Strukturelle Bedeutungslehre. [Reihe Wege der Forschung. Band 426], Darmstadt, Seite 372 - 401.

BALZER, WOLFGANG, 2009[2]: *Die Wissenschaft und ihre Methoden. Grundsätze der Wissenschaftstheorie. Ein Lehrbuch*. [Reihe Alber-Lehrbuch], Freiburg/München.

BAYER, ERICH/WENDE, FRANK, 1995[5]: *Wörterbuch zur Geschichte. Begriffe und Fachausdrücke*. Stuttgart.

BEVIR, MARK, 1999: *The Logic of the History of Ideas*. Cambridge/New York/Melbourne.

BLANK, ANDREAS/KOCH, PETER (Hrsg.), 2003: *Kognitive romanische Onomasiologie und Semasiologie*. [Reihe Linguistische Arbeiten. Band 467], Tübingen.

BÖDEKER, HANS ERICH (Hrsg.), 2002[2]a [2002]: *Begriffsgeschichte, Diskursgeschichte, Metapherngeschichte*. [Reihe Göttinger Gespräche zur Geschichtswissenschaft. Band 14], Göttingen.

BÖDEKER, HANS ERICH, 2002[2]b [2002]: *Reflexionen über Begriffsgeschichte als Methode*. In: ders. (Hrsg.), Begriffsgeschichte, Diskursgeschichte, Metapherngeschichte. [Reihe Göttinger Gespräche zur Geschichtswissenschaft. Band 14], Göttingen, Seite 73 - 121.

BOSHOF, EGON/DÜWELL, KURT/KLOFT, HANS, 1997[5]: *Grundlagen des Studiums der Geschichte. Eine Einführung*. Köln/Weimar/Wien.

BRUNNER, KARL, 2004[4]: *Einführung in den Umgang mit Geschichte*. Wien.

BUCHMANN, BERTRAND MICHAEL, 2002: *Einführung in die Geschichte*. [Reihe Manual], Wien.

BUDDE, GUNILLA/FREIST, DAGMAR/GÜNTHER-ARNDT, HILKE (Hrsg.), 2008: *Geschichte. Studium – Wissenschaft – Beruf*. [Reihe Akademie Studienbücher. Geschichte], Berlin.

BURSCHEL, PETER/SCHWENDEMANN, HEINRICH/STEINER, KIRSTEN/WIRBELAUER, ECKHARD (Hrsg.), 1997: *Geschichte. Ein Tutorium*. [Reihe Rombach Grundkurs. Band 2], Freiburg.

BUßMANN, HADUMOD (Hrsg.), 2008[4]: *Lexikon der Sprachwissenschaft*. Stuttgart.

BUSSE, DIETRICH/HERMANNS, FRITZ/TEUBERT, WOLFGANG (Hrsg.), 1994: *Begriffsgeschichte und Diskursgeschichte. Methodenfragen und Forschungsergebnisse der historischen Semantik*. Opladen.

CORNELIßEN, CHRISTOPH (Hrsg.), 2009[4]: *Geschichtswissenschaften. Eine Einführung*. Frankfurt.

DENGG, SÖREN/SWOLEK, INGE, 1996: *Uni-Training Geschichtswissenschaft*. Band 2, *Geschichtsschreibung und Geschichte*. Stuttgart/Dresden.

DORSCHEL, ANDREAS, 2010: *Ideengeschichte*. Göttingen.

DUBISLAV, WALTER, 1981[4] [1931[3]]: *Die Definition*. Hamburg.

DÜLMEN, RICHARD VAN (Hrsg.), 2003[3]: *Das Fischer Lexikon Geschichte*. Frankfurt.

DÜRR, MICHAEL/SCHLOBINSKI, PETER, 2006[3]: *Deskriptive Linguistik. Grundlagen und Methoden*. [Reihe Studienbücher zur Linguistik. Band 11], Göttingen.

DÜRSCHEID, CHRISTA, 2012[4]: *Einführung in die Schriftlinguistik*. Göttingen/Bristol.

EDER, FRANZ X. (Hrsg.), 2006: *Historische Diskursanalysen. Genealogie, Theorie, Anwendungen*. Wiesbaden.

EIBACH, JOACHIM/LOTTES, GÜNTHER (Hrsg.), 2006[2] [2002]: *Kompass der Geschichtswissenschaft. Ein Handbuch*. Göttingen.

ELUERD, ROLAND, 2000: *La lexicologie.* [Reihe Que sais-je ?], Paris.

ERNST, GERHARD, 2010[2]: *Einführung in die Erkenntnistheorie.* [Reihe Einführungen Philosophie], Darmstadt.

EßER, RAINGARD, 2006[2] [2002]: *Historische Semantik.* In: Joachim Eibach/Günther Lottes (Hrsg.), Kompass der Geschichtswissenschaft. Ein Handbuch. Göttingen, Seite 281 – 292.

FELBER, HELMUT/BUDIN, GERHARD, 1989: *Terminologie in Theorie und Praxis.* [Reihe Forum für Fachsprachen-Forschung. Band 9], Tübingen.

FLEMMING, JENS, 1994: *Begriffsgeschichte.* In: Manfred Asendorf/Jens Flemming/Achatz von Müller/Volker Ullrich, Geschichte. Lexikon der wissenschaftlichen Grundbegriffe. Reinbek, Seite 96 – 98.

FUCHS, KONRAD/RAAB, HERIBERT, 2002[13]: *Wörterbuch Geschichte.* München.

FUHRHOP, NANNA/PETERS, Jörg, 2013: *Einführung in die Phonologie und Graphematik.* Stuttgart/Weimar.

GABRIEL, GOTTFRIED, 2005[2]: *Definition.* In: Jürgen Mittelstraß (Hrsg.), Enzyklopädie Philosophie und Wissenschaftstheorie. Band 2, C – F. Stuttgart/Weimar, Seite 137 – 139.

GOERTZ, HANS-JÜRGEN, 1995: *Umgang mit Geschichte. Eine Einführung in die Geschichtstheorie.* [Reihe Rowohlts Enzyklopädie], Reinbek.

GOERTZ, HANS-JÜRGEN (Hrsg.), 2007[3]: *Geschichte. Ein Grundkurs.* [Reihe Rowohlts Enzyklopädie], Reinbek.

GRZEGA, JOACHIM, 2004: *Bezeichnungswandel. Wie, warum, wozu? Ein Beitrag zur englischen und allgemeinen Onomasiologie.* [Reihe Sprachwissenschaftliche Studienbücher], Heidelberg.

GUMBRECHT, HANS ULRICH, 2006: *Dimensionen und Grenzen der Begriffsgeschichte.* München.

HÄDER, MICHAEL, 2015[3]: *Empirische Sozialforschung. Eine Einführung.* Wiesbaden.

HALL, T. ALAN, 2011[2]: *Phonologie. Eine Einführung.* [Reihe De Gruyter Studium], Berlin/New York.

HALLIDAY, MICHAEL A. K./YALLOP, COLIN, 2007: *Lexicology. A Short Introduction.* London/New York.

HAMPSHER-MONK, IAIN, 2006[2] [2002]: *Neuere angloamerikanische Ideengeschichte.* In: Joachim Eibach/Günther Lottes (Hrsg.), Kompass der Geschichtswissenschaft. Ein Handbuch. Göttingen, Seite 293 – 306.

HARDTWIG, WOLFGANG (Hrsg.), 1990: *Über das Studium der Geschichte.* München.

HARM, VOLKER, 2015: *Einführung in die Lexikologie.* [Reihe Einführung Germanistik], Darmstadt.

HEINRICH, MICHAEL, 2010[3]: *Imperialismustheorie.* In: Siegfried Schieder/Manuela Spindler (Hrsg.), Theorien der Internationalen Beziehungen. Opladen/Farmington Hills, Seite 311 – 342.

HERBST, LUDOLF, 2004: *Komplexität und Chaos. Grundzüge einer Theorie der Geschichte.* München.

JORDAN, STEFAN, 2005: *Einführung in das Geschichtsstudium.* Stuttgart.

JORDAN, STEFAN (Hrsg.), 2010 [2002]: *Lexikon Geschichtswissenschaft. Hundert Grundbegriffe.* Stuttgart.

JORDAN, STEFAN, 2013[2]: *Theorien und Methoden der Geschichtswissenschaft.* [Reihe Orientierung Geschichte], Paderborn.

JÜTTE, ROBERT, 2006[2] [2002]: *Diskursanalyse in Frankreich.* In: Joachim Eibach/Günther Lottes (Hrsg.), Kompass der Geschichtswissenschaft. Ein Handbuch. Göttingen, Seite 307 – 317.

KOSELLECK, REINHART (Hrsg.), 1978: *Historische Semantik und Begriffsgeschichte.* [Reihe Sprache und Geschichte. Band 1], Stuttgart.

KOSELLECK, REINHART, 2004 [1972]: *Einleitung.* In: Otto Brunner/Werner Conze/Reinhart Koselleck (Hrsg.), Geschichtliche Grundbegriffe. Historisches Lexikon zur politisch-sozialen Sprache in Deutschland. Band 1, A – D. Stuttgart, Seite XIII – XXVII.

KOSELLECK, REINHART, 2010a [2002]: *Begriffsgeschichte.* In: Stefan Jordan (Hrsg.), Lexikon Geschichtswissenschaft. Hundert Grundbegriffe. Stuttgart, Seite 40 – 44.

KOSELLECK, REINHART, 2010b [2006]: *Begriffsgeschichten. Studien zur Semantik und Pragmatik der politischen und sozialen Sprache.* Frankfurt.

KRONASSER, HEINZ, 1968² [1952]: *Handbuch der Semasiologie. Kurze Einführung in die Geschichte, Problematik und Terminologie der Bedeutungslehre.* [Bibliothek der allgemeinen Sprachwissenschaft. Reihe 1, Handbücher], Heidelberg.

KÜHN, INGRID, 1994: *Lexikologie. Eine Einführung.* [Reihe Germanistische Arbeitshefte. Band 35], Tübingen.

KWASCHIK, ANNE/WIMMER, MARIO (Hrsg.), 2010: *Von der Arbeit des Historikers. Ein Wörterbuch zu Theorie und Praxis der Geschichtswissenschaft.* [Reihe Histoire. Band 19], Bielefeld.

L'HOMME, MARIE-CLAUDE, 2004: *La terminologie: Principes et techniques.* [Reihe Paramètres], Montréal.

LANDWEHR, ACHIM, 2008²: *Historische Diskursanalyse.* [Reihe Historische Einführungen. Band 4], Frankfurt/New York.

LORENZ, CHRIS, 1997 [1994⁴]: *Konstruktion der Vergangenheit. Eine Einführung in die Geschichtstheorie.* Übers. von Annegret Böttner, [Reihe Beiträge zur Geschichtskultur. Band 13], Köln/Weimar/Wien.

LORENZ, KUNO, 1996a: *Terminologie.* In: Jürgen Mittelstraß (Hrsg.), Enzyklopädie Philosophie und Wissenschaftstheorie. Band 4, Sp – Z. Stuttgart/Weimar, Seite 234.

LORENZ, KUNO, 1996b: *Terminus.* In: Jürgen Mittelstraß (Hrsg.), Enzyklopädie Philosophie und Wissenschaftstheorie. Band 4, Sp – Z. Stuttgart/Weimar, Seite 234 – 236.

LORENZ, KUNO, 1996c: *Wort.* In: Jürgen Mittelstraß (Hrsg.), Enzyklopädie Philosophie und Wissenschaftstheorie. Band 4, Sp – Z. Stuttgart/Weimar, Seite 777.

LOTTES, GÜNTHER, 2006² [2002]: *Neue Ideengeschichte.* In: Joachim Eibach/Günther Lottes (Hrsg.), Kompass der Geschichtswissenschaft. Ein Handbuch. Göttingen, Seite 261 – 269.

MAURER, MICHAEL (Hrsg.), 2001 – 2005: *Aufriß der historischen Wissenschaften in sieben Bänden.* 7 Bände, Stuttgart.

MEIER, HARRI, 1986: *Prinzipien der etymologischen Forschung. Romanistische Einblicke.* [Reihe Sprachwissenschaftliche Studienbücher. Abteilung 2], Heidelberg.

MENNE, ALBERT, 1992³: *Einführung in die Methodologie. Elementare allgemeine wissenschaftliche Denkmethoden im Überblick.* [Reihe Die Philosophie. Einführungen in Gegenstand, Methoden und Ergebnisse ihrer Disziplinen], Darmstadt.

MITTELSTRAß, JÜRGEN, 2005²: *Begriff.* In: ders. (Hrsg.), Enzyklopädie Philosophie und Wissenschaftstheorie. Band 1, A – B. Stuttgart/Weimar, Seite 384 – 386.

MOMMSEN, WOLFGANG J., 1987³: *Imperialismustheorien. Ein Überblick über die neueren Imperialismusinterpretationen.* Göttingen.

MÜLLER, ERNST/SCHMIEDER, FALKO, 2016: *Begriffsgeschichte und historische Semantik. Ein kritisches Kompendium.* Berlin.

MUNSLOW, ALUN, 2006²: *The Routledge Companion to Historical Studies.* London/New York.

NÖTH, WINFRIED, 2000²: *Handbuch der Semiotik.* Stuttgart/Weimar.

NÜNNING, VERA/SAAL, RALF, 1995: *Uni-Training Geschichtswissenschaft.* Band 1, *Einführung in Grundstrukturen des Fachs und Methoden der Quellenarbeit.* Stuttgart/Dresden.

OPP, KARL-DIETER, 2014⁷: *Methodologie der Sozialwissenschaften. Einführung in Probleme ihrer Theorienbildung und praktischen Anwendung.* Wiesbaden.

PATZELT, WERNER J., 1986: *Sozialwissenschaftliche Forschungslogik. Einführung.* München/Wien.

PAUL, HERMANN, 1995¹⁰ [1920⁵]: *Prinzipien der Sprachgeschichte.* [Reihe Konzepte der Sprach- und Literaturwissenschaft. Band 6], Tübingen.

PAWŁOWSKI, TADEUSZ, 1980 [1978] : *Begriffsbildung und Definition.* Übers. von Georg Grzyb, Berlin/New York.

PÉTURSSON, MAGNÚS/NEPPERT, JOACHIM M. H., 2002³: *Elementarbuch der Phonetik.* Hamburg.

PISANI, VITTORE, 1975 [1967²]: *Die Etymologie. Geschichte - Fragen - Methode.* Übers. von Irene Riemer, [Reihe Internationale Bibliothek für Allgemeine Linguistik. Band 26], München.

POHL, INGE/EHRHARDT, HORST (Hrsg.), 1995: *Wort und Wortschatz. Beiträge zur Lexikologie.* Tübingen.

POMPINO-MARSCHALL, BERND, 2009³: *Einführung in die Phonetik.* [Reihe De Gruyter Studienbuch], Berlin/New York.

POPPER, KARL R., 2005¹¹ [posthum]: *Logik der Forschung.* Hrsg. von Herbert Keuth, [Gesammelte Werke in deutscher Sprache. Band 3], Tübingen.

POZZO, RICCARDO/SGARBI, MARCO (Hrsg.), 2010: *Eine Typologie der Formen der Begriffsgeschichte.* [Reihe Archiv für Begriffsgeschichte (AfB). Sonderheft. Band 7], Hamburg.

QUADRI, BRUNO, 1952: *Aufgaben und Methoden der onomasiologischen Forschung. Eine entwicklungsgeschichtliche Darstellung.* [Reihe Romanica Helvetica. Band 37], Bern.

RADNITZKY, GERARD/SEIFFERT, HELMUT, 1994² [1989]: *Definition.* In: Helmut Seiffert/Gerard Radnitzky (Hrsg.), Handlexikon der Wissenschaftstheorie. München, Seite 27 - 33.

RAMERS, KARL HEINZ, 2001² [1998]: *Einführung in die Phonologie.* München.

REY, ALAIN, 1992²: *La terminologie: Noms et notions.* [Reihe Que sais-je ?], Paris.

RITTER, P., 2005⁵: *Phonetik und Phonologie: Die Lehre von den Lauten der Sprache.* In: Johannes Volmert (Hrsg.), Grundkurs Sprachwissenschaft. Eine Einführung in die Sprachwissenschaft für Lehramtsstudiengänge. München, Seite 55 - 85.

RUBLACK, ULINKA (Hrsg.), 2013 [2011]: *Die Neue Geschichte. Eine Einführung in 16 Kapiteln.* Frankfurt.

RÜSEN, JÖRN, 1986: *Rekonstruktion der Vergangenheit. Grundzüge einer Historik.* Band 2, *Die Prinzipien der historischen Forschung.* Göttingen.

RÜSEN, JÖRN, 2013: *Historik. Theorie der Geschichtswissenschaft.* Köln/Weimar/Wien.

SARASIN, PHILIPP, 2003: *Geschichtswissenschaft und Diskursanalyse.* Frankfurt.

SARASIN, PHILIPP, 2007³: *Diskursanalyse.* In: Hans-Jürgen Goertz (Hrsg.), Geschichte. Ein Grundkurs. [Reihe Rowohlts Enzyklopädie], Reinbek, Seite 199 - 217.

SARASIN, PHILIPP, 2010: *Diskursanalyse.* In: Anne Kwaschik/Mario Wimmer (Hrsg.), Von der Arbeit des Historikers. Ein Wörterbuch zu Theorie und Praxis der Geschichtswissenschaft. Bielefeld, Seite 53 - 57.

SCHIPPAN, THEA, 1975²: *Einführung in die Semasiologie.* Leipzig.

SCHMITT, RÜDIGER (Hrsg.), 1977: *Etymologie.* [Reihe Wege der Forschung. Band 373], Darmstadt.

SCHNELL, RAINER/HILL, PAUL B./ESSER, ELKE, 2013¹⁰: *Methoden der empirischen Sozialforschung.* München.

SCHOLTZ, GUNTER (Hrsg.), 2000: *Die Interdisziplinarität der Begriffsgeschichte.* [Reihe Archiv für Begriffsgeschichte (AfB). Sonderheft. Band 1], Hamburg.

SCHORN-SCHÜTTE, LUISE, 2007³: *Ideen-, Geistes-, Kulturgeschichte.* In: Hans-Jürgen Goertz (Hrsg.), Geschichte. Ein Grundkurs. [Reihe Rowohlts Enzyklopädie], Reinbek, Seite 541 - 567.

SCHORN-SCHÜTTE, LUISE, 2010 [2002]: *Ideengeschichte.* In: Stefan Jordan (Hrsg.), Lexikon Geschichtswissenschaft. Hundert Grundbegriffe. Stuttgart, Seite 174 - 178.

SCHURZ, GERHARD, 2014⁴: *Einführung in die Wissenschaftstheorie.* Darmstadt.

SCHWARZE, CHRISTOPH/WUNDERLICH, DIETER (Hrsg.), 1985: *Handbuch der Lexikologie.* Königstein.

SEEBOLD, ELMAR, 1981: *Etymologie. Eine Einführung am Beispiel der deutschen Sprache.* [Reihe Beck'sche Elementarbücher], München.

SEIFFERT, HELMUT, 1997: *Einführung in die Wissenschaftstheorie.* Band 4, *Wörterbuch der wissenschaftstheoretischen Terminologie.* München.

SELLIN, VOLKER, 2008² [2005³]: *Einführung in die Geschichtswissenschaft.* Göttingen.

SIHLER, ANDREW L., 2000: *Language History. An Introduction.* [Amsterdam Studies in the Theory and History of Linguistic Science. Reihe 4, Current Issues in Linguistic Theory. Band 191], Amsterdam/Philadelphia.

SONNEVELD, HELMI B./LOENING, KURT L. (Hrsg.), 1993: *Terminology. Applications in interdisciplinary communication*. Amsterdam/Philadelphia.

STEGMÜLLER, WOLFGANG, 1980: *Begriff*. In: Josef Speck (Hrsg.), Handbuch wissenschaftstheoretischer Begriffe. Band 1, A - F. Göttingen, Seite 61.

STOLLBERG-RILINGER, BARBARA (Hrsg.), 2010: *Ideengeschichte*. [Reihe Basistexte Geschichte. Band 6], Stuttgart.

SUPPES, PATRICK, 1980: *Definition*. In: Josef Speck (Hrsg.), Handbuch wissenschaftstheoretischer Begriffe. Band 1, A - F. Göttingen, Seite 124 - 129.

TAFRESCHI, AGNES, 2006: *Zur Benennung und Kategorisierung alltäglicher Gegenstände. Onomasiologie, Semasiologie und kognitive Semantik*. Kassel.

TERNES, ELMAR, 2012[3]: *Einführung in die Phonologie*. Darmstadt.

THIEL, CHRISTIAN/SEIFFERT, HELMUT, 1994[2] [1989]: *Begriff*. In: Helmut Seiffert/Gerard Radnitzky (Hrsg.), Handlexikon der Wissenschaftstheorie. München, Seite 9 - 14.

VOLGER, HELMUT, 1997: *Imperialismus*. In: Ulrich Albrecht/Helmut Volger (Hrsg.), Lexikon der Internationalen Politik. München/Wien, Seite 217 - 220.

VOLLI, UGO, 2002 [2000]: *Semiotik. Eine Einführung in ihre Grundbegriffe*. Übers. von Uwe Petersen, Tübingen/Basel.

VOLMERT, JOHANNES, 2005[5]: *Sprache und Sprechen: Grundbegriffe und sprachwissenschaftliche Konzepte*. In: ders. (Hrsg.), Grundkurs Sprachwissenschaft. Eine Einführung in die Sprachwissenschaft für Lehramtsstudiengänge. München, Seite 9 - 28.

WEBER, MAX, 2009[5] [1972[5] posthum]: *Wirtschaft und Gesellschaft. Grundriss der verstehenden Soziologie*. Hrsg. von Johannes Winckelmann, Tübingen.

WEHLER, HANS-ULRICH (Hrsg.), 1979[3] [1979[4]]: *Imperialismus*. Königstein.

WENTURIS, NIKOLAUS/HOVE, WALTER VAN/DREIER, VOLKER, 1992: *Methodologie der Sozialwissenschaften. Eine Einführung*. Tübingen.

WIEGAND, HERBERT ERNST, 1970: *Synchronische Onomasiologie und Semasiologie. Kombinierte Methoden zur Strukturierung der Lexik*. In: Germanistische Linguistik (GL). 3, Seite 247 - 384.

WIESE, RICHARD, 2011: *Phonetik und Phonologie*. Paderborn.

WÜSTER, EUGEN, 1991[3]: *Einführung in die allgemeine Terminologielehre und terminologische Lexikographie*. [Reihe Abhandlungen zur Sprache und Literatur. Band 20], Bonn.

ZÜRN, MICHAEL, 2004[2]: *Regime/Regimeanalyse*. In: Dieter Nohlen/Rainer-Olaf Schultze (Hrsg.), Lexikon der Politikwissenschaft. Theorien, Methoden, Begriffe. Band 2, N - Z. München, Seite 813.

5
Was ist Macht?

I. Einleitung

Macht ist einer der zentralen Faktoren der Politik.[1] Zu Macht sowohl als Erscheinung als auch als Begriff ist bereits eine Fülle von Darstellungen und Untersuchungen innerhalb der verschiedenen Wissenschaften, vor allem der Soziologie, der Politikwissenschaft, der Wirtschaftswissenschaft und der Philosophie, aber ebenso etwa der Geschichtswissenschaft, vorgelegt worden.[2] Dabei hat man sich bisher vor allem auf die verschiedenen Erschei-

---

[1] Neben der Macht gehören beispielsweise auch die Herrschaft oder das Recht zu den entscheidenden Wirkungsgrößen der Politik. Siehe allgemein dazu unter anderem die entsprechenden Ausführungen in meinem Aufsatz „Was ist Internationale Politikgeschichte?" (Kapitel IV.1) in diesem Band. Noch im Jahr 1938 konstatierte Bertrand Russell in diesem Zusammenhang, dass die „Macht" „der Fundamentalbegriff in der Gesellschaftswissenschaft" sei „im gleichen Sinne, in dem die Energie den Fundamentalbegriff der Physik darstellt". Bertrand Russell, 2001: Seite 10 (zuerst 1938). Die von Russell hier gewählte Analogie ergibt sich vor allem daraus, dass der physikalische Begriff der ‚Energie' (in Englisch: *‚energy'*), welcher eng verbunden ist mit dem Terminus der ‚Kraft' (englisch: *‚power'*), nicht nur wegen der in ihm enthaltenen bewirkenden Eigenschaft, sondern auch vom Wort her eine gewisse Nähe zum gesellschaftswissenschaftlichen Begriff der ‚Macht' (in Englisch ebenfalls: *‚power'*) aufweist.

[2] Vgl. zur empirischen und begrifflichen Forschung: Robert A. Dahl, 1957; Arnold Bergstraesser, 1965; Adolf A. Berle, 1967; ders., 1973; Josef Zelger, 1975; Dorwin Cartwright, 1978; Michel Foucault, 1978; David C. McClelland, 1978; Stefan Hradil, 1980; John Kenneth Galbraith, 1987; Niklas Luhmann, 1988[2]; Dennis H. Wrong, 1988; Kenneth E. Boulding, 1990; Kurt Röttgers, 1990; Thomas E. Wartenberg, 1990; ders., 1992; Wolfgang Sofsky/Rainer Paris, 1991; Franco Crespi, 1992; Hannah Arendt, 1993[8]; Stewart R. Clegg, 1993; Karl Sandner, 1993[2]; Mark Haugaard, 1997; Claus Rolshausen, 1997; Gianfranco Poggi, 2001; Bertrand Russell, 2001; John Scott, 2001; Byung-Chul Han, 2005; Martin Krol/Timo Luks/Michael Matzky-Eilers/Gregor Straube, 2005; Steven Lukes, 2005[2]; Albert Meyer, 2005; Rainer Paris, 2005; Friedrich von Wieser, 2006; Peter Gostmann/Peter-Ulrich Merz-Benz, 2007; Carl Schmitt, 2008; Hans Jürgen Wendel/Steffen Kluck, 2008; Heinrich Popitz, 2009[2]; Kurt Röttgers, 2010; Donald J. Savoie, 2010; Peter Morriss, 2012[2]; David Strecker, 2012; André Brodocz/Stefanie Hammer, 2013; Marita Grimm, 2015. Siehe einführend dazu: Ulrich Weiß, 1995; ders., 2004[2]; Roland Eisen, 2000[7]; Peter Hanke, 2000[3]; Werner J. Patzelt, 2000; André Brodocz, 2007; Karl-Heinz Hillmann, 2007[5]: Seite 516 – 517 (Artikel: Macht); Ralf Krause/Marc Rölli, 2008; Trutz von Trotha, 2008; Peter Imbusch, 2010[10]a; ders., 2010[8]b; Manfred G. Schmidt, 2010[3]: Seite 477 – 478 (Artikel: Macht); Heinz Hartmann/Hanns Wienold, 2011[5]; Marco Iorio, 2011; Christopher Clark, 2013; Reiner Wimmer, 2013[2]; Stefanie Brich/Claudia Hasenbalg/Eggert Winter, 2014[18]: Seite 2061 – 2062 (Artikel: Macht). Zu eher anwendungsorientierten Studien im Zusammenhang mit dem Phänomen der Macht siehe zudem: James S. Coleman, 1979; Mark Haugaard, 1992; Jürgen Gebhardt/Herfried Münkler, 1993; Marvin E. Olsen/Martin N.

nungsformen und Erscheinungsmomente von Macht sowie auf ihre Funktions- und Wirkungszusammenhänge konzentriert. Eine präzise inhaltliche Bestimmung des Phänomens selbst blieb dagegen vielfach aus. Man bediente sich schlicht meist nicht weiter ausgeführten und begründeten Ein-Satz-Definitionen, die zum gedanklichen Ausgangspunkt der anschließend erfolgenden Untersuchung(en) gemacht wurden. Dabei tritt zudem ein deutliches Übergewicht der von Max Weber vertretenen Machtvorstellung zu Tage, an der sich die meisten Forscher orientierten.

Aus diesen Gründen ist es an der Zeit, auf einer sehr grundlegenden Ebene einmal systematisch zu erörtern, was Macht als solche eigentlich genau ist, und – damit unmittelbar zusammenhängend – zugleich zu prüfen, inwieweit Weber mit seiner dominanten Begriffsbestimmung das Wesen von Macht tatsächlich zutreffend und hinreichend eingefangen hat. Zu diesem Zweck werden die einzelnen konzeptionellen Bestandteile von Macht ausgehend von der Begriffsdefinition Max Webers nacheinander systematisch in den Blick genommen und auf ihre jeweilige Plausibilität hin überprüft (Kapitel II – IX). Nach einem knappen Ausblick auf die empirischen Erscheinungsformen von Macht (Kapitel X) werden die einzelnen Ergebnisse des Beitrags abschließend zusammengefasst und in ihren konzeptionellen Gesamtzusammenhang gestellt (Kapitel XI).

II. Das grundsätzliche Wesen von Macht

Innerhalb der genannten fachübergreifenden Diskussion um Macht[3] hat sich die von Max Weber zu Beginn des 20. Jahrhunderts vorgeschlagene Definiti-

---

Marger, 1993; Gerhard Göhler, 1995; Jürgen Bellers/Gerhard Hufnagel, 1998; Henri Goverde/Philip G. Cerny/Mark Haugaard/Howard H. Lentner, 2000; Michael Barnett/Raymond Duvall, 2005; Peter Brandt/Arthur Schlegelmilch/Reinhard Wendt, 2005; Gert Melville, 2005; Werner J. Patzelt, 2005; Mark Haugaard/Howard H. Lentner, 2006; Walter Neubauer/Bernhard Rosemann, 2006; Bernd Simon, 2007; Georg Zenkert, 2007; Alexander H. Arweiler/Bardo M. Gauly, 2008; Bianka Knoblach/Torsten Oltmanns/Ivo Hajnal/Dietmar Fink, 2012; Michael Mann, 2012 – 2013; Desmond Ball/Sheryn Lee, 2014. Siehe generell auch die seit 2008 regelmäßig erscheinende Fachzeitschrift *„Journal of Political Power"* (JPP).

3 Das deutsche Wort ‚Macht' geht zurück auf das althochdeutsche maht, was mögen oder vermögen im Sinne von können bedeutet. Es stellt eine Übersetzung des altlateinischen Ausdrucks *‚potentia'* dar, der seinerseits Macht, Vermögen oder Möglichkeit meinen kann und von dem die heutige englische Bezeichnung *‚power'*, die französische *‚pouvoir'* und die italienische *‚potere'* abgeleitet sind. Vgl. Wilhelm Goerdt/Richard Hauser/Theo Kobusch/Klaus Lichtblau/Wilhelm E. Mühlmann/Ludger Oeing-Hanhoff/Hubert Rodingen/Kurt Röttgers/Adam Seigfried, 1980: Spalte 585; Karl-Georg Faber/Karl-Heinz Ilting/Christian Meier, 2004: Seite 817 – 837; Ulrich Weiß, 1995: Seite 306. Im Übrigen hatten die antiken Griechen keinen klaren Machtbegriff ausgebildet.

on beinahe konkurrenzlos durchgesetzt.[4] Für ihn ist Macht „jede Chance, innerhalb einer sozialen Beziehung den eigenen Willen auch gegen Widerstreben durchzusetzen, gleichviel worauf diese Chance beruht".[5] Im Kern geht es hiernach also um die Durchsetzung des eigenen Willens, was auch mit unserem heutigen Alltagsverständnis von Macht gut vereinbar scheint.[6]

Zunächst einmal stellt sich nun die ganz grundlegende Frage, was Macht ihrem grundsätzlichen Wesen nach ist. Ist Macht, wie Weber es behauptet, tatsächlich wesentlich eine *„Chance"*? Wenn wir davon sprechen, dass jemand Macht besitzt, dass eine Person über eine andere gerade Macht ausübt oder dass ein großes Wirtschaftsunternehmen oder gar ein Staat mächtig sind, meinen wir dann wirklich eine irgendwie objektiv bestehende ‚Chance' des zielgeleiteten Handeln-Könnens? Ist es dagegen nicht aber vielmehr so, dass damit in allererster Linie ein spezifischer Besitzzustand, eine persönli-

---

[4] Sie wird ohne Weiteres übernommen unter anderem von: Claus Rolshausen, 1997: Seite 9; Günter Wiswede, 1998[3]: Seite 48, 287 - 294; Roland Eisen, 2000[7]; Werner J. Patzelt, 2000; ders., 2013[7]: Seite 39 - 42, 588; Karl-Georg Faber/Karl-Heinz Ilting/Christian Meier, 2004: Seite 817; Andrea Maurer, 2004: Seite 19 - 25; Karl-Heinz Hillmann, 2007[5]: Seite 516 - 517 (Artikel: Macht), hier: Seite 516; Trutz von Trotha, 2008; Heinz-Günter Vester, 2009: Seite 139; Peter Imbusch, 2010[10]a: Seite 167 - 168; ders., 2010[8]b: Seite 164; Manfred G. Schmidt, 2010[3]: Seite 477 - 478 (Artikel: Macht), hier: Seite 477; Heinz Hartmann/Hanns Wienold, 2011[5]: Seite 415. Für eine Relativierung der weitgehend unangefochtenen Dominanz der Weberschen Vorstellung von Macht treten dagegen ein: Karl Sandner, 1993[2]: Seite 4 - 5, 73 - 94; Ulrich Weiß, 1995; ders., 2004[2]; Gerhard Göhler, 1997a: Seite 38 - 46; ders., 2013: Seite 225 - 232; Peter Hanke, 2000[3]: Seite 364 - 365; Gianfranco Poggi, 2001: Seite 1 - 14; Werner J. Patzelt/Christian Demuth/Stephan Dreischer/Romy Messerschmidt/Roland Schirmer, 2005: Seite 9, 14 - 20; Marco Iorio, 2011: Seite 247 - 248; Stefanie Brich/Claudia Hasenbalg/Eggert Winter, 2014[18]: Seite 2061 - 2062 (Artikel: Macht), hier: Seite 2061.

[5] Max Weber, 2009[5]: Seite 28. Speziell zur Diskussion des Machtbegriffs von Max Weber siehe: Petra Neuenhaus, 1993: Seite 9 - 46; Ernst Vollrath, 1993; Jörn Brinkhus, 2005; Carsten Kaven, 2006; Hubert Treiber, 2007; Petra Neuenhaus-Luciano, 2012[2]; Andreas Anter, 2013[2]: Seite 53 - 74; André Brodocz, 2013.

[6] Die von Gerhard Göhler im Anschluss an Michel Foucault vertretene Auffassung von Macht - im Sinne sogenannter ‚intransitiver Macht' (die als eine andere, aber komplementäre Dimension neben der sogenannten ‚transitiven Macht' bestünde und damit neben dem, was üblicherweise ‚Macht' genannt wird) - als eines nicht direkt nutzbaren institutionellen Machtmittels respektive eines passiv wirkenden sozialen Konformitätsdrucks, welche auf gemeinsamen Werten, Normen und Weltsichten beruhen und welche nur im gemeinsamen Handeln zugleich mehrerer Akteure entstehen und bestehen bleiben, geht aus meiner Sicht dagegen vollkommen am eigentlichen Machtbegriff und dessen inhaltlichem Kern vorbei. Hier scheint es eher um ein ganz anderes Phänomen zu gehen, das man vielleicht besser als ‚sozialen Handlungsrahmen', als ‚Restriktion', als ‚Gruppenzwang' oder als ‚disziplinierende Integration' bezeichnen kann oder für das es womöglich bislang noch gar keinen speziellen Begriff gibt. Vgl. Gerhard Göhler, 1997a: Seite 38 - 46; ders., 2013. Siehe ferner den zum Zweck der Grundlegung und Entwicklung dieses Machtkonzepts hergestellten Sammelband: ders., 1997b. An Göhler explizit anschließend etwa: Werner J. Patzelt/Christian Demuth/Stephan Dreischer/Romy Messerschmidt/Roland Schirmer, 2005: Seite 14 - 20.

che Konfiguration von Gütern, über die man verfügen und mit denen man etwas anfangen kann, angesprochen ist? Folgt man diesem Verständnis, erscheint Macht nicht als eine objektiv gegebene Chance, sondern vielmehr als eine subjektive Befähigung zur Durchsetzung des eigenen Willens, die zudem auf ganz konkreten Mitteln beruht.

Das Grundwesen von Macht besteht demnach darin, etwas aus eigener Kraft dafür tun zu können, bestimmte Ziele zu erreichen – *ohne* es jedoch (im Sinne eines Prozesses) gerade in diesem Augenblick tun zu müssen. Wenn jemand Macht besitzt, dann bedeutet das ganz konkret, dass diese Person grundsätzlich in der Lage ist, Mittel zur Verfolgung ihrer Interessen einzusetzen. Genauso verhält es sich, wenn eine Person über eine andere gerade Macht ausübt. In diesem Fall ist die eine Person Besitzer von Ressourcen, auf die sie zur Durchsetzung ihres Willens zurückgreifen kann und die sie (entsprechend der exemplarisch gewählten Situation) in diesem Moment auch tatsächlich einsetzt. Schließlich meinen wir, wenn wir einem großen Wirtschaftsunternehmen oder einem Staat zuschreiben, mächtig zu sein, dass diese über (entsprechend viele) Machtgrundlagen verfügen und dementsprechend ihre jeweiligen Ziele zu verfolgen im Stande sind. Macht ist insofern nicht einfach eine bloße Chance der Willensdurchsetzung, wie bei Weber, sondern deutlich konkreter und greifbarer die *Verfügungsgewalt* über bestimmte Machtmittel, durch welche die Willensdurchsetzung erfolgen kann.[7]

III. Die Machtverhältnisse

In der Weberschen Vorstellung von Macht bleibt die genannte „Chance" der Willensdurchsetzung jedoch keineswegs fundamentlos. Vielmehr ist diese Chance an, allerdings sehr umfassend gehaltene, Mittel oder Umstände ge-

[7] Schon Thomas Hobbes erkannte, dass „[...d]ie Macht eines Menschen [...] in seinen gegenwärtigen Mitteln zur Erlangung eines zukünftigen anscheinenden Guts" besteht. Thomas Hobbes, 1999[9]: Seite 66 (in: Teil 1, Kapitel 10: Von Macht, Wert, Würde, Ehre und Würdigkeit). Auch für Hobbes steht damit deutlich die Verfügungsgewalt über Mittel zur eigenen Willensdurchsetzung im Zentrum seiner Machtvorstellung. Siehe hierzu etwa: Ulrich Weiß, 1995: Seite 306 – 307; ders., 2004[2]: Seite 497. Eine ähnliche Vorstellung vertreten Wolfgang Sofsky und Rainer Paris, die allerdings so weit gehen, Macht in ihrem grundsätzlichen Wesen nicht als einen *Besitzzustand*, sondern als einen *Prozess* aufzufassen. Vgl. Wolfgang Sofsky/Rainer Paris, 1991: Seite 9 – 17. Zur Frage der Prozesshaftigkeit von Macht siehe zudem: Kurt Röttgers, 1990: Seite 302 – 326. Eine dezidiert andere Auffassung vertritt dagegen: Christopher Clark, 2013: Seite 188 – 189.

koppelt („gleichviel worauf diese Chance beruht").[8] Somit ist Macht bei Weber nicht nur retrospektiv erkennbar, nämlich dann wenn eine Person zur Erreichung ihres Ziels tatsächlich tätig geworden war und wenn sie sich zudem auch tatsächlich gegenüber Anderen durchgesetzt hat. Sondern es lässt sich eine begründete Aussage über die vorherrschenden Machtverhältnisse auch treffen, bevor eine Machthandlung durchgeführt wird oder wenn eine Machthandlung zwar stattfand, sie aber erfolglos blieb. Das scheint mit unserem intuitiven Verständnis von Macht gut zu korrespondieren, können wir in den meisten Situationen doch relativ präzise abschätzen, wie groß die (potenziell einsetzbare) Machtfülle einer Person ist.

Bei Macht geht es folglich um die Sachlage, wer auf welche und wie viele Mittel zur Durchsetzung seines Willens zurückgreifen kann. Dadurch ist Macht konkret greifbar und bestimmbar. Über wie viel Macht ein Akteur verfügt und wie sich demzufolge die Machtverhältnisse bei einer vergleichenden Gegenüberstellung mehrerer Akteure darstellen, lässt sich demnach häufig gut ermitteln oder zumindest abschätzen, weil Macht an eine mehr oder minder klare und damit berechenbare Größe in Form der Machtmittel geknüpft ist.

Die schließlichen realen Machtverhältnisse gestalten sich allerdings zumeist nicht in der Art, dass eine Person über sehr viel Macht verfügt, was im Verhältnis 100 Prozent Macht bedeuten würde, während ihr Gegenspieler gar keine Macht besitzt, was im Verhältnis 0 Prozent wären. Vielmehr besitzen in der Regel alle Akteure irgendwelche Ressourcen, auf welche sie für etwaige zweckgerichtete Handlungen zurückgreifen können. Man könnte in Anlehnung an Hannah Arendt metaphorisch auch sagen: ‚Macht liegt auf der Straße'.[9] Nur sind diese Machtmittel in ihrer Anzahl und Qualität unter den Akteuren sehr ungleich verteilt.[10] Darüber hinaus sind sie nicht in jedem Fall gleichgewichtig, sodass in einer konkreten Situation für die Erreichung eines bestimmten Ziels den einzelnen verfügbaren Ressourcen ganz unterschiedliche Bedeutung beziehungsweise Wirksamkeit zukommen kann. Wenn bei-

---

8 Max Weber bleibt auch bei seiner Konkretisierung der Mittel zur Willensdurchsetzung sehr umfassend. Vgl. Max Weber, 2009[5]: Seite 28 – 29. Zur Auseinandersetzung speziell mit den Machtmitteln siehe die Ausführungen in Kapitel IV.

9 Vgl. Interview von Adelbert Reif mit Hannah Arendt, abgedruckt in: Hannah Arendt, 1993[8]: Seite 111. Der machtkonzeptionelle Kontext ist in diesem Zusammenhang bei Arendt allerdings ein anderer.

10 Insofern steht der Macht einer Person in der Regel die von John Kenneth Galbraith als Konzept eingeführte ‚Gegenmacht' (im englischen Original: *‚countervailing power'*) einer anderen Person innerhalb eines gegebenen Machtverhältnisses gegenüber. Vgl. John Kenneth Galbraith, 1956: besonders Seite 124 – 148 (in der deutschen Textausgabe wird der Begriff der *‚countervailing power'* allerdings etwas weniger treffend als ‚Gegenkraft' übersetzt). Siehe zu diesem Konzept auch: Niklas Luhmann, 1988[2]: Seite 41, 107 – 108; Gerhard Göhler, 1997a: Seite 40; ders., 2013: Seite 228; Werner J. Patzelt/Christian Demuth/Stephan Dreischer/Romy Messerschmidt/Roland Schirmer, 2005: Seite 36 – 37.

spielsweise ein General eine Armee mit mehreren Hundert Panzern befehligt, dann verfügt dieser über große Macht in einer Schlacht in offenem Gelände. Er besitzt dagegen aber wenig bis gar keine Macht, wenn mit diesen Kampfeinheiten ein Gefecht auf Hoher See zu führen ist.[11] Macht hängt damit erstens subjektiv davon ab, wie viele und welche Mittel einer Person überhaupt zur Verfügung stehen, und zweitens, ebenfalls subjektiv, davon, auf welche von diesen Ressourcen eine Person in einer bestimmten Situation für ein gewähltes Ziel dann tatsächlich zurückgreifen kann. Neben den dritten, wiederum subjektiven Aspekt der persönlichen Befähigung, mit diesen Ressourcen umzugehen und diese möglichst optimal und effektiv einzusetzen, tritt, viertens, noch ein objektives Moment, nach dem auch die normalerweise zu erwartende Wirksamkeit eines bestimmten Machtmittels zur Erreichung eines Ziels in einer konkreten Situation eine Rolle spielt.[12] Darum erweist sich die Vorstellung von einer *grundsätzlichen* ‚Asymmetrie' von Macht als ein Mythos.[13] Tatsächlich können die Machtverhältnisse in einer gegebenen Situation ganz unterschiedlich verteilt und in ihrer Gesamt*wirksamkeit* durchaus schwer berechenbar sein. So kann ein angesprochener Machtinhaber über mehr Macht verfügen als sein Gegenüber. Er kann genauso aber auch weniger Macht besitzen. Schließlich können sich die zwischen beiden bestehenden Machverhältnisse auch annähernd oder vollends die Waage halten. Nur weil eine Person über Macht verfügt und damit mächtig

---

[11] In diesem Zusammenhang ließe sich daher – an die Überlegungen von Karl W. Deutsch anschließend – sinnvoll unterscheiden zwischen ‚Bruttomacht' (im englischen Original: ‚*gross power*'), womit die Gesamtheit aller *grundsätzlich* zur Verfügung stehenden Machtmittel gemeint ist, und Nettomacht (‚*net power*'), mit der allein diejenigen Machtmittel angesprochen sind, welche „sich in einer gegebenen Situation von einem Akteur *tatsächlich* mit Erfolgsaussichten einsetzen lassen". Vgl. Karl W. Deutsch, 1973³: Seite 172. Daran anschließend etwa: Werner J. Patzelt/Christian Demuth/Stephan Dreischer/Romy Messerschmidt/Roland Schirmer, 2005: Seite 34 – 37 (Zitat: Seite 35; Hervorhebung vom Verfasser).

[12] Insgesamt in Ansätzen ähnlich: Jörn Brinkhus, 2005: Seite 173 – 176. Demzufolge lassen sich die Machtverhältnisse kaum in dem starren Schema eines Nullsummenspiels denken, bei dem ein Machtakteur bestimmte Machtmittel besitzt, über die ein Anderer darum nicht verfügen könne. Unabhängig davon, dass bei dieser Vorstellung eine *Summe* ‚Null' nicht zu erkennen ist, sind grundsätzlich aber auch – um in diesem starren Schema zu bleiben – Situationen denkbar, in denen zwei Machtakteure sich eine bestimmte Machtressource teilen (beispielsweise der Verteidigungsminister und der Generalfeldmarschall jeweils die gesamten Streitkräfte ihres Staates oder ein Fabrikleiter und ein Priester die Menschenmenge ihrer Kleinstadt, in welcher alle erwachsenen Einwohner sowohl in dieser Fabrik arbeiten als auch der Kirchgemeinde des Priesters angehören). Vgl. Gerhard Göhler, 1997a: Seite 40 – 41; ders., 2013: Seite 228 – 229; Werner J. Patzelt/Christian Demuth/Stephan Dreischer/Romy Messerschmidt/Roland Schirmer, 2005: Seite 15.

[13] Vgl. Ulrich Weiß, 1995: Seite 306 – 307; ders., 2004²: Seite 497; Gerhard Göhler, 1997a: Seite 40; ders., 2013: Seite 228; Werner J. Patzelt/Christian Demuth/Stephan Dreischer/Romy Messerschmidt/Roland Schirmer, 2005: Seite 15; Manfred G. Schmidt, 2010³: Seite 477 – 478 (Artikel: Macht), hier: Seite 477.

ist, heißt das aber eben noch lange nicht, dass sie deswegen in jeder Situation und in allen Akteurskonstellationen stets die tatsächliche Übermacht hat, das heißt mehr effektiv einsetzbare und wirksame Macht besitzt als ihr Gegenspieler.

IV. Die Machtmittel

Was sind demzufolge die Machtmittel oder die Quellen der Macht.[14] Amitai Etzioni unterscheidet dazu ‚brachiale Machtmittel' in Form von physischen Zwangsmitteln (etwa Waffeneinsatz oder dessen Androhung), ‚utilitarische Machtmittel' in Form von materieller Belohnung (etwa durch Güter, Dienste oder Geld) und ‚normativ-soziale Machtmittel' in Form von persönlichen Fähigkeiten oder politischen Positionen,[15] während Kenneth Boulding dagegen eine Abgrenzung vornimmt zwischen ‚destruktiven Machtmitteln' als zerstörerische Mittel (wie Waffen, Planierraupen, Hochöfen oder Kettensägen), ‚produktiven Machtmitteln' als schaffende Mittel (wie Ideen, Werkzeuge, Maschinen oder körperliche Kraft) und ‚integrativen Machtmitteln' als sozial verbindende Mittel (wie der Fähigkeit, Familien, Gruppen und Organisationen zu gründen oder Loyalität und Kooperation herzustellen).[16] Im Grunde laufen aber alle Systematisierungsversuche dieser Art auf eine Differenzierung der Machtquellen in ‚materielle Güter' (etwa Geld und Besitztümer, Waffen, Soldaten und Rohstoffe), ‚immaterielle Güter' (etwa Prestige, soziale Kontakte und Klientelbeziehungen, politische Positionen, Ämter und Mandate, Informationen und Fachwissen) und ‚individuelle Qualitäten' (etwa (Aus)Bildungsstand, Talent, rhetorische und argumentative Fähigkeiten, Denkvermögen, Charisma, körperliche Kraft und Ehrgeiz) hinaus.

Unabhängig davon, welcher Einteilung man im Einzelnen am ehesten geneigt ist zu folgen, zeigt sich hierbei jedenfalls eine schiere Unerschöpflichkeit des Variantenreichtums von Besitztümern und Fähigkeiten, welche das Potenzial von Macht begründen können. Es sind eben „[...a]lle denkbaren Qualitäten eines Menschen"[17] und alle möglichen Ressourcen, zusammenge-

---

14 Peter Imbusch unterscheidet in diesem Zusammenhang Machtquellen und Machtmittel voneinander, wobei er mit Ersteren die konkreten Machtgrundlagen verbindet, während mit Letzteren dagegen die Medien der Machtausübung gemeint sind. Diese Differenzierung ist in der Sache durchaus hilfreich, wenngleich die hierfür gewählte Begrifflichkeit eher irreführend ist. Vgl. Peter Imbusch, 2010[10]a: Seite 169; ders., 2010[8]b: Seite 168 - 171. Gerhard Göhler spricht, wenn es um die Machtmittel geht, dagegen etwas kryptisch von ‚Machtquanten'. Vgl. Gerhard Göhler, 1997a: Seite 43; ders., 2013: Seite 228 - 229, 232, 234.

15 Vgl. Amitai Etzioni, 1969[2]: Seite 96 - 97.

16 Vgl. Kenneth E. Boulding, 1990: Seite 10, 24 - 25, 79 - 123, 140 - 186.

17 Max Weber, 2009[5]: Seite 28.

fasst also sämtliche *Mittel*,[18] über die man zu verfügen und die man entsprechend einzusetzen in der Lage ist. Macht kann deshalb, allerdings entgegen der These Max Webers, nicht als „soziologisch amorph"[19] gelten – und ebenso nicht als „inhaltlich unspezifisch"[20] –, dagegen aber als überaus vielgestaltig (keineswegs jedoch als stets ‚gestaltlos').[21] Es ist Weber aber zuzustimmen, wenn er zu verdeutlichen versucht, dass die jeweiligen Grundlagen von Macht in ihrer Art, in ihrer Qualität und in ihrer Menge zunächst einmal völlig gleichgültig sind. Die Hauptsache ist, es gibt wenigstens eine einzige. Zurückzuweisen ist jedoch sein zusätzlicher Einwurf, dass auch „alle denkbaren [situationalen] Konstellationen"[22] konstitutiv für Macht seien. Derartiges hängt doch eher mit jeweils unpersönlichen Umständen zusammen als mit einer konkreten Ressource, auf welche ein Machtinhaber im gegebenen Fall zurückgreifen und welche er selbst für seine Zwecke aktiv und zielgerichtet einsetzen kann.

V. Der Machtinhaber

Damit ist der Fokus auf den Machtinhaber oder das Subjekt der Macht gerichtet. Hierzu lässt sich allgemein festhalten, dass über Macht verfügt, wer oder was zu *selbstständigem* Machthandeln grundsätzlich in der Lage ist. Zum einen ist damit betont, dass eine mächtige Person sich nicht immer über die Fülle ihrer Macht genauso wenig wie über die Tatsächlichkeit von deren Zum-Einsatz-Kommen in einer konkreten Situation im Klaren sein muss. Das heißt der Zustand, Machtinhaber zu sein, muss der jeweils betreffenden Person nicht notwendig selbst bewusst sein.[23] Entscheidend ist hier allein, dass sie zu eigenen machtbezogenen Verhaltensweisen fähig ist. Zum anderen ist damit Macht nicht allein auf Menschen reduziert. Sondern sie kann sich prinzipiell auf alle irdischen sowie, sollte so etwas tatsächlich vorkommen, auch alle außerirdischen und überirdischen Lebensformen und selbstständigen Maschinen mit künstlicher Intelligenz beziehen, die zu eigenen Machthandlungen fähig sind. Der leichteren Handhabbarkeit wegen seien die machtinhabenden Individuen daher als *Personen* (und damit nicht grund-

---

[18] Der Begriff des ‚Mittels' scheint hier – anders als etwa der der ‚Quelle', des ‚Gutes', der ‚Ressource', des ‚Besitztums', des ‚Instruments' oder abstrakter der ‚Basis' oder der ‚Grundlage' – am klarsten und zugleich umfassendsten zu sein, wenn man darunter ganz allgemein alles versteht, was „funktional für die Realisierung von Zwecken [bestimmter ...] Akteure" ist. Karl Sandner, 1993²: Seite 9 – 10.

[19] Max Weber, 2009⁵: Seite 28.

[20] Ulrich Weiß, 1995: Seite 306.

[21] Vgl. Werner J. Patzelt, 2000: Seite 545.

[22] Max Weber, 2009⁵: Seite 28.

[23] Vgl. Reiner Wimmer, 2013²: Seite 165.

sätzlich nur Menschen) zusammengefasst. Darüber hinaus treten als Machtinhaber jedoch auch Gruppen von Personen (beispielsweise eine Gruppe von Freunden, eine Mannschaft im Sport oder eine Bürgerbewegung) und speziell auch ganze Organisationen, das heißt Institutionen mit eigener Akteursqualität (wie etwa ein Verein, ein Unternehmen oder ein Staat), in Erscheinung. Diese verschiedenen Arten von Personen und Personengruppen, die einen Machtinhaber bilden können, können wiederum insgesamt als ‚*Akteure*' bezeichnet werden.

Da es in einer Machtkonstellation immer einen oder mehrere Machtinhaber braucht, also konkrete Personen oder andere Arten von Akteuren, die ihren Willen durchzusetzen grundsätzlich in der Lage sind, kann es niemals zu so etwas wie einer ‚Depersonalisierung' von Macht kommen, sodass Macht lediglich abstrakt in institutionalisiert angelegter Form respektive als sogenannte ‚strukturelle Macht' vorkommt.[24] Freilich können in bestimmten Situationen soziale Strukturen die Grundlage eines Machtinhabers sein. Doch ist es letztlich der Machtinhaber als solcher, der ein Machtinteresse verfolgen, dazu über entsprechende Machtmittel verfügen und diese zum verfolgten Zweck einsetzen kann. Eine von konkreten Akteuren losgelöste Machtkonstellation ist insofern überhaupt nicht denkbar und widerspricht auch unserer alltäglichen Vorstellung von Macht.

VI. Der Machtadressat

An die Frage nach dem Machtinhaber anschließend wird Macht – besonders im Anschluss an Weber – häufig ein ‚zweipoliges' Wesen zugeschrieben (Macht bestehe „innerhalb einer sozialen Beziehung"). Eine gedankliche Ausweitung des Machtkonzepts um das relationale Element des Machtadressaten oder des Objekts der Macht ist für das Verständnis von Macht zweifelsohne hilfreich.[25] Nur bezieht sich diese Auffassung eher auf verschiedene empirische Situationen, in denen Macht in ihrer Anwendung (jetzt gerade) eine ganz konkrete Rolle zwischen mehreren Akteuren spielt. Unabhängig von einem solchen konkreten situationalen Einsatz von Macht steht ein Machtinhaber jedoch zunächst einmal immer für sich allein. Ein Machtinhaber braucht, um ein solcher zu sein, nicht notwendig einen anderen Machtinhaber, auf den er sich als Gegenpol bezieht. Demnach handelt es sich bei

---

24 Vgl. Günter Wiswede, 1998³: Seite 291.

25 Eine solche konzeptionelle Ausdehnung vertritt etwa Peter Imbusch, der auf der Grundlage des Weberschen Begriffs und der beschriebenen relationalen Dimension Macht mit „Machtfiguration" im Sinne Wolfgang Sofskys und Rainer Paris' (Wolfgang Sofsky/Rainer Paris, 1991) gleichsetzt. Vgl. Peter Imbusch, 2010⁸b: Seite 164 - 166. Macht als eine (zweipolige) Beziehung versteht auch: Christopher Clark, 2013: Seite 188 - 189.

Macht zunächst einmal nicht um eine relationale Konstellation, sondern vielmehr um eine *‚unilaterale' Ausgangssituation*, bei der jeweils *ein* machthabendes Subjekt im Mittelpunkt steht. Dies kommt etwa dadurch zum Ausdruck, dass wir etwa davon sprechen, dass jemand mächtig ist oder Macht besitzt. Diese Aussage bezieht sich nur auf einen einzigen Akteur ohne irgendeine relationale Verbindung. Eine *Beziehung* zwischen mehreren Akteuren als ‚Macht' zu bezeichnen, widerspräche dagegen unserem intuitiven Begriffsgebrauch – während eine solche Beziehungen aber durchaus etwa als Herrschaft bestehen kann. Dass Macht *bei ihrer Aktivierung* für einen verfolgten Zweck freilich einen konkreten Machtadressaten braucht, hat mit der hier zu klärenden konzeptionellen Grundanlage dieses Phänomens zunächst nichts zu tun. Macht ist daher eine ausschließlich individuell bestehende Verfügungsgewalt eines Machtinhabers über Machtmittel, die er zur Erreichung eines bestimmten Ziels einsetzen kann, wobei dieses Ziel (wenn es denn irgendwann tatsächlich verfolgt wird) dann gegenüber einem Machtadressaten zu realisieren ist. Aus der Sicht des Phänomens der Macht handelt es sich bei diesem Machtadressaten jedoch um ein externes Element, welches seinerseits einen wiederum eigenständigen Machtinhaber darstellt.

Innerhalb dieser Beziehung zwischen dem Machtinhaber und dem Machtadressaten stellt sich die Frage, wer oder was ein Machtadressat konkret sein kann. Max Weber hält dazu in seiner Definition fest, dass sich Macht ausschließlich in einer „*sozialen* Beziehung" manifestiere und damit allein in solchen Konstellationen vorkäme, in denen Menschen auf Menschen – oder zumindest Personen auf Personen – treffen. Diese Vorstellung Webers ist allerdings gleich in doppelter Hinsicht zu erweitern: einmal um die anderen Akteursarten, die ihrerseits als Machtinhaber auftreten können, und einmal um Objekte, die selbst keine Akteure sind. Denn Macht kann auch gegenüber rein physischen Dingen, gegenüber der landschaftlichen Umwelt oder gegenüber der Natur bestehen. Schließlich besitzen Personen unter anderem die Macht, ihre Umwelt zu verändern, Städte und Verkehrswege zu bauen, Seen trocken zu legen, Wälder und Staudämme anzulegen, Tiere und Pflanzen zu züchten oder auszurotten sowie überhaupt Gegenstände zu bewegen oder umzuformen.[26]

[26] Vgl. Michael Mann, 1990: Seite 22; Ulrich Weiß, 1995: Seite 307; Heinz-Günter Vester, 2009: Seite 139 – 140. Anders dagegen etwa: Heinrich Triepel, 1974[2]: Seite 32; Wolfgang Sofsky/Rainer Paris, 1991: Seite 9 – 17. Im Wesentlichen lassen sich in der diesbezüglichen Forschungsdiskussion zwei Steigerungsstufen von Macht erkennen: ‚soziale Macht' (gegenüber Personen) und ‚allgemeine Macht' (gegenüber Personen und physischen Dingen).

VII. Macht als allgemein soziale Erscheinung

Darüber hinaus ist die Einsicht entscheidend, dass Macht keineswegs an das Handeln im oder durch den Staat gebunden ist, dass Macht also zunächst einmal *kein* spezifisch oder *ausschließlich politisches* Phänomen darstellt. Dies sieht auch Max Weber so, wenn er Macht als eine *allgemein soziale* Erscheinung behandelt.[27] Demnach verfügt ein Abgeordneter eines Parlaments über Macht (nämlich politische Macht) genauso wie ein Mitarbeiter eines Unternehmens (wirtschaftliche Macht), ein Priester einer Kirchgemeinde (religiöse Macht), ein Spieler einer Fußballmannschaft (sportliche Macht) oder ein Sachbearbeiter einer Behörde (rechtliche Macht). Deshalb besteht Macht keineswegs allein im Zusammenhang der Herstellung oder Durchsetzung allgemein geltender Entscheidungen, das heißt im Zusammenhang von Politik,[28] sondern etwa auch dann, wenn die Erreichung wirtschaftlicher, religiöser, sportlicher oder rechtlicher Ziele angestrebt wird.[29] Im Kontext speziell politischer (mitunter auch wirtschaftlicher) Sachverhalte geht Macht im Vergleich zu nicht-politischen Zusammenhängen allerdings vielfach (aber keineswegs immer) mit einer größeren Fülle und Wirkungsmächtigkeit der jeweils zur Verfügung stehenden Machtmittel einher.

VIII. Macht als Möglichkeit

Problematisch erscheint dagegen jener Aspekt der Weberschen Definition, der mit der oben schon mehrfach angesprochenen *„Chance"* verbunden ist. Dieses fast schon unscheinbare Wort hat immer wieder zu Missverständnissen geführt und sogar bereits einige kritische Reaktionen hervorgerufen.[30] Der Grund liegt in seinem uneindeutigen Inhalt. Denn mit einer ‚Chance' (zur eigenen Willensdurchsetzung) kann hier einerseits (und wie von Weber selbst wahrscheinlich vorrangig verstanden) ausgedrückt werden, eine

---

27 Vgl. Max Weber, 2009⁵: Seite 28 – 29.

28 Bei Politik geht es im Kern um die ‚Herstellung und Durchsetzung allgemein geltender Entscheidungen'. Vgl. dazu die treffende Begriffsbestimmung bei: Werner J. Patzelt, 2013⁷: Seite 22. Siehe ferner: Michael Gal, 2017: Seite 161 – 162 (erneut abgedruckt in diesem Band (Kapitel I)) sowie die diesbezüglichen Ausführungen in meinem Beitrag „Was ist Internationale Politikgeschichte?" (Kapitel IV.1) in diesem Band.

29 Vgl. Werner J. Patzelt/Christian Demuth/Stephan Dreischer/Romy Messerschmidt/Roland Schirmer, 2005: Seite 10 – 11; Heinrich Popitz, 2009²: Seite 236 – 238.

30 Vgl. Kurt Röttgers, 2010: Seite 223. Aus forschungspraktisch motivierten Erwägungen heraus hat sich Achim Landwehr mit der Problematik des Wortes der ‚Chance' in den Weberschen Definitionen auseinandergesetzt – allerdings anhand des mit Macht in enger Verbindung stehenden und von Weber im Zusammenhang mit dieser gebildeten Terminus der ‚Herrschaft'. Vgl. Achim Landwehr, 2000: Seite 158.

Wahlfreiheit zur Machtanwendung durch den Machtinhaber im Sinne einer *Handlungsoption*, also die reine Möglichkeit, entweder tätig zu werden und seine Interessen zu verfolgen oder über Macht verfügend diese nicht auszuüben durch einfaches Nicht-Tätig-Werden.[31] Tatsächlich begegnet man im Alltag immer wieder Fällen, in denen einzelne Personen zwar über relativ viel Macht verfügen, diese jedoch kaum nutzen. Beispielsweise kommt es in Konfliktsituationen immer wieder vor, dass gesellschaftliche und vor allem politische Autoritäten einfach schweigen, anstatt verbal zu agieren, eine vermittelnde Rolle einzunehmen oder allgemein zur Beruhigung der Gemüter und zur Lösung des Problems beizutragen.

Andererseits kann unter einer ‚Chance' (zur eigenen Willensdurchsetzung) aber auch verstanden werden eine *Wirkungspotenzialität* oder Wirkungswahrscheinlichkeit, sodass Macht eine Chance bietet im Sinne einer (guten) Aussicht auf Erfolg, womit aber noch gar nicht gesagt ist, ob bei einer konkreten Machtausübung die Durchsetzung des eigenen Willens auch wirklich Erfolg zeitigt. Eine geglückte Willensdurchsetzung kann sich entweder einstellen oder auch nicht. In beiden Fällen aber beruht das Handeln auf Macht. Auch solcherart Situationen sind nicht selten anzutreffen. Als anschauliches Exempel kann hier ein Fußballspiel dienen, wenn, wie es hin und wieder passiert, ein weit überlegener Favorit sich gegen eine sehr viel schwächer eingeschätzte Mannschaft nicht durchzusetzen vermag, obwohl angesichts der weit besseren spielerischen Qualität eine entsprechend hohe Erfolgswahrscheinlichkeit bestand.

Gleichwohl sich hier also eine Doppeldeutigkeit durch die zentrierte Stellung des Wortes ‚Chance' in der Definition Webers ergibt, so muss dennoch konstatiert werden, dass beide Bedeutungen sowohl nach unserem alltagssprachlichen Verständnis als auch nach dem wortgeschichtlichen Ursprung durchaus einen genuinen Bestandteil der Intension des Machtbegriffs darstellen. Sowohl die Handlungsoption als auch die Wirkungspotenzialität gehören zum Konzept der Macht, wenngleich diese ‚Chance', wie in Kapitel II dargestellt, nicht das grundsätzliche Wesen von Macht darstellt, sondern lediglich einen von mehreren weiteren konzeptionellen Bestandteilen.[32]

---

[31] Vgl. Heinz-Günter Vester, 2009: Seite 139. In diesem Zusammenhang könnte man ferner unterscheiden zwischen ‚aktualer Macht', das heißt einer die gegenwärtig zur Anwendung kommt, und ‚potenzieller Macht', welche der Möglichkeit nach vorhanden ist, auf die jedoch gegenwärtig nicht zurückgegriffen wird. Vgl. Stefan Hradil, 1980: Seite 34 - 40.

[32] Im Ganzen gesehen hat noch kaum jemand diese Polysemie des Wortes ‚Chance' in der Weberschen Definition beachtet. Zumindest im Allgemeinen ist Kurt Röttgers eine solche Doppeldeutigkeit aufgefallen, der dementsprechend zwischen Macht als einer Möglichkeit beziehungsweise einem Können (‚Modalbegriff von Macht') und Macht als einer Fähigkeit, einer inneren Kraft oder einem Vermögen (sogenannter ‚anthropologischer Begriff von Macht') unterscheidet, diese Differenzierung jedoch nicht weiter ausführt. Vgl. Kurt Röttgers, 1990: Seite 50 - 56.

Die beiden Begriffsdimensionen auf einen einzigen Nenner heruntergebrochen besitzt Macht die Eigenschaft, Möglichkeiten (Chancen) zu eröffnen, Möglichkeiten, sich in einer Beziehung gegenüber einem oder mehreren Anderen oder etwas Anderem durchzusetzen (gleich, ob dies tatsächlich erfolgt oder nicht, und gleich, ob dies letztendlich gelingt oder nicht).[33] Eine Erfolgsgarantie oder gar eine automatisch generierte Kausalitätskette ergibt sich indes durch die bloße Entität von Macht nicht. Viel eher entspricht sie dem von Niklas Luhmann geprägten Bild eines ‚Katalysators', eines Wirkungsverstärkers, unter dessen Zuhilfenahme sich die Eintrittswahrscheinlichkeit von Erfolg bei einer zweckgebundenen Handlung mehr oder weniger stark erhöht.[34]

IX. Macht und Widerstand

Dass man mit Macht etwas ‚machen' kann, nämlich ‚den eigenen Willen durchsetzen' (im Sinne eines Machtzwecks), scheint eine über Max Weber hinausgehende konsensuale Auffassung zu sein, die sich ohne Weiteres mit unserem Alltagsverständnis deckt. Dass die intendierte Zweckerreichung dabei auch auf *Hindernisse* und darüber hinaus sogar auf „Widerstreben" von

---

[33] Überraschenderweise wird von vielen Forschern die Vorstellung vertreten, dass es sich bei Macht nicht nur um eine (begründet) eröffnete Möglichkeit, sondern vor allem auch um die Fähigkeit oder gar die Faktizität einer *definitiv erfolgreichen* Willensdurchsetzung handelt. Vgl. Robert A. Dahl, 1957: Seite 202 - 203; Karl W. Deutsch, 1973[3]: Seite 171; Heinrich Triepel, 1974[2]: Seite 32; Josef Zelger, 1975: Seite 18, 25; Stefan Hradil, 1980: Seite 22; Kenneth E. Boulding, 1990: Seite 15; Michael Mann, 1990: Seite 22; Wolfgang Sofsky/Rainer Paris, 1991: Seite 9; Karl Sandner, 1993[2]: Seite 74 - 77, 94; Gerhard Göhler, 1997a: Seite 40; ders., 2013: Seite 227, 235, 240 - 241; Gianfranco Poggi, 2001: Seite 3; Bertrand Russell, 2001: Seite 31; John Scott, 2001: Seite 1 - 5; Werner J. Patzelt/Christian Demuth/Stephan Dreischer/Romy Messerschmidt/Roland Schirmer, 2005: Seite 10; Heinrich Popitz, 2009[2]: Seite 22 - 23. In diesem Sinne etwa auch schon: Immanuel Kant, 2006: Seite 159 (Seite 102 (Originaltext)) (erste Auflage zuerst 1790). Dagegen mit uneinheitlicher Vorstellung: Talcott Parsons, 1967: Seite 41, 181. Vgl. generell zu dieser Problematik: Kurt Röttgers, 1990: Seite 50 - 55. Gerade die englischsprachigen Werke stechen hier hervor, denen das kaum beachtete Grundproblem anhaftet, begrifflich nicht zwischen der *Kraft*, etwas zu tun, (in Englisch sogenannt auch: *‚power to'* (Macht zu)) und der *Macht*, ein bestimmtes Ziel gegenüber Anderen zu erreichen, (englisch sogenannt auch: *‚power over'* (Macht über)) trennen zu können, ist doch das entsprechende Begriffswort in beiden Fällen identisch (nämlich: *‚power'*). Vgl. zur von Hanna Fenichel Pitkin eingeführten Unterscheidung von *power to* und *power over*: Hanna Fenichel Pitkin, 1993[2]: Seite 276 - 277. Siehe insgesamt etwa auch: Thomas E. Wartenberg, 1990: Seite 17 - 27; Peter Imbusch, 2010[8]b: Seite 180. Eine nennenswerte Ausnahme innerhalb der englischsprachigen Literatur ist Dennis H. Wrong, der Macht entgegen der allgemeinen Vorstellung nicht als eine Tatsache, sondern als ein individuelles Vermögen der Herstellung intendierter Effekte versteht. Vgl. Dennis H. Wrong, 1988: Seite 1 - 3.

[34] Vgl. Niklas Luhmann, 1988[2]: Seite 12 - 13.

Seiten des Machtadressaten stoßen kann, wie Weber außerdem formuliert, liegt bis zu einem gewissen Grad in der Natur der Sache. Denn lägen gewissen Zielen keine Hindernisse im Weg, bräuchten die Akteure nicht auf Machtmittel zurückzugreifen, um diese Ziele zu erreichen. Sie könnten ihre Interessen dann auch so, das heißt ohne eine entsprechende Machtanstrengung, durchsetzen. Da die Wirklichkeit jedoch anders aussieht, benötigen die Akteure Macht. Insofern liegt die Leistung von Macht darin, dem Machtinhaber grundsätzlich das Potenzial zu verleihen, (passive) Hindernisse zu überwinden und gegebenenfalls bestehenden (aktiven) *Widerstand* zu brechen.

X. Die Erscheinungsformen von Macht

Nachdem nun die einzelnen konzeptionellen Bestandteile des Machtbegriffs besprochen wurden, lässt sich ein kurzer Blick darauf werfen, in welchen konkreten *Ausformungen* Macht als ein reales Phänomen in Erscheinung treten kann.[35] Denn in der empirischen Wirklichkeit manifestiert sich Macht keineswegs in sterilen Situationen, sondern zeigt sich – bei ihrer Anwendung – in relativ komplexen Machtprozessen.[36] In diesem Zusammenhang hat die bisherige Forschung mehrere Klassifikationsvarianten vorgetragen, wie die verschiedenen Ausübungsformen oder Erscheinungsformen von Macht sinnvoll differenziert und systematisiert werden können. Beispielsweise unterscheidet John Kenneth Galbraith zwischen ‚repressiver Macht', die sich beim Einsatz von Sanktionen oder bei der Anwendung von Zwang und physischer Gewalt zeigt, ‚kompensatorischer Macht', die beim Anbieten eines Ausgleichs für die Unterordnung unter den Willen des Machtinhabers oder beim Belohnen von Wohlverhalten in Erscheinung tritt, und ‚konditionierter Macht', durch die eine Änderung des Bewusstseins, der Einstellung oder des Glaubens von Machtadressaten herbeigeführt wird.[37] Ähnlich plausibel, jedoch ungleich mehr auf Konsens gestoßen ist dagegen die von Heinrich Popitz vorgenommene Einteilung in ‚Aktionsmacht', durch die materieller oder immaterieller Schaden oder körperliche Verletzungen zugefügt werden, ‚instrumentelle Macht', die beim Nehmen und Geben, Bestrafen und Belohnen, Drohen und Versprechen auftritt, ‚autoritative Macht', durch die Normen, Werte und Ziele sowie überhaupt Maßstäbe gesetzt werden, und ‚datensetzende Macht', durch die Teile der artifiziellen Objektwelt und der öf-

[35] Siehe dazu unter anderem: Peter Imbusch, 2010[10]a: Seite 168 – 169; ders., 2010[8]b: Seite 166 – 167.

[36] Gemeint sind Prozesse, in denen Macht zur Anwendung kommt. Wie oben festgestellt, ist Macht selbst dagegen kein Prozess. Vgl. Kurt Röttgers, 1990: Seite 311 – 315.

[37] Vgl. John Kenneth Galbraith, 1987: Seite 16 – 18, 28 – 57.

fentlichen Meinung geprägt werden, wodurch die eigene Weltsicht Anderen aufoktroyiert wird.[38]

Durch diese Systematiken wird in übersichtlicher und damit leicht verständlicher Weise herausgestellt, wie Macht in konkreten Situationen wirken kann. Doch hat jede dieser Systematiken ihre jeweils eigenen Vor- und Nachteile und wirklich zufriedenstellend sind sie alle nicht, da sie entweder unter zu einseitigen Kategorien gebildet worden oder aus zu komplizierten Denkanstrengungen hervorgegangen oder gar auf der Basis einer problematischen Begriffsvorstellung entstanden sind oder da sie im Ergebnis doch nicht wirklich eine übersichtliche Differenzierung erreichen. Einfacher und umfassender mag daher die Vierteilung sein in ‚Durchsetzungsmacht', bei der – wegen der zumeist relativ großen eigenen Machtfülle – der eigene Wille vollständig durchgesetzt wird; ‚Verhinderungsmacht', bei der – in der Regel aufgrund im Verhältnis zu geringer eigener Machtmittel – zumindest verhindert wird, dass etwas dem eigenen Willen Widerstrebendes von Anderen durchgesetzt wird; ‚Kommunikationsmacht', bei der – üblicherweise angesichts im Verhältnis noch stärker begrenzter eigener Machtquellen – zumindest die Kommunikationsgrundlagen, wie Begriffe, Symbole, Agendas oder Diskussionsforen, derart beeinflusst werden, dass diese dabei von der eigenen Weltsicht geprägt werden, wodurch sich wiederum das Denken und die Einstellungen der Anderen verändern und in der Folge sich die Chancen für eine tatsächliche Durchsetzung des eigenen Willens erhöhen; und ‚Versagungsmacht', bei der zwar Machtressourcen vorhanden, diese jedoch häufig relativ zu schwach sind, um überhaupt irgendetwas zu beeinflussen.[39] Dies scheinen meines Erachtens die Grundformen zu sein, in denen Macht praktisch zu Tage treten kann. Insofern lassen sich diese, wenn man so will, als die ‚vier Gesichter' von Macht verstehen.[40]

XI. Schlussbetrachtung

In der vorausgehenden Darstellung wurde das Phänomen der Macht vor dem Hintergrund der wirkmächtigen Begriffsbestimmung von Max Weber in seinen verschiedenen konzeptionellen Bestandteilen erörtert. Dabei konnten einige Aspekte von Webers Definition bekräftigt und weiter untermauert

---

[38] Vgl. Heinrich Popitz, 2009²: Seite 23 – 39. Für Heinrich Popitz ist symptomatisch, dass er Macht grundsätzlich schon von ihrem Effekt her denkt, was sichtbare Auswirkungen auf das Ergebnis seiner Systematisierungsanstrengung hat.

[39] Im Ansatz ähnlich: Werner J. Patzelt, 2000: Seite 546; ders., 2013⁷: Seite 41 – 42.

[40] Anlehnend an: Peter Bachrach/Morton S. Baratz, 1962; Adolf A. Berle, 1967; Kenneth E. Boulding, 1990.

werden, während andere Fassetten seines Begriffs problematisch erschienen und einer gewissen Modifikation bedurften.

Im Einzelnen wurde festgestellt, dass Macht ihrem grundsätzlichen Wesen nach zunächst nicht einfach eine irgendwie objektiv bestehende Chance ist, sondern eine konkrete subjektive Verfügungsgewalt über Machtmittel, welche zur Durchsetzung des eigenen Willens aktiviert werden können. Die Machtmittel können im Verhältnis zweier gegenübergestellter Machtinhaber allerdings sehr unterschiedlich ausfallen und auch sehr ungleich verteilt sein. Zugleich erlaubt das Vorhandensein von relativ vielen Machtmitteln noch keineswegs einen Schluss auf den Erfolg ihres Einsatzes. Der über diese Machtmittel verfügende Machtinhaber besteht seinerseits in Form von Personen oder Personengruppen, welche wiederum ihren Willen jeweils gegenüber einem anderen Machtinhaber oder gegenüber einem nichtakteuralen Objekt, dem Machtadressaten, durchzusetzen versuchen können. Dabei eröffnet Macht als nicht nur politische, sondern als allgemein soziale Erscheinung die (allerdings garantielose) Möglichkeit, sowohl zu einer tatsächlich erfolgenden als auch zu einer im Ergebnis tatsächlich erfolgreichen Durchsetzung des eigenen Willens – und zwar auch gegen Hindernisse und Widerstand – zu gelangen. Dies alles zusammengebracht lässt sich Macht – in Weiterentwicklung der von Weber vorgelegten Begriffsbestimmung – nun wie folgt definieren: Macht ist die Verfügungsgewalt einer Person oder Personengruppe (Machtinhaber) über Mittel gleichwelcher Art (Machtmittel), welche die Möglichkeit eröffnen, den eigenen Willen (Machtzweck) auch gegen Hindernisse oder Widerstand (durch den Machtadressaten) durchzusetzen.

Indem auch ein Blick auf die Erscheinungsformen von Macht geworfen wurde, konnte zumindest schemenhaft ein kleines Bild davon gezeichnet werden, wie das zuvor konzeptionell besprochene Machtphänomen praktisch zutage treten kann und welche empirischen (begriffsextensionalen) Dimensionen damit von der zunächst einmal rein begriffsintensionalen Definition eingefangen werden müssen.[41] Dazu soll die vorgeschlagene Klassifikation eine erste Hilfestellung geben. Doch wie auch immer man die verschiedenen Erscheinungsformen von Macht im Einzelnen differenzieren mag, so hat letztlich jede Einteilung etwas für sich. Jede Systematik betrachtet Macht aus einer eigenen Perspektive, setzt eigene Schwerpunkte und versucht dadurch bestimmte Machtzusammenhänge aufzudecken. Insofern konkurrieren diese Systematiken nicht untereinander. Sie ergänzen sich vielmehr. In diesem Sinne lassen sich die verschiedenen Systematiken vielfach auch zusammenbringen und dadurch neue komplexe Einteilungen erar-

[41] Siehe allgemein zu den Bestandteilen von Begriffen sowie zur Funktionsweise von Definitionen die entsprechenden Ausführungen in meinem Beitrag „Begriff, Definition, Begriffsanalyse. Grundzüge der Terminologie" (Kapitel II, III) in diesem Band.

beiten, welche dann zahlreiche, immer konkreter werdende Untereinteilungen berücksichtigen können. Dies ist ein Themenbereich, dem sich weitere Arbeiten widmen können.

Im Gesamtergebnis des vorliegenden Beitrags ist festzuhalten, dass die begriffliche und konzeptionelle Diskussion um das Phänomen der Macht seit Max Weber zwar weiter vorangeschritten ist. Jedoch hatte Weber seine Begriffsbestimmung bereits derart umsichtig gewählt, dass sie nicht zu Unrecht diese enorme Wirkungsreichweite erlangt hat und dass sie im Grunde lediglich in einigen Nuancen anzupassen ist. Nichtsdestoweniger kann auch eine solch treffende und viel zitierte Definition, wie die von Weber, nicht einfach reflexionslos hingenommen werden. Auch sie ist in Rückkopplung an unser alltagssprachliches wie auch wissenschaftssprachliches Begriffsverständnis und vor dem Hintergrund des aktuellen multidisziplinären Forschungsstandes immer wieder zu prüfen und gegebenfalls weiterzuentwickeln. Das Nachdenken über unsere Fachbegriffe hört eben niemals auf.

Literatur

ANTER, ANDREAS, 2013[2]: *Theorien der Macht zur Einführung*. [Reihe Zur Einführung], Hamburg.

ARENDT, HANNAH, 1993[8] [1970]: *Macht und Gewalt*. Übers. von Gisela Uellenberg, München/Zürich.

ARWEILER, ALEXANDER H./GAULY, BARDO M. (Hrsg.), 2008: *Machtfragen. Zur kulturellen Repräsentation und Konstruktion von Macht in Antike, Mittelalter und Neuzeit*. Stuttgart.

BACHRACH, PETER/BARATZ, MORTON S., 1962: *Two Faces of Power*. In: The American Political Science Review (APSR). 56 (4), Seite 947 - 952.

BALL, DESMOND/LEE, SHERYN (Hrsg.), 2014: *Power and International Relations. Essays in Honour of Coral Bell*. Canberra.

BARNETT, MICHAEL/DUVALL, RAYMOND, 2005: *Power in International Politics*. In: International Organization (IO). 59 (1), Seite 39 - 75.

BELLERS, JÜRGEN/HUFNAGEL, GERHARD (Hrsg.), 1998: *Grenzen der Macht. Festschrift für Wolfgang Perschel*. [Reihe Politikwissenschaft. Band 52], Münster.

BERGSTRAESSER, ARNOLD, 1965: *Die Macht als Mythos und als Wirklichkeit. Eine Untersuchung*. [Reihe Politik], Freiburg.

BERLE, ADOLF A., 1967: *The three faces of power*. New York.

BERLE, ADOLF A., 1973 [1969]: *Macht. Die treibende Kraft der Geschichte*. Übers. von Uwe Bahnsen, Hamburg.

BOULDING, KENNETH E., 1990 [1989]: *Three Faces of Power*. Newbury Park/London/New Delhi.

BRANDT, PETER/SCHLEGELMILCH, ARTHUR/WENDT, REINHARD (Hrsg.), 2005: *Symbolische Macht und inszenierte Staatlichkeit. „Verfassungskultur" als Element der Verfassungsgeschichte*. [Reihe Politik- und Gesellschaftsgeschichte. Band 65], Bonn.

BRICH, STEFANIE/HASENBALG, CLAUDIA/WINTER, EGGERT (Red.), 2014[18]: *Gabler Wirtschaftslexikon*. Band 4, *Ko - Pe*. Wiesbaden.

BRINKHUS, JÖRN, 2005: *Macht - Herrschaft - Gegenmacht. Überlegungen zu Reichweite und Analysetiefe von Max Webers Herrschaftssoziologie*. In: Martin Krol/Timo Luks/Michael Matzky-Eilers/Gregor Straube (Hrsg.), Macht - Herrschaft - Gewalt. Gesellschaftswissenschaftliche Debatten am Beginn des 21. Jahrhunderts. [Reihe Verhandlungen mit der Gegenwart. Band 1], Münster, Seite 167 - 178.

BRODOCZ, ANDRÉ, 2007: *Macht*. In: Dieter Fuchs/Edeltraud Roller (Hrsg.), Lexikon Politik. Hundert Grundbegriffe. Stuttgart, Seite 165 - 167.

BRODOCZ, ANDRÉ, 2013: *Max Webers Spiegelkabinett der Macht*. In: André Brodocz/Stefanie Hammer (Hrsg.), Variationen der Macht. [Schriftenreihe der Sektion Politische Theorien und Ideengeschichte in der Deutschen Vereinigung für Politische Wissenschaft. Band 25], Baden-Baden, Seite 9 - 21.

BRODOCZ, ANDRÉ/HAMMER, STEFANIE (Hrsg.), 2013: *Variationen der Macht*. [Schriftenreihe der Sektion Politische Theorien und Ideengeschichte in der Deutschen Vereinigung für Politische Wissenschaft. Band 25], Baden-Baden.

CARTWRIGHT, DORWIN (Hrsg.), 1978 [1959]: *Studies in Social Power*. Ann Arbor.

CLARK, CHRISTOPHER, 2013 [2011]: *Macht*. Übers. von Norbert Juraschitz, in: Ulinka Rublack (Hrsg.), Die Neue Geschichte. Eine Einführung in 16 Kapiteln. Frankfurt, Seite 188 - 215.

CLEGG, STEWART R., 1993 [1989]: *Frameworks of Power*. London/Newbury Park/New Delhi.

COLEMAN, JAMES S., 1979 [1974]: *Macht und Gesellschaftsstruktur*. Übers. von Viktor Vanberg, [Schriften zur Kooperationsforschung. Reihe A, Studien. Band 14], Tübingen.

CRESPI, FRANCO, 1992 [1989]: *Social Action and Power*. Oxford/Cambridge.

DAHL, ROBERT A., 1957: *The Concept of Power*. In: Behavioral Science (BS). 2 (3), Seite 201 - 215.

DEUTSCH, KARL W., 1973[3] [1966[2]]: *Politische Kybernetik. Modelle und Perspektiven*. Übers. von Erwin Häckel, [Reihe Sozialwissenschaft in Theorie und Praxis], Freiburg.

EISEN, ROLAND, 2000[7]: *Macht*. In: Friedrich Geigant/Franz Haslinger/Dieter Sobotka/Horst M. Westphal (Hrsg.), Lexikon der Volkswirtschaft. Landsberg, Seite 613 - 614.

ETZIONI, AMITAI, 1969[2] [1964]: *Soziologie der Organisationen*. Übers. von Jörg Baetge, [Reihe Grundfragen der Soziologie. Band 12], München.

FABER, KARL-GEORG/ILTING, KARL-HEINZ/MEIER, CHRISTIAN, 2004 [1982]: *Macht, Gewalt*. In: Otto Brunner/Werner Conze/Reinhart Koselleck (Hrsg.), Geschichtliche Grundbegriffe. Historisches Lexikon zur politisch-sozialen Sprache in Deutschland. Band 3, H - Me. Stuttgart, Seite 817 - 935.

FOUCAULT, MICHEL, 1978: *Dispositive der Macht. Über Sexualität, Wissen und Wahrheit*. Übers. von Jutta Kranz/Hans-Joachim Metzger/Monika Metzger/Ulrich Raulf/Walter Seitter/Elke Wehr, Berlin.

GAL, MICHAEL, 2017: *Internationale Politikgeschichte. Alte und neue Wege*. In: Archiv für Kulturgeschichte (AKG). 99 (1), Seite 157 - 198.

GALBRAITH, JOHN KENNETH, 1956 [1952]: *Der amerikanische Kapitalismus im Gleichgewicht der Wirtschaftskräfte*. Stuttgart/Wien/Zürich.

GALBRAITH, JOHN KENNETH, 1987 [1983]: *Anatomie der Macht*. Übers. von Christel Rost, München.

GEBHARDT, JÜRGEN/MÜNKLER, HERFRIED (Hrsg.), 1993: *Bürgerschaft und Herrschaft. Zum Verhältnis von Macht und Demokratie im antiken und neuzeitlichen politischen Denken*. Baden-Baden.

GOERDT, WILHELM/HAUSER, RICHARD/KOBUSCH, THEO/LICHTBLAU, KLAUS/MÜHLMANN, WILHELM E./OEING-HANHOFF, LUDGER/RODINGEN, HUBERT/RÖTTGERS, KURT/SEIGFRIED, ADAM, 1980: *Macht*. In: Joachim Ritter/Karlfried Gründer (Hrsg.), Historisches Wörterbuch der Philosophie. Band 5, L - Mn. Darmstadt, Spalte 585 - 631.

GÖHLER, GERHARD (Hrsg.), 1995: *Macht der Öffentlichkeit - Öffentlichkeit der Macht*. Baden-Baden.

GÖHLER, GERHARD, 1997a: *Der Zusammenhang von Institution, Macht und Repräsentation*. In: ders. (Hrsg.), Institution - Macht - Repräsentation. Wofür politische Institutionen stehen und wie sie wirken. Baden-Baden, Seite 11 - 62.

GÖHLER, GERHARD (Hrsg.), 1997b: *Institution - Macht - Repräsentation. Wofür politische Institutionen stehen und wie sie wirken*. Baden-Baden.

GÖHLER, GERHARD, 2013: *Transitive und intransitive Macht*. In: André Brodocz/Stefanie Hammer (Hrsg.), Variationen der Macht. [Schriftenreihe der Sektion Politische Theorien und Ideengeschichte in der Deutschen Vereinigung für Politische Wissenschaft. Band 25], Baden-Baden, Seite 225 - 242.

GOSTMANN, PETER/MERZ-BENZ, PETER-ULRICH (Hrsg.), 2007: *Macht und Herrschaft. Zur Revision zweier soziologischer Grundbegriffe*. Wiesbaden.

GOVERDE, HENRI/CERNY, PHILIP G./HAUGAARD, MARK/LENTNER, HOWARD H. (Hrsg.), 2000: *Power in Contemporary Politics. Theories, Practices, Globalizations*. London/Thousand Oaks/New Delhi.

GRIMM, MARITA, 2015: *Macht und Herrschaft. Entstehung, Auswirkungen und Steuerung innerhalb sozialer Einrichtungen*. [Reihe Lüneburger Schriften zur Sozialarbeit und zum Sozialmanagement. Band 10], Berlin.

HAN, BYUNG-CHUL, 2005: *Was ist Macht?* Stuttgart.

HANKE, PETER, 2000[3]: *Macht und Herrschaft*. In: Everhard Holtmann (Hrsg.), Politik-Lexikon. München/Wien, Seite 364 - 367.

HARTMANN, HEINZ/WIENOLD, HANNS, 2011[5]: *Macht*. In: Werner Fuchs-Heinritz/Daniela Klimke/Rüdiger Lautmann/Otthein Rammstedt/Urs Stäheli/Christoph Weischer/Hanns Wienold (Hrsg.), Lexikon zur Soziologie. Wiesbaden, Seite 415 - 416.

HAUGAARD, MARK, 1992: *Structures, Restructuration and Social Power*. Aldershot/Brookfield/Hong Kong/Singapore/Sydney.

HAUGAARD, MARK, 1997: *The constitution of power. A theoretical analysis of power, knowledge and structure.* Manchester/New York.

HAUGAARD, MARK/LENTNER, HOWARD H. (Hrsg.), 2006: *Hegemony and Power. Consensus and Coercion in Contemporary Politics.* Lanham/Boulder/New York/Toronto/Oxford.

HILLMANN, KARL-HEINZ, 2007[5]: *Wörterbuch der Soziologie.* Stuttgart.

HOBBES, THOMAS, 1999[9] [1651]: *Leviathan. Oder Stoff, Form und Gewalt eines kirchlichen und bürgerlichen Staates.* Hrsg. von Iring Fetscher, übers. von Walter Euchner, Frankfurt.

HRADIL, STEFAN, 1980: *Die Erforschung der Macht. Eine Übersicht über die empirische Ermittlung von Machtverteilungen durch die Sozialwissenschaften.* [Reihe Urban Taschenbücher Sozioökonomie. Band 527], Stuttgart/Berlin/Köln/Mainz.

IMBUSCH, PETER, 2010[10]a: *Macht – Herrschaft – Autorität.* In: Johannes Kopp/Bernhard Schäfers (Hrsg.), Grundbegriffe der Soziologie. Wiesbaden, Seite 166 – 173.

IMBUSCH, PETER, 2010[8]b: *Macht und Herrschaft.* In: Hermann Korte/Bernhard Schäfers (Hrsg.), Einführung in Hauptbegriffe der Soziologie. [Einführungskurs Soziologie. Band 1], Wiesbaden, Seite 163 – 184.

IORIO, MARCO, 2011: *Macht.* In: Martin Hartmann/Claus Offe (Hrsg.), Politische Theorie und Politische Philosophie. Ein Handbuch. München, Seite 246 – 249.

KANT, IMMANUEL, 2006 [1793[2]]: *Kritik der Urteilskraft.* Hrsg. von Gerhard Lehmann, Stuttgart.

KAVEN, CARSTEN, 2006: *Sozialer Wandel und Macht. Die theoretischen Ansätze von Max Weber, Norbert Elias und Michel Foucault im Vergleich.* [Reihe Hochschulschriften. Band 100], Marburg.

KNOBLACH, BIANKA/OLTMANNS, TORSTEN/HAJNAL, IVO/FINK, DIETMAR (Hrsg.), 2012: *Macht in Unternehmen. Der vergessene Faktor.* Wiesbaden.

KRAUSE, RALF/RÖLLI, MARC (Hrsg.), 2008: *Macht. Begriff und Wirkung in der politischen Philosophie der Gegenwart.* [Reihe Edition Moderne Postmoderne], Bielefeld.

KROL, MARTIN/LUKS, TIMO/MATZKY-EILERS, MICHAEL/STRAUBE, GREGOR (Hrsg.), 2005: *Macht – Herrschaft – Gewalt. Gesellschaftswissenschaftliche Debatten am Beginn des 21. Jahrhunderts.* [Reihe Verhandlungen mit der Gegenwart. Band 1], Münster.

LANDWEHR, ACHIM, 2000: *„Normdurchsetzung" in der Frühen Neuzeit? Kritik eines Begriffs.* In: Zeitschrift für Geschichtswissenschaft (ZfG). 48 (2), Seite 146 – 162.

LUHMANN, NIKLAS, 1988[2]: *Macht.* Stuttgart.

LUKES, STEVEN, 2005[2]: *Power. A Radical View.* Basingstoke/New York.

MANN, MICHAEL, 1990 [1986]: *Geschichte der Macht.* Band 1, *Von den Anfängen bis zur griechischen Antike.* Übers. von Hanne Herkommer, [Reihe Theorie und Gesellschaft. Band 15], Frankfurt/New York.

MANN, MICHAEL, 2012 – 2013 [1986, 1993, 2012, 2013]: *The sources of social power.* 4 Bände, New York.

MAURER, ANDREA, 2004: *Herrschaftssoziologie. Eine Einführung.* [Reihe Campus Studium], Frankfurt/New York.

MCCLELLAND, DAVID C., 1978 [1975]: *Macht als Motiv. Entwicklungswandel und Ausdrucksformen.* Hrsg. von Siegbert Krug, übers. von Hainer Kober, [Reihe Konzepte der Humanwissenschaften], Stuttgart.

MELVILLE, GERT (Hrsg.), 2005: *Das Sichtbare und das Unsichtbare der Macht. Institutionelle Prozesse in Antike, Mittelalter und Neuzeit.* Köln/Weimar/Wien.

MEYER, ALBERT, 2005: *Von Macht ist die Rede. Ein philosophischer Essay.* Würzburg.

MORRISS, PETER, 2012[2] [2002[2]]: *Power. A philosophical analysis.* Manchester/New York.

NEUBAUER, WALTER/ROSEMANN, BERNHARD, 2006: *Führung, Macht und Vertrauen in Organisationen.* [Reihe Organisation und Führung], Stuttgart.

NEUENHAUS, PETRA, 1993: *Max Weber und Michel Foucault. Über Macht und Herrschaft in der Moderne.* [Reihe Schnittpunkt Zivilisationsprozeß. Band 14], Pfaffenweiler.

NEUENHAUS-LUCIANO, PETRA, 2012[2]: *Amorphe Macht und Herrschaftsgehäuse - Max Weber.* In: Peter Imbusch (Hrsg.), Macht und Herrschaft. Sozialwissenschaftliche Theorien und Konzeptionen. Wiesbaden, Seite 97 - 114.

OLSEN, MARVIN E./MARGER, MARTIN N. (Hrsg.), 1993: *Power in Modern Societies.* Boulder/San Francisco/Oxford.

PARIS, RAINER, 2005: *Normale Macht. Soziologische Essays.* Konstanz.

PARSONS, TALCOTT, 1967 [1960]: *Structure and Process in Modern Societies.* New York/London.

PATZELT, WERNER J., 2000: *Macht.* In: Gerlinde Sommer/Raban Graf von Westphalen (Hrsg.), Staatsbürgerlexikon. Staat, Politik, Recht und Verwaltung in Deutschland und der Europäischen Union. München/Wien, Seite 545 - 546.

PATZELT, WERNER J. (Hrsg.), 2005: *Parlamente und ihre Macht. Kategorien und Fallbeispiele institutioneller Analyse.* [Reihe Studien zum Parlamentarismus. Band 2], Baden-Baden.

PATZELT, WERNER J., 2013[7]: *Einführung in die Politikwissenschaft. Grundriss des Faches und studiumbegleitende Orientierung.* Passau.

PATZELT, WERNER J./DEMUTH, CHRISTIAN/DREISCHER, STEPHAN/MESSERSCHMIDT, ROMY/SCHIRMER, ROLAND, 2005: *Institutionelle Macht. Kategorien ihrer Analyse und Erklärung.* In: Werner J. Patzelt (Hrsg.), Parlamente und ihre Macht. Kategorien und Fallbeispiele institutioneller Analyse. [Reihe Studien zum Parlamentarismus. Band 2], Baden-Baden, Seite 9 - 46.

PITKIN, HANNA FENICHEL, 1993[2]: *Wittgenstein and Justice. On the Significance of Ludwig Wittgenstein for Social and Political Thought.* Berkeley/Los Angeles/London.

POGGI, GIANFRANCO, 2001: *Forms of Power.* Cambridge/Oxford.

POPITZ, HEINRICH, 2009[2] [1992[2]]: *Phänomene der Macht.* Tübingen.

ROLSHAUSEN, CLAUS, 1997: *Macht und Herrschaft.* [Reihe Einstiege. Grundbegriffe der Sozialphilosophie und Gesellschaftstheorie. Band 2], Münster.

RÖTTGERS, KURT, 1990: *Spuren der Macht. Begriffsgeschichte und Systematik.* Freiburg/München.

RÖTTGERS, KURT, 2010: *Macht.* In: Christian Bermes/Ulrich Dierse (Hrsg.), Schlüsselbegriffe der Philosophie des 20. Jahrhunderts. [Reihe Archiv für Begriffsgeschichte (AfB). Sonderheft. Band 6], Hamburg, Seite 221 - 233.

RUSSELL, BERTRAND, 2001 [1938]: *Macht.* Übers. von Stephan Hermlin, Hamburg/Wien.

SANDNER, KARL, 1993[2]: *Prozesse der Macht. Zur Entstehung, Stabilisierung und Veränderung der Macht von Akteuren in Unternehmen.* Heidelberg.

SAVOIE, DONALD J., 2010: *Power. Where Is It?* Montreal/Kingston/London/Ithaca.

SCHMIDT, MANFRED G., 2010[3]: *Wörterbuch zur Politik.* Stuttgart.

SCHMITT, CARL, 2008 [1954]: *Gespräch über die Macht und den Zugang zum Machthaber.* Stuttgart.

SCOTT, JOHN, 2001: *Power.* [Reihe Key Concepts], Cambridge/Oxford/Malden.

SIMON, BERND (Hrsg.), 2007: *Macht. Zwischen aktiver Gestaltung und Missbrauch.* Göttingen/Bern/Wien/Toronto/Seattle/Oxford/Prag.

SOFSKY, WOLFGANG/PARIS, RAINER, 1991: *Figurationen sozialer Macht. Autorität - Stellvertretung - Koalition.* Opladen.

STRECKER, DAVID, 2012: *Logik der Macht. Zum Ort der Kritik zwischen Theorie und Praxis.* Weilerswist.

TREIBER, HUBERT, 2007: *Macht - Ein soziologischer Grundbegriff.* In: Peter Gostmann/Peter-Ulrich Merz-Benz (Hrsg.), Macht und Herrschaft. Zur Revision zweier soziologischer Grundbegriffe. Wiesbaden, Seite 49 - 62.

TRIEPEL, HEINRICH, 1974[2] [1943[2]]: *Die Hegemonie. Ein Buch von führenden Staaten.* Aalen.

TROTHA, TRUTZ VON, 2008: *Macht/Gewalt.* In: Sina Farzin/Stefan Jordan (Hrsg.), Lexikon Soziologie und Sozialtheorie. Hundert Grundbegriffe. Stuttgart, Seite 169 - 171.

VESTER, HEINZ-GÜNTER, 2009: *Kompendium der Soziologie.* Band 1, *Grundbegriffe.* Wiesbaden.

VOLLRATH, ERNST, 1993: *„Macht" und „Herrschaft" als Kategorien der Soziologie Max Webers.* In: Jürgen Gebhardt/Herfried Münkler (Hrsg.), Bürgerschaft und Herrschaft. Zum Verhältnis von Macht und Demokratie im antiken und neuzeitlichen politischen Denken. Baden-Baden, Seite 211 - 226.

WARTENBERG, THOMAS E., 1990: *The Forms of Power. From Domination to Transformation.* Philadelphia.

WARTENBERG, THOMAS E. (Hrsg.), 1992: *Rethinking Power.* [SUNY Series in Radical Social and Political Theory; SUNY Series in Feminist Political Theory], Albany.

WEBER, MAX, 2009[5] [1972[5] posthum]: *Wirtschaft und Gesellschaft. Grundriss der verstehenden Soziologie.* Hrsg. von Johannes Winckelmann, Tübingen.

WEIß, ULRICH, 1995: *Macht.* In: Dieter Nohlen/Rainer-Olaf Schultze (Hrsg.), Lexikon der Politik. Band 1, Politische Theorien. München, Seite 305 - 315.

WEIß, ULRICH, 2004[2]: *Macht.* In: Dieter Nohlen/Rainer-Olaf Schultze (Hrsg.), Lexikon der Politikwissenschaft. Theorien, Methoden, Begriffe. Band 1, A - M. München, Seite 497 - 498.

WENDEL, HANS JÜRGEN/KLUCK, STEFFEN (Hrsg.), 2008: *Zur Legitimierbarkeit von Macht.* [Reihe Neue Phänomenologie. Band 11], Freiburg/München.

WIESER, FRIEDRICH VON, 2006 [1926]: *Das Gesetz der Macht.* [Reihe Edition classic], Saarbrücken.

WIMMER, REINER, 2013[2]: *Macht.* In: Jürgen Mittelstraß (Hrsg.), Enzyklopädie Philosophie und Wissenschaftstheorie. Band 5, Log - N. Stuttgart/Weimar, Seite 164 - 167.

WISWEDE, GÜNTER, 1998[3]: *Soziologie. Grundlagen und Perspektiven für den wirtschafts- und sozialwissenschaftlichen Bereich.* Landsberg.

WRONG, DENNIS H., 1988: *Power. Its Forms, Bases, and Uses.* Chicago/Oxford.

ZELGER, JOSEF, 1975: *Konzepte zur Messung der Macht.* [Reihe Beiträge zur Politischen Wissenschaft. Band 23], Berlin.

ZENKERT, GEORG, 2007 [2004]: *Die Konstitution der Macht. Kompetenz, Ordnung und Integration in der politischen Verfassung.* [Reihe Philosophische Untersuchungen. Band 12], Tübingen.

TEIL III:

ZU THEORETISCHEN UND EMPIRISCHEN ASPEKTEN DER INTERNATIONALEN POLITIKGESCHICHTE

6
Der Staat in historischer Sicht
Zum Problem der Staatlichkeit in der Frühen Neuzeit

I. Einleitung

Seit einigen Jahren ist der Staat wieder vermehrt zum Gegenstand der geschichtswissenschaftlichen Forschung gemacht worden.[1] Neben den genuin politischen und rechtlichen Aspekten der Staatlichkeit haben sich die Historiker durchaus auch andersartigen und neuen Problemstellungen wie etwa seiner symbolischen Repräsentation[2] oder seiner metaphorischen Imagination[3] zugewandt. Ebenfalls nicht unbeachtet geblieben ist die Frage nach seiner Historizität und damit nach der räumlichen und – wichtiger noch – der zeitlichen Reichweite der Entität des Staates. Besonders im Hinblick auf vormoderne Zeiten scheint es unter den Historikern in dieser Sache keinen Konsens zu geben. Anfang der 1970er Jahre klagte Theodor Schieder sogar über den Eindruck, es gäbe epochal ausgerichtete Teildisziplinen in der Geschichtswissenschaft, „in denen die Frage nach dem Staat als obsolet, als ein Zeichen einer sich nicht auf der Höhe der Zeit befindlichen wissenschaftlichen Einsicht erscheint".[4] Dieser hauptsächlich auf die Mediävistik und die Frühneuzeitgeschichte bezogene Zustand besitzt angesichts entsprechender Äußerungen, die gelegentlich, vor allem als Nebenbemerkungen, in der jün-

---

1 Zur generellen (Wieder)Belebung der Beschäftigung mit dem Staat auch in anderen Fächern siehe insbesondere die disziplinübergreifenden Bände: Peter B. Evans/Dietrich Rueschemeyer/Theda Skocpol, 1999; Andreas Voßkuhle/Christian Bumke/Florian Meinel, 2013.

2 Hier geht es darum, wie ein Staat als solcher nach innen wie nach außen mithilfe vielfältiger symbolisch wirkender Materialien, Bilder, Erzählungen, Lieder, Rituale, Dienstleistungen und so weiter dargestellt wurde. Vgl. dazu nicht allein die geschichtswissenschaftlichen Beiträge: Manfred Hellmann, 1961; Helmut Quaritsch, 1977; Regine Jorzick, 1998; Ute Krüdewagen, 2002; Jürgen Hartmann, 2007[4]; Otto Depenheuer, 2011. Als symboltheoretische Grundlage dient hier vor allem: Ernst Cassirer, 2002.

3 Mithilfe dieses ebenfalls fachübergreifend genutzten Konzepts wird versucht der Frage nachzugehen, auf welche Sinnbilder die jeweiligen Zeitgenossen zurückgegriffen haben, um den scheinbar ‚fiktiven Staat' plastisch anschaulich und damit vorstellbar und verständlich zu machen. Das „meint sowohl das Künstliche und von Menschen Gemachte des Staates als auch seinen fiktionalen und scheinhaften Charakter – ohne ihm deswegen seine Realität abzusprechen". Albrecht Koschorke/Susanne Lüdemann/Thomas Frank/Ethel Matala de Mazza, 2007: Seite 10. Siehe hierfür auch: Tilman Struve, 1978; Otto Kimminich, 1983; Barbara Stollberg-Rilinger, 1986; Bettina Wahrig, 1996; Laura Münkler, 2016.

4 Theodor Schieder, 1973: Seite 265.

geren und jüngsten Literatur auftauchen, auch heute noch eine gewisse Aktualität.[5]

Vor diesem Hintergrund ergibt sich die grundlegende Frage, wie die politisch organisierten Gesellschaften des Mittelalters und der Frühneuzeit, die ihrerseits bereits eine mitunter überaus komplexe Struktur aufwiesen und außerdem auf zum Teil völlig anderen Grundlagen beruhten als die uns vermeintlich wohl vertrauten Staaten der Gegenwart, zu deuten und konzeptionell einzuordnen sind. Gab es überhaupt einen Staat jenseits der modernen Zeiten des 19. bis 21. Jahrhunderts? Oder sind die vormodernen Gemeinwesen in der Tat mit einem *allgemeinen* Staatsverständnis derart unvereinbar, dass es dafür ein alternatives Denkmodell braucht? Auf diese Fragen versucht die folgende Darstellung eine Antwort zu geben. Dazu soll allerdings keine (weitere) empirische Untersuchung vorgenommen werden. Gleichfalls geht es hier nicht darum, eine eigene ausdifferenzierte und zugleich allumfassende Definition oder Konzeption des Staates zu erarbeiten.[6] Es ist vielmehr die Absicht des vorliegenden Forschungsberichtes, die bisherige wissenschaftliche Debatte zu diesem Problemkreis unter besonderer Berücksichtigung der Diskussion um den Staat in der Frühen Neuzeit systematisch zusammenzufassen. Das Ziel ist es, die für diesen Themenkomplex relevante Fachliteratur nicht nur aufzuführen, sondern auch die wichtigsten Erkenntnisse und Konzepte aus der Forschungsdiskussion sowie bestimmte empirische Elemente und Erscheinungsformen einer möglichen mittelalterlichen und frühneuzeitlichen Staatlichkeit herauszugreifen und in aller Kürze zu besprechen. Dabei versteht sich die Arbeit als Teil einer fachübergreifenden historischen Staats-Forschung, die die spezifischen Ergebnisse der Geschichtswissenschaft mit jenen der anderen sich mit dem Staat und seiner Entwicklungsgeschichte befassenden Fächer, vor allem der Politikwissen-

---

[5] So heißt es beispielsweise am Rande eines kürzlich erschienenen Aufsatzes: „‚Staat' [...] ist Ausdruck, Resultat und Faktor einer spezifischen Organisationsform des gesellschaftlichen Zusammenhangs, die in einer spezifischen [...] Weise alle Elemente und Beziehungen des sozialen Lebens [...] organisiert und konditioniert. Aus diesem Grund ist ‚Staat' als gesellschaftliches Verhältnis ein spezifisch *modernes* Produkt, das erst in der *Neuzeit* konstituiert wurde und auch erst konstruiert werden konnte." Olaf Asbach, 2011: Seite 34 (Anmerkung 19) (Hervorhebungen vom Verfasser).

[6] Eine konstruktive Auseinandersetzung mit dem Konzept des Staates wird dagegen vorgenommen in meinem Beitrag „Staaten, Reiche, Dependanten. Grundlegung einer Theorie der Politate" (besonders Kapitel III) in diesem Band. Der wichtigste theoretische Markstein in dieser Forschungsdebatte verbindet sich noch immer mit den systematischen Überlegungen von Georg Jellinek und der von ihm entwickelten sogenannten ‚Drei-Elemente-Lehre'. Vgl. Georg Jellinek, 1976[3]. Siehe darüber hinaus besonders: Johann Kaspar Bluntschli, 1965[6]a; ders., 1965[6]b; Helmut Kuhn, 1967; Hans Kelsen, 1981[2]; ders., 1993; Dieter Grimm, 1994; Stefan Breuer, 1998; Rüdiger Voigt, 2009[2]; Max Weber, 2009[5]: besonders Seite 30; Konrad Paul Liessmann, 2011; Stefan Haack, 2012; Walter Leisner, 2012. Dazu konzise: Peter Badura, 1996; Rainer-Olaf Schultze, 2004[2]. Ferner die etwas ältere ideengeschichtliche Abhandlung: Claus-Ekkehard Bärsch, 1974.

schaft und der Rechtswissenschaft, aber etwa auch der Soziologie und der Ethnologie, zusammenzubringen sucht.

II. Begrifflichkeit und historische Genese des Staates

In einem einschlägigen Artikel der „Enzyklopädie der Neuzeit" heißt es über den Staat zu Beginn dieser Epoche: „In der Forschung besteht weitgehend Konsens darüber, dass die (Frühe) Neuzeit eine für den Prozess der Staatsbildung besonders wichtige Epoche ist. Keine Einigkeit besteht allerdings über die Definition dessen, was man überhaupt mit Staat meint. Während einige Historiker auch relativ stark dezentralisierte Herrschaftsgebilde wie das Alte Reich als Staat bezeichnen wollen, orientieren sich andere stärker am Staats-Begriff des 19. und frühen 20. Jahrhunderts." Anknüpfend an die zweite Vorstellung, die ihren „klassischen Ausdruck" in der entsprechenden Definition von Max Weber gefunden habe, seien die „Kriterien für Staatlichkeit [somit ...] ein klar umrissenes Herrschaftsgebiet (ein Staats-Gebiet) sowie eine gesatzte Ordnung in Form von juristischen Regeln und Gesetzen [...] und eben das Monopol legitimer physischer Gewaltanwendung". Daher könne man „[...b]ei den meisten politischen Gebilden der Frühen Neuzeit, die sich eher als *societas civilis* (das heißt als herrschaftlich verfasste Gesellschaft) denn als Staat fassen lassen, [...] nur schwer von einer einheitlichen staatlichen Autorität sprechen. Selbst in den größeren und fester gefügten Königreichen Europas gab es auf der regionalen und lokalen Ebene zahlreiche Inhaber von Herrschaftsrechten, deren Kompetenzen zwar in der Theorie unter anderem auf dem Wege des Lehnswesens vom König oder Fürsten abgeleitet waren, die aber doch in der Praxis um 1500 noch relativ autonom agierten."[7]

Die vielfältig und vielschichtig gestalteten und deshalb forscherisch zum Teil schwer zu fassenden gesellschaftlichen Herrschaftsverbände der Frühneuzeit lassen sich diesem Zitat zufolge allenfalls bedingt mit der sehr voraussetzungsreichen und aus dem 19. und frühen 20. Jahrhundert stammenden Vorstellung von einem Staat verbinden,[8] welche – wenn überhaupt –

---

7 Roland G. Asch/Jörn Leonhard, 2010: Spalte 494, 500 (Hervorhebung im Original; der besseren Lesbarkeit halber sind diejenigen Textveränderungen, die im Zuge der Elimination von Abkürzungen vorgenommen wurden, bei diesem Zitat ausnahmsweise nicht angezeigt).

8 Max Weber wird in diesem Zusammenhang insofern Unrecht getan, als er seine Definition eindeutig dem – aus seiner Sicht zu Beginn des 20. Jahrhunderts – „heutigen Staat" zuordnet und damit gerade nicht dem Staat generell. Dieser bürokratisch-anstaltsbetriebliche „moderne ‚Staat'" unterscheide sich nämlich wesentlich von anderen Staatsausformungen wie beispielsweise dem feudal-patrimonialen „Ständestaat" früherer Zeiten. Vgl. Max Weber, 2009[5]: Seite 30, 636 – 637 (Zitate: Seite 30, 613, 636).

eben lediglich auf die Phänomene dieser Zeit zutrifft (und vielleicht nicht einmal mehr auf jene des späten 20. und beginnenden 21. Jahrhunderts).[9] Auf welchen Begriff speziell die politischen Organisationsformen der frühneuzeitlichen Gemeinwesen dann gebracht werden können und ab wann es derartige Phänomene überhaupt gab, sind Fragen, die neben den konkreten Gegebenheiten innerhalb der einzelnen raumzeitlichen Wirklichkeitsausschnitte ganz besonders von der (wissenschaftlichen) Definition des jeweils zugrunde liegenden Ordnungsbegriffes abhängen. Je enger, voraussetzungsreicher und raumzeitlich spezieller die Intension eines solchen Terminus ist, desto weniger konkrete Einzelerscheinungen kann seine Extension umfassen, desto weniger können verschiedene, in ihrem Kern aber ähnliche Einzelerscheinungen aus den unterschiedlichen Epochen und Regionen in einen sachlichen Zusammenhang gestellt werden.[10]

Je nach gewählter Definition ergeben sich folglich unterschiedliche Zeitpunkte, wann die historische Genese des Staates frühestens anzusetzen ist. Die in der Literatur vorgetragenen Vorschläge reichen von um 7.000[11] oder um 3.000 vorchristlicher Zeit[12] über die nachchristlichen Jahre um 500,[13] um

9 Die fortschreitende institutionelle Ausdifferenzierung der Staaten und der Staatenbeziehungen, ebenso die zunehmende Herausbildung nationaler und transnationaler Zivilgesellschaften und auch die verstärkte Durchlässigkeit oder gänzliche Öffnung der gesellschaftlichen Grenzen im Zuge von Globalisierung, Internationalisierung und vielfältigen internationalen Integrationsvorgängen bleiben nicht ohne Konsequenzen für den Zustand der Staatlichkeit in der zweiten Hälfte des 20. und am Anfang des 21. Jahrhunderts. Vgl. Fritz W. Scharpf, 1991; John Hoffman, 1995; Rüdiger Voigt, 1995; ders., 2000[3]; Stefan Breuer, 1998: Seite 283 - 300; Wolfgang Reinhard, 2002[3]: Seite 509 - 536; ders., 2007: Seite 110 - 124; Norwin Schader, 2006; Roland Sturm, 2007[2]; Bernd Marquardt, 2009: Seite 601 - 656; Gunnar Folke Schuppert, 2010: Seite 76 - 87; Maurizio Bach, 2013.

10 In einer jüngeren, diskursanalytisch angelegten Abhandlung hat Andreas Osiander den Versuch unternommen, die Entwicklung des Staates in Europa von den alten Griechen bis zur Französischen Revolution nachzuzeichnen. Ausgehend von der *heutigen* Form und Vorstellung des *modernen* Staates gelangt er dabei zu dem Ergebnis, dass dieses anspruchsvolle und voraussetzungsreiche Phänomen der Gegenwart in vormodernen Zeiten schlichtweg nicht zu finden sei und es auch kein identisches zeitgenössisches Wort dafür gegeben habe. Weil es sich vor diesem speziellen *begrifflichen* Hintergrund so verhielte, habe es sich für Osiander erwiesen, dass in Antike, Mittelalter und Frühneuzeit gar überhaupt niemals ein Staat je *real* bestanden habe - auch kein Staat von andersartiger oder primitiverer Qualität. Vgl. Andreas Osiander, 2007: besonders Seite 4 - 8, 495, 508 - 509. Derartigen logisch fehlerhaften Argumentationen begegnet man tatsächlich relativ häufig in der Literatur, ganz besonders aber in Werken, die sich nicht explizit mit dem Staat als solchen auseinandersetzen. Zu Begriff, Definition und begrifflicher Analyse siehe im Allgemeinen ferner meinen Aufsatz „Begriff, Definition, Begriffsanalyse. Grundzüge der Terminologie" in diesem Band.

11 Vgl. Roman Herzog, 1998[2].

12 Vgl. Stefan Breuer, 1998; Brian R. Nelson, 2006; Bernd Marquardt, 2009.

13 Vgl. Thomas Ertman, 1999.

1100,[14] um 1200,[15] um 1300[16] oder um 1400[17] bis zur gesamten Frühneuzeit[18] und schließlich den Jahren um 1800.[19]

Feststeht jedenfalls, dass die Althistoriker bereits für die Zeit der griechisch-römischen Antike ganz unbezweifelt von der Entität gesellschaftlicher Herrschaftsverbände ausgehen, obwohl die antiken Gesellschaften keine abstrakte Vorstellung von ihren Staaten entwickelt hatten.[20] Sogar rege politische Interaktionen wie auch vielfältige völkerrechtliche Verbindungen lassen sich zwischen diesen Gemeinwesen registrieren.[21] Gleiches gilt für das

---

14 Vgl. Klaus Roth, 2011².

15 Vgl. Heinrich Mitteis, 1986¹¹; Hagen Schulze, 2004².

16 Vgl. Martin van Creveld, 1999.

17 Vgl. Friedrich August von der Heydte, 1952.

18 Vgl. Wolfgang Reinhard, 2002³.

19 Vgl. Andreas Osiander, 2007.

20 „Weder die Staaten des Alten Orients noch die Staaten des klassischen Altertums verfügten über ein Wort, das dem modernen impersonalen Staats-Begriff entspricht; es fehlte eine vom Herrscher oder von der Gesellschaft abgehobene, abstrakte Staats-Idee, vor allem trat der ‚Staat' nicht als Träger von Handlungen auf. Die Verwendung des Begriffs ‚Staat' für diese vormodernen Gesellschaften ist dennoch berechtigt, da diese einerseits die formalen Mindestkriterien erfüllen: permanentes Staats-Volk, definiertes Territorium, organisierte Verwaltung und Regierung sowie Fähigkeit zur Aufnahme von Außenbeziehungen auch durch Staatsverträge; andererseits ist das Staats-Ziel die Schaffung des inneren Friedens durch Rechtssicherheit." Walter Eder/Renate Müller-Wollermann/Hans Neumann, 2001: Spalte 873 (diejenigen Textveränderungen, die im Zuge der Elimination von Abkürzungen vorgenommen wurden, sind bei diesem Lexikon-Zitat der besseren Lesbarkeit halber ausnahmsweise nicht angezeigt). Siehe zur Staatlichkeit in der griechisch-römischen Antike ferner: Ulrich von Lübtow, 1955; Victor Ehrenberg, 1965²a; ders., 1965b; Dieter Nörr, 1966; Jochen Bleicken, 1972; ders., 1994³; ders., 1995⁴; ders., 2008⁸; Ernst Meyer, 1975⁴; Werner Suerbaum, 1977³; Richard Klein, 1980³; Wilfried Gawantka, 1985; Manfred Trapp, 1988; Walter Eder, 1990; ders., 1998; Anthony Molho/Kurt Raaflaub/Julia Emlen, 1991; Numa Denis Fustel de Coulanges, 1996; Werner Dahlheim, 1997³a; ders., 1997³b; Christian Meier, 1997³; Uwe Walter, 1998; Karl-Wilhelm Welwei, 1998²; Aloys Winterling, 2001; Walter Patt, 2002; Michael Stahl, 2003a; ders., 2003b; Armin Eich, 2004; Ernst-Wolfgang Böckenförde, 2006²: Seite 11 – 221; Mogens Herman Hansen, 2006; J. Michael Rainer, 2006; Hans-Ulrich Wiemer, 2006; Alexander Demandt, 2007²; Jean-Philippe Genet, 2007; Ingemar König, 2009; Peter Eich/Sebastian Schmidt-Hofner/Christian Wieland, 2011; Hans Beck, 2013; Christoph Lundgreen, 2014a. Siehe in übergreifendem Zusammenhang auch: Ernst Meyer, 1992⁶; Alexander Demandt, 1995; Samuel E. Finer, 1999a; Anne Marie Hacht/Dwayne D. Hayes, 2008: Seite 24 – 29, 30 – 33, 35 – 37, 42 – 45; Peter Fibiger Bang/Walter Scheidel, 2013. Zur in jüngerer und vor allem in jüngster Zeit von den Althistorikern angeregten und auch tatsächlich vorgenommenen begrifflichen Reflexion siehe insbesondere die Beiträge: Wilfried Gawantka, 1985; Christian Meier, 1997³: Seite XXI – XXIII; Aloys Winterling, 2001; ders., 2014; Mogens Herman Hansen, 2002; Walter Scheidel, 2013; Christoph Lundgreen, 2014b.

21 Zu den antiken Staatenbeziehungen siehe: Stephan Verosta, 1964; Werner Dahlheim, 1968; Peter Klose, 1972; Karl-Heinz Ziegler, 1972; Wolfgang Preiser, 1978a; Eckart Olshausen, 1979; Raimund Schulz, 1993; Andreas Zack, 2007²; Ernst Baltrusch, 2008; Nadine Grotkamp, 2009; Paul J. Burton, 2011. In übergreifendem Zusammenhang zudem: Antonio Truyol y Serra, 1995: Seite 11 – 18; Dominique Gaurier, 2005: Seite 51 –

zeitlich früher einsetzende und in räumlicher Hinsicht potenziell den gesamten Planeten umfassende restliche Altertum, in dem die Existenz einer Vielzahl von Staaten festgestellt werden kann.[22] Auch die zu dieser Zeit bestehenden hochkulturellen Gesellschaften haben zum Teil intensive Beziehungen zueinander unterhalten.[23]

III. Staatlichkeit im Mittelalter

Die Tradition gesellschaftlicher Herrschaftsverbände, wie sie sich im Altertum herausgebildet hatten, setzte sich über verschiedene Kontinuitätslinien, aber auch unter Veränderungen und Neuschöpfungen im Mittelalter nicht nur Europas, sondern ebenso Asiens und Nordafrikas fort.[24] Dabei sind auch

---

84; Marie-Hélène Renaut, 2007: Seite 13 - 20; Karl-Heinz Ziegler, 2007²: Seite 23 - 61; Harald Kleinschmidt, 2013: Seite 30 - 42, 44 - 49.

22 Siehe zur Staatlichkeit im über den griechisch-römischen Rahmen hinausgehenden gesamten Altertum: Elman R. Service, 1977; Klaus Eder, 1980; Stefan Breuer, 1990; Ernst Meyer, 1992⁶; Alexander Demandt, 1995; Roman Herzog, 1998²; Samuel E. Finer, 1999a; Walter Eder/Renate Müller-Wollermann/Hans Neumann, 2001: Spalte 873 - 876; Ian Morris/Walter Scheidel, 2010; Peter Fibiger Bang/Walter Scheidel, 2013. Übergreifend zur Entstehung und Entwicklung des Staates im Altertum auch: Günther Lottes, 2003³: Seite 361 - 367; Anne Marie Hacht/Dwayne D. Hayes, 2008: Seite 1 - 51, 54 - 63; Bernd Marquardt, 2009: Seite 37 - 96.

23 Zum zwischenstaatlichen Verkehr im gesamten Altertum siehe: Stephan Verosta, 1964; Wolfgang Preiser, 1978b; ders., 1996; Hans-Jörg Nissen/Johannes Renger, 1982a; dies., 1982b. Übergreifend auch: Antonio Truyol y Serra, 1995: Seite 5 - 10; Dominique Gaurier, 2005: Seite 25 - 49; Karl-Heinz Ziegler, 2007²: Seite 10 - 22; Harald Kleinschmidt, 2013: Seite 24 - 30, 42 - 44; Norman Paech/Gerhard Stuby, 2013²: Seite 25 - 30.

24 Vgl. zur mittelalterlichen Staatlichkeit: Alfons Dopsch, 1915; Georg von Below, 1925²; Hermann Heimpel, 1936; Walter Hamel, 1944; Friedrich August von der Heydte, 1952; Manfred Hellmann, 1961; Friedrich Keutgen, 1963; Adolf Waas, 1965; Werner Näf, 1967; Daniel Waley, 1969; Helmut Quaritsch, 1970: Seite 26 - 32, 44 - 242; Heinrich Mitteis, 1974; ders., 1986¹¹; Joseph R. Strayer, 1975; Werner Suerbaum, 1977³; Katharina Colberg/Hans-Heinrich Nolte/Herbert Obenaus, 1983; Hellmut Kämpf, 1984; Jürgen Miethke/Arnold Bühler, 1988; Hagen Keller, 1989; Ann K. S. Lambton, 1991; Anthony Molho/Kurt Raaflaub/Julia Emlen, 1991; Charles Tilly, 1992²; Marie T. Fögen/Eberhard Isenmann, 1995; Thomas Ertman, 1999; Samuel E. Finer, 1999b; John R. Maddicott/David M. Palliser, 2000; Werner Rösener, 2000; Stuart Airlie/Walter Pohl/Helmut Reimitz, 2006; Ernst-Wolfgang Böckenförde, 2006²: Seite 222 - 430; Ernst Schubert, 2006²; Gerhard Dohrn-van Rossum, 2007²; Fritz Kern, 2008²; Wim Blockmans/André Holenstein/Jon Mathieu, 2009; Walter Pohl/Veronika Wieser, 2009; John Watts, 2014. In übergreifendem Zusammenhang zur staatlichen Entwicklung im Mittelalter auch: Anne Marie Hacht/Dwayne D. Hayes, 2008: Seite 49 - 106; Bernd Marquardt, 2009: Seite 97 - 170. Zur Diskussion um den Staat im Mittelalter siehe insgesamt auch: Karl Kroeschell, 1983; František Graus, 1986; Susan Reynolds, 2002; Rees Davies, 2003; Walter Pohl, 2006; Ernst Schubert, 2006²: Seite 52 - 61; Jonathan R. Lyon, 2010; Christoph H. F. Meyer, 2010.

hier enge und vielfältige internationale Beziehungen vorzufinden, die die damaligen Gemeinwesen miteinander unterhalten haben.[25]

Für die in dieser Epoche vorherrschenden besonderen innerstaatlichen Verhältnisse etablierte Theodor Mayer den einflussreichen Begriff des ‚Personenverbandsstaates'.[26] Die mit diesem Konzept in den Blick kommenden und in ihrer Bedeutung nicht zu unterschätzenden personellen Bindungen fügten sich, jüngsten Forschungen zufolge, allerdings „nahtlos in die nicht minder von Ämtern, ‚Institutionen' und Raumbindung bestimmte frühmittelalterliche Staatlichkeit ein. Das Verhältnis des Königs zu den Eliten war gleichermaßen von verwandtschaftlichen und personalen wie von politischen Kriterien geprägt [...], die personalen Bindungen waren Institutionen im Staat".[27] Dieses gleichermaßen auf personellen Bindungen wie auf institutionellen Strukturen beruhende „Regnum" war darüber hinaus „ein durchaus selbstreferentielles System, das selbstverständlich als handlungsfähige Einheit betrachtet wurde und an das sich Vorstellungen von Identität und Differenz knüpften, die es erlaubten, Innen- und Außenwahrnehmung zu unterscheiden. Wer zu einem Regnum dazugehörte, war weitgehend klar - oder, in Situationen politischer Instabilität, klärungsbedürftig. Der politische Raum eines Reiches war nicht überall eindeutig territorial fixiert und linear abgegrenzt [...], aber in seiner Konfiguration weitgehend bekannt; dort, wo Zugehörigkeiten strittig waren, [...] war auch das bewußt und Gegenstand politischen Handelns."[28]

Dennoch herrschten insbesondere unter den deutschsprachigen Mediävisten zumindest für eine gewisse Zeit durchaus Bedenken hinsichtlich der Eigentümlichkeit oder gar der Tatsächlichkeit des mittelalterlichen Staates vor. Vor allem das in diesem Zusammenhang entscheidende Element des Lehnswesens stellte die Forscher vielfach vor grundsätzliche Deutungsschwierigkeiten. Die neueste, durch das einschlagende Werk von Susan Reynolds[29] angefachte Diskussion stellte schließlich gerade die frühe Lehnspra-

---

[25] Siehe zu den zwischenstaatlichen Beziehungen des Mittelalters: Walther Kienast, 1936; Robert Holtzmann, 1939; Heinrich Kipp, 1950; François Louis Ganshof, 1953; Margret Wielers, 1959; Peter Moraw, 1988; Heinz Duchhardt, 1991b; Michael A. Köhler, 1991; Karl-Heinz Ziegler, 1997; ders., 2003; Alfred Kohler, 1999; ders., 2008; Dieter Berg/Martin Kintzinger/Pierre Monnet, 2002; Martin Kintzinger, 2004; ders., 2010; ders., 2012a; ders., 2012b; Heinhard Steiger, 2010; Michael Jucker/Martin Kintzinger/Rainer C. Schwinges, 2011. Übergreifend auch: Wilhelm G. Grewe, 1988²: Seite 30 - 32, 55 - 162; Antonio Truyol y Serra, 1995: Seite 19 - 38; Harald Kleinschmidt, 1998: Seite 15 - 83; ders., 2013: Seite 50 - 122; Dominique Gaurier, 2005: Seite 85 - 142; Marie-Hélène Renaut, 2007: Seite 21 - 61; Karl-Heinz Ziegler, 2007²: Seite 52 - 116.

[26] Vgl. Theodor Mayer, 1972² (erste Auflage zuerst 1935); ders., 1984 (erste Auflage zuerst 1939).

[27] Hans-Werner Goetz, 2009: Seite 528 - 529.

[28] Walter Pohl, 2006: Seite 37.

[29] Susan Reynolds, 2001.

xis als eine Erfindung Jahrhunderte später wirkender Juristen heraus, wodurch die Entität, die Form und die Reichweite des Lehnswesens nicht zuletzt als ein konstituierender Faktor der gesamten mittelalterlichen Staatlichkeit mittlerweile stark relativiert worden ist.[30]

Insgesamt lässt sich sagen, dass es „das ganze Mittelalter hindurch" zwar keineswegs immer und überall Gemeinwesen mit staatlicher Qualität und schon gar „nicht den ‚Staat' im modernen Sinn, wohl aber [vielfach] eine politische Organisation der Gesellschaft gegeben hat, die für Rechtsdurchsetzung und politische Willensbildung zuständig war, die das soziale Leben der Menschen regulierte, die den Rechtsfrieden durch Übereinkunft oder Zwang hergestellt hat. Daß solche Regulation in unterschiedlicher Intensität, mit wechselnden Erfolgschancen, ja auch durch sehr verschiedene Träger, zum Teil in Konkurrenz untereinander, vonstattenging, ändert nichts daran, daß auch im Mittelalter von einem funktionellen Äquivalent des modernen Staates gesprochen werden kann und muß."[31] „Die mittelalterliche Welt kennt [demzufolge] weder Staaten noch ein Staatensystem im modernen Sinne", „wohl aber eigenständige Gemeinwesen, die [zudem] eines völkerrechtlichen Verkehrs miteinander durchaus fähig waren".[32] Und was hier für das gesamte eintausendjährige Mittelalter gilt, dürfte umso mehr für die unmittelbar anschließende, lediglich drei Jahrhundert umfassende und in der allgemeinen Entwicklung weiter voranschreitende Epoche der Frühen Neuzeit gelten.

IV. Staatlichkeit in der Frühen Neuzeit

Die von Wolfgang Reinhard provokant formulierte These, „Europa hat den Staat erfunden", lässt sich dem gegenwärtigen Stand der altertumshistorischen Forschung zufolge in dieser Form wohl nicht erhärten.[33] Es „ist unbe-

---

30 Vgl. Karl-Heinz Spieß, 2011³; Steffen Patzold, 2012.

31 Jürgen Miethke/Arnold Bühler, 1988: Seite 16.

32 Wilhelm G. Grewe, 1988²: Seite 31 - 32, 57.

33 Wolfgang Reinhard, 2002³: Seite 15. Geht man von der Annahme aus, dass der Staat im Wesentlichen parallel zum Aufkommen der ersten Hochkulturen entstanden war, ist sein Beginn wahrscheinlich in Afrika anzusetzen unter den im oberen wie im unteren Nilraum lebenden Ägyptern, welche um 3.400 v. Chr. die Schriftlichkeit und eine Hochkultur entwickelt hatten, oder in Asien unter den ab um 3.200 v. Chr. in Mesopotamien als Hochkultur lebenden Sumerern, wenn nicht doch die auf dem Balkan ansässig gewesenen hochkulturellen Völker der sogenannten ‚Donauzivilisation', die bereits um 5.500 v. Chr. im Besitz der Schrift gewesen waren, noch früher die Staatlichkeit entwickelt hatten. Vgl. Harald Haarmann, 2004; ders., 2012² (siehe in beiden Bänden jeweils die entsprechenden einschlägigen Artikel). Speziell zur sogenannten ‚Donauzivilisation': ders., 2011. Siehe insgesamt auch: Samuel E. Finer, 1999a; Peter Fibiger Bang/Walter Scheidel, 2013. Möglicherweise aber sind die frühesten Ausprägungen des Staates noch vor dem Aufkommen der ersten Gesellschaften mit einer Hochkultur zu finden. Vgl. dazu etwa: Roman Herzog, 1998².

streitbar, dass die heute weltweit verbreiteten Figuren der Staats- und Verfassungslehre seit dem 16. Jahrhundert in Europa entstanden sind und seit dem 19. Jahrhundert mit den Machtmitteln der industriellen Revolution in den globalen Raum hineingetragen worden sind. Ebenso ist zutreffend, dass Europa der globalgeschichtliche Ursprung der dritten Fundamentaltransformation des Staates um 1800 gewesen ist, die das heute vorherrschende Modell des republikanisch-demokratischen Verfassungsstaates hervorgebracht hat."[34] Jedoch ist die von Reinhard insbesondere auf die Frühneuzeit bezogene Behauptung eher in der folgenden Form zu präzisieren: ‚Europa hat den *modernen* Staat erfunden'.[35]

Auf seinem Entwicklungspfad vom vormodernen Staat des Mittelalters zum modernen Staat des 19. Jahrhunderts zielte der „früh*moderne* Staat" des Zeitraums zwischen diesen Epochen „letztlich darauf ab, seine Herrschaft in einem fest umgrenzten Territorium zu konsolidieren, fremde Hoheitsreche – weltliche wie geistliche – zu beseitigen, konkurrierende Machtträger auszuschalten oder zu integrieren und so ein *territorium clausum* zu schaffen, in dem politische, kirchliche, wirtschaftliche und andere Grenzen entweder zur Deckung gebracht waren oder zumindest der Vorrang der politischen Grenzen innerhalb wie außerhalb des Landes unangefochten akzeptiert wurde".[36] Schließlich bildete sich auf diese Weise „[...s]eit dem ausgehenden 17. Jahrhundert [...] in Zentraleuropa der *moderne*, säkularisierte Staat aus".[37]

Dieser Entwicklungsvorgang wurde angetrieben durch verschiedene Einflussfaktoren.[38] So wurde beispielsweise eine verstärkt von breiteren Bevölkerungsschichten generierte Nachfrage nach staatlichen Instanzen mit ihren

---

[34] Bernd Marquardt, 2009: Seite 3. Zur globalen Diversität der neuzeitlichen Gestaltungsformen des Staates sowie zur Ausbreitung eines spezifisch europäischen Staatskonzepts in die außereuropäische Welt siehe etwa den Tagungsband: Wolfgang Reinhard, 1999. Dazu ferner: Gunnar Folke Schuppert, 2010: Seite 18 – 21.

[35] Klarer wird die in dieser Form letztlich auch von Wolfgang Reinhard selbst vertretene These in dessen etwas anders betiteltem Band: Wolfgang Reinhard, 2007. Vgl. auch: ders., 1998. Zur Problematik speziell ‚*moderner* Staatlichkeit' siehe bereits die Aufsatzsammlungen: Hanns Hubert Hofmann, 1967; Gerhard Oestreich, 1969; Heiner Timmermann, 1989; Noël Coulet/Jean-Philippe Genet, 1990; Jean-Philippe Genet 1990. Außerdem: Ernst Kern, 1949; Otto Hintze, 1970[3]; Joseph H. Shennan, 1974; Gianfranco Poggi, 1978; Stephan Skalweit, 1987; Samuel E. Finer, 1999c; Reinhard Blänkner, 2004; Brian R. Nelson, 2006; Erika Cudworth/Tim Hall/John McGovern, 2007; Arthur Benz, 2008[2]. Zur Entwicklung und Charakteristik des modernen Staates siehe allgemein auch: Günther Lottes, 2003[3]: Seite 377 – 390.

[36] Joachim Bahlcke, 2012: Seite 7 (erste Hervorhebung vom Verfasser, zweite im Original).

[37] Helmut Reinalter, 2005: Seite 586 (Hervorhebung vom Verfasser).

[38] Als eher allgemein gehaltene Abhandlungen zur historischen Entwicklung des Staates in der Frühneuzeit sind unter anderem zu nennen: Otto Hintze, 1970[3]; Theodor Schieder, 1973; Ernst-Wolfgang Böckenförde, 1976; Ronald Cohen/Elman R. Service, 1978; Gianfranco Poggi, 1978; Stefan Breuer/Hubert Treiber, 1982; Heiner Timmermann, 1989; Charles Tilly, 1992[2]; Gunnar Folke Schuppert, 2010: Seite 33 – 47.

Regulierungskompetenzen und Sicherheitsleistungen als eine wesentliche Triebkraft der Bildung moderner Staaten festgestellt. Dieses massive Anwachsen staatlicher Aufgaben und Zuständigkeiten führte auf der einen Seite zu einer zunehmenden Verrechtlichung, Besteuerung und justiziellen wie administrativen Kontrolle der Gesellschaft, auf der anderen Seite zugleich aber auch zu einer dafür notwendigen institutionellen und bürokratischen Ausdifferenzierung und Vergrößerung des Staatsapparates.[39] Neben dieser Perspektive gewissermaßen ‚von unten' hat man jedoch auch auf Zusammenhänge hingewiesen, die einen Entwicklungsschub gewissermaßen ‚von oben' bewirkten. In diesem Sinn seien etwa die zahlreichen zwischenstaatlichen Kriege der Frühen Neuzeit vielfach auch „Staatsbildungskriege" gewesen, wobei die vorherrschende „Bellizität [...] aus den Entwicklungsdefiziten frühmoderner Staatlichkeit" resultiert habe. „Entsprechend lassen sich die Kriege aus Konflikten um eine [völkerrechtliche] Gleichordnung [(Egalitätsdefizit)], aus [innerstaatlichen] institutionellen Stabilitätskrisen [(Institutionalisierungsdefizit)] und aus Nebenwirkungen des [auf staatsexterne gesellschaftliche Kräfte angewiesenen] Staatsaufbaus [(Autonomiedefizit)] erklären."[40] Die Vielzahl von kriegerischen Auseinandersetzungen zwischen den Staaten und die große Menge an entsprechenden, mitunter auch präventiv abgehaltenen Friedenskongressen mit ihren noch zahlreicheren bilateralen und multilateralen Friedensschlüssen führte nicht zuletzt auch zu einer enormen Fortbildung der Formen und Prinzipien der praktischen internationalen Politik wie auch des normativen Völkerrechts.[41]

---

39 Vgl. besonders den Tagungsband: Wim Blockmans/André Holenstein/Jon Mathieu, 2009. Des Weiteren auch: Ronald G. Asch/Dagmar Freist, 2005.

40 Johannes Burkhardt, 1997: Seite 514 – 515. Demzufolge hätten „[...n]icht die Staaten an sich [...] die frühneuzeitliche Kriegsverdichtung verursacht, sondern der werdende, sich erst formierende moderne Staat". Ders., 2010: Seite 37. Mit dieser Theorie versuchte Johannes Burkhardt die besonders deutlich etwa von Johannes Kunisch vertretene bisherige Auffassung über die Staatenkriege der Frühneuzeit zu erweitern und in Teilen zu revidieren, der zufolge die Monopolisierung der Gewalt im Staat und ihre Unterstellung unter jeweils einen obersten Herrschaftsträger die Vielzahl an Kriegen erst hervorgebracht hätten, wobei dieser Nexus gar zu einer regelrechten „bellizistischen Disposition des absoluten Fürstenstaates" geworden sei. Vgl. Johannes Kunisch, 1979; ders., 1992.

41 Siehe hierzu insbesondere die entsprechenden Bände des von Heinz Duchhardt und Franz Knipping seit 1997 herausgegebenen „Handbuch[s] der Geschichte der Internationalen Beziehungen" sowie jene der zwischen 1980 und 1998 (in erster Auflage) entstandenen Reihe *„The Modern European State System"* und jene der im Jahr 2003 begründeten Serie *„Nouvelle histoire des relations internationales"* und außerdem: Werner Näf, 1943; Gaston Zeller, 1953; ders., 1955; André Fugier, 1954; Ernst Reibstein, 1959/1960; Max Immich, 1967; Adalbert Wahl, 1967; Walter Platzhoff, 1968; Eduard Fueter, 1972; Antoni Podraza, 1989; Jeremy Black, 1990; ders., 1998; ders., 2002; Heinz Duchhardt, 1991b; ders., 2012; Peter Krüger, 1991; ders., 1996; Heinz Schilling, 1993; Andreas Osiander, 1994; Paul W. Schroeder, 1994; Reiner Pommerin, 1996; ders., 2003; Holger T. Gräf, 1998; Alfred Kohler, 1999; Heinhard Steiger, 1999; ders., 2009; Werner Rösener, 2000; Jens Siegelberg/Klaus Schlichte, 2000; Matthew S.

Parallel zur sukzessiven Weiterentwicklung und Verdichtung des Staates als realem Phänomen schritt auch die entsprechende zeitgenössische Theoriebildung voran. Entscheidende geistige Grundlagen wurden dabei noch im Mittelalter gelegt etwa mit der von der scholastischen Rechtswissenschaft entworfenen Korporations- und Hierarchienlehre, mit der Theorie einer Volkssouveränität des Marsilius von Padua (um 1275 – um 1342) und mit der Konsenslehre des Nikolaus von Kues (1401 - 1464). Hinzu kamen zu Beginn der Neuzeit weitere Theoriebausteine wie das auf Niccolò Machiavelli (1469 - 1527) zurückgehende Konzept der Staatsräson, Martin Luthers (1483 - 1546) säkularisierende Zwei-Reiche-Lehre und die wirkmächtige Formulierung des Souveränitätsprinzips durch Jean Bodin (1530 - 1596). Auf diesen Fundamenten beruhend mündete die ideengeschichtliche Entwicklung schließlich in der klassischen Begründung der Staatstheorie durch Thomas Hobbes (1588 - 1679) in dessen 1651 erschienenem Werk *„Leviathan. Or the Matter, Forme, and Power of a Common-wealth Ecclesiasticall and Civill“*.[42]

V. Vielfältigkeit und Gestalt des frühneuzeitlichen Staates

Realiter ging die – in Teilen bereits im Mittelalter einsetzende – Ausdifferenzierung der frühneuzeitlichen Staaten mit einer gleichzeitigen Verkomplizierung der personellen Herrschaftsverhältnisse einher. Nicht selten nämlich war es der Fall, dass ein Fürst zur selben Zeit Inhaber des Throns in verschiedenen Ländern war, ohne dass diese Staaten dadurch zu einem einheitlichen Gemeinwesen verschmolzen wären. In diesem Sinn übernahm etwa der schottische Stuart-König Jakob VI. (1566 - 1625; Regent: ab 1567) ab 1603 auch die Kronen der weiterhin selbstständigen Königreiche von England und von Irland nachdem dort die bis dahin regierende Dynastie der

Anderson, 2001; Ronald G. Asch/Wulf Eckart Voß/Martin Wrede, 2001; James R. Sofka, 2001; Slim Laghmani, 2003; Ulrich Muhlack, 2003; Karl-Heinz Ziegler, 2003; Paul Kennedy, 2005; Sven Externbrink, 2007; ders., 2010; Klaus Malettke, 2007; Ulrich Lappenküper/Reiner Marcowitz, 2010; Alain Tallon, 2010; Olaf Asbach, 2011; Michael Jucker/Martin Kintzinger/Rainer C. Schwinges, 2011; Martin Kintzinger, 2012a; Lucien Bély, 2013[4]; Hamish M. Scott, 2013. Siehe in übergreifendem Zusammenhang ferner: Wilhelm G. Grewe, 1988[2]: Seite 163 – 498; Antonio Truyol y Serra, 1995: Seite 39 – 95; Henri Legohérel, 1996: Seite 5 – 81; Harald Kleinschmidt, 1998: Seite 64 – 249; ders., 2013: Seite 123 – 273; Dominique Gaurier, 2005: besonders Seite 143 – 369; Marie-Hélène Renaut, 2007: Seite 42 – 123; Karl-Heinz Ziegler, 2007[2]: Seite 117 – 168; Norman Paech/Gerhard Stuby, 2013[2]: Seite 25, 30 – 75.

[42] Vgl. Klaus Roth, 2011[2]: Seite 609 – 627. Dazu auch: Michael Stolleis, 1990; Rainer Rotermundt, 1997: Seite 35 – 80; Rudolf Weber-Fas, 2000: Seite 53 – 114; Reinhold Zippelius, 2003[10]: Seite 57 – 97; Henning Ottmann, 2004; ders., 2006: Seite 1 – 321; Gerhard Dohrn-van Rossum, 2007[2]; Luise Schorn-Schütte, 2007[2]: Seite 146 – 151; Vicente Lull/Rafael Micó, 2013: Seite 36 – 64; Stefano Saracino/Manuel Knoll, 2013.

Tutors ausgestorben war. Ein anderes Exempel sind die beiden wettinischen Kurfürsten von Sachsen Friedrich August I. der Starke (1670 – 1733; Regent: ab 1694) und dessen Sohn Friedrich August II. (1696 – 1763; Regent: ab 1733), die mit kleineren Unterbrechungen zugleich den königlichen Thron des politisch und rechtlich ansonsten mit Sachsen unverbunden gebliebenen Polen-Litauen innehatten. In den genannten Fällen wurden also mehrere, jedoch weiterhin getrennt voneinander bestehende Staaten zugleich von ein und derselben Person regiert (Personalunion).[43] Etwas qualitativ ganz anderes war es, wenn solche Gemeinwesen zu einem späteren Zeitpunkt tatsächlich fusionierten oder wenn ein Land in den Herrschaftsverband eines anderen inkorporiert wurde. Dann war der Herrscher dieser Länder tatsächlich Regent eines einzigen, zu einer realen Einheit geformten Länderkomplexes (Realunion). Einige Beispiele hierfür sind Kastilien-Aragon ab 1516 (genannt: ‚Spanien'), wobei diese beiden vereinigten Länder ihrerseits wiederum aus einer Mehrzahl von einzelnen Herrschaftsverbänden bestanden, Polen-Litauen ab 1569, Brandenburg-Preußen ab 1701 und der ab 1723 infolge der Pragmatischen Sanktion entstehende Staatsverband Österreichs (im Sinne der österreichischen Erblande) mit Böhmen, Kroatien, Siebenbürgen, Slawonien und Ungarn sowie Mailand und den Herrschaftsgebieten der Österreichischen Niederlande. Im Fall einer solchen Realunion behielten die einzelnen umschlossenen Teileinheiten oft in nicht unerheblichem Maß einen besonderen Rechtsstatus und ihre eigenen politischen Einrichtungen (vor allem ihre Ständeversammlungen) sowie ein ganzes Stück weit auch ihre eigenen kollektiven Identitäten bei. Aus analytischer Sicht sind die Übergänge zwischen einer Personalunion und einer Realunion jedoch fließend, weshalb ihre jeweilige Feststellung im Einzelfall nicht immer leicht fällt. Dies gilt im Übrigen auch im Vergleich zur Föderation wie sie zum Beispiel 1789 von den 13 nordamerikanischen Staaten, welche sich 13 Jahre zuvor gegenüber dem britischen Mutterland für unabhängig und selbstständig erklärt hatten, in Gestalt der Vereinigten Staaten von Amerika gegründet wurde. Für die unierten Gemeinwesen jedenfalls hat Helmut G. Koenigsberger das Konzept des ‚Zusammengesetzten Staates' vorgeschlagen, das seither zu einem besseren Verständnis dieser zum Teil sehr verworrenen Herrschaftsstrukturen durchaus beigetragen hat.[44]

---

[43] Zu den Personalunionen der Frühneuzeit siehe vor allem die beiden Sammelbände: Heinz Duchhardt, 1997; Rex Rexheuser, 2005.

[44] Vgl. Helmut G. Koenigsberger, 1986; ders., 1991. Tatsächlich bezieht Helmut G. Koenigsberger sein Konzept des ‚Zusammengesetzten Staates' (in Englisch: *‚composite state'*), welches als wissenschaftlicher Terminus im Übrigen auch schon vor dem 20. Jahrhundert auftauchte, auf beide Regentschaftsformen und damit auch auf die Personalunion, welche ihrerseits aber gerade keine *staatliche* Vereinigung meint und deshalb nicht als *ein* (zusammengesetzter) Staat gelten kann. Der Ausweg, für die Personalunionen dagegen auf den von Koenigsberger ebenfalls verwendeten Begriff der ‚Zusammengesetzten Monarchie' zurückzugreifen, erscheint allenfalls behelfsweise sinnvoll,

Insgesamt gesehen brachte die Frühe Neuzeit bereits eine beachtliche Zahl ganz unterschiedlicher Erscheinungsformen des Staates hervor, wozu auch die gerade aufgeführten Realunionen und Föderationen zu zählen sind.[45] Hinzu kamen Gemeinwesen, die mit einer eher zentralistischen Staatsgewalt ausgestattet waren (im Grunde all diejenigen Staaten, die weder eine Realunion noch eine Föderation waren), ferner solche, die eine monarchische (etwa Frankreich bis 1789 oder Persien) oder eine republikanische Staatsform (etwa Genua oder Venedig) aufwiesen, solche, die über eine absolute (etwa Savoyen-Sardinien oder China) oder über eine konstitutionelle Form der Staatsgewalt (etwa Britannien oder Irland) verfügten, oder solche mit einer autokratischen (etwa Russland oder Marokko), einer oligarchischen (etwa Polen-Litauen oder Siam) oder sogar einer demokratischen Herrschaftsform (etwa Lucca bis 1628 oder Amerika). Daneben gab es Erbmonarchien (etwa Dänemark oder Japan) und Wahlmonarchien (etwa Böhmen oder Benin), sakrale Staaten (etwa Malta oder Rom) und säkulare Staaten (etwa Brandenburg-Preußen oder die Niederlande) sowie Stadtstaaten (etwa Andorra oder Neapel) und Territorialstaaten (etwa Schweden oder die Türkei). Mit dem Heiligen Römischen Reich Deutscher Nation gab es sogar ein Gebilde mit *doppelstaatlichem* Charakter, was in weltgeschichtlicher Hinsicht ganz und gar außergewöhnlich ist. Dieses Gemeinwesen konstituierte sich aus dem übergreifenden Staat (Deutschland), der auf der obersten institutionellen Ebene über mehrere Reichsorgane verfügte (König respektive Kaiser, Reichshofkanzlei, Erzkanzler, Reichstag, Reichshofrat, Reichskammergericht, Reichsarmee und andere) und der auf einer politisch und vor allem administratorisch nachgeordneten Zwischenebene (ab 1512) in zehn Reichskreise mit wiederum eigenen Einrichtungen organisiert war

---

da es sich bei einer Monarchie ja gerade um eine *Staats*form handelt. Im Ganzen gesehen sollte das Konzept des Zusammengesetzten Staates daher allein mit den Realunionen (und gegebenenfalls noch mit den Föderationen) verknüpft werden. Im Anschluss an Koenigsberger hat Franz Bosbach zudem das Konzept der Mehrfachherrschaft eingeführt, das jedoch, gleichermaßen wie dasjenige der Zusammengesetzten Monarchie, hauptsächlich auf den (mehrfachherrschenden) Regenten abzielt und damit wiederum vor allem die Personalunionen in den Blick nimmt und weniger die zusammengesetzten *Staaten* der Realunionen. Vgl. Franz Bosbach, 1997; ders., 2005. Siehe insgesamt zu diesem Zusammenhang auch: Richard Bonney, 1991; John H. Elliott, 1992; Hans-Jürgen Becker, 2006.

45 Zu Wesen, Formen und Aufbau der frühneuzeitlichen Staaten siehe: Gerhard Oestreich, 1969; Otto Hintze, 1970[3]; Theodor Schieder, 1973; Michael Stolleis, 1990; Thomas Fröschl, 1994; Samuel E. Finer, 1999c: Seite 1063 – 1566; Wolfgang Reinhard, 2002[3]: Seite 31 – 405; ders., 2007: Seite 32 – 89; Luise Schorn-Schütte, 2007[2]; Anne Marie Hacht/Dwayne D. Hayes, 2008: Seite 107 – 150; Bernd Marquardt, 2009: Seite 173 – 374; Roland G. Asch/Jörn Leonhard, 2010; Uwe Wesel, 2010: Seite 299 – 424; Peter Eich/Sebastian Schmidt-Hofner/Christian Wieland, 2011; Joachim Bahlcke, 2012. An länderübergreifenden Betrachtungen zur politischen Organisation auch der außereuropäischen Staaten in der Frühneuzeit besteht nach wie vor ein Mangel. Siehe dazu aber immerhin: Walter Demel, 2010a; ders., 2010b: Seite 131 – 161.

(Kreisdirektorium von in der Regel zwei fürstlichen Kreisausschreibenden, Kreiskanzlei, Kreistag und Kreisobrist). Darüber hinaus bestand dieses Gemeinwesen aus einer Vielzahl von (rund 300 oder mehr) untergeordneten, jedoch mehr oder minder (und ab 1648 zumindest formell) zugleich eigenständige Staaten bildenden Landesherrschaften (Reichsstände) von unterschiedlichem Rechtsstatus, unterschiedlicher organisatorischer Gestalt, unterschiedlicher territorialer Verteilung und Größe und unterschiedlicher (faktischer) politischer Macht. Von diesen Reichsständen, deren Staatsverbände mitunter auch über die Grenzen des Deutschen Reiches hinauswuchsen (wie etwa in den Fällen von Brandenburg und Österreich), ragten neben Österreich, dessen habsburgisch(-lothringische) Regenten seit dem ausgehenden Mittelalter fast durchweg den deutschen König und Kaiser stellten, die Kurfürstentümer politisch wie rechtlich am stärksten heraus. Deren Monarchen bildeten – abgesehen von der Besonderheit des *Königs* von Böhmen (der allerdings selbst auch einer der Kurfürsten war) und neben der durch die Standeserhöhung von 1453 erlangten formalen Gleichstellung des *Erz*herzogs von Österreich – die zweithöchsten Glieder des Reiches und verfügten als solche über besondere Privilegien, zu welchen neben der Aufgabe, den Kaiser zu ‚küren', unter anderem auch die gemeinsam mit dem Kaiser wahrgenommene Ausübung der obersten Regierungsämter des gesamten Staatsverbandes gehörte (zur Gruppe der Kurfürstentümer gehörten bis 1803: Bayern oder Pfalz, Böhmen, Brandenburg, Hannover, Köln, Mainz, Sachsen und Trier – nicht jedoch Österreich). Die unterste institutionelle Ebene bildeten schließlich die Städte und Dorfgemeinden, aber auch die Landgüter des grund- oder gutsherrschaftlichen Adels.[46]

Eine allgemeine Darstellung zur Gestalt des frühneuzeitlichen Staates erscheint aus dem Grund wenig sinnvoll, weil die individuelle Erscheinungsform der einzelnen gesellschaftlichen Herrschaftsverbände stets von der jeweils vorherrschenden Art des Staates, der jeweiligen Staatsform, der jeweiligen Herrschaftsform, weiteren speziellen, gerade genannten typologi-

---

[46] Der Literaturbestand zum Heiligen Römischen Reich Deutscher Nation ist mittlerweile sehr umfangreich geworden. Aktuelle Darstellungen zum allgemeinen Charakter dieses Gemeinwesens und seiner Entwicklung während der Frühneuzeit sind: Helmut Neuhaus, 2003[2]; Peter Claus Hartmann, 2005; Barbara Stollberg-Rilinger, 2009[4]; Klaus Herbers/Helmut Neuhaus, 2010; Axel Gotthard, 2013[5]. Speziell zur politischen wie rechtlichen Gestalt und Funktionsweise siehe: Hermann Weber, 1980; Bernd Roeck, 1984; Hans Boldt, 1990[2]; Heinz Duchhardt, 1991a; Karl Otmar von Aretin, 1993 – 2000; Wilhelm Brauneder, 1993; Alfred Kohler, 1994; Günter Vogler, 1996; Bernd Marquardt, 1999; Georg Schmidt, 1999; Matthias Schnettger, 2002; Johannes Burkhardt, 2006[10]; Arno Buschmann, 2006; Barbara Stollberg-Rilinger, 2008; Peter Claus Hartmann, 2011[2]; Joachim Whaley, 2014a; ders., 2014b; ders., 2017. Zur aktuellen Debatte um die staatliche Qualität des Deutschen Reiches siehe: Georg Schmidt, 1999. Besprochen in: Heinz Schilling, 2001. Erwiderung: Georg Schmidt, 2001. Aufgegriffen teilweise in: Matthias Schnettger, 2002. Siehe insgesamt dazu auch: Thomas Schwarze, 2001; Gabriele Haug-Moritz, 2014.

schen Eigenheiten sowie von den jeweiligen kulturellen Bedingungen und von der jeweiligen regionalen Tradition abhing und folglich mehr oder minder stark differierte. Ein derart generalisierendes Bild wäre daher schlichtweg zu grob und dermaßen allgemein, dass es kaum eine gehaltvolle Aussage über die frühneuzeitliche Staatlichkeit würde enthalten können. Die *typische* Art des Staates war jedoch die einer Absoluten Monarchie.[47]

Wie bei allen anderen Staatsarten gab es auch bei der Absoluten Monarchie eine Mehrzahl von politischen und bürokratischen Einrichtungen auf allen institutionellen Ebenen des organisierten Gemeinwesens sowie verschiedene intermediäre Interessengruppen (etwa Journalisten, Schriftsteller, religiöse Orden, Banken und Handelsunternehmen), die zwar außerhalb des staatlichen Institutionengefüges standen, aber dennoch auf mittelbarem Weg mehr oder minder stark auf die Gestaltung der Politik Einfluss nehmen konnten. Die Regierung konzentrierte sich bei dieser Art des Staates dagegen allein in der Person des Monarchen, der – in der Regel unterstützt von beratenden Hofbeamten wie Staatssekretären, Marschällen, Kanzlern, Schatzmeistern, Ministern oder Leitenden Ministern[48] – einerseits den zunehmend komplexer werdenden Staatskörper und andererseits das zu regierende Land respektive die zu regierende Gesellschaft beherrschte und dabei immer zumindest das letzte Machtwort sprechen konnte. Das heißt der absolute Fürst hatte die *oberste* Herrschaftsgewalt des Staates inne und war in diesem Sinne zunächst einmal immer ein ‚selbstherrschender' Regent (Autokrator).[49] Eine weitere Eigenheit der absoluten Monarchen war das

[47] Zur folgenden Problematik der Absoluten Monarchie (*nicht* des Absolutismus) siehe neben der allgemeinen Literatur zum Staat in der Frühen Neuzeit speziell auch: Horst Dreitzel, 1991a; ders., 1991b; Heinz Duchhardt/Richard A. Jackson/David J. Sturdy, 1992; Ronald G. Asch/Heinz Duchhardt, 1996; Wolfgang E. J. Weber, 1998; Ernst Hinrichs, 2000; Bernhard Jussen, 2005; Ronald G. Asch/Jörn Leonhard, 2008; Christoph Kampmann/Katharina Krause/Eva-Bettina Krems/Anuschka Tischer, 2008. Ferner: Luise Schorn-Schütte, 2007²: Seite 134 – 140. Allgemein zur Monarchie: Gisela Riescher/Alexander Thumfart, 2008.

[48] Vgl. Wolfgang Reinhard, 2002³: Seite 141 – 196.

[49] In der Theorie bedeutete diese Kompetenz, dass der absolute Monarch durch seine politischen Anweisungen jederzeit bisher geltendes Recht verändern oder spontan neues Recht schaffen konnte. Eine andere Frage ist es dagegen, wie dieses Recht in einer hauptsächlich von Mündlichkeit und Gewohnheit geprägten vormodernen Staatlichkeit generell hergestellt, erhalten, novelliert und beseitigt werden konnte. Unter Rekurs auf die symbolischen Akte des Rituals und des Zeremoniells, die in der (zumindest politischen) Öffentlichkeit der Frühneuzeit allenthalben vorzufinden waren, versucht eine neue, von Barbara Stollberg-Rilinger etablierte Forschungsrichtung Aufschluss über diesen Sachzusammenhang zu geben. Darüber hinaus wäre ebenso systematisch zu klären, nicht nur wie dieses (formelle) Recht auch auf andere Weise durch die soziopolitische Praxis der Zeitgenossen geschaffen wurde, sondern auch wie (faktische) politische Entscheidungen und Strukturen jenseits eines ganz konkreten Setzungsaktes zu ihrer Realität gelangten. Vgl. zum Ansatz von Stollberg-Rilinger: Barbara Stollberg-Rilinger, 2008. Speziell zur forschungskonzeptionellen Grundlegung: dies., 2002; dies., 2010.

Verschwimmen der Sphären von Privatheit und Öffentlichkeit. So war beispielsweise der private Besitzstand eines solchen Fürsten im Grunde nicht von dem öffentlichen des Staates zu trennen.[50] Genauso waren seine Handlungen gegenüber und seine Begegnungen mit anderen Personen, vor allem solchen mit ebenfalls fürstlichem Status, niemals nur private Ereignisse, sondern immer auch staatlich-politische Akte.[51]

Dennoch war der absolute Selbstherrscher nur in den allerseltensten Fällen dazu befähigt, tatsächlich ganz für sich allein zu regieren. Selbst *angeblich* weise und im politischen Tagesgeschäft zugleich erfahrene ‚Philosophenherrscher' wie einst der römische Kaiser Mark Aurel I. Antoninus (121 - 180 n. Chr.; Regent: ab 161 n. Chr.) oder König Friedrich II. der Große von Brandenburg-Preußen (1712 - 1786; Regent: ab 1740) bedurften der Unterstützung von Vertrauten und Beratern, eines loyalen Verwaltungsstabs, fähigen Ministern und in der Frühneuzeit besonders auch des Adels sowie nicht zuletzt immer auch des Wohlwollens des regierten Volkes. Hier zeigt sich unter anderem, dass die Absoluten Monarchien zumeist doch nicht ganz in der Weise zentralistisch funktionierten, wie sie zumindest ihrem Selbstverständnis nach angelegt waren, weil die nachgeordneten Fürsten, Grafen, Ritter, Magistrate, Bürgermeister und so weiter häufig politisch mehr oder weniger autonom agieren konnten. Es handelte sich deshalb häufiger um dezentralistisch verfasste Gemeinwesen mit einem dennoch klaren hierarchischen Aufbau.

Ferner war der absolute Monarch letztlich genauso (nur) *ein* Repräsentant des Gesamtstaates wie all die anderen etablierten oder beauftragten Inhaber von Ämtern, Mandaten und Würden auf den verschiedenen horizon-

---

[50] Dieser Zusammenhang zeigt sich besonders deutlich an dem antiken Beispiel des Übergangs von der Römischen Republik zum Römischen Kaisertum und damit verbunden der Überschneidung und dem letztendlichen Zusammenfallen der alten republikanischen Staatskasse (in ihrer zeitgenössischen lateinischen Bezeichnung: ‚*aerarium populi romani*') mit der kaiserlichen Kasse (‚*fiscus caesaris*') unter den ersten Kaisern der frühen Prinzipatszeit. Vgl. Michael Alpers, 1995; Jochen Bleicken, 1995[4]: Seite 193 - 206; Frank M. Ausbüttel, 2005: Seite 69 - 94; Ingemar König, 2009: Seite 206. Im Vergleich dazu verlief die finanzorganisatorische Entwicklung in den Fürstenstaaten der Frühneuzeit genau entgegengesetzt. Hier entstand neben dem Privatgut des Monarchen, der sogenannten ‚Domäne' (Krongut, Kammergut), sukzessive ein auf Steuern basierendes Staatsgut, welches im 19. Jahrhundert dann den alleinigen öffentlichen Haushalt bildete. Vgl. Wolfgang Reinhard, 2002[3]: Seite 309 - 314; ders., 2007: Seite 97 - 99, 103. Dazu ferner: Richard Bonney, 2004; Bartolomé Yun-Casalilla/Patrick K. O'Brien, 2015.

[51] Eine Problematisierung der Begegnungen von Monarchen mit anderen Fürsten nimmt Johannes Paulmann in einer vielbeachteten Studie vor allerdings für die Verhältnisse des 19. Jahrhunderts und damit weniger für die an dieser Stelle thematisierte spezielle Staatsart der Absoluten Monarchie, sondern vielmehr für jene auf ganz anderen Grundlagen beruhende der Konstitutionellen Monarchie. Vgl. Johannes Paulmann, 2000.

talen und vertikalen institutionellen Ebenen auch.[52] In diesem Sinn waren es niemals nur die Monarchen für sich selbst, die Kriege geführt, Frieden vereinbart und völkerrechtliche Verträge abgeschlossen hatten. Auch wenn dies regelmäßig im Namen dieser Potentaten geschah, bedurfte es zur Durchführung dieser Vorhaben doch immer der Dienste von militärstrategisch planenden Generälen und kämpfenden Soldaten, von die politischen Geschäfte leitenden Ministern, von Verhandlungen führenden Diplomaten, genauso auch von einer Steuern und Abgaben entrichtenden und gegebenenfalls zum Kampf heranzuziehenden Bevölkerung sowie in der Regel der Zustimmung und vor allem der praktischen Unterstützung des Adels.[53] Außerdem banden diese politischen Akte niemals nur die jeweiligen Fürsten als Privatpersonen selbst, sondern immer auch die von diesen regierten Staaten, Länder und

---

[52] Der dem französischen König Ludwig XIV. dem Großen (1638 – 1715; Regent: ab 1643) zugeschriebene Ausspruch, *‚l'état c'est moi'* (der Staat bin ich), war im Hinblick auf die Verquickung von Privatpersönlichkeit und Staatsmännischkeit des Potentaten daher zutreffend, hinsichtlich der realen politischen Ausgestaltung und Funktionsweise des absoluten Fürstenstaates dagegen unangemessen und eher ein aus der absolutistischen Programmatik der Zeit gespeistes politisches Wunschbild. Viel näher an der Wirklichkeit war stattdessen der auf den brandenburg-preußischen König Friedrich II. den Großen zurückgehende Wahlspruch, *‚le roi est le premier serviteur de l'état'* (der König ist der erste Diener des Staates). Vgl. Wolfgang Reinhard, 2002[3]: Seite 50 – 52. Zu Inhalt und Bedeutung des oft missverstandenen Konzepts des Absolutismus (*nicht* der Absoluten Monarchie) siehe: Ronald G. Asch/Heinz Duchhardt, 1996; sowie ganz besonders: Martin Wrede, 2005. In diesem Sinn ist ein Monarch (wenn er denn veritablerweise als ein solcher gelten kann) stets Inhaber eines – gegebenenfalls von Gott gegebenen – Amtes, welches ihn erst zu einem Monarchen macht, welches in der Regel durch bestimmte Insignien, wie zum Beispiel die Krone oder das Zepter, symbolisiert wird und welches als solches unabhängig von seinem jeweiligen Inhaber besteht. Hierin zeigt sich das von Ernst H. Kantorowicz für die Zeit vom Frühmittelalter bis zum 17. Jahrhundert beschriebene doppelte körperliche Wesen eines jeden Fürsten, welcher zum einen selbst eine menschliche und damit grundsätzlich verletzbare und sterbliche Person ist (natürlicher Körper) und welcher zum anderen die künstlich oder übernatürlich geschaffene Institution eines Monarchen darstellt, die ihrerseits dagegen prinzipiell unantastbar und auf ewig existieren kann (politischer Körper). Vgl. Ernst H. Kantorowicz, 1994[2]. Die von Kantorowicz auf die Person des Königs bezogene Idee multipler Körper hat Quentin Skinner jüngst in einer Untersuchung der politischen Ideengeschichte der Neuzeit – allerdings weniger explizit formulierend – auf die Institution des Staates schlechthin übertragen. Hier wird der politische Körper nicht mehr mit einer Seite des Fürsten verbunden, sondern mit der Organisation des gesamten Gemeinwesens. Dieser erweiterte politische Körper sei der Staat im Ganzen, der wiederum selbst aus drei weiteren Körpern bestehen könne: aus den herrschenden Personen (Regierungskörper), aus den beherrschten Personen (Untertanenkörper) und aus der politischen Einheit aller Gesellschaftsmitglieder (Volkskörper). Vgl. Quentin Skinner, 2012.

[53] Das wichtigste Recht von Adel und Ständeversammlungen gegenüber dem absoluten Fürsten war sicherlich die Entscheidung über die Bewilligung von Steuern. Schließlich ist die Handlungsfähigkeit einer jeden Regierung (auch die eines absoluten Monarchen) unweigerlich daran gebunden, über wie viele finanzielle Mittel sie zur Ausübung ihrer Herrschaftsgewalt verfügen kann. Vgl. Wolfgang Reinhard, 2002[3]: Seite 221 – 222.

Völker, welche auf der einen Seite dafür häufig die entsprechenden Lasten zu tragen hatten, welche auf der anderen Seite aber auch von den dadurch eröffneten Möglichkeiten profitieren konnten (wie etwa im Fall von Handelsabkommen oder entsprechend vorteilhaften Friedensschlüssen). So heißt es beispielsweise im ersten Artikel des 1763 zwischen Britannien (mit Hannover und Irland), Frankreich, Portugal und Spanien geschlossenen Pariser Friedensvertrages: „Es soll ein christlicher, allgemeiner und immerwährender Friede, sowohl zur See als zu Lande, und eine aufrichtige und beständige Freundschaft zwischen Ihro Großbritannischen [(britischen)], Allerchristlichsten [(französischen)], Catholischen [(spanischen)] und Allergetreuesten [(portugiesischen)] *Majestäten*, sowohl als zwischen Ihren *Erben* und *Nachfolgern, Königreichen, Staaten, Provinzen, Landen, Unterthanen* und *Vasallen*[...] hergestellet seyn".[54]

VI. Schlussbetrachtung

Zusammenfassend lässt sich sagen, dass die Debatte insbesondere um den Staat der Frühneuzeit, anders als man vielleicht zunächst vermuten könnte, weniger in der argumentativen Weise verlief, ‚den Staat hat es gegeben, weil ...' und ‚den Staat hat es nicht gegeben, weil ...'. Vielmehr war die Forschung bislang darauf konzentriert nachzuvollziehen, wie der spezifisch ‚moderne Staat' des 19. und frühen 20. Jahrhunderts sich seit dem Beginn der Neuzeit herausgebildet hatte, wobei einzelne seiner Wurzeln gar bis weit ins Mittelalter zurückreichen würden. Diese besondere Form der Fragestellung scheint gelegentlich einige Autoren, die häufig selbst gar keinen eigenen Beitrag zu dieser Debatte vorgelegt haben, zu veranlassen, in Übersehung des unscheinbaren, aber entscheidenden Prädikats ‚modern' die Diskussion als eine Auseinandersetzung um die Entstehungsgeschichte des Staates schlechthin misszuverstehen. Dagegen zeigt der in dieser Arbeit rekonstruierte Diskussionsstand der multidisziplinären historischen Staats-Forschung in deutlicher Weise, dass es sich beim Staat um eine ziemlich frühe institutionelle Errungenschaft des Menschen handelt, die *der Sache nach* um vieles älter ist als das sie bezeichnende Begriffs*wort*.[55] Den geschichtlichen Beginn

---

54 Im französischen Original: *„Il y aura une Paix chrétienne, universelle {et} perpétuelle, tant par mer que par terre, {et} une amitié sincère {et} constante sera rétablie entre Leurs Majestés Très-Chrétienne, Catholique, Britannique {et} Très-Fidèle, {et} entre leurs héritiers {et} successeurs, royaumes, états, provinces, pays, sujets {et} vassaux"*. Definitiver Friedensvertrag von Paris, 10.02.1763: Artikel I (Hervorhebungen vom Verfasser). Siehe generell zum Problem des Völkerrechtssubjekts in den völkerrechtlichen Vertragsschlüssen der Frühneuzeit: Benjamin Durst, 2016: Seite 225 – 233, 352 – 354.

55 Das deutsche Wort ‚Staat' (in seiner Frühform: ‚stat') entstand im 15. Jahrhundert – während das englische *state* (in seiner Frühform: *stat*) und das französische *etat* (in

des Staates verorten einige Autoren dabei zu im Einzelnen differierenden Zeitpunkten im Verlauf des Mittelalters, was mit Blick auf das sogenannte ‚Neue Europa' nördlich und östlich der Rhein-Donau-Linie in großen Teilen sicherlich zutreffen mag. Wendet man dagegen den Blick weiter in Richtung Süden und Westen auf das sogenannte ‚Alte Europa' sowie auf verschiedene Gebiete Nordafrikas und vor allem Asiens, so relativiert sich diese Einschätzung erheblich. Die diesbezügliche Forschung vertritt hier weitgehend einhellig die Auffassung, dass die unter anderem von den alten Griechen und Römern, aber auch die von den Makedonen, Phöniziern und Ägyptern, den Indern und Chinesen, den Persern, Lydern, Assyrern, Hurritern, Hethitern, Babyloniern, Akkadern und Sumerern sowie gegebenenfalls die von den Völkern der frühen Donauzivilisation oder einigen noch älteren Siedlungsgemeinschaften geschaffenen (hochkulturellen) Gemeinwesen durchaus eine, wenn auch häufig noch primitive, mitunter aber bereits erstaunlich weit entwickelte Staatlichkeit ausgebildet hatten. Gemäß des heutigen wissenschaftlichen Kenntnisstandes ist daher zu konstatieren, dass der Staat als solcher bereits im frühen Altertum existierte, ebenso in der griechisch-römischen Antike und es gab ihn auch im Mittelalter und in der Frühen Neuzeit.

Der eher irreführende Terminus der ‚frühneuzeitlichen Staatsbildung' meint demnach *nicht*, dass Staaten innerhalb der gesamten Menschheitsgeschichte erstmals in der Frühen Neuzeit aufgetreten waren. Vielmehr verbinden sich mit dem Begriff fünf verschiedene Bedeutungen: Erstens kann darunter der Sachverhalt verstanden werden, dass während der Frühneuzeit tatsächlich in einzelnen Regionen neue Staaten entstanden waren (beispielsweise die Niederlande, Luzern, Pennsylvania und Haiti). Zweitens kann der Begriff unter Einnahme einer spezifisch nationalen Perspektive auf jenen Entwicklungsvorgang bezogen werden, bei dem innerhalb des gesamtdeutschen Staatsverbandes die einzelnen Landesherrschaften selbst zusätzlich jeweils eigene staatliche Einheiten ausbildeten (am intensivsten betrieben von den größeren Teilstaaten wie Bayern, Böhmen, Brandenburg, Hannover, Österreich und Sachsen) und damit die historische Besonderheit der deutschen Doppelstaatlichkeit geschaffen haben. Drittens wird damit – allerdings begrifflich unangemessen – auch der Aufstieg einzelner, bereits als veritable Staaten existierender Länder zu anerkannten Großmächten bezeichnet, womit für diese ein entsprechender Status, besondere Privilegien und die informelle Einbindung in den diplomatisch zunehmend enger miteinander

seiner Frühform: *estat*) bereits seit dem 13. Jahrhundert in Verwendung waren – als eine Ableitung des alt- und mittellateinischen *status* (übersetzt: Stand, Stellung, Lage, Verfassung, Zustand, Beschaffenheit oder Status). Vgl. Arnold Oskar Meyer, 1950; Paul-Ludwig Weinacht, 1968: Seite 69 – 71; Dietmar Willoweit, 1990: Spalte 1792 – 1793; Herfried Münkler/Michael Silnizki/Ernst Vollrath, 1998; Hans Boldt/Werner Conze/Görg Haverkate/Diethelm Klippel/Reinhart Koselleck, 2004: Seite 1.

verbundenen Kreis der führenden Mächte zumindest in Europa einherging (zunächst vor allem Spanien und Schweden, später dann Russland, Österreich und Brandenburg-Preußen).[56] Den entgegengesetzten Weg des Abstiegs von einer Großmachtstellung gab es freilich ebenso, womit jedoch keineswegs automatisch zugleich der Verlust auch der eigenen Staatlichkeit verbunden sein musste (etwa Deutschland, Schweden und Polen-Litauen). Viertens kann unter ‚frühneuzeitlicher Staatsbildung' der allgemeine Entwicklungsvorgang der Staatsbildung, allerdings nicht im Sinne einer Staats*entstehung*, sondern im Sinne eines Staats*ausbaus*, gefasst werden, wie er in vielen frühneuzeitlichen Gesellschaften allmählich, insgesamt aber doch kontinuierlich stattfand. Damit verbunden war, fünftens, nicht die Entstehung des Staates überhaupt, sondern die Herausbildung des sogenannten ‚modernen Staates', wie er dann in den folgenden Epochen seit dem 19. Jahrhundert bestehen sollte.[57] Angesichts dieser Bedeutungsvielfalt und der damit zusammenhängenden häufig unklaren Verwendungsweise sollte der Begriff der ‚frühneuzeitlichen Staatsbildung' eher vermieden werden – zumal die damit gemeinten realen Sachverhalte auch in anderen Zeitabschnitten vorzufinden sind und insofern gar nichts allein für die Frühe Neuzeit Spezifisches darstellen.

Wie die gesellschaftlichen Herrschaftsgebilde speziell der Frühneuzeit schließlich zu fassen und darzustellen sind ist aus analytischer Sicht entscheidend davon abhängig, welches begriffliche Instrumentarium man zugrunde zu legen gedenkt. Der Vielfältigkeit dieser Phänomene insgesamt und deren Unterschiedlichkeit auch im Vergleich der Epochen untereinander ist gerade nicht sinnvoll mit Begriffen gerecht zu werden, die aufgrund ihrer raumzeitlichen Gebundenheit inhaltlich zu eng und zu voraussetzungsreich

---

[56] Mit Blick auf Brandenburg-Preußen beispielsweise war der Siebenjährige Krieg eben kein ‚Staatsbildungskrieg' in dem Sinne, dass an dessen Ende aus dem nichtstaatlichen Gemeinwesen (was auch immer das dann sein soll) schließlich ein Gemeinwesen mit der andersartigen Qualität eines Staates geworden war. Vielmehr war die Realunion Brandenburg-Preußen seit ihrer Gründung 1701 ein Staat und ihr Rechtsvorgänger Brandenburg formell seit dem Westfälischen Frieden von 1648 sowie faktisch bereits seit dem Spätmittelalter. Worum es in dem Krieg für Brandenburg-Preußen und seine Gegner dagegen tatsächlich ging, war vorrangig die Frage, ob das mitteleuropäische Land seine Entwicklung hin zu einer *Großmacht* vollenden können oder ob diese von den etablierten Großmächten verhindert werden würde. Zur These vom Charakter des Siebenjährigen Krieges als ein brandenburg-preußischer Staats*entstehungs*krieg siehe: Johannes Burkhardt, 2002: Seite 314; ders., 2006[10]: Seite 434.

[57] In diesem Sinn handelte es sich in der Frühneuzeit um den erst ‚werdenden modernen Staat', für den Gerhard Oestreich den Begriff des ‚frühmodernen Staates' eingeführt hat. Vgl. Gerhard Oestreich, 1969. Allerdings ist diese Begrifflichkeit zumindest innerhalb der deutschsprachigen Geschichtswissenschaft problematisch, da hier die Epoche der ‚Moderne' erst mit dem 19. Jahrhundert und damit *nach* dem Ende der Frühneuzeit beginnt, während etwa die englischsprachigen Historiker die Frühe Neuzeit als *‚early modern times'*, also tatsächlich als ‚Frühmoderne', bezeichnen.

sind. Solche Vorgehensweisen müssen unweigerlich ins Leere laufen.[58] Ist man stattdessen gewillt, die auf einem bestimmten Level doch substanziell gleichartigen Objekte von ihren frühesten Erscheinungsformen im Altertum (oder noch davor) an bis zu ihrer jüngsten Entwicklungsphase in der Gegenwart in den Blick zu bekommen, dann sind die jeweils spezifischen Eigenheiten der einzelnen konkreten gesellschaftlichen Herrschaftsverbände in der Geschichte nicht wegzuwischen, sondern vielmehr als besondere Fälle eines übergeordneten Konzepts, dem des Staates nämlich, explizit herauszustellen. Hier können die inhaltlich allerdings noch unspezifisch bleibenden Begriffe des ‚vormodernen Staates' wie des ‚modernen Staates' eine erste Hilfestellung leisten. Bei der Bildung epochenübergreifender Ordnungsbegriffe ist indes *nicht allein* auf den je aktuellen Stand der theoretischen Diskussion innerhalb der Wissenschaft(en) zu schauen (das bestenfalls aber immer), sondern *unbedingt auch* auf die Geschichtlichkeit des jeweils bezeichneten Gegenstandes, das heißt auf die Historisierung seiner realen Erscheinungsformen.[59]

---

58 Bereits 1939 hatte Otto Brunner die Übertragung des *modernen* Staatsbegriffs auf die Verhältnisse des Mittelalters als unzulänglich herausgestellt, weshalb zwei Jahre später Carl Schmitt genau diesen (modernen) Staatsbegriff als einen epochengebundenen Terminus identifizierte. Wiederum kurze Zeit später zeigte Johannes Popitz in einem 1944 gehaltenen Vortrag, dass es bei sachgerechter Generalisierung der verschiedenen historischen Einzelfälle dennoch möglich ist, einen allgemeingültigen, epochenübergreifenden Begriff des Staates zu bilden, der deswegen aber keineswegs inhaltslos sein müsse. Vgl. Otto Brunner, 1984 (erste Auflage zuerst 1939); ders., 1990[5]: Seite 111 - 164 (erste Auflage zuerst 1939); Carl Schmitt, 1985[3] (erste Auflage zuerst 1941); Johannes Popitz, 1984 (der hier dokumentarisch abgedruckte Vortrag wurde ursprünglich gehalten 1944). Dazu: Helmut Quaritsch, 1970: Seite 20 - 36.

59 „Die Anwendung des Terminus ‚Staat' auf alle Kulturen und Perioden der Weltgeschichte kann, wenn sie bewußt gemacht und methodisch im Hinblick auf ihren (Vergleichs-)Wert sowie auf ihre eingeschränkte Aussagekraft gerechtfertigt wird, vertreten werden. In einem weiten, kulturanthropologisch begründbaren Sinne hat es in der Geschichte keine menschliche Existenz ohne sanktionierte, dem Zusammenleben im Innern und dem Schutz nach außen dienende Ordnung kleinerer oder größerer sozialer Einheiten gegeben. Es ist eine Sache definitorischen Übereinkommens, ob dafür (gegebenenfalls von welcher Grenze des Umfangs und dauerhafter Organisationsintensität an) das Wort ‚Staat' als formalisierter Allgemeinbegriff benutzt werden soll." Hans Boldt/Werner Conze/Görg Haverkate/Diethelm Klippel/Reinhart Koselleck, 2004: Seite 5 - 6.

Quellen

DEFINITIVER FRIEDENSVERTRAG VON PARIS, 10.02.1763.
(Britannien, Frankreich, Hannover, Irland, Spanien; Beitritt: Portugal)

Französische Originaltextvariante:
PARRY, CLIVE (Hrsg.), 1969: *The consolidated treaty series*. Band 42, *1760 - 1764*. Dobbs Ferry/New York, Seite 279 - 345.

Deutsche Übersetzungstextvariante:
OERTEL, CHRISTIAN GOTTFRIED, 1766: *Reichs-Tags-Diarium*. Band 6, *Vom 1. Januar. 1762. bis 31. Decembr. 1763*. Regensburg, Seite 616 - 622, 628 - 638, 649 - 651.

Literatur

AIRLIE, STUART/POHL, WALTER/REIMITZ, HELMUT (Hrsg.), 2006: *Staat im frühen Mittelalter*. [Reihe Österreichische Akademie der Wissenschaften. Philosophisch-Historische Klasse. Denkschriften. Band 334; Forschungen zur Geschichte des Mittelalters. Band 11], Wien.

ALPERS, MICHAEL, 1995: *Das nachrepublikanische Finanzsystem. Fiscus und Fisci in der frühen Kaiserzeit*. [Reihe Untersuchungen zur antiken Literatur und Geschichte. Band 45], Berlin/New York.

ANDERSON, MATTHEW S., 2001 [1993]: *The Rise of Modern Diplomacy 1450 - 1919*. London/New York.

ARETIN, KARL OTMAR VON, 1993 - 2000: *Das Alte Reich 1648 - 1806*. 4 Bände, Stuttgart.

ASBACH, OLAF, 2011: *Die Globalisierung Europas und die Konflikte der Moderne - Dynamiken und Widersprüche in der Theorie und Praxis der internationalen Beziehungen in der Frühen Neuzeit*. In: Sven Externbrink (Hrsg.), Der Siebenjährige Krieg (1756 - 1763). Ein europäischer Weltkrieg im Zeitalter der Aufklärung. Berlin, Seite 27 - 64.

ASCH, RONALD G./DUCHHARDT, HEINZ (Hrsg.), 1996: *Der Absolutismus - Ein Mythos? Strukturwandel monarchischer Herrschaft in West- und Mitteleuropa (ca. 1550 - 1700)*. [Reihe Münstersche Historische Forschungen. Band 9], Köln/Weimar/Wien.

ASCH, RONALD G./FREIST, DAGMAR (Hrsg.), 2005: *Staatsbildung als kultureller Prozess. Strukturwandel und Legitimation von Herrschaft in der Frühen Neuzeit*. Köln/Weimar/Wien.

ASCH, RONALD G./LEONHARD, JÖRN, 2008: *Monarchie*. In: Friedrich Jaeger (Hrsg.), Enzyklopädie der Neuzeit. Band 8, Manufaktur - Naturgeschichte. Stuttgart/Weimar, Spalte 675 - 696.

ASCH, ROLAND G./LEONHARD, JÖRN, 2010: *Staat*. In: Friedrich Jaeger (Hrsg.), Enzyklopädie der Neuzeit. Band 12, Silber - Subsidien. Stuttgart/Weimar, Spalte 494 - 518.

ASCH, RONALD G./VOẞ, WULF ECKART/WREDE, MARTIN (Hrsg.), 2001: *Frieden und Krieg in der Frühen Neuzeit. Die europäische Staatenordnung und die außereuropäische Welt*. [Reihe Der Frieden. Rekonstruktion einer europäischen Vision. Band 2], München.

AUSBÜTTEL, FRANK M., 2005 [1998]: *Die Verwaltung des römischen Kaiserreiches. Von der Herrschaft des Augustus bis zum Niedergang des weströmischen Reiches*. Darmstadt.

BACH, MAURIZIO (Hrsg.), 2013: *Der entmachtete Leviathan. Löst sich der souveräne Staat auf?* [Reihe Zeitschrift für Politik (ZfP). Sonderband. Band 5], Baden-Baden.

BADURA, PETER, 1996: *Staat*. In: Jürgen Mittelstraß (Hrsg.), Enzyklopädie Philosophie und Wissenschaftstheorie. Band 4, Sp - Z. Stuttgart/Weimar, Seite 71 - 76.

BAHLCKE, JOACHIM, 2012: *Landesherrschaft, Territorien und Staat in der Frühen Neuzeit.* [Enzyklopädie deutscher Geschichte. Band 91], München.

BALTRUSCH, ERNST, 2008: *Außenpolitik, Bünde und Reichsbildung in der Antike.* [Reihe Enzyklopädie der griechisch-römischen Antike. Band 7], München.

BANG, PETER FIBIGER/SCHEIDEL, WALTER (Hrsg.), 2013: *The Oxford Handbook of the State in the Ancient Near East and Mediterranean.* Oxford/New York.

BÄRSCH, CLAUS-EKKEHARD, 1974: *Der Staatsbegriff in der neueren deutschen Staatslehre und seine theoretischen Implikationen.* [Reihe Beiträge zur Politischen Wissenschaft. Band 20], Berlin.

BECK, HANS (Hrsg.), 2013: *A Companion to Ancient Greek Government.* [Reihe Blackwell Companions to the Ancient World. Ancient History], Chichester/Malden/Oxford.

BECKER, HANS-JÜRGEN (Hrsg.), 2006: *Zusammengesetzte Staatlichkeit in der Europäischen Verfassungsgeschichte. Tagung der Vereinigung für Verfassungsgeschichte in Hofgeismar vom 19.3. - 21.3.2001.* [Reihe Beihefte zu „Der Staat". Zeitschrift für Staatslehre und Verfassungsgeschichte, deutsches und europäisches öffentliches Recht. Band 16], Berlin.

BELOW, GEORG VON, 1925[2]: *Der deutsche Staat des Mittelalters. Ein Grundriss der deutschen Verfassungsgeschichte.* Band 1, *Die allgemeinen Fragen.* Leipzig.

BÉLY, LUCIEN, 2013[4]: *Les relations internationales en Europe (XVIIe - XVIIIe siècles).* [Reihe Thémis. Histoire], Paris.

BENZ, ARTHUR, 2008[2]: *Der moderne Staat. Grundlagen der politologischen Analyse.* [Reihe Lehr- und Handbücher der Politikwissenschaft], München.

BERG, DIETER/KINTZINGER, MARTIN/MONNET, PIERRE (Hrsg.), 2002: *Auswärtige Politik und internationale Beziehungen im Mittelalter (13. bis 16. Jahrhundert).* [Reihe Europa in der Geschichte. Schriften zur Entwicklung des modernen Europa. Band 6], Bochum.

BLACK, JEREMY, 1990: *The Rise of the European Powers 1679 - 1793.* London/New York/Melbourne/Auckland.

BLACK, JEREMY, 1998: *European International Relations 1450 - 1800.* In: European History Quarterly (EHQ). 28 (2), Seite 245 - 256.

BLACK, JEREMY, 2002: *European International Relations 1648 - 1815.* Basingstoke/New York.

BLÄNKNER, REINHARD, 2004: *Strukturprobleme des frühmodernen Staates.* In: Frederick S. Carney/Heinz Schilling/Dieter Wyduckel (Hrsg.), Jurisprudenz, Politische Theorie und Politische Theologie. Beiträge des Herborner Symposions zum 400. Jahrestag der Politica des Johannes Althusius 1603 - 2003. [Reihe Beiträge zur Politischen Wissenschaft. Band 131], Berlin, Seite 399 - 435.

BLEICKEN, JOCHEN, 1972: *Staatliche Ordnung und Freiheit in der römischen Republik.* [Reihe Frankfurter althistorische Studien. Band 6], Kallmünz.

BLEICKEN, JOCHEN, 1994[3]: *Verfassungs- und Sozialgeschichte des Römischen Kaiserreiches.* Band 2, Paderborn/München/Wien/Zürich.

BLEICKEN, JOCHEN, 1995[4]: *Verfassungs- und Sozialgeschichte des Römischen Kaiserreichs.* Band 1, Paderborn/München/Wien/Zürich.

BLEICKEN, JOCHEN, 2008[8] [1995[7]]: *Die Verfassung der Römischen Republik. Grundlagen und Entwicklungen.* Paderborn.

BLOCKMANS, WIM/HOLENSTEIN, ANDRÉ/MATHIEU, JON (Hrsg.), 2009: *Empowering Interactions. Political Cultures and the Emergence of the State in Europe 1300 - 1900.* Farnham/Burlington.

BLUNTSCHLI, JOHANN KASPAR, 1965[6]a [1886[6] posthum]: *Allgemeine Staatslehre.* [Lehre vom modernen Staat. Band 1], Aalen.

BLUNTSCHLI, JOHANN KASPAR, 1965[6]b [1885[6] posthum]: *Allgemeines Staatsrecht.* [Lehre vom modernen Staat. Band 2], Aalen.

BÖCKENFÖRDE, ERNST-WOLFGANG, 1976 [1967]: *Die Entstehung des Staates als Vorgang der Säkularisation.* In: ders., Staat, Gesellschaft, Freiheit. Studien zur Staatstheorie und zum Verfassungsrecht. Frankfurt, Seite 42 - 64.

BÖCKENFÖRDE, ERNST-WOLFGANG, 2006²: *Geschichte der Rechts- und Staatsphilosophie. Antike und Mittelalter*. Tübingen.

BOLDT, HANS, 1990²: *Deutsche Verfassungsgeschichte. Politische Strukturen und ihr Wandel.* Band 1, *Von den Anfängen bis zum Ende des älteren deutschen Reiches 1806*. München.

BOLDT, HANS/CONZE, WERNER/HAVERKATE, GÖRG/KLIPPEL, DIETHELM/KOSELLECK, REINHART, 2004 [1990]: *Staat und Souveränität*. In: Otto Brunner/Werner Conze/Reinhart Koselleck (Hrsg.), Geschichtliche Grundbegriffe. Historisches Lexikon zur politisch-sozialen Sprache in Deutschland. Band 6, St - Vert. Stuttgart, Seite 1 - 154.

BONNEY, RICHARD, 1991: *The European Dynastic States 1494 - 1660*. [Reihe The short Oxford history of the modern world], Oxford/New York/Toronto/Delhi/Bombay/Calcutta/Madras/Karachi/Petaling/Jaya/Singapore/Hong Kong/Tokyo/Nairobi/Dar es Salaam/Cape Town/Melbourne/Auckland.

BONNEY, RICHARD, 2004 [1999]: *The Rise of the Fiscal State in Europe, c. 1200 - 1815*. Oxford/New York.

BOSBACH, FRANZ, 1997: *Mehrfachherrschaften im 17. Jahrhundert*. In: Uta Lindgren (Hrsg.), Naturwissenschaft und Technik im Barock. Innovation, Repräsentation, Diffusion. [Reihe Bayreuther Historische Kolloquien. Band 11], Köln/Weimar/Wien, Seite 19 - 35.

BOSBACH, FRANZ, 2005: *Mehrfachherrschaft - Eine Organisationsform frühmoderner Herrschaft*. In: Michael Kaiser/Michael Rohrschneider (Hrsg.), Membra unius capitis. Studien zu Herrschaftsauffassungen und Regierungspraxis in Kurbrandenburg (1640 - 1688). [Reihe Forschungen zur Brandenburgischen und Preußischen Geschichte (FBPG). Beiheft (neue Folge). Band 7], Berlin, Seite 19 - 34.

BRAUNEDER, WILHELM (Hrsg.), 1993: *Heiliges Römisches Reich und moderne Staatlichkeit*. [Rechtshistorische Reihe. Band 112], Frankfurt/Berlin/Bern/New York/Paris/Wien.

BREUER, STEFAN, 1990: *Der archaische Staat. Zur Soziologie charismatischer Herrschaft*. Berlin.

BREUER, STEFAN, 1998: *Der Staat. Entstehung, Typen, Organisationsstadien*. Reinbek.

BREUER, STEFAN/TREIBER, HUBERT (Hrsg.), 1982: *Entstehung und Strukturwandel des Staates*. [Reihe Beiträge zur sozialwissenschaftlichen Forschung. Band 38], Opladen.

BRUNNER, OTTO, 1984 [1956²]: *Moderner Verfassungsbegriff und mittelalterliche Verfassungsgeschichte*. In: Hellmut Kämpf (Hrsg.), Herrschaft und Staat im Mittelalter. Darmstadt, Seite 1 - 19.

BRUNNER, OTTO, 1990⁵ [1965⁵]: *Land und Herrschaft. Grundfragen der territorialen Verfassungsgeschichte Österreichs im Mittelalter*. Darmstadt.

BURKHARDT, JOHANNES, 1997: *Die Friedlosigkeit der Frühen Neuzeit. Grundlegung einer Theorie der Bellizität Europas*. In: Zeitschrift für Historische Forschung. Vierteljahresschrift zur Erforschung des Spätmittelalters und der frühen Neuzeit (ZHF). 24 (4), Seite 509 - 574.

BURKHARDT, JOHANNES, 2002: *Vom Debakel zum Mirakel. Zur friedensgeschichtlichen Einordnung des Siebenjährigen Krieges*. In: Helmut Neuhaus/Barbara Stollberg-Rilinger (Hrsg.), Menschen und Strukturen in der Geschichte Alteuropas. Festschrift für Johannes Kunisch zur Vollendung seines 65. Lebensjahres, dargebracht von Schülern, Freunden und Kollegen. [Reihe Historische Forschungen. Band 73], Berlin, Seite 299 - 318.

BURKHARDT, JOHANNES, 2006¹⁰: *Vollendung und Neuorientierung des frühmodernen Reiches 1648 - 1763*. [Gebhardt. Handbuch der deutschen Geschichte. Band 11], Stuttgart.

BURKHARDT, JOHANNES, 2010: *Geschichtswissenschaftliche Perspektiven der Frühneuzeitforschung*. In: Ulrich Lappenküper/Reiner Marcowitz (Hrsg.), Macht und Recht. Völkerrecht in den internationalen Beziehungen. [Otto-von-Bismarck-Stiftung. Wissenschaftliche Reihe. Band 13], Paderborn/München/Wien/Zürich, Seite 33 - 51.

BURTON, PAUL J., 2011: *Friendship and Empire. Roman Diplomacy and Imperialism in the Middle Republic (353 - 146 BC)*. Cambridge/New York/Melbourne/Madrid/Cape Town/Singapore/São Paulo/Delhi/Tokyo/Mexico City.

BUSCHMANN, ARNO, 2006: *Heiliges Römisches Reich. Reich, Verfassung, Staat.* In: Hans-Jürgen Becker (Hrsg.), Zusammengesetzte Staatlichkeit in der Europäischen Verfassungsgeschichte. Tagung der Vereinigung für Verfassungsgeschichte in Hofgeismar vom 19.3. - 21.3.2001. [Reihe Beihefte zu „Der Staat“. Zeitschrift für Staatslehre und Verfassungsgeschichte, deutsches und europäisches öffentliches Recht. Band 16], Berlin, Seite 9 - 39.

CASSIRER, ERNST, 2002 [1946 posthum]: *Vom Mythus des Staates.* Übers. von Franz Stoessl, [Reihe Philosophische Bibliothek. Band 541], Hamburg.

COHEN, RONALD/SERVICE, ELMAN R. (Hrsg.), 1978: *Origins of the State. The Anthropology of Political Evolution.* Philadelphia.

COLBERG, KATHARINA/NOLTE, HANS-HEINRICH/OBENAUS, HERBERT (Red.), 1983: *Staat und Gesellschaft in Mittelalter und Früher Neuzeit. Gedenkschrift für Joachim Leuschner.* Göttingen.

COULET, NOËL/GENET, JEAN-PHILIPPE (Hrsg.), 1990: *L'état moderne: Le droit, l'espace et les formes de l'état. Actes du colloque tenu à la Baume Les Aix, 11 - 12 octobre 1984.* [Reihe Éditions du Centre Nationale de la Recherche Scientifique], Paris.

CREVELD, MARTIN VAN, 1999: *Aufstieg und Untergang des Staates.* Übers. von Klaus Fritz/Norbert Juraschitz, München.

CUDWORTH, ERIKA/HALL, TIM/MCGOVERN, JOHN, 2007: *The Modern State. Theories and Ideologies.* Edinburgh.

DAHLHEIM, WERNER, 1968: *Struktur und Entwicklung des römischen Völkerrechts im dritten und zweiten Jahrhundert v. Chr.* [Reihe Vestigia. Beiträge zur Alten Geschichte. Band 8], München.

DAHLHEIM, WERNER, 1997[3]a [1994[2]]: *Die griechisch-römische Antike.* Band 1, *Herrschaft und Freiheit. Die Geschichte der griechischen Stadtstaaten.* Paderborn/München/Wien/Zürich.

DAHLHEIM, WERNER, 1997[3]b [1994[2]]: *Die griechisch-römische Antike.* Band 2, *Stadt und Imperium. Die Geschichte Roms und seines Weltreiches.* Paderborn/München/Wien/Zürich.

DAVIES, REES, 2003: *The Medieval State: The Tyranny of a Concept?* In: Journal of Historical Sociology (JHistSoc). 16 (2), Seite 280 - 300.

DEMANDT, ALEXANDER, 1995: *Antike Staatsformen. Eine vergleichende Verfassungsgeschichte der Alten Welt.* Berlin.

DEMANDT, ALEXANDER, 2007[2]: *Staatsformen in der Antike.* In: Alexander Gallus/Eckhard Jesse (Hrsg.), Staatsformen von der Antike bis zur Gegenwart. Ein Handbuch. Köln/Weimar/Wien, Seite 57 - 90.

DEMEL, WALTER, 2010a: *Reichs- und Staatsbildungen.* In: ders. (Hrsg.), WBG Weltgeschichte. Eine globale Geschichte von den Anfängen bis ins 21. Jahrhundert. Band 4, Entdeckungen und neue Ordnungen 1200 - 1800. Darmstadt, Seite 162 - 212.

DEMEL, WALTER, 2010b: *„Weltpolitik“.* In: ders. (Hrsg.), WBG Weltgeschichte. Eine globale Geschichte von den Anfängen bis ins 21. Jahrhundert. Band 4, Entdeckungen und neue Ordnungen 1200 - 1800. Darmstadt, Seite 109 - 161.

DEPENHEUER, OTTO (Hrsg.), 2011: *Erzählungen vom Staat. Ideen als Grundlage von Staatlichkeit.* Wiesbaden.

DOHRN-VAN ROSSUM, GERHARD, 2007[2]: *Staatsformen im Mittelalter.* In: Alexander Gallus/Eckhard Jesse (Hrsg.), Staatsformen von der Antike bis zur Gegenwart. Ein Handbuch. Köln/Weimar/Wien, Seite 91 - 122.

DOPSCH, ALFONS, 1915: *Der deutsche Staat des Mittelalters.* In: Mitteilungen des Instituts für österreichische Geschichtsforschung (MIÖG). 36 (1), Seite 1 - 30.

DREITZEL, HORST, 1991a: *Monarchiebegriffe in der Fürstengesellschaft. Semantik und Theorie der Einherrschaft in Deutschland von der Reformation bis zum Vormärz.* Band 1, *Semantik der Monarchie.* Köln/Weimar/Wien.

DREITZEL, HORST, 1991b: *Monarchiebegriffe in der Fürstengesellschaft. Semantik und Theorie der Einherrschaft in Deutschland von der Reformation bis zum Vormärz*. Band 2, *Theorie der Monarchie*. Köln/Weimar/Wien.

DUCHHARDT, HEINZ, 1991a: *Deutsche Verfassungsgeschichte 1495 – 1806*. Stuttgart/Berlin/Köln.

DUCHHARDT, HEINZ (Hrsg.), 1991b: *Zwischenstaatliche Friedenswahrung in Mittelalter und Früher Neuzeit*. [Reihe Münstersche Historische Forschungen. Band 1], Köln/Wien.

DUCHHARDT, HEINZ (Hrsg.), 1997: *Der Herrscher in der Doppelpflicht. Europäische Fürsten und ihre beiden Throne*. [Reihe Veröffentlichungen des Instituts für Europäische Geschichte Mainz. Abteilung Universalgeschichte. Beiheft. Band 43], Mainz.

DUCHHARDT, HEINZ, 2012: *From the Peace of Westphalia to the Congress of Vienna*. In: Bardo Fassbender/Anne Peters (Hrsg.), The Oxford Handbook of the History of International Law. Oxford, Seite 628 – 653.

DUCHHARDT, HEINZ/JACKSON, RICHARD A./STURDY, DAVID J. (Hrsg.), 1992: *European Monarchy. Its Evolution and Practice from Roman Antiquity to Modern Times*. Stuttgart.

DURST, BENJAMIN, 2016: *Archive des Völkerrechts. Gedruckte Sammlungen europäischer Mächteverträge in der Frühen Neuzeit*. [Reihe Colloquia Augustana. Band 34], Berlin/Boston.

EDER, KLAUS, 1980 [1976]: *Die Entstehung staatlich organisierter Gesellschaften. Ein Beitrag zu einer Theorie sozialer Evolution*. Frankfurt.

EDER, WALTER (Hrsg.), 1990: *Staat und Staatlichkeit in der frühen römischen Republik. Akten eines Symposiums. 12. – 15. Juli 1988. Freie Universität Berlin*. Stuttgart.

EDER, WALTER, 1998: *Hellenistische Staatenwelt*. In: Hubert Cancik/Helmuth Schneider (Hrsg.), Der Neue Pauly. Enzyklopädie der Antike. Altertum. Band 5, Gru – Iug. Stuttgart/Weimar, Spalte 317 – 325.

EDER, WALTER/MÜLLER-WOLLERMANN, RENATE/NEUMANN, HANS, 2001: *Staat*. In: Hubert Cancik/Helmuth Schneider (Hrsg.), Der Neue Pauly. Enzyklopädie der Antike. Altertum. Band 11, Sam – Tal. Stuttgart/Weimar, Spalte 873 – 877.

EHRENBERG, VICTOR, 1965[2]a: *Der Staat der Griechen*. [Die Bibliothek der alten Welt. Reihe Forschung und Deutung], Zürich/Stuttgart.

EHRENBERG, VICTOR, 1965b: *Polis und Imperium. Beiträge zur alten Geschichte*. Hrsg. von Karl Friedrich Stroheker/Alexander John Graham, Zürich/Stuttgart.

EICH, ARMIN, 2004: *Probleme der staatlichen Einheit in der griechischen Antike*. In: Zeitschrift für Papyrologie und Epigraphik (ZPE). 149, Seite 83 – 102.

EICH, PETER/SCHMIDT-HOFNER, SEBASTIAN/WIELAND, CHRISTIAN (Hrsg.), 2011: *Der wiederkehrende Leviathan. Staatlichkeit und Staatswerdung in Spätantike und Früher Neuzeit*. [Reihe Akademiekonferenzen. Band 4], Heidelberg.

ELLIOTT, JOHN H., 1992: *A Europe of Composite Monarchies*. In: Past and Present. A journal of historical studies (P&P). 137, Seite 48 – 71.

ERTMAN, THOMAS, 1999 [1997]: *Birth of the Leviathan. Building States and Regimes in Medieval and Early Modern Europe*. Cambridge.

EVANS, PETER B./RUESCHEMEYER, DIETRICH/SKOCPOL, THEDA (Hrsg.), 1999 [1985]: *Bringing the State Back In*. Cambridge.

EXTERNBRINK, SVEN, 2007: *Internationale Politik in der Frühen Neuzeit. Stand und Perspektiven der Forschung zu Diplomatie und Staatensystem*. In: Hans-Christof Kraus/Thomas Nicklas (Hrsg.), Geschichte der Politik. Alte und Neue Wege. [Reihe Historische Zeitschrift (HZ). Beihefte (neue Folge). Band 44], München, Seite 15 – 39.

EXTERNBRINK, SVEN, 2010: *Staatensystem*. In: Friedrich Jaeger (Hrsg.), Enzyklopädie der Neuzeit. Band 12, Silber – Subsidien. Stuttgart/Weimar, Spalte 558 – 565.

FINER, SAMUEL E., 1999a [1997]: *The History of Government from the Earliest Times*. Band 1, *Ancient Monarchies and Empires*. Oxford/New York.

FINER, SAMUEL E., 1999b [1997]: *The History of Government from the Earliest Times*. Band 2, *The Intermediate Ages*. Oxford/New York.

FINER, SAMUEL E., 1999c [1997]: *The History of Government from the Earliest Times*. Band 3, *Empires, Monarchies, and the Modern State*. Oxford/New York.

FÖGEN, MARIE T./ISENMANN, EBERHARD, 1995: *Staat*. In: Glorria Avella-Widhalm/Gernot Giertz/Liselotte Lutz/Bruno Mariacher/Roswitha Mattejiet/Ulrich Mattejiet (Red.), Lexikon des Mittelalters. Band 7, Planudes bis Stadt (Rus'). München, Spalte 2151 - 2158.

FRÖSCHL, THOMAS (Hrsg.), 1994: *Föderationsmodelle und Unionsstrukturen. Über Staatenverbindungen in der frühen Neuzeit vom 15. zum 18. Jahrhundert*. [Reihe Wiener Beiträge zur Geschichte der Neuzeit. Band 21], Wien/München.

FUETER, EDUARD, 1972 [1919]: *Geschichte des europäischen Staatensystems von 1492 - 1559*. [Handbuch der mittelalterlichen und neueren Geschichte. Abteilung 2, Politische Geschichte. Band 5], Osnabrück.

FUGIER, ANDRE, 1954: *Histoire des relations internationales*. Band 4, *La Révolution française et l'empire napoléonien*. Paris.

FUSTEL DE COULANGES, NUMA DENIS, 1996 [1864]: *Der antike Staat. Studie über Kultus, Recht und Einrichtungen Griechenlands und Roms*. Hrsg. von Alexander Kleine, übers. von Paul Weiss, Essen.

GANSHOF, FRANÇOIS LOUIS, 1953: *Histoire des relations internationales*. Band 1, *Le Moyen Age*. Paris.

GAURIER, DOMINIQUE, 2005: *Histoire du droit international. Auteurs, doctrines et développement de l'Antiquité à l'aube de la période contemporaine*. [Reihe Collection Didact Droit], Rennes.

GAWANTKA, WILFRIED, 1985: *Die sogenannte Polis. Entstehung, Geschichte und Kritik der modernen althistorischen Grundbegriffe der griechische Staat, die griechische Staatsidee, die Polis*. Stuttgart.

GENET, JEAN-PHILIPPE (Hrsg.), 1990: *L'État moderne: Genèse. Bilans et perspectives. Actes du Colloque tenu au CNRS à Paris les 19 - 20 septembre 1989*. Paris.

GENET, JEAN-PHILIPPE (Hrsg.), 2007: *Rome et l'État moderne européen*. [Reihe Collection de l'École française de Rome. Band 377], Rome.

GOETZ, HANS-WERNER, 2009: *Versuch einer resümierenden Bilanz*. In: Walter Pohl/Veronika Wieser (Hrsg.), Der frühmittelalterliche Staat - Europäische Perspektiven. [Reihe Österreichische Akademie der Wissenschaften. Philosophisch-Historische Klasse. Denkschriften. Band 386; Forschungen zur Geschichte des Mittelalters. Band 16], Wien, Seite 523 - 531.

GOTTHARD, AXEL, 2013[5]: *Das Alte Reich 1495 - 1806*. [Reihe Geschichte kompakt], Darmstadt.

GRÄF, HOLGER T., 1998: *Das europäische Mächtesystem*. In: Olaf Mörke/Michael North (Hrsg.), Die Entstehung des modernen Europa 1600 - 1900. [Reihe Wirtschafts- und Sozialhistorische Studien. Band 7], Köln/Weimar/Wien, Seite 11 - 24.

GRAUS, FRANTIŠEK, 1986: *Verfassungsgeschichte des Mittelalters*. In: Historische Zeitschrift (HZ). 243 (3), Seite 529 - 589.

GREWE, WILHELM G., 1988[2] [1984]: *Epochen der Völkerrechtsgeschichte*. Baden-Baden.

GRIMM, DIETER (Hrsg.), 1994: *Staatsaufgaben*. Baden-Baden.

GROTKAMP, NADINE, 2009: *Völkerrecht im Prinzipat. Möglichkeiten und Verbreitung*. [Reihe Studien zur Geschichte des Völkerrechts. Band 21], Baden-Baden.

HAACK, STEFAN, 2012: *Primitive Staatstheorie*. In: Der Staat. Zeitschrift für Staatslehre und Verfassungsgeschichte, deutsches und europäisches öffentliches Recht. 51 (1), Seite 57 - 89.

HAARMANN, HARALD, 2004: *Kleines Lexikon der Völker. Von Aborigines bis Zapoteken*. München.

HAARMANN, HARALD, 2011: *Das Rätsel der Donauzivilisation. Die Entdeckung der ältesten Hochkultur Europas*. München.

HAARMANN, HARALD, 2012[2]: *Lexikon der untergegangenen Völker. Von Akkader bis Zimbern*. München.

HACHT, ANNE MARIE/HAYES, DWAYNE D. (Red.), 2008: *Gale Encyclopedia of World History: Governments.* Band 1, Detroit/New York/San Francisco/New Haven/Waterville/London.

HAMEL, WALTER, 1944: *Reich und Staat im Mittelalter.* [Reihe Wandel und Weltordnung], Hamburg.

HANSEN, MOGENS HERMAN, 2002: *Was the Polis a State or a Stateless Society?* In: Thomas Heine Nielsen (Hrsg.), Even More Studies in the Ancient Greek Polis. [Reihe Historia. Zeitschrift für Alte Geschichte. Einzelschriften. Band 162; Papers from the Copenhagen Polis Centre. Band 6], Stuttgart, Seite 17 - 47.

HANSEN, MOGENS HERMAN, 2006: *Polis. An Introduction to the Ancient Greek City-State.* Oxford/New York.

HARTMANN, JÜRGEN, 2007[4]: *Staatszeremoniell.* Köln/Berlin/München.

HARTMANN, PETER CLAUS, 2005: *Das Heilige Römische Reich deutscher Nation in der Neuzeit 1486 - 1806.* Stuttgart.

HARTMANN, PETER CLAUS, 2011[2]: *Kulturgeschichte des Heiligen Römischen Reiches 1648 bis 1806. Verfassung, Religion und Kultur.* [Reihe Studien zu Politik und Verwaltung. Band 72], Wien/Köln/Graz.

HAUG-MORITZ, GABRIELE (Hrsg.), 2014: *Verfassungsgeschichte des Alten Reiches.* [Reihe Basistexte. Frühe Neuzeit. Band 1], Stuttgart.

HEIMPEL, HERMANN, 1936: *Reich und Staat im Deutschen Mittelalter.* In: Archiv des öffentlichen Rechts (AöR). 66 (4), Seite 257 - 283.

HELLMANN, MANFRED (Hrsg.), 1961: *Corona regni. Studien über die Krone als Symbol des Staates im späteren Mittelalter.* [Reihe Wege der Forschung. Band 3], Darmstadt.

HERBERS, KLAUS/NEUHAUS, HELMUT, 2010 [2005]: *Das Heilige Römische Reich. Ein Überblick.* Köln/Weimar/Wien.

HERZOG, ROMAN, 1998[2]: *Staaten der Frühzeit. Ursprünge und Herrschaftsformen.* München.

HEYDTE, FRIEDRICH AUGUST VON DER, 1952: *Die Geburtsstunde des souveränen Staates. Ein Beitrag zur Geschichte des Völkerrechts, der allgemeinen Staatslehre und des politischen Denkens.* Regensburg.

HINRICHS, ERNST, 2000: *Fürsten und Mächte. Zum Problem des europäischen Absolutismus.* Göttingen.

HINTZE, OTTO, 1970[3] [1931]: *Wesen und Wandlung des modernen Staats.* In: ders., Staat und Verfassung. Gesammelte Abhandlungen zur allgemeinen Verfassungsgeschichte. Hrsg. von Gerhard Oestreich, [Gesammelte Abhandlungen. Band 1], Göttingen, Seite 470 - 496.

HOFFMAN, JOHN, 1995: *Beyond the State. An Introductory Critique.* Cambridge/Oxford/Cambridge.

HOFMANN, HANNS HUBERT (Hrsg.), 1967: *Die Entstehung des modernen souveränen Staates.* [Reihe Neue Wissenschaftliche Bibliothek. Geschichte. Band 17], Köln/Berlin.

HOLTZMANN, ROBERT, 1939: *Der Weltherrschaftsgedanke des mittelalterlichen Kaisertums und die Souveränität der europäischen Staaten.* In: Historische Zeitschrift (HZ). 159 (2), Seite 251 - 264.

IMMICH, MAX, 1967 [1905]: *Geschichte des europäischen Staatensystems 1660 - 1789.* [Handbuch der mittelalterlichen und neueren Geschichte. Abteilung 2, Politische Geschichte. Band 1], München.

JELLINEK, GEORG, 1976[3] [1914[3] posthum]: *Allgemeine Staatslehre.* Kronberg.

JORZICK, REGINE, 1998: *Herrschaftssymbolik und Staat. Die Vermittlung königlicher Herrschaft im Spanien der frühen Neuzeit (1556 - 1598).* [Reihe Studien zur Geschichte und Kultur der iberischen und iberoamerikanischen Länder. Band 4], Wien/München.

JUCKER, MICHAEL/KINTZINGER, MARTIN/SCHWINGES, RAINER C. (Hrsg.), 2011: *Rechtsformen internationaler Politik. Theorie, Norm und Praxis vom 12. bis 18. Jahrhundert.* [Reihe Zeitschrift für Historische Forschung. Vierteljahresschrift zur Erforschung des Spätmittelalters und der frühen Neuzeit (ZHF). Beiheft. Band 45], Berlin.

JUSSEN, BERNHARD (Hrsg.), 2005: *Die Macht des Königs. Herrschaft in Europa vom Frühmittelalter bis in die Neuzeit.* München.

KÄMPF, HELLMUT (Hrsg.), 1984 [1956]: *Herrschaft und Staat im Mittelalter.* Darmstadt.

KAMPMANN, CHRISTOPH/KRAUSE, KATHARINA/KREMS, EVA-BETTINA/TISCHER, ANUSCHKA (Hrsg.), 2008: *Bourbon – Habsburg – Oranien. Konkurrierende Modelle im dynastischen Europa um 1700.* Köln/Weimar/Wien.

KANTOROWICZ, ERNST H., 1994[2] [1966[2] posthum]: *Die zwei Körper des Königs. Eine Studie zur politischen Theologie des Mittelalters.* Übers. von Walter Theimer/Brigitte Hellmann, München.

KELLER, HAGEN, 1989: *Zum Charakter der ‚Staatlichkeit' zwischen karolingischer Reichsreform und hochmittelalterlichem Herrschaftsausbau.* In: Frühmittelalterliche Studien. Jahrbuch des Instituts für Frühmittelalterforschung der Universität Münster (FmSt). 23, Seite 248 - 264.

KELSEN, HANS, 1981[2] [1928[2]]: *Der soziologische und der juristische Staatsbegriff. Kritische Untersuchung des Verhältnisses von Staat und Recht.* Aalen.

KELSEN, HANS, 1993 [1925]: *Allgemeine Staatslehre.* Wien.

KENNEDY, PAUL, 2005 [1987]: *Aufstieg und Fall der großen Mächte. Ökonomischer Wandel und militärischer Konflikt von 1500 bis 2000.* Übers. von Catharina Jurisch, Frankfurt.

KERN, ERNST, 1949: *Moderner Staat und Staatsbegriff. Eine Untersuchung über die Grundlagen und die Entwicklung des kontinental-europäischen Staates.* Hamburg.

KERN, FRITZ, 2008[2] [1952[2] posthum]: *Recht und Verfassung im Mittelalter.* [Reihe Bibliothek klassischer Texte], Darmstadt.

KEUTGEN, FRIEDRICH, 1963 [1918]: *Der deutsche Staat des Mittelalters.* Aalen.

KIENAST, WALTHER, 1936: *Die Anfänge des europäischen Staatensystems im späteren Mittelalter.* In: Historische Zeitschrift (HZ). 153 (2), Seite 229 - 271.

KIMMINICH, OTTO, 1983: *Der Staat als Organismus: Ein romantischer Irrglaube.* In: Fried Esterbauer/Helmut Kalkbrenner/Markus Mattmüller/Lutz Roemheld (Hrsg.), Von der freien Gemeinde zum föderalistischen Europa. Festschrift für Adolf Gasser zum 80. Geburtstag. Berlin, Seite 319 - 332.

KINTZINGER, MARTIN, 2004: *Der weiße Reiter. Formen internationaler Politik im Spätmittelalter.* In: Frühmittelalterliche Studien. Jahrbuch des Instituts für Frühmittelalterforschung der Universität Münster (FmSt). 37, Seite 315 - 353.

KINTZINGER, MARTIN, 2010: *Europäische Diplomatie avant la lettre? Außenpolitik und internationale Beziehungen im Mittelalter.* In: Christian Hesse/Klaus Oschema (Hrsg.), Aufbruch im Mittelalter - Innovationen in Gesellschaften der Vormoderne. Studien zu Ehren von Rainer C. Schwinges. Ostfildern, Seite 245 - 268.

KINTZINGER, MARTIN, 2012a: *From the Late Middle Ages to the Peace of Westphalia.* In: Bardo Fassbender/Anne Peters (Hrsg.), The Oxford Handbook of the History of International Law. Oxford, Seite 607 - 627.

KINTZINGER, MARTIN, 2012b: *Perspektivenwechsel. Internationale Beziehungen zwischen West- und Osteuropa im Spätmittelalter.* In: Werner Paravicini/Rimvydas Petrauskas/Grischa Vercamer (Hrsg.), Tannenberg - Grunwald - Žalgiris 1410: Krieg und Frieden im späten Mittelalter. [Reihe Deutsches Historisches Institut Warschau. Quellen und Studien. Band 26], Wiesbaden, Seite 13 - 26.

KIPP, HEINRICH, 1950: *Völkerordnung und Völkerrecht im Mittelalter.* [Reihe Schriften zur Rechtslehre und Politik. Band 4], Köln.

KLEIN, RICHARD (Hrsg.), 1980[3] [1966]: *Das Staatsdenken der Römer.* [Reihe Wege der Forschung. Band 46], Darmstadt.

KLEINSCHMIDT, HARALD, 1998: *Geschichte der internationalen Beziehungen. Ein systemgeschichtlicher Abriß.* Stuttgart.

KLEINSCHMIDT, HARALD, 2013: *Geschichte des Völkerrechts in Krieg und Frieden.* Tübingen.

KLOSE, PETER, 1972: *Die völkerrechtliche Ordnung der hellenistischen Staatenwelt in der Zeit von 280 bis 168 v. Chr. Ein Beitrag zur Geschichte des Völkerrechts.* [Reihe Münchener Beiträge zur Papyrusforschung und antiken Rechtsgeschichte. Band 64], München.

KOENIGSBERGER, HELMUT G., 1986 [1977]: *Dominium Regale or Dominium Politicum et Regale. Monarchies and Parliaments in Early Modern Europe. In: ders., Politicians and virtuosi. Essays in early modern history.* [Reihe Studies presented to the International Commission for the History of Representative and Parliamentary Institutions. Band 49], London/Ronceverte, Seite 1 - 26.

KOENIGSBERGER, HELMUT G., 1991: *Zusammengesetzte Staaten, Repräsentativversammlungen und der amerikanische Unabhängigkeitskrieg.* In: Zeitschrift für Historische Forschung. Vierteljahresschrift zur Erforschung des Spätmittelalters und der frühen Neuzeit (ZHF). 18 (4), Seite 399 - 423.

KOHLER, ALFRED, 1994: *Das Heilige Römische Reich - Ein Föderativsystem?* In: Thomas Fröschl (Hrsg.), Föderationsmodelle und Unionsstrukturen. Über Staatenverbindungen in der frühen Neuzeit vom 15. zum 18. Jahrhundert. [Reihe Wiener Beiträge zur Geschichte der Neuzeit. Band 21], Wien/München, Seite 119 - 126.

KOHLER, ALFRED, 1999: *Dynastes, bellum et pax. Zur Systemisierung und Verrechtlichung der Internationalen Beziehungen im 15./16. Jahrhundert.* In: Thomas Angerer/Birgitta Bader-Zaar/Margarete Grandner (Hrsg.), Geschichte und Recht. Festschrift für Gerald Stourzh zum 70. Geburtstag. Wien/Köln/Weimar, Seite 387 - 411.

KOHLER, ALFRED, 2008: *Expansion und Hegemonie. Internationale Beziehungen 1450 - 1559.* [Handbuch der Geschichte der Internationalen Beziehungen. Band 1], Paderborn/München/Wien/Zürich.

KÖHLER, MICHAEL A., 1991: *Allianzen und Verträge zwischen fränkischen und islamischen Herrschern im Vorderen Orient. Eine Studie über das zwischenstaatliche Zusammenleben vom 12. bis ins 13. Jahrhundert.* [Reihe Studien zur Sprache, Geschichte und Kultur des islamischen Orients (neue Folge). Band 12], Berlin/New York.

KÖNIG, INGEMAR, 2009 [2007]: *Der römische Staat. Ein Handbuch.* Stuttgart.

KOSCHORKE, ALBRECHT/LÜDEMANN, SUSANNE/FRANK, THOMAS/MATALA DE MAZZA, ETHEL, 2007: *Der fiktive Staat. Konstruktionen des politischen Körpers in der Geschichte Europas.* Frankfurt.

KROESCHELL, KARL, 1983: *Verfassungsgeschichte und Rechtsgeschichte des Mittelalters.* In: Helmut Quaritsch (Red.), Gegenstand und Begriffe der Verfassungsgeschichtsschreibung. Tagung der Vereinigung für Verfassungsgeschichte in Hofgeismar am 30./31. März 1981. [Reihe Beihefte zu „Der Staat". Zeitschrift für Staatslehre, Öffentliches Recht und Verfassungsgeschichte. Band 6], Berlin, Seite 47 - 77.

KRÜDEWAGEN, UTE, 2002: *Die Selbstdarstellung des Staates. Eine Untersuchung der Selbstdarstellung der Bundesrepublik Deutschland und der Vereinigten Staaten von Amerika.* [Reihe Studien zum öffentlichen Recht und zur Verwaltungslehre. Band 71], München.

KRÜGER, PETER (Hrsg.), 1991: *Kontinuität und Wandel in der Staatenordnung der Neuzeit. Beiträge zur Geschichte des internationalen Systems.* [Reihe Marburger Studien zur neueren Geschichte. Band 1], Marburg.

KRÜGER, PETER (Hrsg.), 1996: *Das europäische Staatensystem im Wandel. Strukturelle Bedingungen und bewegende Kräfte seit der Frühen Neuzeit.* [Reihe Schriften des Historischen Kollegs. Kolloquien. Band 35], München.

KUHN, HELMUT, 1967: *Der Staat. Eine philosophische Darstellung.* München.

KUNISCH, JOHANNES, 1979: *Staatsverfassung und Mächtepolitik. Zur Genese von Staatenkonflikten im Zeitalter des Absolutismus.* [Reihe Historische Forschungen. Band 15], Berlin.

KUNISCH, JOHANNES, 1992: *Fürst, Gesellschaft, Krieg. Studien zur bellizistischen Disposition des absoluten Fürstenstaates.* Köln/Weimar/Wien.

LAGHMANI, SLIM, 2003: *Histoire du droit des gens du jus gentium impérial au jus publicum europaeum.* Paris.

LAMBTON, ANN K. S., 1991 [1981]: *State and government in medieval Islam. An introduction to the study of Islamic political theory: The juristis.* [London Oriental Series. Band 36], Oxford/New York/Toronto.

LAPPENKÜPER, ULRICH/MARCOWITZ, REINER (Hrsg.), 2010: *Macht und Recht. Völkerrecht in den internationalen Beziehungen.* [Otto-von-Bismarck-Stiftung. Wissenschaftliche Reihe. Band 13], Paderborn/München/Wien/Zürich.

LEGOHEREL, HENRI, 1996: *Histoire du droit international public.* [Reihe Que sais-je?], Paris.

LEISNER, WALTER, 2012: *Institutionelle Evolution. Grundlinien einer Allgemeinen Staatslehre.* Berlin.

LIESSMANN, KONRAD PAUL (Hrsg.), 2011: *Der Staat. Wie viel Herrschaft braucht der Mensch?* [Reihe Philosophicum Lech. Band 14], Wien.

LOTTES, GÜNTHER, 2003[3]: *Staat, Herrschaft.* In: Richard van Dülmen (Hrsg.), Das Fischer Lexikon Geschichte. Frankfurt, Seite 360 - 390.

LÜBTOW, ULRICH VON, 1955: *Das römische Volk. Sein Staat und sein Recht.* Frankfurt.

LULL, VICENTE/MICÓ, RAFAEL, 2013 [2007]: *Archaeology of the Origin of the State. The Theories.* Übers. von Peter Smith, Oxford.

LUNDGREEN, CHRISTOPH (Hrsg.), 2014a: *Staatlichkeit in Rom? Diskurse und Praxis (in) der römischen Republik.* [Reihe Staatsdiskurse. Band 28], Stuttgart.

LUNDGREEN, CHRISTOPH, 2014b: *Staatsdiskurse in Rom? Staatlichkeit als analytische Kategorie für die römische Republik.* In: ders. (Hrsg.), Staatlichkeit in Rom? Diskurse und Praxis (in) der römischen Republik. [Reihe Staatsdiskurse. Band 28], Stuttgart, Seite 15 - 61.

LYON, JONATHAN R., 2010: *The Medieval German State in Recent Historiography.* In: German History. The Journal of the German History Society (GH). 28 (1), Seite 85 - 94.

MADDICOTT, JOHN R./PALLISER, DAVID M. (Hrsg.), 2000: *The Medieval State. Essays Presented to James Campbell.* London/Rio Grande.

MALETTKE, KLAUS, 2007: *Das europäische Staatensystem im 17. und 18. Jahrhundert.* In: Markus Kremer/Hans-Richard Reuter (Hrsg.), Macht und Moral - Politisches Denken im 17. und 18. Jahrhundert. [Reihe Theologie und Frieden. Band 31], Stuttgart, Seite 39 - 58.

MARQUARDT, BERND, 1999: *Das Römisch-Deutsche Reich als Segmentäres Verfassungssystem (1348 - 1806/48). Versuch zu einer neuen Verfassungstheorie auf der Grundlage der Lokalen Herrschaften.* [Reihe Zürcher Studien zur Rechtsgeschichte. Band 39], Zürich.

MARQUARDT, BERND, 2009: *Universalgeschichte des Staates. Von der vorstaatlichen Gesellschaft zum Staat der Industriegesellschaft.* [Reihe Der Europäische Sonderweg. Band 3], Wien/Zürich/Berlin.

MAYER, THEODOR, 1972[2] [1935]: *Der Staat der Herzoge von Zähringen.* In: ders., Mittelalterliche Studien. Gesammelte Aufsätze. Sigmaringen, Seite 350 - 364.

MAYER, THEODOR, 1984 [1956[2]]: *Die Ausbildung der Grundlagen des modernen deutschen Staates im hohen Mittelalter.* In: Hellmut Kämpf (Hrsg.), Herrschaft und Staat im Mittelalter. Darmstadt, Seite 284 - 331.

MEIER, CHRISTIAN, 1997[3]: *Res publica amissa. Eine Studie zu Verfassung und Geschichte der späten römischen Republik.* Frankfurt.

MEYER, ARNOLD OSKAR, 1950: *Zur Geschichte des Wortes Staat.* In: Die Welt als Geschichte. Eine Zeitschrift für Universalgeschichte (WaG). 10, Seite 229 - 239.

MEYER, CHRISTOPH H. F., 2010: *Zum Streit um den Staat im frühen Mittelalter.* In: Rechtsgeschichte. Zeitschrift des Max-Planck-Instituts für europäische Rechtsgeschichte (Rg). 17, Seite 164 - 175.

MEYER, ERNST, 1975[4]: *Römischer Staat und Staatsgedanke.* [Reihe Erasmus-Bibliothek], Zürich/München.

MEYER, ERNST, 1992[6] [1976[3]]: *Einführung in die antike Staatskunde.* [Reihe Die Altertumswissenschaft. Einführungen in Gegenstand, Methoden und Ergebnisse ihrer Teildisziplinen und Hilfswissenschaften], Darmstadt.

MIETHKE, JÜRGEN/BÜHLER, ARNOLD, 1988: *Kaiser und Papst im Konflikt. Zum Verhältnis von Staat und Kirche im späten Mittelalter.* [Reihe Historisches Seminar. Band 8], Düsseldorf.

MITTEIS, HEINRICH, 1974 [1933]: *Lehnrecht und Staatsgewalt. Untersuchungen zur mittelalterlichen Verfassungsgeschichte.* Darmstadt.

MITTEIS, HEINRICH, 1986[11] [1953[4]]: *Der Staat des hohen Mittelalters. Grundlinien einer vergleichenden Verfassungsgeschichte des Lehnszeitalters.* Köln/Wien.

MOLHO, ANTHONY/RAAFLAUB, KURT/EMLEN, JULIA (Hrsg.), 1991: *City States in Classical Antiquity and Medieval Italy. Athens and Rome. Florence and Venice.* Stuttgart.

MORAW, PETER (Hrsg.), 1988: *„Bündnissysteme" und „Außenpolitik" im späteren Mittelalter.* [Reihe Zeitschrift für Historische Forschung. Vierteljahresschrift zur Erforschung des Spätmittelalters und der frühen Neuzeit (ZHF). Beiheft. Band 5], Berlin.

MORRIS, IAN/SCHEIDEL, WALTER (Hrsg.), 2010 [2009]: *The Dynamics of Ancient Empires. State Power from Assyria to Byzantium.* [Reihe Oxford Studies in Early Empires], Oxford/New York.

MUHLACK, ULRICH, 2003: *Die Frühe Neuzeit als Geschichte des europäischen Staatensystems.* In: Renate Dürr/Gisela Engel/Johannes Süßmann (Hrsg.), Eigene und fremde Frühe Neuzeiten. Genese und Geltung eines Epochenbegriffs. [Reihe Historische Zeitschrift (HZ). Beihefte (neue Folge). Band 35], München, Seite 23 - 41.

MÜNKLER, HERFRIED/SILNIZKI, MICHAEL/VOLLRATH, ERNST, 1998: *Staat.* In: Joachim Ritter/Karlfried Gründer (Hrsg.), Historisches Wörterbuch der Philosophie. Band 10, St - T. Basel, Spalte 1 - 53.

MÜNKLER, LAURA, 2016: *Metaphern im Recht. Zur Bedeutung organischer Vorstellungen von Staat und Recht.* In: Der Staat. Zeitschrift für Staatslehre und Verfassungsgeschichte, deutsches und europäisches öffentliches Recht. 55 (2), Seite 181 - 211.

NÄF, WERNER, 1943: *Die europäische Staatengemeinschaft in der neueren Geschichte.* [Reihe Schweizerische Vereinigung für internationales Recht. Druckschrift. Heft 37], Zürich/Leipzig.

NÄF, WERNER, 1967 [1951]: *Frühformen des „modernen Staates" im Spätmittelalter.* In: Hanns Hubert Hofmann (Hrsg.), Die Entstehung des modernen souveränen Staates. [Reihe Neue Wissenschaftliche Bibliothek. Geschichte. Band 17], Köln/Berlin, Seite 101 - 114.

NELSON, BRIAN R., 2006: *The Making of the Modern State. A Theoretical Evolution.* New York/Basingstoke.

NEUHAUS, HELMUT, 2003[2] [1997]: *Das Reich in der Frühen Neuzeit.* [Enzyklopädie deutscher Geschichte. Band 42], München.

NISSEN, HANS-JÖRG/RENGER, JOHANNES (Hrsg.), 1982a: *Mesopotamien und seine Nachbarn. Politische und kulturelle Wechselbeziehungen im Alten Vorderasien vom 4. bis 1. Jahrtausend v. Chr. XXV. Rencontre Assyriologique Internationale Berlin. 3. bis 7. Juli 1978.* Band 1, [Reihe Berliner Beiträge zum Vorderen Orient. Band 1], Berlin.

NISSEN, HANS-JÖRG/RENGER, JOHANNES (Hrsg.), 1982b: *Mesopotamien und seine Nachbarn. Politische und kulturelle Wechselbeziehungen im Alten Vorderasien vom 4. bis 1. Jahrtausend v. Chr. XXV. Rencontre Assyriologique Internationale Berlin. 3. bis 7. Juli 1978.* Band 2, [Reihe Berliner Beiträge zum Vorderen Orient. Band 1], Berlin.

NÖRR, DIETER, 1966: *Vom griechischen Staat.* In: Der Staat. Zeitschrift für Staatslehre, Öffentliches Recht und Verfassungsgeschichte. 5 (3), Seite 353 - 370.

OESTREICH, GERHARD, 1969: *Geist und Gestalt des frühmodernen Staates. Ausgewählte Aufsätze.* Berlin.

OLSHAUSEN, ECKART (Hrsg.), 1979: *Antike Diplomatie.* [Reihe Wege der Forschung. Band 462], Darmstadt.

OSIANDER, ANDREAS, 1994: *The States System of Europe, 1640 - 1990. Peacemaking and the Conditions of International Stability.* Oxford.

OSIANDER, ANDREAS, 2007: *Before the State: Systemic Political Change in the West from the Greeks to the French Revolution.* Oxford/New York.

OTTMANN, HENNING, 2004: *Geschichte des politischen Denkens. Von den Anfängen bei den Griechen bis auf unsere Zeit.* Band 2, *Römer und Mittelalter.* Teilband 2, *Das Mittelalter.* Stuttgart/Weimar.

OTTMANN, HENNING, 2006: *Geschichte des politischen Denkens. Von den Anfängen bei den Griechen bis auf unsere Zeit.* Band 3, *Neuzeit.* Teilband 1, *Von Machiavelli bis zu den großen Revolutionen.* Stuttgart/Weimar.

PAECH, NORMAN/STUBY, GERHARD, 2013[2]: *Völkerrecht und Machtpolitik in den internationalen Beziehungen*. Hamburg.

PATT, WALTER, 2002: *Grundzüge der Staatsphilosophie im klassischen Griechentum*. Würzburg.

PATZOLD, STEFFEN, 2012: *Das Lehnswesen*. München.

PAULMANN, JOHANNES, 2000: *Pomp und Politik. Monarchenbegegnungen in Europa zwischen Ancien Régime und Erstem Weltkrieg*. Paderborn/München/Wien/Zürich.

PLATZHOFF, WALTER, 1968 [1928]: *Geschichte des europäischen Staatensystems 1559 - 1660*. [Handbuch der mittelalterlichen und neueren Geschichte. Abteilung 2, Politische Geschichte. Band 6], München.

PODRAZA, ANTONI, 1989: *Das Mächteverhältnis im neuzeitlichen Europa vom 16. - 18. Jahrhundert - Versuch einer Typologie*. In: Heiner Timmermann (Hrsg.), Die Bildung des frühmodernen Staates - Stände und Konfessionen. [Reihe Forum: Politik. Band 6], Saarbrücken, Seite 323 - 329.

POGGI, GIANFRANCO, 1978: *The Development of the Modern State. A Sociological Introduction*. Stanford.

POHL, WALTER, 2006: *Staat und Herrschaft im Frühmittelalter: Überlegungen zum Forschungsstand*. In: Stuart Airlie/Walter Pohl/Helmut Reimitz (Hrsg.), Staat im frühen Mittelalter. [Reihe Österreichische Akademie der Wissenschaften. Philosophisch-Historische Klasse. Denkschriften. Band 334; Forschungen zur Geschichte des Mittelalters. Band 11], Wien, Seite 9 - 38.

POHL, WALTER/WIESER, VERONIKA (Hrsg.), 2009: *Der frühmittelalterliche Staat - Europäische Perspektiven*. [Reihe Österreichische Akademie der Wissenschaften. Philosophisch-Historische Klasse. Denkschriften. Band 386; Forschungen zur Geschichte des Mittelalters. Band 16], Wien.

POMMERIN, REINER, 1996: *Stehende Diplomatie und Mächtesystem. Internationale Beziehungen im Ancien régime*. In: Neues Archiv für sächsische Geschichte (NASG). 67, Seite 323 - 334.

POMMERIN, REINER, 2003 [1993]: *Das europäische Staatensystem zwischen Kooperation und Konfrontation 1739 - 1856*. In: ders., Mächtesystem und Militärstrategie. Ausgewählte Aufsätze. Hrsg. von Reiner Marcowitz, Köln/Weimar/Wien, Seite 21 - 41.

POPITZ, JOHANNES, 1984 [1982]: *Der Staatsbegriff als allgemeingültiger Begriff. Eine Dokumentation. Mit einer Einleitung von Ernst-Wolfgang Böckenförde*. In: Der Staat. Zeitschrift für Staatslehre, Öffentliches Recht und Verfassungsgeschichte. 23 (2), Seite 227 - 232.

PREISER, WOLFGANG, 1978a [1956]: *Die Epochen der antiken Völkerrechtsgeschichte*. In: ders., Macht und Norm in der Völkerrechtsgeschichte. Kleine Schriften zur Entwicklung der internationalen Rechtsordnung und ihrer Grundlegung. Hrsg. von Klaus Lüderssen/Karl-Heinz Ziegler, Baden-Baden, Seite 105 - 126.

PREISER, WOLFGANG, 1978b [1954]: *Zum Völkerrecht der vorklassischen Antike*. In: ders., Macht und Norm in der Völkerrechtsgeschichte. Kleine Schriften zur Entwicklung der internationalen Rechtsordnung und ihrer Grundlegung. Hrsg. von Klaus Lüderssen/Karl-Heinz Ziegler, Baden-Baden, Seite 127 - 158.

PREISER, WOLFGANG, 1996: *Zur Ausbildung einer völkerrechtlichen Ordnung in der Staatenwelt des Alten Orients*. In: Ursula Magen/Mahmoud Rashad (Hrsg.), Vom Halys zum Euphrat. Thomas Beran zu Ehren. Mit Beiträgen von Freunden und Schülern. [Reihe Altertumskunde des Vorderen Orients. Archäologische Studien zur Kultur und Geschichte des Alten Orients. Band 7], Münster, Seite 227 - 239.

QUARITSCH, HELMUT, 1970: *Staat und Souveränität*. Band 1, *Die Grundlagen*. Frankfurt.

QUARITSCH, HELMUT, 1977: *Probleme der Selbstdarstellung des Staates*. [Reihe Recht und Staat in Geschichte und Gegenwart. Band 478/479], Tübingen.

RAINER, J. MICHAEL, 2006: *Römisches Staatsrecht. Republik und Prinzipat*. Darmstadt.

REIBSTEIN, ERNST, 1959/1960: *Das „Europäische Öffentliche Recht" 1648 - 1815. Ein institutionengeschichtlicher Überblick.* In: Archiv des Völkerrechts (AVR). 8 (4), Seite 385 - 420.

REINALTER, HELMUT, 2005: *Staat, Staatstheorien.* In: ders. (Hrsg.), Lexikon zum Aufgeklärten Absolutismus in Europa. Herrscher - Denker - Sachbegriffe. Wien/Köln/Weimar, Seite 586 - 589.

REINHARD, WOLFGANG, 1998: *Frühmoderner Staat - Moderner Staat.* In: Olaf Mörke/Michael North (Hrsg.), Die Entstehung des modernen Europa 1600 - 1900. [Reihe Wirtschafts- und Sozialhistorische Studien. Band 7], Köln/Weimar/Wien, Seite 1 - 9.

REINHARD, WOLFGANG (Hrsg.), 1999: *Verstaatlichung der Welt? Europäische Staatsmodelle und außereuropäische Machtprozesse.* [Reihe Schriften des Historischen Kollegs. Kolloquien. Band 47], München.

REINHARD, WOLFGANG, 2002[3]: *Geschichte der Staatsgewalt. Eine vergleichende Verfassungsgeschichte Europas von den Anfängen bis zur Gegenwart.* München.

REINHARD, WOLFGANG, 2007: *Geschichte des modernen Staates. Von den Anfängen bis zur Gegenwart.* München.

RENAUT, MARIE-HELENE, 2007: *Histoire du droit international public.* [Reihe Mise au point], Paris.

REXHEUSER, REX (Hrsg.), 2005: *Die Personalunionen von Sachsen-Polen 1697 - 1763 und Hannover-England 1714 - 1837. Ein Vergleich.* [Reihe Deutsches Historisches Institut Warschau. Quellen und Studien. Band 18], Wiesbaden.

REYNOLDS, SUSAN, 2001 [1994]: *Fiefs and Vassals. The Medieval Evidence Reinterpreted.* Oxford.

REYNOLDS, SUSAN, 2002 [1997]: *The Historiography of the Medieval State.* In: Michael Bentley (Hrsg.), Companion to Historiography. London/New York, Seite 117 - 138.

RIESCHER, GISELA/THUMFART, ALEXANDER (Hrsg.), 2008: *Monarchien.* [Reihe Studienkurs Politikwissenschaft], Baden-Baden.

ROECK, BERND, 1984: *Reichssystem und Reichsherkommen. Die Diskussion über die Staatlichkeit des Reiches in der politischen Publizistik des 17. und 18. Jahrhunderts.* [Reihe Veröffentlichungen des Instituts für Europäische Geschichte Mainz. Abteilung Universalgeschichte. Beiheft. Band 112; Beiträge zur Sozial- und Verfassungsgeschichte des Alten Reiches. Band 4], Stuttgart.

RÖSENER, WERNER (Hrsg.), 2000: *Staat und Krieg. Vom Mittelalter bis zur Moderne.* Göttingen.

ROTERMUNDT, RAINER, 1997: *Staat und Politik.* [Reihe Einstiege. Grundbegriffe der Sozialphilosophie und Gesellschaftstheorie. Band 4], Münster.

ROTH, KLAUS, 2011[2]: *Genealogie des Staates. Prämissen des neuzeitlichen Politikdenkens.* [Reihe Beiträge zur Politischen Wissenschaft. Band 130], Berlin.

SARACINO, STEFANO/KNOLL, MANUEL (Hrsg.), 2013: *Das Staatsdenken der Renaissance. Vom gedachten zum erlebten Staat.* [Reihe Staatsverständnisse. Band 55], Baden-Baden.

SCHADER, NORWIN, 2006: *Staatliche Steuerungsfähigkeit unter den Bedingungen der Globalisierung.* [Reihe Volkswirtschaft. Band 5], Berlin/Münster.

SCHARPF, FRITZ W., 1991: *Die Handlungsfähigkeit des Staates am Ende des zwanzigsten Jahrhunderts.* In: Politische Vierteljahresschrift (PVS). 32 (4), Seite 621 - 634.

SCHEIDEL, WALTER, 2013: *Studying the State.* In: Peter Fibiger Bang/Walter Scheidel (Hrsg.), The Oxford Handbook of the State in the Ancient Near East and Mediterranean. Oxford/New York, Seite 5 - 57.

SCHIEDER, THEODOR, 1973: *Wandlungen des Staats in der Neuzeit.* In: Historische Zeitschrift (HZ). 216 (2), Seite 265 - 303.

SCHILLING, HEINZ, 1993: *Konfessionalisierung und Formierung eines internationalen Systems während der frühen Neuzeit.* In: Hans R. Guggisberg/Gottfried G. Krodel (Hrsg.), Die Reformation in Deutschland und Europa: Interpretationen und Debatten. Beiträge zur gemeinsamen Konferenz der Society for Reformation Research und des Vereins für Reformationsgeschichte, 25. - 30. September 1990, im Deutschen Historischen Institut,

Washington, D. C. [Reihe Archiv für Reformationsgeschichte. Internationale Zeitschrift zur Erforschung der Reformation und ihrer Weltwirkungen (AfR). Sonderband], Gütersloh, Seite 591 - 613.

SCHILLING, HEINZ, 2001: *Reichs-Staat und frühneuzeitliche Nation der Deutschen oder teilmodernisiertes Reichssystem. Überlegungen zu Charakter und Aktualität des Alten Reiches.* In: Historische Zeitschrift (HZ). 272 (2), Seite 377 - 395.

SCHMIDT, GEORG, 1999: *Geschichte des alten Reiches. Staat und Nation in der frühen Neuzeit 1495 - 1806.* München.

SCHMIDT, GEORG, 2001: *Das frühneuzeitliche Reich - Komplementärer Staat und föderative Nation.* In: Historische Zeitschrift (HZ). 273 (2), Seite 371 - 399.

SCHMITT, CARL, 1985[3] [1941]: *Staat als ein konkreter, an eine geschichtliche Epoche gebundener Begriff.* In: ders., Verfassungsrechtliche Aufsätze aus den Jahren 1924 - 1954. Materialien zu einer Verfassungslehre. Berlin, Seite 375 - 385.

SCHNETTGER, MATTHIAS (Hrsg.), 2002: *Imperium Romanum - Irregulare corpus - Teutscher Reichs-Staat. Das Alte Reich im Verständnis der Zeitgenossen und der Historiographie.* [Veröffentlichungen des Instituts für Europäische Geschichte Mainz. Abteilung für Universalgeschichte. Band 57], Mainz.

SCHORN-SCHÜTTE, LUISE, 2007[2]: *Staatsformen in der Frühen Neuzeit.* In: Alexander Gallus/Eckhard Jesse (Hrsg.), Staatsformen von der Antike bis zur Gegenwart. Ein Handbuch. Köln/Weimar/Wien, Seite 123 - 152.

SCHROEDER, PAUL W., 1994: *The transformation of European politics 1763 - 1848.* [Reihe Oxford History of Modern Europe], Oxford.

SCHUBERT, ERNST, 2006[2]: *Fürstliche Herrschaft und Territorium im späten Mittelalter.* [Enzyklopädie deutscher Geschichte. Band 35], München.

SCHULTZE, RAINER-OLAF, 2004[2]: *Staat.* In: Dieter Nohlen/Rainer-Olaf Schultze (Hrsg.), Lexikon der Politikwissenschaft. Theorien, Methoden, Begriffe. Band 2, N - Z. München, Seite 909 - 910.

SCHULZ, RAIMUND, 1993: *Die Entwicklung des römischen Völkerrechts im vierten und fünften Jahrhundert n. Chr.* [Reihe Hermes. Zeitschrift für Klassische Philologie. Einzelschriften. Band 61], Stuttgart.

SCHULZE, HAGEN, 2004[2] [1995[2]]: *Staat und Nation in der europäischen Geschichte.* München.

SCHUPPERT, GUNNAR FOLKE, 2010: *Staat als Prozess. Eine staatstheoretische Skizze in sieben Aufzügen.* [Reihe Staatlichkeit im Wandel], Frankfurt/New York.

SCHWARZE, THOMAS, 2001: *Die unterschiedlichen Bewertungen und Wahrnehmungen der komplexen Staatsstruktur des Heiligen Römischen Reiches Deutscher Nation von 1780 bis heute.* In: Hans-Heinrich Nolte (Hrsg.), Innere Peripherien in Ost und West. [Reihe Historische Mitteilungen. Im Auftrage der Ranke-Gesellschaft. Vereinigung für Geschichte im öffentlichen Leben (HMRG). Beiheft. Band 42], Stuttgart, Seite 65 - 79.

SCOTT, HAMISH M., 2013 [2006]: *The Birth of a Great Power System 1740 - 1815.* London/New York.

SERVICE, ELMAN R., 1977 [1975]: *Ursprünge des Staates und der Zivilisation. Der Prozeß der kulturellen Evolution.* Übers. von Holger Fliessbach, [Reihe Theorie], Frankfurt.

SHENNAN, JOSEPH H., 1974: *The origins of the modern European state 1450 - 1725.* London.

SIEGELBERG, JENS/SCHLICHTE, KLAUS (Hrsg.), 2000: *Strukturwandel internationaler Beziehungen. Zum Verhältnis von Staat und internationalem System seit dem Westfälischen Frieden.* Wiesbaden.

SKALWEIT, STEPHAN, 1987 [1975]: *Der „moderne Staat". Ein historischer Begriff und seine Problematik.* In: ders., Gestalten und Probleme der frühen Neuzeit. Ausgewählte Aufsätze. [Reihe Historische Forschungen. Band 32], Berlin, Seite 208 - 229.

SKINNER, QUENTIN, 2012: *Die drei Körper des Staates.* Übers. von Karin Wördemann, [Reihe Historische Geisteswissenschaften. Frankfurter Vorträge. Band 2], Göttingen.

SOFKA, JAMES R., 2001: *The eighteenth century international system: Parity or primacy?* In: Michael Cox/Tim Dunne/Ken Booth (Hrsg.), Empires, Systems and States: Great Transformations in International Politics. Cambridge/New York/Port Melbourne/Madrid, Seite 147 - 163.

SPIEß, KARL-HEINZ, 2011[3]: *Das Lehnswesen in Deutschland im hohen und späten Mittelalter.* [Reihe Geschichte], Stuttgart.

STAHL, MICHAEL, 2003a: *Gesellschaft und Staat bei den Griechen.* Band 1, *Archaische Zeit.* Paderborn/München/Wien/Zürich.

STAHL, MICHAEL, 2003b: *Gesellschaft und Staat bei den Griechen.* Band 2, *Klassische Zeit.* Paderborn/München/Wien/Zürich.

STEIGER, HEINHARD, 1999: *Die rechtliche Ordnung Europas zwischen 1648 und 1792.* In: Heinz Holzhauer (Hrsg.), Europa 1648 - 1998: Von Münster nach Maastricht. Symposium anläßlich des 350. Jahrestages des Westfälischen Friedens. [Reihe Münsterische Juristische Vorträge. Band 4], Münster, Seite 20 - 63.

STEIGER, HEINHARD, 2009 [1999]: *Rechtliche Strukturen der Europäischen Staatenordnung 1648 - 1792.* In: ders., Von der Staatengesellschaft zur Weltrepublik? Aufsätze zur Geschichte des Völkerrechts aus vierzig Jahren. [Reihe Studien zur Geschichte des Völkerrechts. Band 22], Baden-Baden, Seite 191 - 232.

STEIGER, HEINHARD, 2010: *Die Ordnung der Welt. Eine Völkerrechtsgeschichte des karolingischen Zeitalters (741 bis 840).* Köln/Weimar/Wien.

STOLLBERG-RILINGER, BARBARA, 1986: *Der Staat als Maschine. Zur politischen Metaphorik des absoluten Fürstenstaats.* [Reihe Historische Forschungen. Band 30], Berlin.

STOLLBERG-RILINGER, BARBARA, 2002: *Die zeremonielle Inszenierung des Reiches. Oder: Was leistet der kulturalistische Ansatz für die Reichsverfassungsgeschichte?* In: Matthias Schnettger (Hrsg.), Imperium Romanum - Irregulare corpus - Teutscher Reichs-Staat. Das Alte Reich im Verständnis der Zeitgenossen und der Historiographie. [Veröffentlichungen des Instituts für Europäische Geschichte Mainz. Abteilung für Universalgeschichte. Band 57], Mainz, Seite 233 - 246.

STOLLBERG-RILINGER, BARBARA, 2008: *Des Kaisers alte Kleider. Verfassungsgeschichte und Symbolsprache des Alten Reiches.* München.

STOLLBERG-RILINGER, BARBARA, 2009[4]: *Das Heilige Römische Reich Deutscher Nation. Vom Ende des Mittelalters bis 1806.* München.

STOLLBERG-RILINGER, BARBARA, 2010: *Verfassungsgeschichte als Kulturgeschichte.* In: Zeitschrift der Savigny-Stiftung für Rechtsgeschichte. Germanistische Abteilung (ZRG-GA). 127, Seite 1 - 32.

STOLLEIS, MICHAEL, 1990: *Staat und Staatsräson in der frühen Neuzeit. Studien zur Geschichte des öffentlichen Rechts.* Frankfurt.

STRAYER, JOSEPH R., 1975 [1970]: *Die mittelalterlichen Grundlagen des modernen Staates.* Hrsg. und übers. von Hanna Vollrath, Köln/Wien.

STRUVE, TILMAN, 1978: *Die Entwicklung der organologischen Staatsauffassung im Mittelalter.* [Reihe Monographien zur Geschichte des Mittelalters. Band 16], Stuttgart.

STURM, ROLAND, 2007[2]: *Perspektiven des Staates im 21. Jahrhundert.* In: Alexander Gallus/Eckhard Jesse (Hrsg.), Staatsformen von der Antike bis zur Gegenwart. Ein Handbuch. Köln/Weimar/Wien, Seite 371 - 399.

SUERBAUM, WERNER, 1977[3]: *Vom antiken zum frühmittelalterlichen Staatsbegriff. Über Verwendung und Bedeutung von res publica, regnum, imperium und status von Cicero bis Jordanis.* [Reihe Orbis antiquus. Band 16/17], Münster.

TALLON, ALAIN, 2010: *L'Europe au XVIe siècle. États et relations internationales.* [Reihe Nouvelle Clio. L'histoire et ses problems], Paris.

TILLY, CHARLES, 1992[2]: *Coercion, Capital, and European States, AD 990 - 1992.* [Reihe Studies in Social Discontinuity], Cambridge/Oxford.

TIMMERMANN, HEINER (Hrsg.), 1989: *Die Bildung des frühmodernen Staates - Stände und Konfessionen.* [Reihe Forum: Politik. Band 6], Saarbrücken.

TRAPP, MANFRED, 1988: *Über einige Unterschiede zwischen antiker und moderner Staatsauffassung.* In: Politische Vierteljahresschrift (PVS). 29 (2), Seite 210 - 229.

TRUYOL Y SERRA, ANTONIO, 1995: *Histoire du droit international public*. [Reihe Droit international. Panorama du droit international], Paris.

VEROSTA, STEPHAN, 1964: *International Law in Europe and Western Asia between 100 and 650 A. D.* Leyden.

VOGLER, GÜNTER, 1996: *Absolutistische Herrschaft und ständische Gesellschaft. Reich und Territorien von 1648 bis 1790*. Stuttgart.

VOIGT, RÜDIGER (Hrsg.), 1995: *Der kooperative Staat. Krisenbewältigung durch Verhandlung?* Baden-Baden.

VOIGT, RÜDIGER (Hrsg.), 2000[3]: *Abschied vom Staat – Rückkehr zum Staat?* [Reihe IfS-Werkstatt. Band 1], Neubiberg, URL: http://www.staatswissenschaft.com/pdf/IfS-Werkstatt1.pdf.

VOIGT, RÜDIGER, 2009[2]: *Den Staat denken. Der Leviathan im Zeichen der Krise*. [Reihe Staatsverständnisse. Band 12], Baden-Baden.

VOßKUHLE, ANDREAS/BUMKE, CHRISTIAN/MEINEL, FLORIAN (Hrsg.), 2013: *Verabschiedung und Wiederentdeckung des Staates im Spannungsfeld der Disziplinen*. [Reihe Beihefte zu „Der Staat". Zeitschrift für Staatslehre und Verfassungsgeschichte, deutsches und europäisches öffentliches Recht. Band 21], Berlin.

WAAS, ADOLF, 1965 [1938]: *Herrschaft und Staat im deutschen Frühmittelalter*. Darmstadt.

WAHL, ADALBERT, 1967 [1912]: *Geschichte des europäischen Staatensystems im Zeitalter der Französischen Revolution und der Freiheitskriege (1789 – 1815)*. [Handbuch der mittelalterlichen und neueren Geschichte. Abteilung 2, Politische Geschichte. Band 8], München.

WAHRIG, BETTINA, 1996: *Der Staat als Mensch-Maschine. Die Organismus-Staats-Wissenschaftsmetaphorik bei Thomas Hobbes*. [Typoskript], Lübeck.

WALEY, DANIEL, 1969: *Die italienischen Stadtstaaten*. Übers. von Wolfram Wagmuth, [Reihe Kindlers Universitätsbibliothek. Band 17], München.

WALTER, UWE, 1998: *Der Begriff des Staates in der griechischen und römischen Geschichte*. In: Theodora Hantos/Gustav Adolf Lehmann (Hrsg.), Althistorisches Kolloquium aus Anlaß des 70. Geburtstags von Jochen Bleicken. 29. – 30. November 1996. Stuttgart, Seite 9 – 27.

WATTS, JOHN, 2014 [2009]: *The Making of Polities. Europe, 1300 – 1500*. [Reihe Cambridge Medieval Textbooks], Cambridge.

WEBER, HERMANN (Hrsg.), 1980: *Politische Ordnungen und soziale Kräfte im Alten Reich*. [Reihe Veröffentlichungen des Instituts für Europäische Geschichte Mainz. Abteilung Universalgeschichte. Beiheft. Band 8; Reihe Beiträge zur Sozial- und Verfassungsgeschichte des Alten Reichs. Band 2], Wiesbaden.

WEBER, MAX, 2009[5] [1972[5] posthum]: *Wirtschaft und Gesellschaft. Grundriss der verstehenden Soziologie*. Hrsg. von Johannes Winckelmann, Tübingen.

WEBER, WOLFGANG E. J. (Hrsg.), 1998: *Der Fürst. Ideen und Wirklichkeiten in der europäischen Geschichte*. Köln/Weimar/Wien.

WEBER-FAS, RUDOLF, 2000: *Über die Staatsgewalt. Von Platons Idealstaat bis zur Europäischen Union*. München.

WEINACHT, PAUL-LUDWIG, 1968: *Staat. Studien zur Bedeutungsgeschichte des Wortes von den Anfängen bis ins 19. Jahrhundert*. [Reihe Beiträge zur Politischen Wissenschaft. Band 2], Berlin.

WELWEI, KARL-WILHELM, 1998[2]: *Die griechische Polis. Verfassung und Gesellschaft in archaischer und klassischer Zeit*. Stuttgart.

WESEL, UWE, 2010: *Geschichte des Rechts in Europa. Von den Griechen bis zum Vertrag von Lissabon*. München.

WHALEY, JOACHIM, 2014a [2012]: *Das Heilige Römische Reich Deutscher Nation und seine Territorien*. Band 1, *Von Maximilian I. bis zum Westfälischen Frieden 1493 – 1648*. Übers. von Michael Haupt, Darmstadt.

WHALEY, JOACHIM, 2014b [2012]: *Das Heilige Römische Reich Deutscher Nation und seine Territorien.* Band 2, *Vom Westfälischen Frieden zur Auflösung des Reichs 1648 - 1806.* Übers. von Michael Sailer, Darmstadt.

WHALEY, JOACHIM, 2017: *Reich.* Übers. von Susanne Kuhlmann-Krieg, in: Europäische Geschichte Online. Version vom: 30.08.2017, URL: http://ieg-ego.eu/de/threads/crossroads/politische-raeume/joachim-whaley-reich.

WIELERS, MARGRET, 1959: *Zwischenstaatliche Beziehungsformen im frühen Mittelalter. (Pax, Foedus, Amicitia, Fraternitas).* München.

WIEMER, HANS-ULRICH (Hrsg.), 2006: *Staatlichkeit und politisches Handeln in der römischen Kaiserzeit.* [Reihe Millennium-Studien zu Kultur und Geschichte des ersten Jahrtausends n. Chr. Band 10], Berlin/New York.

WILLOWEIT, DIETMAR, 1990: *Staat.* In: Adalbert Erler/Ekkehard Kaufmann (Hrsg.), Handwörterbuch zur deutschen Rechtsgeschichte. Band 4, Protonotarius Apostolicus - Strafprozeßordnung. Berlin, Spalte 1792 - 1797.

WINTERLING, ALOYS, 2001: *‚Staat', ‚Gesellschaft' und politische Integration in der römischen Kaiserzeit.* In: Klio. Beiträge zur Alten Geschichte. 83 (1), Seite 93 - 112.

WINTERLING, ALOYS, 2014: *„Staat" in der griechisch-römischen Antike?* In: Christoph Lundgreen (Hrsg.), Staatlichkeit in Rom? Diskurse und Praxis (in) der römischen Republik. [Reihe Staatsdiskurse. Band 28], Stuttgart, Seite 249 - 256.

WREDE, MARTIN, 2005: *Absolutismus.* In: Friedrich Jaeger (Hrsg.), Enzyklopädie der Neuzeit. Band 1, Abendland - Beleuchtung. Stuttgart/Weimar, Spalte 24 - 34.

YUN-CASALILLA, BARTOLOMÉ/O'BRIEN, PATRICK K. (Hrsg.), 2015 [2012]: *The Rise of Fiscal States: A Global History 1500 - 1914.* Cambridge.

ZACK, ANDREAS, 2007[2]: *Studien zum „Römischen Völkerrecht". Kriegserklärung, Kriegsbeschluss, Beeidung und Ratifikation zwischenstaatlicher Verträge, internationale Freundschaft und Feindschaft während der römischen Republik bis zum Beginn des Prinzipats.* [Reihe Göttinger Forum für Altertumswissenschaft. Beihefte. Band 5], Göttingen.

ZELLER, GASTON, 1953: *Histoire des relations internationales.* Band 2, *Les temps modernes.* Teilband 1, *De Christophe Colomb à Cromwell.* Paris.

ZELLER, GASTON, 1955: *Histoire des relations internationales.* Band 3, *Les temps modernes.* Teilband 2, *De Louis XIV à 1789.* Paris.

ZIEGLER, KARL-HEINZ, 1972: *Das Völkerrecht der römischen Republik.* In: Hildegard Temporini (Hrsg.), Aufstieg und Niedergang der römischen Welt. Geschichte und Kultur Roms im Spiegel der neueren Forschung. Teil 1, Von den Anfängen Roms bis zum Ausgang der Republik. Band 2, Berlin/New York, Seite 68 - 114.

ZIEGLER, KARL-HEINZ, 1997: *Völkerrecht.* In: Glorria Avella-Widhalm/Gernot Giertz/Liselotte Lutz/Bruno Mariacher/Roswitha Mattejiet/Ulrich Mattejiet (Red.), Lexikon des Mittelalters. Band 8, Stadt (Byzantinisches Reich) bis Werl. München, Spalte 1820 - 1821.

ZIEGLER, KARL-HEINZ, 2003: *Pluralisierung und Autorität im europäischen Völkerrecht des Spätmittelalters und der Frühen Neuzeit.* In: Zeitschrift für Historische Forschung. Vierteljahresschrift zur Erforschung des Spätmittelalters und der frühen Neuzeit (ZHF). 30 (4), Seite 533 - 553.

ZIEGLER, KARL-HEINZ, 2007[2]: *Völkerrechtsgeschichte. Ein Studienbuch.* [Reihe Kurzlehrbücher für das juristische Studium], München.

ZIPPELIUS, REINHOLD, 2003[10]: *Geschichte der Staatsideen.* München.

7

Staaten, Reiche, Dependanten

Grundlegung einer Theorie der Politate

I. Einleitung

Über Staaten und Reiche ist schon viel geschrieben worden. Eine Diskussion darüber, was ein Staat als solcher allerdings ist und zwar gerade in Abgrenzung zu ähnlichen oder alternativen politischen Organisationsformen, wie etwa jenem des Reiches, ist bislang jedoch noch überhaupt nicht oder allenfalls beiläufig geführt worden. Innerhalb der Politikwissenschaft wird – anders als beispielsweise in der Rechtswissenschaft, der Geschichtswissenschaft und der Philosophie – dieser Diskurs zudem durch die Dominanz des weit abstrakteren Konzepts des politischen Systems[1] überstrahlt,[2] weshalb die Staaten als solche und ihre organisatorischen Alternativen hier nur selten zum Gegenstand weiterreichender Überlegungen und Untersuchungen gemacht werden.

Die Untersuchung von Staaten und Reichen wird des Weiteren – erstaunlicherweise besonders von Historikern – auch deswegen relativ zurückhaltend betrieben, weil oftmals keine sorgfältige Trennung zwischen dem (auf die bloße Bezeichnung abhebenden) *Wort* des ‚Staates' oder ‚Reiches' einerseits und dem (auf den konkreten Inhalt bezogenen) *Begriff* des ‚Staates' oder ‚Reiches' andererseits vorgenommen wird.[3] So wird mitunter (logisch fehlerhaft) argumentiert, dass weil es die Bezeichnung ‚Staat' erst seit dem Spätmittelalter gegeben habe, deswegen zuvor keine Staaten in der Realität existiert hätten (kein Wort: folglich keine Sache).[4] Dieses Argumentations-

---

1 Mit dem Begriff des ‚politischen Systems' werden vielfältige und zum Teil sehr unterschiedliche Phänomene in den Blick genommen, wie beispielsweise ein Staat, ein Bundesland, eine Kommune, eine Partei, ein Unternehmen, eine Kirche, ein Verein, eine Abteilung einer Behörde, eine Universität, eine Familie oder sogar die gesamte internationale Welt. Insofern ist für die in dieser Arbeit thematisierten Staaten und ihren alternativen Gemeinwesensformen der abstrakte Begriff des ‚politischen Systems' nur sehr bedingt hilfreich.

2 Vgl. beispielgebend dazu die Einführungswerke: Werner J. Patzelt, 2013[7]; Thomas Bernauer/Detlef Jahn/Patrick Kuhn/Stefanie Walter, 2015[3].

3 Siehe zu dieser allgemeinen sprachwissenschaftlichen wie wissenschaftstheoretischen Problematik die entsprechenden Ausführungen in meiner Arbeit „Begriff, Definition, Begriffsanalyse. Grundzüge der Terminologie" (Kapitel II) in diesem Band.

4 In dieser Form beispielsweise: Andreas Osiander, 2007. Siehe zu diesem Problemkreis insgesamt auch: Michael Gal, 2015: besonders Seite 244 – 245, 263 – 264 (erneut abgedruckt in diesem Band (Kapitel II, VI)).

muster auf einen anderen Sachverhalt übertragend würde es bedeuten, dass nur weil eine bestimmte Spezies nicht über Ausdrücke wie ,Himmel', ,Planet', ,Wasser', ,Wald' oder ,Leben' verfügt, es deswegen diese Sachen auch tatsächlich nicht gäbe.

Die umgekehrte Variante dieses nominalistischen Fehlschlusses findet sich dann, wenn Wissenschaftler die Sprache von Zeitgenossen unreflektiert übernehmen und deswegen etwa zeitgebundene Bezeichnungen, normative Ausdrücke und Kampfbegriffe in ihrer spezifischen Eigenart nicht zu erkennen und entsprechend handzuhaben vermögen. Dies trifft beispielsweise auf die in der Frühneuzeit bestehende sogenannte ,Republik der Polnischen Krone und des Großfürstentums Litauen' (im polnischen Original: *,Rzeczpospolita Korony Polskiej i Wielkiego Księstwa Litewskiego'*), welche eben keine „Republik", sondern eine Monarchie war, ebenso zu wie auf das sogenannte ,Deutsche Reich' im 19. und 20. Jahrhundert, welches für sich genommen kein „Reich", sondern schlichtweg einen Staat darstellte,[5] oder auf die sogenannte ,Deutsche Demokratische Republik', welche nicht ,demokratisch', sondern diktatorisch regiert und verwaltet wurde. Andere Beispiele ähnlicher Art finden sich dann, wenn sich heutzutage bestimmte Personen aus rein traditionellen Gründen selbst als Adlige *ausgeben*, es für diese rechtlich privilegierte Stellung aber gar kein entsprechendes Fundament gibt oder wenn der Adel schlechterdings pauschal auch als ,Aristokratie' beschrieben wird, obwohl das den beiden durchaus verwandten Begriffen in dieser Form widersinnig ist.

Die Zeitgenossen beschreiben Sachverhalte immer in ihrer eigenen Sprache und mit ihrer eigenen ganz bestimmten Intention und können dazu im Wesentlichen auch nur auf den allgemeinsprachlichen und wissenschaftssprachlichen Entwicklungsstand ihrer Zeit zurückgreifen. Aus diesem Grund muss sich der (in der Gegenwart arbeitende) Wissenschaftler notwendigerweise von der zeitgenössischen Quellensprache emanzipieren und eine davon separierte, reflektierte Untersuchungssprache verwenden.

Wenn sich ein Wissenschaftler mit Staaten, Reichen und anderen Gemeinwesensformen befasst, hat er demnach weit mehr oder gegebenenfalls anderes in den Blick zu nehmen als (nur) das, was in den Quellen als solches bezeichnet wird. Folglich ist der Wirklichkeitshorizont für die hier behandelten Gegenstände grundsätzlich wesentlich weiter zu ziehen als lediglich bis zum jeweiligen Auftreten der auf sie bezogenen Wörter. Obwohl das Lexem des ,Staates' erst ab dem Spätmittelalter langsam in Gebrauch gekommen war, waren im gesamten Mittelalter der Sache nach bereits zahlreiche Staaten anzutreffen, wie etwa China, Kastilien und Venedig. Das Gleiche gilt für

---

[5] Demgegenüber begründete das Deutsche Reich angesichts der erworbenen Überseekolonien jedoch zeitweise einen parallel bestehenden übergreifenden Gesamtverband, der in der Tat als ein Reich anzusehen ist.

die griechische und römische Antike. Selbst die frühesten Gemeinwesen des Altertums, wie diejenigen der Ägypter, Akkader und Sumerer, können als Staaten angesehen werden. Die Geschichte ist voller Gemeinwesen mit staatlicher Qualität.[6]

Der vorliegende Aufsatz will vor diesem Hintergrund unter Einnahme einer historisch-systematischen Perspektive, jedoch unter Nutzung einer reflektierten Wissenschaftssprache einen Blick auf die konzeptionelle Diskussion zum Staat und seinen Alternativen werfen und dabei eine Antwort auf die Frage geben, welche verschiedenen Arten von politisch organisierten Gemeinwesen es überhaupt gibt und wie sich diese in ihren substanziellen Merkmalen voneinander unterscheiden. Das Ziel der Arbeit ist es, eine gleichermaßen gehaltvolle wie ordnende Theorie der vielfältigen Gemeinwesensformen zu entwickeln,[7] um dadurch den fachübergreifenden Kenntnisstand um entscheidende Grundeinsichten zu erweitern oder bereits vorhandenes Wissen neu aufbereitet zur Verfügung zu stellen.

Zur Beantwortung der Leitfrage wird zunächst das Politat als übergeordnetes Gesamtkonzept des Staates und seiner Alternativen eingeführt (Kapitel II). Danach widmet sich die Darstellung den drei umfassenden Typen von Gemeinwesen, welche hinsichtlich ihres Wesens sowie ihrer verschiedenen Subtypen betrachtet werden. Dazu wird zuerst der Staat in den Blick genommen (Kapitel III), sodann das Reich (Kapitel IV) und schließlich das in Abhängigkeit stehende Gemeinwesen (Kapitel V).

II. Das Politat als übergeordnetes Gesamtkonzept

Obwohl der Staat die mit Abstand am intensivsten untersuchte gesamtgesellschaftliche Organisationseinheit darstellt, handelt es sich bei ihm jedoch nicht um die einzige politische Erscheinungsform von Gemeinwesen. Ein alternatives Konzept findet sich etwa mit dem Phänomen des Reiches, welches ebenfalls intensiv diskutiert worden ist und welches sich bereits seit langem als Denkkonstrukt etabliert hat. Sehr viel weniger Beachtung haben dagegen die in Abhängigkeit befindlichen Gemeinwesen erhalten, die in der Geschichte aber in keineswegs geringer Zahl vorzufinden sind.

Daraus ergibt sich die Konsequenz, dass der Staat kein alternativloses Konzept darstellt, sondern dass nationale[8] politische Einheiten ebenso in

---

[6] Vgl. Michael Gal, 2015: Seite 244 - 259, 263 - 264 (erneut abgedruckt in diesem Band (Kapitel II - VI)).

[7] Zu den Grundlagen der Theoriebildung siehe insbesondere meinen Beitrag „Was ist Theorie? Über Begriff, Vielfältigkeit und Nutzungsmöglichkeiten von Theorie in der Geschichtswissenschaft" in diesem Band.

[8] Mit den Ausdrücken ‚national' und ‚international' wird in dieser Arbeit, wie in der Literatur generell üblich, ausdrücklich keine Referenz zum Begriff der ‚Nation' herge-

Form von Reichen oder abhängigen Gemeinwesen vorkommen können. Weil damit weder der Staat noch seine Alternativen als übergeordnetes Gesamtkonzept taugen und weil es dafür auch sonst keinen speziellen Terminus gibt, wird hier vorgeschlagen, sämtliche politischen Organisationsformen von Gemeinwesen unter dem Oberbegriff des ‚Politats'[9] zusammenzufassen. Das Politat bezeichnet insofern die spezifisch *politische* Erscheinungsform eines Gemeinwesens.

Als eine politische Einheit auf nationaler Ebene ist jedes Politat stets durch zweierlei notwenige Eigenschaften (Attribute) gekennzeichnet: (1) Jedem Politat kommt (faktisch-)politische *Eigenständigkeit* beziehungsweise *Autonomie*[10] zu. Personen leben in der Regel nicht allein für sich selbst, sondern in Gesellschaften mit anderen Personen zusammen. Dabei schaffen sie allgemein geltende Vorgaben und Regeln, denen gemäß das Zusammenleben innerhalb der jeweiligen Gesellschaft gestaltet werden soll. Die einer bestimmten Gesellschaft angehörenden Personen leben demzufolge nach eigenen Vorgaben und Regeln, wodurch sie ihr eigenes Politat als *eigenständige Einheit* begründen.[11] Dabei unterscheiden sie sich zugleich von fremden Personen, welche, weil diese nicht nach denselben, sondern nach anderen Vorgaben und Regeln leben, nicht Teil dieses, sondern Mitglied wiederum ihres eigenen Politats sind. Ein Politat ist mithin eine politisch geformte soziale Einheit, welche sich von anderen politarischen Einheiten abgrenzt. Unter Autonomie ist daher, anders als vielfach angenommen wird, nicht einfach

---

stellt. Mit ‚national' soll schlechterdings die gesamtgesellschaftliche Ebene angesprochen werden, wofür sich seit langem eben dieses Fremdwort etabliert hat. Die eigentlich angemesseneren, aber etwas umständlicheren deutschen Bezeichnungen wären dagegen ‚gemeinwesentlich' und ‚zwischengemeinwesentlich', auf die hier aber weitgehend verzichtet werden soll.

9 Die Bezeichnung ‚Politat' (in Englisch: *polity*) leitet sich ab vom Wort ‚Politik' und meint in dieser sprachlichen Form wortwörtlich eine politische Einheit (und zwar im hier behandelten Zusammenhang auf der gesamtnationalen Ebene). Der englische Ausdruck *‚polity'* genauso wie im Übrigen das äquivalente altgriechische *πολιτεία* (letzteres im Deutschen auch als Politie übersetzt) meinen allerdings in erster Linie auch noch etwas anderes, nämlich die Staatsform, die Verfassung, die politische Organisation oder das politische System einer sozialen Einheit, das heißt speziell deren Strukturen und institutionelle Ausgestaltung, und damit weniger diese Einheit als solche.

10 Der Ausdruck ‚Autonomie' ist eine Ableitung des altgriechischen Wortes *‚αὐτόνομος'*, welches direkt übersetzt ‚nach eigenen Gesetzen lebend' bedeutet.

11 Ein Politat konstituiert sich daher nicht notwendigerweise allein durch bestehendes (*formelles*) Recht, sondern ebenso aufgrund von *informellen* politischen Vorgaben und Absprachen, welche auf einer dauerhaft bestehenden, aber lediglich faktischen Einflussnahme fußen. Auch im Fall einer informellen Organisationsgrundlage existiert ein institutionalisierter gesellschaftlicher Herrschaftsverband, der jedoch ohne in Recht überführte politische Strukturen und damit ohne einen *rechtlichen* Erzwingungsanspruch sowie eine *rechtliche* Sanktionierungsmöglichkeit bei Nichtbefolgung auskommt.

Unabhängigkeit zu verstehen, sondern der wortwörtlichen Bedeutung des Begriffs entsprechend vielmehr ‚Eigengesetzlichkeit'.[12]

(2) Darüber hinaus verfügen alle Politate über (faktisch-)politische *Selbstständigkeit*[13] respektive *Souveränität.*[14] Die Personen eines Gemeinwesens organisieren sich hiernach selbst und zwar ganz gleich, wie und wie einheitlich dieses Organisieren gestaltet wird. Entscheidend ist allein, dass das Politat für sich im Ganzen eine ‚Selbstgesetzgebung' aufweist, dass also allgemein geltende Vorgaben und Regeln von diesem Politat selbst hergestellt und durchgesetzt werden und das Politat als solches somit zu *selbstständigem Handeln* in der Lage ist. Damit handelt es sich bei einem Politat um einen mehr oder minder einheitlichen Herrschaftsverband, der ausgehend von der höchsten politischen Gewalt, durch welche das gesamte Gemeinwesen mit entsprechend eigenen Vorgaben und Regeln allgemein organisiert wird, noch vielfältige hierarchisch untergeordnete, jeweils nur regional oder lokal wirkende politische Gewalten mit begrenzten Zuständigkeiten umfassen kann, durch welche wiederum das Politat partiell mitgestaltet wird. Dabei richtet sich die Managementleistung des gesamten Gemeinwesens folgerichtig nach innen und endet dort, wo seine politischen Organe keinen Einfluss mehr besitzen und wo gegebenenfalls der Organisationsbereich eines anderen Politats beginnt.[15] Zwar kann ein Politat mit seinen poli-

---

12 Insofern ist Autonomie nicht mit dem ähnlichen Begriff der ‚Unabhängigkeit' zu verwechseln. In der diesbezüglichen Literatur ist auf eine begriffliche Reflexion und Differenzierung gegenüber ähnlichen Ausdrücken allerdings bislang kaum Wert gelegt worden. Vgl. Hurst Hannum, 1996²; Hans Rudolf Leu/Lothar Krappmann, 1999; Stefan Simon, 2000; Andreas Niederberger/Philipp Schink/Andreas Wagner, 2004; Rainer-Olaf Schultze/Arno Waschkuhn, 2004²; Oswald Schwemmer, 2005²; Nausikaa Schirilla, 2006; Karl-Heinz Hillmann, 2007⁵: Seite 65 – 66 (Artikel: Autonomie); Martin Gessmann, 2009²³: Seite 72 (Artikel: Autonomie); Manfred G. Schmidt, 2010³: Seite 73 (Artikel: Autonomie); Bruno W. Reimann, 2011⁵; Gerhard Köbler, 2012¹⁵: Seite 41 (Artikel: Autonomie); Michael Pauen/Harald Welzer, 2015.

13 Eigenständigkeit und Selbstständigkeit sind grundsätzlich nicht dasselbe. Denn etwas ‚Eigenes' zu *sein* ist etwas anderes als etwas ‚selbst' zu *tun*.

14 Das Begriffswort ‚Souveränität' stellt eine sprachliche Überführung des französischen *souveraineté* (was höchste Gewalt, Oberherrschaft oder Landeshoheit bedeutet) dar, welches seinerseits auf das altlateinische *superus* beziehungsweise das mittellateinische *superanus* (was beides mit ‚oben befindlich' oder ‚darüber liegend' übersetzt werden kann) zurückgeht.

15 Die Souveränität des Politats ist somit stets eine Volkssouveränität. Die gesamte Personenschaft des Politats organisiert und beherrscht sich selbst, wobei keineswegs zugleich gefordert ist, dass tatsächlich jedes Gesellschaftsmitglied auch selbst ein Amt oder Mandat begleiten muss und dass die konkrete institutionelle Ausgestaltung des Politats an direktdemokratische Elemente oder an Demokratie überhaupt gebunden ist. Das politische Konzept der Souveränität wurde im 16. Jahrhundert von Jean Bodin begründet und war hier zunächst an einen bestimmten staatsrepräsentierenden personellen Träger, den Souverän, gebunden. Vgl. Jean Bodin, 1981: Seite 205 – 239 (Buch 1, Kapitel 8: Über die Souveränität), Seite 240 – 283 (Buch 1, Kapitel 9: Über den tributpflichtigen und den Lehnsfürsten und die Frage, ob er als souverän zu bezeichnen ist, sowie über die jeweilige Ehrenstellung der souveränen Fürsten untereinander),

tischen Organen faktisch auch nach außen politisch aktiv sein. Jedoch besteht zwischen diesem *konsequenziellen* Sachverhalt und der grundlegenden Frage nach der eigenen Souveränität, nach der Fähigkeit und Tatsächlichkeit der Selbstorganisierung eines Gemeinwesens, kein *konstitutiver* Zusammenhang.[16]

Wenngleich sowohl die Autonomie als auch die Souveränität notwendig für das Bestehen eines Politats sind, sind diese Eigenschaften deswegen jedoch keineswegs unbedingt als absolut aufzufassen. Bei der Autonomie können vertikale Dopplungen oder Überlagerungen entstehen, die bei allen drei Politatsformen auftreten können. Nichtsdestoweniger bleibt bei den betreffenden Gemeinwesen die politische Eigenständigkeit jeweils in vollem Umfang erhalten. Ähnlich verhält es sich mit der Souveränität. Diese bleibt den Politaten stets grundsätzlich erhalten, selbst wenn die gesamtgesellschaftliche Selbstregierung durch eine Einflussnahme von außen fremdbestimmt sein sollte. Ebenso kann das Selbstmanagement vollständig auf das eigene Gemeinwesen ausgerichtet sein, während auf die eigene Wahrnehmung politischer Außenbeziehungen größtenteils oder in Gänze verzichtet wird. In allen Fällen, die ebenfalls bei jedem der drei Politatsformen vorkommen können, bleibt die politische Selbstständigkeit trotz aller Eingriffe oder (Selbst)Beschränkungen grundsätzlich gewahrt.

Seite 284 – 318 (Buch 1, Kapitel 10: Die wahren Merkmale der Souveränität). In der heutigen Literatur ist das Konzept einigermaßen umstritten. Vgl. Hermann Heller, 1927; Werner von Simson, 1965; Ernst-Otto Czempiel, 1969; ders., 1993; Helmut Quaritsch, 1970: Seite 36 – 43, 395 – 505; Hurst Hannum, 1996²; Thomas Plümper, 1996; Manfred Baldus, 1997; Christian Raap, 2000; Gerd Roellecke, 2000; Bernhard Kempen, 2001; Christian Hillgruber, 2002; Gunnar Folke Schuppert, 2003: Seite 157 – 176; Karl Doehring, 2004³: Seite 109 – 118; Utz Schliesky, 2004; Reimund Seidelmann, 2004²; Ersun N. Kurtulus, 2005; Aleksandra Lewicki, 2006; Ulrich Haltern, 2007; Karl-Heinz Hillmann, 2007⁵: Seite 808 (Artikel: Souveränität); Tine Stein/Hubertus Buchstein/Claus Offe, 2007; Martin Gessmann, 2009²³: Seite 673 (Artikel: Souveränität); Dieter Grimm, 2009; Anna Gamper, 2010²: Seite 49 – 50; Samuel Salzborn/Rüdiger Voigt, 2010; Manfred G. Schmidt, 2010³: Seite 722 (Artikel: Souveränität); Reinhold Zippelius, 2010¹⁶: Seite 49 – 58; Friedrich Balke, 2011; Kurt Röttgers, 2011⁵; Gerhard Köbler, 2012¹⁵: Seite 387 (Artikel: Souveränität); Walter Haller/Alfred Kölz/Thomas Gächter, 2013⁵: Seite 15 – 19; Karl Albrecht Schachtschneider, 2015; Carl Schmitt, 2015¹⁰; Norbert B. Wagner, 2015: Seite 292 – 322; Burkhard Schöbener/Matthias Knauff, 2016³: Seite 88 – 91.

16 Folglich erübrigt sich eine Unterscheidung zwischen ‚innerer Souveränität' und ‚äußerer Souveränität', da die äußere, wenn man so will, in der inneren respektive in der Souveränität schlechthin bereits enthalten ist. Ob und inwieweit ein Gemeinwesen tatsächlich souverän ist, ist daher vorrangig mit Blick auf die inneren Verhältnisse zu bestimmen. Diese Frage ist außerdem von dem Aspekt der zeitgenössischen Wahrnehmung oder Anerkennung des Politats als souverän durch äußere Akteure analytisch streng zu trennen. Vgl. zur Souveränität aus internationaler Perspektive: Herbert Krüger/Georg Erler, 1957; Ernst-Otto Czempiel, 1969; Hans Kelsen, 1981²a; Albert Bleckmann, 1985; Luzius Wildhaber, 1986; Helmut Volger, 1997b; Aleksandra Lewicki, 2006; Joachim Bentzien, 2007; Reimund Seidelmann, 2008¹¹; Andreas Funke, 2014.

Angesichts der beiden grundlegenden Merkmale der Autonomie und der Souveränität können beispielsweise Bundesländer (eines Bundesstaates), sogenannte ‚(halb)autonome Gebiete' oder Kommunen selbst *nicht* als Politate qualifiziert werden, weil sie jeweils Teil einer umfassenderen und dann erst eigenen Organisations- und Herrschaftseinheit sind, eine solche selbst aber nicht darstellen. Gerade Bundesländern oder ‚(halb)autonomen Gebieten' werden lediglich gewisse ausschließliche Regelungskompetenzen vom umfassenden Gemeinwesen zugestanden, die der obersten politischen Ebene trotzdem grundsätzlich nachgeordnet sind. Gleichermaßen können auch Internationale Organisationen nicht als Politate gelten, da durch sie nicht die Gesamtheit der umfassten Personenschaft selbst organisiert wird. Vielmehr handelt es sich bei ihnen um politische Kooperationseinrichtungen, deren Ergebnisse vom eigenen Politat gemeinsam mit den anderen Mitgliedern getroffene *eigene* Entscheidungen und insofern Ausdruck des Willens jedes einzelnen Politats sind. Das trifft auch dann zu, wenn ein Politat bei einem Mehrheitsbeschluss überstimmt wurde oder es an einer Beschlussfassung nicht teilnahm und wenn sich das Politat zuvor (bewusst) auf diese Regelungen zur Entscheidungsfindung eingelassen hat. Darüber hinaus gelten die von einer Internationalen Organisation herbeigeführten Ergebnisse nicht ohne Weiteres zugleich als nationale Regelungen, sondern müssen dafür erst in entsprechend eigene Vorgaben und Regeln des betreffenden Politats überführt werden – und zwar ganz gleich, wie einfach und schnell oder wie komplex und langwierig dieses Verfahren ist.

III. Der Staat

1. Das Wesen des Staates

Der in der theoretischen Auseinandersetzung einflussreichste Typ der Politate ist jener des Staates.[17] Unter einem Staat[18] ist eine Gruppe von Per-

[17] Vgl. zur theoretischen Auseinandersetzung um den Staat: Johann Kaspar Bluntschli, 1965[6]a; ders., 1965[6]b; Helmut Kuhn, 1967; Georg Jellinek, 1976[3]; Hans Kelsen, 1981[2]b; ders., 1993; Dieter Grimm, 1994; Stefan Breuer, 1998; Gunnar Folke Schuppert, 2010; Rüdiger Voigt, 2009[2]; Max Weber, 2009[5]: besonders Seite 30; Konrad Paul Liessmann, 2011; Stefan Haack, 2012; Walter Leisner, 2012; Norbert B. Wagner, 2015. Siehe zudem als Gesamtdarstellungen oder allgemeine Einführungen: Roman Herzog, 1971; Peter Badura, 1996; Stefan Breuer, 1998; Gunnar Folke Schuppert, 2003; Karl Doehring, 2004[3]; Rainer-Olaf Schultze, 2004[2]; Arthur Benz, 2008[2]; Anna Gamper, 2010[2]; Hartmut Maurer, 2010[6]; Reinhold Zippelius, 2010[16]; Claus Offe, 2011; Walter Haller/Alfred Kölz/Thomas Gächter, 2013[5]; Werner J. Patzelt, 2013[7]: Seite 352 – 353; Jörn Ipsen, 2015[27]; Norbert B. Wagner, 2015; Burkhard Schöbener/Matthias Knauff, 2016[3]. Ferner als allgemeine Abrisse zur historischen Entwicklung des Staates: Dietmar Willoweit, 1990; Stefan Breuer, 1998; Wolfgang Reinhard, 2002[3]; ders., 2007; Günther Lottes, 2003[3]; Alexander Gallus/Eckhard Jesse, 2007[2]; Bernd Marquardt,

sonen (Gesellschaft, Population oder Staatsvolk) zu verstehen, die innerhalb eines abgegrenzten Raumes (Land, Territorium oder Staatsgebiet) durch eigene Einrichtungen zur Herstellung und Durchsetzung allgemein geltender Vorgaben und Regeln (Staatsgewalt) das gegenseitige Zusammenleben selbst organisiert (Staatszweck). Die vier konstitutiven Elemente des Staates, das Staatsvolk, das Staatsgebiet, die Staatsgewalt und der Staatszweck, sind in der theoretischen Literatur weitgehend etabliert und bedürfen daher an dieser Stelle keiner eingehenderen Rechtfertigung.[19] Dennoch erscheinen einige kurze Bemerkungen und Erklärungen dazu angebracht:

Im Hinblick auf das *Staatsgebiet* ist es so, dass für seine Entität keine Geschlossenheit gefordert ist, sodass es auch durch eine Reihe verstreuter Gebiete, Exklaven und Inseln gebildet werden kann. Außerdem kann der Raum sowohl zweidimensional als Fläche beziehungsweise Areal als auch dreidimensional einschließlich Bodenuntergrund und Himmel gedacht und zeitgenössisch definiert werden.[20] Hinzukommt, dass ein Staatsgebiet nicht notwendig an das Vorhandensein eindeutig festgelegter Grenzen gebunden sein muss. Das Territorium eines Staates muss zumindest in seinem Kern weitgehend klar sein, was lediglich fließend übergehende Grenzen, wie es in vor-

---

2009. Als allgemeine Darstellungen zur Entwicklung der Staatsvorstellungen: Helmut Quaritsch, 1970; Claus-Ekkehard Bärsch, 1974; Rainer Rotermundt, 1997; Herfried Münkler/Michael Silnizki/Ernst Vollrath, 1998; Rudolf Weber-Fas, 2000; Reinhold Zippelius, 2003[10]; Hans Boldt/Werner Conze/Görg Haverkate/Diethelm Klippel/Reinhart Koselleck, 2004; Ernst-Wolfgang Böckenförde, 2006[2]; Alexander Gallus/Eckhard Jesse, 2007[2]; Klaus Roth, 2011[2]; Andreas Anter/Wilhelm Bleek, 2013; Vicente Lull/Rafael Micó, 2013; Dieter Oberndörfer/Beate Rosenzweig, 2014[3]; Rüdiger Voigt, 2016. Siehe insgesamt auch den Forschungsbericht: Michael Gal, 2015 (erneut abgedruckt in diesem Band).

18 Das Begriffswort ‚Staat' (in Englisch: *state*; in Französisch: *état*; in Italienisch: *stato*) ist eine Ableitung des alt- und mittellateinischen *status*, was übersetzt Stand, Stellung, Lage, Verfassung, Zustand, Beschaffenheit oder Status bedeutet.

19 Die Einführung der Trias von Staatsgewalt, Staatsvolk und Staatsgebiet als staatliche Grundbestandteile geht zurück auf die von Georg Jellinek entwickelte sogenannte ‚Drei-Elemente-Lehre'. Vgl. Georg Jellinek, 1976[3]: Seite 394 – 504 (erste Auflage zuerst 1900). Daneben wird – und zwar bereits seit der Antike – verschiedentlich noch ein weiteres Element in Form des Staatszweckes diskutiert. Dies findet auch bei Jellinek selbst statt. Allerdings weist er dem Staatszweck eine von den (anderen) drei Grundelementen des Staates deutlich abweichende Stellung zu: ders., 1976[3]: Seite 230 – 265.

20 Nach der heute weitgehend anerkannten Vorstellung in der praktischen Politik gehört zum Staatsgebiet ausgehend von der jeweils umfassten Erdoberfläche der gesamte Untergrund senkrecht bis zum Erdmittelpunkt sowie senkrecht bis zu 50 Landmeilen (rund 80 Kilometern) Höhe innerhalb der Erdatmosphäre. Darüber hinaus gilt ein gegebenenfalls vorhandenes Küstenmeer innerhalb einer senkrecht in Seerichtung angelegten Zwölf-Meilen-Zone (mit rund 22 Kilometern Breite) als Hoheitsgewässer und gehört damit ebenfalls zum Staatsgebiet, insoweit der betreffende Staat dieses Territorium tatsächlich beansprucht. Vgl. Karl Doehring, 2004[3]: Seite 32 – 37; Anna Gamper, 2010[2]: Seite 46; Reinhold Zippelius, 2010[16]: Seite 76 – 78; Walter Haller/Alfred Kölz/Thomas Gächter, 2013[5]: Seite 14; Ulrich Vosgerau, 2014: Seite 430 – 433.

modernen Zeiten eher die Regel gewesen war, nicht grundsätzlich ausschließt.

Insgesamt gesehen ist ein Staat nichts anderes als ein besonderer Fall einer Institution und als solche mit einer organisatorischen Einrichtung sogar eine Organisation beziehungsweise (in mehr rechtlicher Hinsicht) eine Korporation (oder Körperschaft).[21] Diese soziale Einheit ist allerdings nicht einfach als die bloße Gesamtheit der umfassten Bevölkerung anzusehen, sondern die zu einem Staat gehörenden Personen sind, wie oben beim übergeordneten Konzept des Politates bereits angemerkt, die *Mitglieder* dieser Organisation. Diese Organisationsmitgliedschaft impliziert jedoch nicht die Notwendigkeit, dass jedes der Mitglieder selbst auch ein staatliches Amt oder Mandat begleiten muss. Das *Staatsvolk* ist demnach die gesamte Personenschaft der Institution Staat.

Als ein organisierter Personenverband mit politischen Arbeits- und Repräsentationsorganen, die ihrerseits mit entsprechenden Machtmitteln vor allem in Form von Kompetenzen und Ressourcen ausgestattet sind, kann der Staat auch selbst als kollektiver Akteur sowie als eigene Rechtsperson in Erscheinung treten und tätig werden.[22] Die ihm dafür zugrunde liegende *Staatsgewalt* begrenzt sich allerdings nicht, wie fälschlicherweise zumeist angenommen wird, lediglich auf die höchste Zentralgewalt des Staates. Vielmehr umfasst die Staatsgewalt die gesamte politische Gewalt des ganzen Staates mit allen ihren horizontalen und vertikalen Ebenen. Teil der Staatsgewalt sind demnach nicht allein die gesamtstaatliche Regierung, ein gegebenenfalls vorhandenes legislatives Parlament und gegebenenfalls unabhängig von beiden agierende judikative Organe, sondern ebenso alle anderen politischen Organe sowohl des Gesamtstaates als auch sämtlicher untergeordneten Teileinheiten (unter anderem von Präfekturen, Bundesländern, Provinzen, Gauen, Bezirken, Kreisen und Städten). Dabei zeigt sich, wie bereits oben im Zusammenhang der Souveränität, auch an dieser Stelle, dass eine Unterscheidung zwischen *innerer* Staatsgewalt und *äußerer* Staatsgewalt (im Sinne einer nach außen gerichteten, jedoch nicht einer auswärtigen beziehungsweise fremden Staatsgewalt) konzeptionell nicht weiterführt. Es gibt nur *eine* Staatsgewalt und durch diese ist der Staat befähigt, sowohl sich selbst zu organisieren, das heißt nach innen zu wirken, als auch die Beziehungen zu anderen Gemeinwesen zu gestalten, das heißt nach außen zu wirken.[23]

---

21 Vgl. Roman Herzog, 1971: Seite 92 - 105, 136 - 147, 152 - 154; Karl Doehring, 2004[3]: Seite 37; Wolfgang Reinhard, 2007: Seite 20; Arthur Benz, 2008[2]: besonders Seite 87 - 91, 96 - 167; Jörn Ipsen, 2015[27]: Seite 3 - 4.

22 Vgl. Karl Doehring, 2004[3]: Seite 42 - 49; Reinhold Zippelius, 2010[16]: Seite 80 - 82.

23 Zum Umfang der Staatsgewalt siehe: Bertrand de Jouvenel, 1974; Rudolf Weber-Fas, 2000; Wolfgang Reinhard, 2002[3]; Karl Doehring, 2004[3]: Seite 37 - 41; Anna Gamper, 2010[2]: Seite 48; Reinhold Zippelius, 2010[16]: Seite 45 - 63.

Ferner erweist sich die in der und für die Neuzeit immer wieder beschworene Idee eines staatlichen Gewaltmonopols als ein Mythos.[24] Nicht nur dass es in der Geschichte bis heute in vielen Gemeinwesen neben staatlichen Einrichtungen immer wieder auch Einzelpersonen, zivile Sicherheitsunternehmen, private Kampfgruppen unter der Führung von Kriegsunternehmern, wie etwa einem Söldnerführer (Kondotierre; italienisch: *condottiero*) oder einem sogenannten ‚Kriegsherrn' (in Englisch: *warlord*), sowie Freiwilligenverbände, etwa in Form von Freikorps oder Bürgerwehren, gegeben hat, die Waffen besessen und diese mindestens zum Zweck der Selbstverteidigung eingesetzt haben. Auch die Durchsetzung von herrschaftlicher Autorität fand nie ausschließlich innerhalb der staatlichen Amtshierarchie oder Verwaltungsbürokratie statt, sondern gleichermaßen innerhalb von privaten Gruppen (etwa Familien oder Klans), zivilgesellschaftlichen Organisationen (etwa Vereinen oder karitativen Einrichtungen) und Unternehmen und erfolgte dabei durchaus auch mithilfe von Zwang und gegebenenfalls der Androhung oder Anwendung von physischer Gewalt. Dass es außerstaatliche Gewalten gibt, ist folglich *kein* Indikator dafür, inwiefern eine Staatsgewalt eingerichtet und effektiv wirksam ist oder ob überhaupt ein Staat wirklich besteht. Ein staatliches Gewalt*monopol* hat es in der Geschichte nie gegeben – weder heute noch sonst irgendwann.

Wozu es einen Staat gibt, dazu hat man sich in der theoretischen Literatur immer wieder intensiv Gedanken gemacht. Dabei nahmen die vorgetragenen Ideen allerdings häufig die Form normativ-optimistischer Idealvorstellungen an, was sich in programmatischen *Staatszwecken* geäußert hat wie der Förderung des Gemeinwohls, der Ermöglichung der freien Entfaltung der Menschen, der Sicherstellung der individuellen Freiheit, der Bewältigung sozialer Probleme und Konflikte, der Schaffung einer Infrastruktur für eine funktionierende Wirtschaft und der Gewährleistung von individuellem Schutz und kollektiver Sicherheit.[25] Dies mögen alles sinnvolle und wichtige Aufgaben sein, für welche der Staat von seinem Staatsvolk gern in Anspruch genommen wird. Jedoch handelt es sich dabei nicht um konstitutive Aspekte des Staates. Denn wenn ein Staat einem dieser idealistischen Ziele nicht oder nur sehr unzureichend nachzukommen im Stande ist (dafür vielleicht aber anderen Zielen umso mehr), verliert er schließlich nicht seine Qualität als Staat. Folglich ist es wesentlich sinnvoller, den Staatszweck mehr realistisch anzulegen und ihn mit einer unabdingbaren Funktion zu füllen, die der Staat in

---

[24] Vgl. Wolfgang Reinhard, 2007: Seite 13; Hartmut Maurer, 2010[6]: Seite 5; Gunnar Folke Schuppert, 2010: Seite 33 – 38; Reinhold Zippelius, 2010[16]: Seite 45 – 47; Thomas Gutmann/Bodo Pieroth, 2011; Claus Offe, 2011: Seite 314, 316.

[25] Vgl. Roman Herzog, 1971: Seite 105 – 117; Hans Kelsen, 1993: Seite 39 – 44; Gunnar Folke Schuppert, 2003: Seite 215 – 217; Karl Doehring, 2004[3]: Seite 22, 80 – 88; Arthur Benz, 2008[2]: Seite 95, 97; Anna Gamper, 2010[2]: Seite 51 – 52; Hartmut Maurer, 2010[6]: Seite 4 – 5.

jedem Fall leistet und deren Nichterfüllung die Existenz des Staates als solchen grundsätzlich in Frage stellt. Vor diesem Hintergrund ist der oben definierte Staatszweck, also die Organisierung des gegenseitigen Zusammenlebens aller Personen des Gemeinwesens, zu verstehen.

Neben den vier konstitutiven Grundbestandteilen weist der Staat – als ein spezieller Typ des Politats – zudem verschiedene notwendige Eigenschaften auf, ohne die ein Staat kein Staat wäre: (1) Ein Staat ist (faktisch-)politisch *eigenständig* beziehungsweise *autonom*, sodass er eine eigene politische Einheit darstellt, deren Staatsvolk nach eigenen Vorgaben und Regeln lebt. Dadurch unterscheidet sich die Personenschaft eines bestimmten Staates von derjenigen eines anderen Staates, welche ihrerseits anderen Regelungen unterworfen ist. (2) Darüber hinaus ist ein Staat (faktisch-)politisch *selbstständig* respektive *souverän*. Er organisiert sich selbst; er sorgt mit seiner Staatsgewalt selbst dafür, dass eigene Vorgaben und Regeln geschaffen und dass diese auch umgesetzt werden; und er wird dazu als Kollektivakteur selber tätig. (3) Die Besonderheit des Staates liegt – insbesondere im Vergleich zu den anderen Politatstypen – ferner darin, dass er grundsätzlich vollkommen unabhängig vom Willen anderer Gemeinwesen und damit frei von jedweder Fremdbestimmung durch andere Politate ist.[26] Staaten verfügen demnach auch über die Eigenschaft der (faktisch-)politischen *Unabhängigkeit* oder *Independenz*.[27]

Demgegenüber muss ein Staat jedoch *nicht* notwendig auch in (faktisch-)politischer *Ungebundenheit* oder *Autarkie*[28] bestehen. Ein Staat kann sich von seiner politischen Umwelt vollkommen isolieren oder sich im Gegensatz dazu etwa völkerrechtlichen Regeln unterwerfen oder sein Verhalten in Anbetracht der Standpunkte und Interessen anderer Politate ausrichten. Ebenso bedarf ein Staat, um ein solcher zu sein, grundsätzlich keiner entsprechenden (formell-)rechtlichen oder (faktisch-)politischen *Anerkennung* oder

---

26 Die politische Unabhängigkeit des Staates ist, wie weiter oben bereits teilweise erwähnt, jedoch etwas völlig anderes als eine selbst gewählte Handlungseinschränkung durch völkerrechtliche Verträge oder durch Beschlüsse von Internationalen Organisationen, denen dieser Staat angehört, und ist ebenso nicht zu verwechseln mit der Beeinflussung des Staates durch allgemeine Umstände oder durch das diplomatische und eher lobbyistische Wirken anderer (primärer oder sekundärer) Akteure der internationalen Politik. Die politische Unabhängigkeit des Staates bleibt grundsätzlich auch dann erhalten, wenn der Staat Teil einer Welt ist, in der ein allgemeiner Zustand sogenannter ‚komplexer Interdependenz' vorherrscht, das heißt bei dem derart umfassende wechselseitige Abhängigkeiten in verschiedenen Bereichen und Ebenen bestehen, wodurch gewissermaßen ‚alles mit allem zusammenhängt'. Vgl. Robert O. Keohane/Joseph S. Nye, 2012[4]: besonders Seite 19 – 31.

27 Das Wort ‚Independenz' stellt eine zusammenfügende Ableitung des altlateinischen Präfix' *‚in'*, was nicht oder ohne bedeutete, und des altlateinischen Verbs *‚dependere'* dar, welches mit hängen oder abhängen übersetzt werden kann.

28 Das Wort ‚Autarkie' stammt vom altgriechischen *αὐτάρκης* ab, was direkt mit ‚sich selbst genügend' übersetzt werden kann.

Rekognition durch andere Politate. Ob ein Staat tatsächlich ein Staat ist, ist nicht an Interessen geleitete oder von normativen Wunschvorstellungen abhängige zeitgenössische Wahrnehmungen und Urteile gebunden, sondern ist das Ergebnis rein sachlicher und auf die tatsächlichen inneren Verhältnisse gerichteter (wissenschaftlicher) Analyse.

Darüber hinaus wird in der Literatur eine ganze Reihe weiterer und konkreterer Aspekte als Merkmale des Staates diskutiert. Dazu gehören vor allem (a) die Institutionalisierung einer ausdifferenzierten Staatsgewalt; (b) deren Bürokratisierung mit einem umfangreichen Verwaltungsapparat; (c) die Juridifizierung zahlreicher nicht-rechtlicher Gesellschaftsnormen wie auch ungeregelter Sozialbereiche; (d) die Konstitutionalisierung und Bindung aller Staatsakte an geltendes, nicht ohne Weiteres abänderbares Recht und gegebenenfalls an eine grundlegende Verfassung; (e) damit verbunden und dies realisierend eine Gewaltenteilung mit mehreren, sich gegenseitig effektiv kontrollierenden und miteinander verschränkten Staatsgewalten; (f) davon unabhängig die (oben bereits kritisierte) Gewaltmonopolisierung mit der alleinigen Fähigkeit des Staates, Entscheidungen auch unter Zwang und gegebenenfalls mithilfe physischer Gewalt durchzusetzen; (g) die Zentralisierung und die von Zentralorganen ausgehende hierarchische Steuerung des gesamten Staates; (h) die Politikuniformisierung, sodass jede Politik innerhalb des Staates in einheitlicher Art und Weise gestaltet wird; (i) die Nationalisierung mit der Schaffung einer ethnischen Identität und einer kollektiv-emotionalen Verbundenheit des homogenen Staatsvolkes mit seinem Staat; (j) die Verstaatsbürgerlichung mit der Stellung aller staatsangehörigen Personen als Staatsbürger mit entsprechenden Rechten und Pflichten (welche in der Geschichte bürgerrechtlosen Staatsangehörigen wie etwa Kindern, Frauen, Peregrinen (im altrömischen Sinn), Mündeln, Sklaven und Strafgefangenen vorenthalten blieben); sowie (k) die Republikanisierung mit der zeitlichen Begrenzung der Besetzung des höchsten Staatsamtes; (l) die Demokratisierung und die Herstellung politischer Entscheidungen durch das Staatsvolk selbst; (m) die Liberalisierung mit der weitreichenden Freiheit aller Personen von den Vorgaben, Regeln und Eingriffen des Staates; (n) die Föderalisierung mit der subsidiären Kompetenzverteilung (*nicht* aber der Herrschaftsrichtung) von unten nach oben, wobei die politischen Entscheidungen auf soweit wie (sinnvollerweise) möglich unteren Staatsebenen getroffen werden; und (o) die Sozialisierung mit der (gegebenenfalls untereinander ausgleichenden) Förderung der Entfaltungsmöglichkeiten und des Wohlstands aller Staatsmitglieder.

Bei allen diesen Merkmalen handelt es sich jedoch um Eigenschaften, die nur manche Staaten aufweisen und deren jeweiliges Fehlen bei einem Staat nicht dessen Staatsqualität grundsätzlich in Frage stellt. Folglich handelt es sich dabei um keine grundlegenden Staatsattribute. Vielmehr beschreiben diese Merkmale bei genauerer Betrachtung eher relativ hohe Entwicklungsstufen bestimmter Bereiche des Staates, welche vielfach, teils idealtypisch, teils aber nur stereotypisch, mit dem Konzept des sogenannten ‚*modernen* Staates' verknüpft werden.[29] Mit der hier vorgeschlagenen Staatsauffassung soll dagegen keine spezielle, möglicherweise lediglich in einer bestimmten Epoche oder Region vorkommende Ausformung des Staates beschrieben werden, sondern ganz allgemein ein raumzeitlich übergreifend geltendes und nutzbares analytisches Konzept. Staaten in einem solchen generellen Verständnis, die die oben herausgearbeiteten konstitutiven Bestandteile und notwendigen Eigenschaften aufweisen, gab es bereits im frühen Altertum, in der griechisch-römischen Antike und im Mittelalter (nicht nur Europas) und ebenso in der gesamten Neuzeit bis in die aktuelle Gegenwart hinein.[30] Der Staat im Allgemeinen, um den es hier geht, ist daher streng von Sonderfällen wie etwa jenem des modernen Staates zu trennen.

2. Der Unterschied zwischen Staat, Gesellschaft und Land

Die Unterscheidung zwischen dem Staat und der Gesellschaft[31] ist seit dem 19. Jahrhundert relativ intensiv diskutiert worden, die Abgrenzung zum Land dagegen weniger.[32] Jedenfalls ist festzuhalten, dass mit den drei Objek-

---

29 Vgl. speziell zum modernen Staat: Ernst Kern, 1949; Hanns Hubert Hofmann, 1967; Gerhard Oestreich, 1969; Otto Hintze, 1970³; Joseph H. Shennan, 1974; Gianfranco Poggi, 1978; Stephan Skalweit, 1987; Heiner Timmermann, 1989; Noël Coulet/Jean-Philippe Genet, 1990; Jean-Philippe Genet, 1990; Wolfgang Reinhard, 1998; ders., 2007; Samuel E. Finer, 1999; Reinhard Blänkner, 2004; Brian R. Nelson, 2006; Erika Cudworth/Tim Hall/John McGovern, 2007; Arthur Benz, 2008². Siehe dazu ferner: Michael Gal, 2015: Seite 244, 252, 265 - 266 (erneut abgedruckt in diesem Band (Kapitel II, IV, VI)).

30 Vgl. mit zahlreichen weiteren Literaturhinweisen: Michael Gal, 2015: Seite 244 - 259, 263 - 264 (erneut abgedruckt in diesem Band (Kapitel II - VI)).

31 Genau genommen müsste hier eigentlich der Unterschied und das Verhältnis von der Gesellschaft einerseits und dem übergreifenden politischen Konzept des Politats andererseits diskutiert werden. Da das in der bisherigen Auseinandersetzung jedoch so nicht gehandhabt worden und es unter der Betrachtung des Staates allgemein verständlicher ist, soll hier auf die Debatte so eingegangen werden, wie sie tatsächlich geführt wurde - gleichwohl stets mitzudenken ist, dass nicht der Staat, sondern das Politat das grundsätzlich angemessenere Objekt der Gegenüberstellung darstellt.

32 Die Unterscheidung von Staat und Gesellschaft geht zurück auf die entsprechende Prägung durch Lorenz von Stein. Vgl. Lorenz von Stein, 1972a: Seite 29 - 46 (zuerst 1850). Dazu etwa: Ders., 1972b; Roman Schnur, 1978. Siehe des Weiteren zur Differenzierung und zum Verhältnis von Staat, Gesellschaft und Land: Carl Schmitt, 1935³; Roman Herzog, 1971: Seite 38 - 48, 118 - 133, 147 - 152; Ernst-Wolfgang Böckenförde, 1973; ders., 1976; Konrad Hesse, 1975; Horst Ehmke, 1981; Peter Koslowski, 1982; Erich Zöllner, 1984; Detlev Christian Dicke/Thomas Fleiner-Gerster, 1987; Josef Isensee, 2001²; Harald Krahwinkler, 2002; Niklas Luhmann, 2002a; ders., 2002b; ders., 2002c; Hans Heinrich Rupp, 2004³; Hansmartin Schwarzmaier, 2005; Wolfgang Reinhard, 2007: Seite 20 - 22; Arthur Benz, 2008²: Seite 105 - 106, 120 - 122; Michael T. Greven, 2009²; Max Weber, 2009⁵; Walter Demel, 2010: Seite 162 - 173; Anna Gamper,

ten keineswegs jeweils ein und dasselbe gemeint ist. Ein *Staat* ist, wie oben gezeigt, eine mögliche politische Organisationsform eines Gemeinwesens, wodurch dieses Gemeinwesen im Ganzen zugleich eine einzige Institution ausbildet (zum Beispiel die Bundesrepublik Deutschland). Diese Institution umfasst sowohl alle Personen des Gemeinwesens, das heißt dessen Gesellschaft, als auch das gesamte Territorium des Gemeinwesens, das heißt dessen Land.

Die *Gesellschaft* (oder Sozietät) wiederum stellt insofern die personelle Referenz und Geltungseinheit des Staates dar (beispielsweise die deutsche Gesellschaft), ohne jedoch mit dem Konzept des Staatsvolkes zwangsweise identisch zu sein. Denn die Gesellschaft besteht darüber hinaus auch unabhängig vom Staat. Wie weiter oben bereits erwähnt, leben Personen in der Regel nicht allein für sich selbst, sondern finden sich in Gesellschaften mit anderen Personen zusammen. Dabei bilden sie eine Gemeinschaft, die zumeist weit über das hinausgeht, was durch Familienbande und Freundschaftsverbindungen zusammengehalten wird. Diese Gemeinschaft ist daher zwar geprägt durch eine weitgehende Anonymität. Dennoch hält der Personenverband angesichts der Vorteile einer gemeinsamen Lebensraum- und Arbeitsteilung zusammen. Eine Gruppe von Personen, welche mehr oder minder lose und in beliebig komplexer Weise miteinander verbunden sind und innerhalb eines abgegrenzten Raumes (Land) gemeinschaftlich miteinander zusammenleben, ist mithin als eine ‚Gesellschaft' zu bezeichnen. Damit ist die Gesellschaft zugleich der Inbegriff der Personenschaft eines Gemeinwesens.

Inwiefern die Gesellschaftsmitglieder ihrerseits eine kulturell oder körperlich homogene Gruppe bilden, ist allerdings unerheblich. Gesellschaft und *Volk* fallen weder konzeptionell noch empirisch notwendig zusammen und sind grundsätzlich streng voneinander zu unterscheiden. Dabei ist mit einem Volk (oder einer Ethnie) eine solche Gruppe von Personen gemeint, welche sich vor allem in Aussehen, Sprache, Religion, Werten, Tradition oder Abstammung gleichen oder sehr ähnlich sind und dadurch ein eigenes Zusammengehörigkeitsgefühl und eine eigene kollektive Identität entwickelt haben (etwa das Volk der Deutschen).[33] Vor diesem Hintergrund ist es leicht nachzuvollziehen, wieso Völker häufig bestrebt sind, sich jeweils in einem

2010[2]: Seite 111 – 112; Reinhold Zippelius, 2010[16]: Seite 204 – 208; Walter Haller/Alfred Kölz/Thomas Gächter, 2013[5]: Seite 23 – 24; Burkhard Schöbener/Matthias Knauff, 2016[3]: Seite 75 – 85.

[33] Im Gegensatz zum sehr viel älteren Wort ‚Volk' wurde der Ausdruck ‚Ethnie' erst Mitte des 20. Jahrhunderts durch Wilhelm E. Mühlmann etabliert. Vgl. Wilhelm E. Mühlmann, 1964: Seite 56 – 58. Siehe ferner zum Begriff des ‚Volkes' beziehungsweise der ‚Ethnie': Emerich K. Francis, 1965; Ernst Wilhelm Müller, 1989; Russell F. Farnen, 1994; Edward Mortimer, 1999; Andreas Wimmer, 2000[2]; Georg Elwert, 2005[2]a; ders., 2005[2]c; Max Weber, 2009[5]: Seite 234 – 244; Frank Heidemann, 2011: Seite 215 – 220; Werner J. Patzelt, 2016.

eigenen Gemeinwesen zusammenzufinden und einen eigenen Staat zu begründen.[34] Gelingt es einem Volk tatsächlich, über einen eigenen Staat zu verfügen, so wird dieses Volk schließlich zur *Nation* (zum Beispiel der deutschen Nation) und der zugehörige Staat damit zum Nationalstaat.[35] Nur dann also, wenn ein Volk sich sein eigenes Gemeinwesen und seinen eigenen Staat geschaffen hat, fallen Gesellschaft, Volk und Nation weitgehend oder vollständig zusammen.

Eine Gesellschaft ist, gleichermaßen wie ein Staat, allerdings auch durch einen (mehr oder minder festen) räumlichen Bezug gekennzeichnet, was sie von anderen Personengruppen, wie etwa einer Familie, einer Kirche (als Institution, nicht als Gebäude) oder einem Unternehmen, unterscheidet. Die Personen leben daher nicht nur in einer Gesellschaft zusammen, sondern auch in einem *Land*. Unter einem Land ist wiederum die Gesamtheit des Raumes einer Gesellschaft zu verstehen. Es ist daher im Grunde mehr als lediglich ein geosphärisches Gebiet im Sinne einer Landschaft. In ihm ist die jeweils betreffende Gesellschaft (und gegebenenfalls sogar der zugehörige Staat – jedoch wiederum ohne dass eine zwangsweise Identität mit dem Konzept des Staatsgebietes bestehen würde) stets inbegriffen, weshalb es möglich ist, unter anderem von den ‚Ländern‘ Deutschland, Haiti, Persien und Savoyen zu sprechen.

Der Staat, die Gesellschaft und das Land sowie ferner das Volk und die Nation und überhaupt das Gemeinwesen sind demnach keineswegs ein und dasselbe und zum Teil nur unter bestimmten Voraussetzungen mehr oder minder deckungsgleich. Während eine Gesellschaft in erster Linie die personell-soziale Dimension eines Gemeinwesens (und somit auch eines Landes und in gewisser Hinsicht eines Staates) beschreibt, ist mit einem Land hingegen vorrangig die territorial-räumliche Dimension eines Gemeinwesens (und damit auch einer Gesellschaft und in gewisser Weise eines Staates) gemeint. Demgegenüber handelt es sich bei einem Staat eher um die politisch-

---

34 Dies ist Ausdruck unter anderem des im heutigen Völkerrecht verankerten Prinzips des Selbstbestimmungsrechts der Völker. Vgl. Kurt Rabl, 1964; ders., 1973²; Wolfgang Heidelmeyer, 1973; Karl Doehring, 1974; Daniel Thürer, 1976; Helmut Volger, 1997a; Stefan Simon, 2000; Stephan Hobe, 2008⁹: Seite 111 – 120; Jörg Fisch, 2010; Andreas R. Ziegler, 2011²: Seite 249 – 251; Gilbert H. Gornig/Hans-Detlef Horn/Dietrich Murswiek, 2013; Tobias H. Irmscher, 2014.

35 Vgl. zum Konzept der Nation: Hans Bolewski, 1967; Karl W. Deutsch, 1972; Tilman Mayer, 1987²; Russell F. Farnen, 1994; Giuseppe Orsi/Kurt Seelmann/Stefan Smid/Ulrich Steinvorth, 1994; Ernest Renan, 1995; Hanspeter Kriesi/Klaus Armingeon/Hannes Siegrist/Andreas Wimmer, 1999; Edward Mortimer, 1999; Dieter Langewiesche, 2000; Catherine Bosshart-Pfluger/Joseph Jung/Franziska Metzger, 2002; Bernd Estel, 2002; Wolfgang Reinhard, 2002³: Seite 440 – 449; Ute Frevert, 2003³; Hagen Schulze, 2004²; Benedict Anderson, 2005³; Georg Elwert, 2005²b; Eric J. Hobsbawm, 2005³; Rolf-Ulrich Kunze, 2005; Christian Jansen/Henning Borggräfe, 2007; Reinhard Stauber, 2008a; Max Weber, 2009⁵: Seite 242 – 244, 527 – 530; Bernd Schneidmüller, 2010.

organisatorische Dimension eines Gemeinwesens (beziehungsweise einer Gesellschaft oder eines Landes).

3. Die Erscheinungsformen des Staates

Obwohl es sich beim Staat um eine umfassende organisatorische Gestaltungsmöglichkeit von Gemeinwesen handelt, ist die individuelle Qualität der Staaten mitunter sehr verschieden. Selbst unter Ausklammerung ihrer jeweils konkreten inneren politischen, das heißt vor allem herrschaftlichen, gouvernementalen und administrativen Ausgestaltung, welche unter anderem mit Begriffen wie ‚Staatsform', ‚Verfassungsform', ‚Herrschaftsform', ‚Regierungsform' und ‚Verwaltungsform' erfasst wird, treten die Staaten *als solche* in differierender Art in Erscheinung. In dieser Hinsicht lassen sich insgesamt sechs *Varianten* erkennen, die sich nicht gegenseitig ausschließen müssen und somit auch überschneidend vorkommen können und in denen die gesamtorganisatorischen Subtypen des Staates gegliedert werden können:

(1) Als Erscheinungsformen des Staates können zunächst voneinander unterschieden werden der *Einheitsstaat* als zentralisierter Einheitsstaat (Zentralstaat) oder als dezentralisierter Einheitsstaat (Dezentralstaat), der *Bundesstaat* in Gestalt einer Föderation, der *Unionsstaat* im Sinne des Staates einer Realunion und der *Doppelstaat*, das heißt ein Gemeinwesen, welches insgesamt selbst ein Staat ist und zugleich aus mehreren Teilstaaten besteht.

Diese (im Übrigen wichtigste) Einteilungsvariante umfasst damit solche Subtypen des Staates, die aus zunehmend selbst entscheidenden Teileinheiten besteht. So wird im Einheitsstaat die gesamte Politik hierarchisch von oben nach unten gestaltet (wie etwa in Israel und in Ostdeutschland spätestens ab 1968), wobei zumindest in seiner Unterart des Dezentralstaates die nachgeordneten politischen Ebenen, etwa in Form von Departements, Bezirken oder Distrikten, über die konkrete Umsetzung der vorgegebenen Politik oder über nachrangige Sachbereiche in begrenztem Maß regional oder lokal selbst entscheiden können (wie etwa heute in Frankreich und in Japan).[36] Dagegen besitzen die nachgeordneten politischen Teileinheiten im Bundesstaat, etwa als Satrapien, Gouvernements, Bundesländer oder Kantone, entsprechend des Subsidiaritätsprinzips (demgemäß politische Entscheidungen auf soweit wie (sinnvollerweise) möglich unteren Staatsebenen getroffen

[36] Vgl. zum Einheitsstaat: Heidrun Abromeit, 1992; Reinhard Stauber, 2001; Herbert Küpper, 2002; Dieter Langewiesche, 2004: Seite 178 – 180; Michael Münter, 2005; Ralph Tuchtenhagen, 2008; Anna Gamper, 2010²: Seite 106 – 108; Walter Haller/Alfred Kölz/Thomas Gächter, 2013⁵: Seite 151 – 153; Burkhard Schöbener/Matthias Knauff, 2016³: Seite 266 – 267.

werden) die Kompetenz, gewisse Sachbereiche vollständig selbstständig zu regeln (wie etwa in Amerika und in der Schweiz).[37] Über ähnlich weitreichende Gestaltungskompetenzen verfügen die Teileinheiten des Unionsstaates. Bei einer solchen Realunion handelt es sich um einen Zusammenschluss mehrerer Staaten zu einem neuen gemeinsamen Staat, dessen zuvor eigenständige Glieder in der Regel in nicht unerheblichem Maß einen besonderen Rechtsstatus und ihre eigenen politischen Einrichtungen beibehalten haben. Dementsprechend weitreichend ist die diesen Staatsteilen verbleibende selbstständige Regelungskompetenz (wie etwa im Fall Österreich-Ungarns und Polen-Litauens). Allerdings kann sich diese substaatliche Selbstständigkeit bei einer Realunion genauso auch im weitgehend bloß formalen Rahmen bewegen, während die faktische Politik dagegen doch eher einheitsstaatlich gestaltet wird (so etwa in Brandenburg-Preußen und in Britannien bis 1999).[38] Das größte Maß selbstständiger politischer Entscheidungsfähigkeit weisen schließlich die Glieder des Doppelstaates auf, da diese selbst eigene veritable Staaten sind. Doppelstaatlichkeit ist damit sowohl in konzeptioneller Hinsicht als auch historisch gesehen etwas ganz und gar Außergewöhnliches und findet sich beispielsweise im Fall des frühneuzeitlichen Deutschland. Hier bestand das sogenannte Heilige Römische Reich Deutscher Nation aus einem Gesamtstaat (Deutschland) sowie aus zahlreichen ebenfalls eigenständigen und selbstständigen Gliedstaaten (den Reichsständen).[39]

---

[37] Siehe zum intensiv behandelten Bundesstaat: Jürgen Harbich, 1965; Thomas Fröschl, 1994; Michael Bothe, 1999; Karl Doehring, 2004³: Seite 68 – 75; Dieter Langewiesche, 2004: Seite 180 – 188; Sigrid Boysen, 2005; James Crawford, 2006²: Seite 483 – 489; Bardo Fassbender, 2007; Anna Gamper, 2010²: Seite 83 – 105; Reinhold Zippelius, 2010¹⁶: Seite 311 – 317; Dirk Hanschel, 2012; Walter Haller/Alfred Kölz/Thomas Gächter, 2013⁵: Seite 154 – 191; Christian Lutz, 2014; Thomas Krumm, 2015; Burkhard Schöbener/Matthias Knauff, 2016³: Seite 267 – 273.

[38] Vgl. zum Unionsstaat: Dimitri S. Constantopoulos, 1959; Thomas Fröschl, 1994; Karl Doehring, 2004³: Seite 67; James Crawford, 2006²: Seite 482 – 483; Norbert B. Wagner, 2015: Seite 537 – 540; Burkhard Schöbener/Matthias Knauff, 2016³: Seite 281. Im Zusammenhang der Realunion hat besonders Helmut G. Koenigsberger das Konzept des Zusammengesetzten Staates vorgeschlagen, das allerdings gleichermaßen für den Bundesstaat anwendbar ist und das sich nach Koenigsbergers weitgezogenem Entwurf in Form der Zusammengesetzten *Monarchie* zugleich auch auf eine bloße Personalunion beziehen soll, obwohl diese ihrerseits jedoch *keine* staatliche Einheit darstellt. Vgl. Helmut G. Koenigsberger, 1986; ders., 1991. Dazu ferner: Hans-Jürgen Becker, 2006; Michael Gal, 2015: Seite 256 – 257 (erneut abgedruckt in diesem Band (Kapitel V)).

[39] Im Hinblick auf den Doppelstaat ist bislang ausschließlich auf die Literatur zum Fallbeispiel Deutschlands in der Frühneuzeit zu verweisen. Vgl. auswahlweise: Heinz Duchhardt, 1991; Wilhelm Brauneder, 1993; Georg Schmidt, 1999; Matthias Schnettger, 2002; Johannes Burkhardt, 2006¹⁰. Dazu ferner: Michael Gal, 2015: Seite 258 – 259 (erneut abgedruckt in diesem Band (Kapitel V)). Das hier behandelte Konzept meint allerdings etwas gänzlich anderes als der von Ernst Fraenkel vor dem Hintergrund des deutschen Staates zur Zeit des Nationalsozialismus entwickelte „Doppelstaat" (in Fraenkels englischer Übersetzung: *‚dual state'*) und ist insofern mit diesem nicht zu verwechseln. Vgl. Ernst Fraenkel, 2012³.

(2) Staaten lassen sich ebenso danach ordnen, ob es sich bei ihnen jeweils um einen *Vollanerkannten Staat*, um einen nur *Teilanerkannten Staat* oder um einen *Nichtanerkannten Staat* handelt. Die Unterscheidung der Staaten in diesem Sinn ist ein relativ junges, erst in der Neuzeit entstandenes Phänomen, welches genauso alt ist wie die internationale Praxis der (formellen oder faktischen) Staatenanerkennung selbst. Allerdings sagt diese vornehmlich völkerrechtlich begründete Gliederung der Staaten eben nur etwas über die Anerkennung respektive Rekognition eines Staates innerhalb einer regionalen oder der globalen Staatengesellschaft aus, welche ihrerseits einen fraglichen Staat als echtes Völkerrechtssubjekt mit allen damit zusammenhängenden Rechten und Pflichten zu akzeptieren gewillt ist oder nicht. Eine gehaltvolle Aussage darüber, ob es sich bei einem solchen Objekt tatsächlich um einen Staat handelt, erlaubt diese Herangehensweise jedoch nicht. Ob ein Staat vorhanden ist oder nicht, ist, wie oben deutlich gemacht wurde, allein mit Blick auf die inneren Verhältnisse klärbar.[40]

Ein Vollanerkannter Staat ist nun ein veritabler Staat, der als solcher auch von *allen* anderen Mitgliedern der Staatengesellschaft anerkannt wird (heute etwa Norwegen und Südafrika). Dagegen ist ein Teilanerkannter Staat ein ebenfalls veritabler Staat, der nicht von allen, aber doch von *einigen* oder zumindest von einem anderen Staat als solcher anerkannt wird (wie etwa der Kosovo und Taiwan). Dies hat für den betreffenden Staat jedoch völkerrechtliche Konsequenzen. Denn er ist (noch) kein vollwertiges Mitglied der Staatengesellschaft, weshalb ihm nur sehr eingeschränkt die damit zusammenhängenden Rechte und Pflichten zugestanden werden. Außerdem kann dieser Staat dadurch gegebenenfalls nicht in Internationale Organisationen aufgenommen werden, wenn eines der Mitglieder diesen Staat nicht anerkennt.

Noch prekärer ist die völkerrechtliche Lage von Nichtanerkannten Staaten (wie etwa Bergkarabach und Transnistrien), die zwar veritable Staaten sind,[41] jedoch von gar keinem anderen Mitglied der Staatengesellschaft als solche anerkannt werden und dadurch nicht einmal teilweise als staatliches Völkerrechtssubjekt agieren können (so gelang es dagegen aber etwa dem zumindest Teilanerkannten Staat Palästina gegen viel Widerstand 2011 immerhin in die Organisation der Vereinten Nationen für Bildung, Wissenschaft

---

40 Siehe zum völkerrechtlichen Institut der Anerkennung von Staaten: Rudolf L. Bindschedler, 1961/1962; Ernst R. Zivier, 1969²; Jochen A. Frowein, 1972; Ian Brownlie, 1986; P. K. Menon, 1994; Christian Hillgruber, 1998; Stefan Talmon, 2006; Stephan Hobe, 2008⁹: Seite 71 – 77; Urs Saxer, 2010; Andreas R. Ziegler, 2011²: Seite 200 – 204; Marten Breuer, 2014.

41 Im Rahmen der hier vorgenommenen Überlegungen interessieren allein solche Nichtanerkannten Staaten, die tatsächlich (wenn auch nur in einem minimalen Sinn) echte Staaten sind. Bloß deklaratorisch bestehende Pseudostaaten werden hier dagegen konsequent ignoriert.

und Kultur (UNESCO) aufgenommen zu werden). Die Nichtanerkannten Staaten begegnen ihrem Ausschluss aus der Völkerrechtsgemeinschaft häufig damit, dass sie sich zumindest selbst gegenseitig als Staaten anerkennen und mitunter sogar eigene internationale Institutionen oder Organisationen gründen (wie ursprünglich im Fall der Gemeinschaft nichtanerkannter Staaten (offiziell: Gemeinschaft für Demokratie und Rechte von Nationen; SDPN)).

Vor diesem Hintergrund werden die Teilanerkannten Staaten und die Nichtanerkannten Staaten in der Literatur vielfach auch als ‚(stabilisierte) De facto-Regime' gesondert behandelt. Hierbei handelt es sich allerdings eher um ein der gegenwärtigen völkerrechtlichen Praxis entsprechendes Hilfskonstrukt als um ein davon emanzipiertes wissenschaftliches Konzept – schließlich verfügen die fraglichen Objekte über die konstitutiven Grundelemente eines Staates und sind insofern wirklich echte Staaten. Demzufolge wäre – im Sinne dieser Begrifflichkeit – anstatt von ‚De facto-Regimen' angemessener von ‚De facto-Staaten' zu sprechen.[42]

(3) Eine andere Art der Gliederung der staatlichen Subtypen zielt auf eine Gegenüberstellung von *Starken Staaten* (in Englisch: *strong states*) mit stabiler Staatlichkeit und *Schwachen Staaten* (*weak states*) mit fragiler Staatlichkeit. Zu Ersteren gehört allein die Form des *Wirksamen Staates* (*effective state*), welcher als veritabler Staat über eine voll funktionsfähige und wirkungsvolle Staatsgewalt verfügt (etwa Island und Südkorea). Demgegenüber lassen sich der Gruppe der Schwachen Staaten sowohl der *Defekte Staat* (*faulty state*) als auch der *Zerfallene Staat* (*collapsed state*) zuordnen. Der Defekte Staat ist ein veritabler Staat, der zwar funktionsfähige Führungs- und Entscheidungsfindungsorgane aufweist, dessen Durchsetzung getroffener Entscheidungen angesichts einer schwachen Verwaltung und Justiz nur mangelhaft oder sehr begrenzt gelingt (heute etwa der Irak und der Kongo). Der Zerfallene Staat ist darüber hinaus von einer tiefgreifenden Erosion seiner gesamten Staatsgewalt einschließlich seiner Regierung betroffen und deswegen gegenwärtig weitgehend oder vollständig handlungsunfähig. Dieser Zustand hält jedoch (voraussichtlich) nur vorübergehend an bis die alte Staatsgewalt regeneriert oder eine neue installiert worden ist. Insofern besteht hier ein Staat im Wesentlichen nur in einem formellen oder formalen Sinn. Folglich handelt es sich bei einem Zerfallenen Staat lediglich in einer minimalen oder in gar keiner Hinsicht um einen echten Staat, dessen Staatlichkeit jedoch nur als momentan unterbrochen anzusehen und dessen Wiedergewinnung der eigenen Staatsgewalt relativ absehbar ist (etwa

---

42 Vgl. Jochen A. Frowein, 1968; Michael Schoiswohl, 2004; Noëlle Quénivet, 2007; Stephan Hobe, 2008[9]: Seite 175 – 177; Christian Raap, 2014; Norbert B. Wagner, 2015: Seite 281 – 291. Siehe zudem zur angemesseneren Bezeichnung des ‚De facto-Staates': Scott Pegg, 1998; Tozun Bahcheli/Barry Bartmann/Henry Srebrnik, 2004.

Frankreich in den ersten Monaten der Französischen Revolution zwischen 1789 und 1791 sowie Libyen seit 2011).

Nicht mehr als ‚schwach' zu bezeichnen, sondern überhaupt nicht mehr vorhanden ist dagegen ein *Gescheiterter Staat* (*failed state*). Bei diesem handelt es sich um einen ehemaligen Staat, dessen frühere Staatsgewalt endgültig beseitigt ist. Der Gescheiterte Staat ist damit nicht einfach ein Staat, der früher einmal bestanden hatte und dann Teil eines anderen Gemeinwesens wurde. Vielmehr ist dieser Staat – wenn man so will – an sich selbst gescheitert und besteht nach seiner Implosion zumindest eine gewisse Zeit lang nur noch als ein politisch-organisatorisch zerstörtes Land gegebenenfalls mit vielfältigen, häufig rivalisierenden privaten Lokalherrschaften (etwa Afghanistan von 1992 bis 2001 und Somalia seit 1991).[43]

(4) Staaten unterscheiden sich in einer personellen Hinsicht zudem darin, ob sie einen *Personenverbandsstaat*, einen *Bürgerstaat*, einen *Vielvölkerstaat*, einen *Nationalstaat* oder einen *Kosmopolitalstaat* bilden. Die (entwicklungsmäßig) primitivste Form der personellen Staatsgestaltung ist dabei diejenige des Personenverbandsstaates. Hier stehen die zunächst einmal rein *sozialen* Beziehungen zwischen den Personen eines Gemeinwesens im Vordergrund. Allerdings wird durch diese interpersonellen Sozialbeziehungen nicht nur die jeweilige Gesellschaftsordnung bestimmt. Sondern durch diese verschiedenen, im Kern hierarchisch angelegten Bindungen der Personen untereinander erhält das gesamte Gemeinwesen zugleich eine *politische* Organisation. Durch die sozialen Relationen zwischen den einzelnen Personen werden politisch wirksame Institutionen geschaffen. Vor diesem Hintergrund beruht der Personenverbandsstaat auf den gegenseitigen herrschaftlichen Über- und Unterordnungsverhältnissen seiner Mitglieder. Wegen dieser hauptsächlich sozial-interpersonellen Gestaltungsform ist bei diesem Staatstyp kein besonderes Zugehörigkeitsgefühl der Personen zu ihrem Staat ausgeprägt. Exemplarisch hierfür sind vor allem die Feudal- und Patrimonialstaaten des Mittelalters, bei denen die Herrschaftsverhältnisse zwischen den verschiedenen Gemeinwesensmitgliedern durch die lokal ausgeprägte Grund- oder Gutsherrschaft sowie durch das übergeordnet praktizierte Lehnswesen bestimmt wurden. Aber auch eine Vielzahl der Staaten des Al-

[43] Die Begrifflichkeit bei dieser Einteilungsvariante von Staaten ist in der Literatur noch weitgehend ungefestigt und umstritten. Siehe zum Gesamtkomplex stabiler und fragiler Staatlichkeit: Evenly B. Davidheiser, 1992; I. William Zartman, 1995; Daniel Thürer/Matthias Herdegen/Gerhard Hohloch, 1996; Robert I. Rotberg, 2003; ders., 2004; Annette Büttner, 2004; Martin Kahl, 2004; Ulrich Schneckener, 2004; ders., 2006; Simon Chesterman/Michael Ignatieff/Ramesh Thakur, 2005; Robin Geiß, 2005; Ulf-Manuel Schubert, 2005; Marianne Beisheim/Gunnar Folke Schuppert, 2007; Volker Epping, 2007; Wolfgang Reinhard, 2007: Seite 117 – 119; Alexander Straßner/Margarete Klein, 2007; Jodok Troy, 2007; Gunnar Folke Schuppert, 2010: Seite 106 – 114.

tertums beruhte im Wesentlichen auf solchen politisch institutionalisierten Sozialbeziehungen ihrer jeweiligen Bevölkerung.[44]

Im Vergleich dazu sind die Personen im Bürgerstaat unmittelbare integrale Bestandteile ihres Staates. Sie sind hier Staatsbürger und als solche mit entsprechenden Rechten und Pflichten ausgestattet. Dadurch sind die Gemeinwesensmitglieder nicht nur in rechtlicher Hinsicht mit ihrem Staat verbunden (als Geltungsobjekte des Bürgerrechts), sondern auch politisch als unmittelbare Rezipienten (etwa durch die direkte Geltungswirkung gesamtstaatlicher Entscheidungen gegenüber allen Personen, durch öffentliche Huldigungen sowie durch das Beiwohnen von öffentlichen Auftritten der Politiker, von öffentlichen Gerichtsverfahren und von staatlichen Zeremonien, Prozessionen und Spektakeln) und als direkte Partizipienten (etwa durch Heerfolge oder Wehrpflicht, staatliches oder militärisches Milizwesen, für prinzipiell alle Personen offenstehende Staatsämter sowie durch Akklamationen oder Plebiszite) der Staatsaktivitäten. Der Bürgerstaat beruht demnach auf der Einbindung und Ansichbindung seiner Mitglieder, wodurch eine relativ hohe Identität der Personen mit ihrem Staat entsteht. Dies war häufig in der griechischen Polis und im republikanischen, teilweise auch im monarchisch-kaiserlichen Rom sowie in vielen Staaten der Neuzeit der Fall.[45]

Durch ein (zusätzliches) intermediäres Element gekennzeichnet sind der Vielvölkerstaat und der Nationalstaat. In beiden Fällen ist das Volk eine relevante und zudem entscheidende Größe. Im Nationalstaat, in dem sich ein Volk seinen eigenen Staat geschaffen hat, gibt es im Wesentlichen nur eine einzige Ethnie, welche mit der Gesellschaft des Gemeinwesens weitgehend oder vollständig übereinstimmt. Die relativ hohe Identität der Personen mit ihrem Volk wird dabei – durch das spezifische *National*staatswesen – indirekt an den Staat übertragen, sodass eine relativ hohe Bindungskraft der Personen auch gegenüber ihrem Staat erzeugt wird (so etwa in den Niederlanden und in Portugal).[46] Demgegenüber ist im Vielvölkerstaat die Gesell-

---

[44] Das Konzept des Personenverbandsstaates hat Theodor Mayer speziell auf die mittelalterlichen Staaten bezugnehmend in die Forschungsdiskussion wirkmächtig eingeführt. Vgl. Theodor Mayer, 1972² (erste Auflage zuerst 1935); ders., 1984 (erste Auflage zuerst 1939). Siehe ferner: Ernst Schubert, 2006²: Seite 57 – 58; Reinhold Zippelius, 2010¹⁶: Seite 73 – 74; Michael Gal, 2015: Seite 250 (erneut abgedruckt in diesem Band (Kapitel III)).

[45] Vgl. zum Bürgerstaat: Victor Ehrenberg, 1965²; Peter Schneider, 1990; Uwe Walter, 1993; Jochen Bleicken, 1994³; ders., 1995⁴; ders., 2008⁸; Mogens Herman Hansen/Kurt Raaflaub, 1995; dies., 1996; Thomas Heine Nielsen, 1997; ders., 2002; ders., 2004; Karl-Wilhelm Welwei, 1998²; Pernille Flensted-Jensen, 2000; Peter J. Rhodes/Karl-Wilhelm Welwei, 2001; Mogens Herman Hansen, 2006; Ingemar König, 2009; Andreas Müller, 2015. Dazu und mit weiteren Literaturhinweisen: Michael Gal, 2015: Seite 245 – 247, 257 – 263 (erneut abgedruckt in diesem Band (Kapitel II, V)).

[46] Siehe zum Nationalstaat: Karl W. Deutsch, 1972; Charles Tilly, 1975; Theodor Schieder, 1992²; Giuseppe Orsi/Kurt Seelmann/Stefan Smid/Ulrich Steinvorth, 1994; Egon Bahr, 1998; Wolf D. Gruner/Markus Völkel, 1998; Rüdiger Voigt, 1998; Edward Mortimer,

schaft in mehrere Völker aufgespalten, sodass es keine Einheitsnation gibt. Obwohl auch hier eine relativ starke Verbundenheit zwischen den Personen und ihrem (jeweiligen) Volk herrscht, produziert dieser Konnex nicht automatisch auch ein hohes Zugehörigkeitsgefühl zum Staat, da hier das entscheidende Nationalstaatsmoment fehlt. Ganz im Gegenteil wäre dem Konzept des Vielvölkerstaates entsprechend eher eine geringe Bindungskraft oder gar eine negative, das heißt eine Abstoßwirkung, zu erwarten. Empirisch ist das allerdings nicht ausgemacht. Es kommt hier schlicht auf die Integration der ethnischen Differenz im Gesamtstaat und deren Selbstverständlichkeit und womöglich deren konstitutive Funktion in diesem Gemeinwesen an. Während in den Vielvölkerstaaten Österreich-Ungarn und Russland die völkische Vielfalt durch eine ethnisch begründete und auf Assimilation der Minderheiten ausgerichtete Leitkultur mehr oder minder stark unterdrückt wurde, gründete beispielsweise die Existenz der Schweiz geradezu auf ihrer ethnischen Diversität, ohne dass eines der umfassten Völker die anderen kulturell dominieren würde. Ethnische Diversität als allgemein *akzeptierte* Gegebenheit findet sich daher häufig in Bundesstaaten, wie etwa in Kanada und eben in der Schweiz.[47]

Der Kosmopolitalstaat ist schließlich angesichts tiefgreifend wirkender Entwicklungen in Form von Globalisierung, Internationalisierung und Integrierung durch eine soziale und politische Offenheit sowie eine gesellschaftsüberschreitende Vernetzung und Mobilität seiner (teils grenzübergreifend und kosmopolitisch ausgerichteten) Gemeinwesensmitglieder geprägt. Dadurch werden etwaige bürgerliche oder nationale Bindungen gegenüber dem eigenen Staat aufgeweicht oder ergänzt. Es bildet sich ein soziales, ethnisches und politisches Mehrebenengefüge heraus, was zu vielfältigen parallelen und vor allem übergeordneten Zusammengehörigkeiten führt. Diese multiplen Identitäten der Personen mit verschiedenen grenzübergreifenden Gruppen, mit ihrer gesamten Spezies (etwa der Art Homo Sapiens oder der Gattung Mensch), mit ihrem Volk oder mit mehreren Volksgruppen zugleich sowie mit ihrem Staat, mit mehreren Staaten zugleich oder mit übergeordne-

---

1999; Dieter Langewiesche, 2000; ders., 2004; Carsten Wieland, 2000; Hagen Schulze, 2004²; Paul Nolte, 2006; Philip G. Roeder, 2007; Arthur Benz, 2008²: Seite 31 – 33, 113 – 122; Reinhard Stauber, 2008b; Bernd Marquardt, 2009: Seite 411 – 418; Anna Gamper, 2010²: Seite 68 – 71; Reinhold Zippelius, 2010¹⁶: Seite 68.

[47] Für den Vielvölkerstaat hat Hannah Arendt zwar nicht als erste, jedoch besonders wirkmächtig zudem den Ausdruck des ‚Nationalitätenstaates' in die Forschungsdiskussion eingeführt. Dieser Wortwahl wird angesichts des weiter oben dargelegten Unterschieds zwischen einem Volk und einer Nation hier allerdings nicht gefolgt. Vgl. Hannah Arendt, 2014¹⁷: Seite 115, 483, 485, 501, 561, 587 (erste Auflage zuerst 1951). Siehe des Weiteren zum Vielvölkerstaat: Walter Hamel, 1935; Johannes Grotzky, 1991; Dieter Langewiesche, 2004: Seite 180 – 188; Bernd Marquardt, 2009: Seite 291 – 296; Anna Gamper, 2010²: Seite 70 – 73.

ten Integrationsprojekten führen zu einem mehr oder minder stark minimierten Zugehörigkeitsgefühl der Personen gegenüber ihrem Staat.[48]

(5) Darüber hinaus macht es einen Unterschied, ob es sich bei einem staatlichen Gemeinwesen um einen *Stadtstaat* oder um einen *Territorialstaat* handelt. Der Stadtstaat ist, wie seine Bezeichnung bereits ausdrückt, ein Staat, der um eine befestigte Siedlung, ein Dorf, eine Ortschaft oder eben eine Stadt als entscheidendes politisches Zentrum herum angelegt ist. Wenn eine Stadt nicht zugleich ein politisch unterstellter oder abhängiger Teil eines übergeordneten Politats ist,[49] weist diese Stadt die drei Staatseigenschaften der Autonomie, der Souveränität und der Independenz auf und ist insofern als ein ordinärer Staat zu qualifizieren. Daraus folgt, dass die sich selbst regierende und verwaltende Stadt zugleich einen sich selbst organisierenden Staat darstellt, wodurch die städtischen Ämter und Bürokratien in der Regel mit den staatlichen (zumindest weitgehend) zusammenfallen. Empirisch ist allerdings zu beachten, dass sich der Stadtstaat oftmals nicht auf die eine zentrale Stadt begrenzt, sondern darüber hinaus ein, mitunter sehr beträchtliches Umland und in besonderen Ausnahmefällen sogar ein riesiges Territorium umfassen kann. Dies war bei den altertümlichen Stadtstaaten wie Akkad, Athen, Ebla, Karthago, Korinth, Rom (bis zum Untergang des Westkaisertums im Jahr 476 und dem damit zusammenhängenden Verlust des staatskonstitutiven städtischen Zentrums), Sparta, Syrakus und Ur der Fall genauso wie bei den Stadtstaaten des Mittelalters wie Florenz, Genua und Kiew, in der Frühneuzeit bei Mainz, Neapel und Rom sowie in der Gegenwart bei Luxemburg, Monaco und Singapur.[50]

Im Gegensatz dazu gründet der Territorialstaat auf keiner speziellen Stadt als entscheidendem Zentrum. Er umfasst vielmehr eine ganze Reihe von Ortschaften und Städten, ohne dass diesen eine besondere staatskonstitutive Bedeutung zukommen würde. Demzufolge ist der Territorialstaat – zumindest im Unterschied zu den weitgehend stadtidentischen Stadtstaaten – darauf angelegt, gewissermaßen in den weiten Raum hinein zu regieren

[48] Die Form des Kosmopolitalstaates entspricht den Gegebenheiten, wie man sie besonders deutlich in vielen heutigen Gemeinwesen vorfindet. Siehe dazu: John Hoffman, 1995; Rüdiger Voigt, 1995; ders., 2000³; Stefan Breuer, 1998: Seite 283 - 300; Wolfgang Reinhard, 2002³: Seite 509 - 536; ders., 2007: Seite 110 - 124; Roland Sturm, 2007²; Bernd Marquardt, 2009: Seite 601 - 656; Anna Gamper, 2010²: Seite 56 - 57; Gunnar Folke Schuppert, 2010: Seite 76 - 87. Siehe außerdem: Michael Gal, 2015: Seite 244 (erneut abgedruckt in diesem Band (Kapitel II)). In der Literatur wird in diesem Zusammenhang auch von einem ‚offenen Staat' gesprochen. Vgl. Udo Di Fabio, 1998; Wolfgang Wessels, 2000; Ivo Appel/Georg Hermes/Christoph Schönberger, 2011.

[49] Eine Ausnahme bildet hier allein der Doppelstaat.

[50] Siehe zum Stadtstaat: Ernst Kornemann, 1908; Daniel Waley, 1969; Peter Burke, 1989; Anthony Molho/Kurt Raaflaub/Julia Emlen, 1991; Mogens Herman Hansen, 1998; ders., 2000; ders., 2002; ders., 2006; ders., 2013; Geoffrey Parker, 2004; Olaf Mörke, 2010; Konrad Hummler/Franz Jäger, 2011; Steven J. Garfinkle, 2013.

und zu verwalten. Als Exempel dafür dienen Ägypten, Brasilien, Persien und die Türkei.[51]

(6) Dieser Gliederungsvariante der Erscheinungsformen des Staates in gewisser Weise ähnlich, aber keineswegs gleich ist schließlich die Differenzierung zwischen dem *Zwergstaat* und dem *Flächenstaat*. Diese Unterteilung scheidet die Staaten allein nach ihrer territorialen Ausdehnung. Während die Zwergstaaten über ein Staatsgebiet von nur geringem Ausmaß verfügen (etwa eine Stadt, eine winzige Landschaft oder eine kleine Insel), umschließt der Flächenstaat ein relativ großes Areal. Wo genau die Grenze zwischen einem kleinen und einem großen Staatsgebiet zu ziehen ist, ist allerdings nicht absolut festzulegen und nicht zuletzt von den Raumdimensionen der jeweiligen Zeit abhängig. Die entsprechende Beurteilung liegt vielmehr im Ermessen des (wissenschaftlich) analysierenden Betrachters. Ob also El Salvador, Lesotho und Luxemburg heute jeweils als Zwergstaaten, wie ihn Malta, San Marino und der Vatikanstaat etwa deutlich darstellen, einzuschätzen sind oder ob die drei, wie Belgien, Estland und Jamaika, doch eher als, wenn auch ziemlich kleine, Flächenstaaten anzusehen sind, ist also eine Frage der individuellen Entscheidung und damit letztlich relativ.[52]

IV. Das Reich

1. Das Wesen des Reiches

Als ein zweiter Typ des Politats ist das Reich (Imperium) zu nennen. Es ist in der theoretischen Literatur schon oft behandelt worden, wenngleich es nicht

---

[51] In der Literatur wird der Territorialstaat häufig nicht als Konträrbegriff zum Stadtstaat, sondern zum Personenverbandsstaat gesetzt. Siehe zur diesbezüglichen Forschungsentwicklung: Ernst Schubert, 2006²: Seite 52 - 55. Diesem Traditionsstrang wird in dieser Arbeit angesichts der vertretenen Einteilungsvarianten des Staates jedoch nicht gefolgt. Siehe zum Territorialstaat: Hans Patze, 1986²a; ders., 1986²b; Arthur Benz, 2008²: Seite 107 - 113; Gunnar Folke Schuppert, 2010: Seite 66 - 67; Reinhold Zippelius, 2010¹⁶: Seite 73 - 74; Martin Schennach, 2011.

[52] Vgl. zum Zwergstaat: Edward Dommen/Philippe Hein, 1985. Zwergstaaten werden mitunter auch als ‚Ministaaten' oder ‚Mikrostaaten' bezeichnet. Eine zeitgenössische und eher abwertende Denomination hierfür ist jene des ‚Duodezstaates'. Gelegentlich findet sich auch der Begriff des ‚Kleinstaates', mit dem jedoch weniger ein Zwerg*staat* gemeint ist als vor allem eine Klein*macht*. Damit steht dieser Terminus vielmehr im Zusammenhang der machtbezogenen Unterscheidung von Politaten als Kleinmacht, Mittelmacht oder Großmacht. Siehe hierzu die entsprechenden Ausführungen in meiner Schrift „System - Organisation - Gouvernanz - Ordnung. Überlegungen zur Konzeption des interdisziplinären Ansatzes der Internationalen Politischen Ordnungs-Forschung" (Kapitel V.3) in diesem Band. Zum Flächenstaat siehe dagegen: Ernst Kornemann, 1908.

annähernd den hohen Reflexionsstand aufweisen kann wie der Staat.[53] Aus diesem Grund ist es (zumindest) erklärbar, wieso in den Beiträgen der diesbezüglichen Forschung häufig gar nicht klar ist, was unter einem Imperium eigentlich genau zu verstehen ist und worin gerade der Unterschied und die Abgrenzung zu den anderen Politatstypen besteht. Mitunter ist das Begriffsverständnis, das einer Arbeit zugrunde gelegt wird, derart rudimentär, dass Reich und Staat schlichtweg als im Grunde identisch angesehen werden, ja dass das Reich lediglich als ein Terminus für einen sehr frühen, besonders primitiven oder einfach relativ großen Staat diene.[54]

---

[53] Vgl. zur theoretischen Beschäftigung mit dem Reich: Michael W. Doyle, 1986; Shmuel N. Eisenstadt, 1993[2]; Stephen Howe, 2002; Jürgen Osterhammel, 2002; ders., 2006; ders., 2009[4]: besonders Seite 225 – 227; Michael Hardt/Antonio Negri, 2003[2]; Sabine Jaberg/Peter Schlotter, 2005; Herfried Münkler, 2007; ders., 2010; ders., 2011; ders., 2013; Eberhard Sandschneider, 2007; Hans-Heinrich Nolte, 2008a; Ulrich Leitner, 2011; Ulrich Menzel, 2012; ders., 2015; Michael Gehler/Robert Rollinger, 2014b; Stephan Wendehorst, 2015. Siehe des Weiteren als empirische Darstellungen zur Entwicklung des Reiches: Michael W. Doyle, 1986; Stefan Breuer, 1987; Hans Thieme, 1990; James Muldoon, 1999; Susan E. Alcock/Terence N. D'Altroy/Kathleen D. Morrison/Carla M. Sinopoli, 2001; David B. Abernethy, 2002; Hans-Christian Huf, 2005; ders., 2008; Hans-Heinrich Nolte, 2008b; ders., 2017; Guido Hausmann/Angela Rustemeyer, 2009; Adam Perłakowski/Robert Bartczak/Anton Schindling, 2009; Jane Burbank/Frederick Cooper, 2012; John Darwin, 2012; Jörn Leonhard/Ulrike von Hirschhausen, 2012[2]; Michael Gehler/Robert Rollinger, 2014a; dies., 2014b; Ulrich Menzel, 2015; Stephan Wendehorst, 2015. Als allgemeine Auseinandersetzungen mit der Entwicklung der Reichsvorstellungen: Franz Bosbach/Hermann Hiery, 1999; James Muldoon, 1999; Karl Otmar von Aretin/Werner Conze/Elisabeth Fehrenbach/Notker Hammerstein/Peter Moraw, 2004; Michael Gehler/Robert Rollinger, 2014b; Sankar Muthu, 2014.

[54] Grundsätzlich aber ist jede begriffliche oder konzeptionelle Auseinandersetzung zunächst einmal zu begrüßen. Unabhängig davon gibt es tatsächlich reflektierende Autoren, die ihre jeweiligen Vorstellungen zum hier in Frage stehenden Problem vorgetragen haben. Jürgen Osterhammel stellt den ‚Staat' und das ‚Imperium' als zwei von mehreren eigenständigen Formen von Herrschaftsverbänden einander gegenüber. Seiner Ansicht nach sei der Staat, der ausschließlich als Nationalstaat verstanden wird und der als solcher eine höhere Entwicklungsstufe darstelle, geprägt durch territoriale, ethnische und kulturell-traditionelle Homogenität mit klaren und festen Grenzen, einer besonderen Bindung an ein bestimmtes Gebiet sowie einer einheitlichen Staatsbürgerschaft aller Einwohner und damit verbunden einer durch die Nation hergestellten politischen Legitimation. Im Gegensatz dazu beruhe die historisch ältere Erscheinung des Imperiums auf territorialer, ethnischer und kulturell-traditioneller Heterogenität mit einer grundsätzlich expansiven und disponiblen Raumbindung, entsprechend variablen Grenzen vor allem in Gestalt von Pufferzonen oder militärisch stark gesicherten Grenzstreifen, einem territorialen und gesellschaftlichen Integrations- und Entwicklungsgefälle zwischen dem imperialen Zentrum und der imperialen Peripherie und einer innerimperialen Zivilisierungsmission sowie einer rechtlich abgestuften imperialen Bürgerschaft und deswegen einer auf loyalitätssichernden Verwaltungsleistungen und Klientelbeziehungen beruhenden politischen Legitimation. Vgl. Jürgen Osterhammel, 2002: Seite 376 – 392; ders., 2009[4]: besonders Seite 225 – 227; ders., 2011: Seite 565. Wolfgang Reinhard stellt in zunächst einmal ähnlicher Weise dem ‚Staat' unter anderem das ‚Reich' als eines der Subtypen von Gemeinwesen gegenüber, wobei er den Staat ausschließlich mit dem ‚modernen Staat' verbindet und Reiche in

In kritischer Distanz zu solch begrifflicher und konzeptioneller Sorglosigkeit wird das Reich hier als eine eigenständige politische Erscheinungsform von Gemeinwesen aufgefasst, welche sich von den anderen Politatstypen in zentralen Segmenten unterscheidet. Mit einem Reich[55] ist eine Gruppe von

---

,kleine Reiche' einerseits und ,große Reiche' oder ,Weltreiche' andererseits, welche erst in dieser Größe auch als ,Imperien' bezeichnet werden könnten, einteilt. Der signifikante Unterschied zwischen dem Staat und dem Reich sei Reinhard zufolge, dass der Staat ein territorial und populational homogenes Gemeinwesen darstelle, während das Reich als ein zusammengesetztes Gemeinwesen aus mehreren unterschiedlichen Ländern und Völkern bestehe. Aus dieser Vorstellung würde allerdings folgen, dass jede Föderation, jede Realunion und jeder Doppelstaat notwendig als ein Reich zu qualifizieren wäre und dass multiethnische Gemeinwesen ausschließlich als (Vielvölker)*Reiche* und nicht auch als (Vielvölker)*Staaten* vorkämen oder denkbar wären. Vgl. Wolfgang Reinhard, 2007: Seite 14 – 15; ders., 2014: Seite 18 – 22. Etwas anders fasst Walter Demel den Unterschied zwischen einem ,Staat' und einem ,Reich', wobei er zunächst einmal neben den ,modernen Staaten' auch ,vormoderne Staaten' oder ,frühmoderne Staaten' kennt und die von Reinhard gemeinten Weltreiche als ,Großreiche' bezeichnet. Der distinktive Kern im Vergleich von Staat und Reich liege nun nicht in der Zusammensetzung von Territorium und Population, sondern vor allem im tragenden herrschaftlichen Fundament – beim Staat: im bürokratischen Apparat und den militärischen Truppen, beim Reich: in den persönlichen Loyalitätsbeziehungen zwischen der Reichsregierung und der Reichselite. Vgl. Walter Demel, 2010: Seite 162 – 173. Auch Herfried Münkler stellt ,Staat' und ,Imperium' einander gegenüber, wobei er die Imperien in regionale ,Großreiche' und globale ,Weltreiche' untergliedert. Den Unterschied zwischen dem Staat und dem Imperium sieht Münkler wiederum darin begründet, dass die von Staaten geschaffenen räumlichen Grenzen und politischen Institutionen von einem Imperium überlagert werden, wobei die vom Imperium umfassten Länder einem Machtgefälle vom imperialen Zentrum zur imperialen Peripherie unterlägen und dadurch in asymmetrischen Beziehungen zueinander stünden. Vgl. Herfried Münkler, 2005: besonders Seite 46 – 48; ders., 2010: Seite 2 – 3, 8; ders., 2011: Seite 99; ders., 2013: Seite 8 – 9, 15 – 18, 22 – 29, 41 – 50. Eine andere Vorstellung vertritt dagegen Hans-Heinrich Nolte, der das ,Imperium' als einen bestimmten Subtyp des ,Staates' ansieht und der es unter anderem dem ,modernen Staat' respektive der ,Nation' (gemeint ist offenbar der Nationalstaat) gegenüberstellt. Charakteristisch für das Wesen des Imperiums sei, dass es als solches ein altes und großes Gemeinwesen sei, welches aus vielen, zwar zentral verwalteten, aber nur in relativ schwachem Maße politisch integrierten Territorien und Völkern bestehe und zudem einer Staatsreligion bedürfe. Der moderne (National)Staat sei als ein im Vergleich recht junges Phänomen demgegenüber territorial begrenzt und abgeschlossen, ethnisch homogen, eher dezentral und pluralistisch verwaltet und von einer engen politischen Einbindung seiner Bevölkerung geprägt. Vgl. Hans-Heinrich Nolte, 2005: Seite 20 – 22, 141 – 155; ders., 2008a. Gleichermaßen sehen Jane Burbank und Frederick Cooper das ,Imperium' – wie auch den ,Nationalstaat' – als einen Subtypen des ,Staates' an. Im Gegensatz zum völkisch homogenen Nationalstaat sei das Spezifikum des Imperiums respektive des ,Imperialstaates' die ethnische Diversität und eine damit einhergehende rechtliche Ungleichheit innerhalb der imperialen Bevölkerung. Vgl. Jane Burbank/Frederick Cooper, 2012: Seite 24 – 28.

55 Das Begriffswort ,Reich' geht zurück auf das althochdeutsche rīhhi beziehungsweise das mittelhochdeutsche rîch(e), was beides ursprünglich Reichtum, Macht, Gewalt, Herrschaft, Reich, Land, Welt und Herrscher, dann von vornehmer oder königlicher Abstammung und schließlich wortwörtlich auch Königreich bedeutete. Mit dem deutschen Ausdruck ,Reich' vollständig identisch ist das romanische Fremdwort ,Imperium' (in Englisch: *empire*; in Französisch: *empire*; in Italienisch: *impero*). Dieses stammt

Personen (Gesellschaft, Population oder Reichsvolk) gemeint, die innerhalb eines abgegrenzten Raumes (Land, Territorium oder Reichsgebiet) ausgehend von einem zentralen Gemeinwesen (Reichskern oder imperiales Zentrum) sowohl für dieses Gemeinwesen als auch für einzelne oder mehrere andere umfasste Gemeinwesen oder Gebiete (Reichsrand oder imperiale Peripherie) durch eigene Einrichtungen zur Herstellung und Durchsetzung allgemein geltender Vorgaben und Regeln (Reichsgewalt) das gegenseitige Zusammenleben selbst organisiert (Reichszweck).

Aus dieser Begriffsbestimmung geht hervor, dass ein Reich in seinem Kern stets aus einem Staat als ‚zentralem Gemeinwesen', das heißt einem *imperialen Staat*, besteht. Außerdem wird es durch verschiedene Grundelemente konstituiert, die auch in einem Staat zumindest in äquivalenter Form vorhanden sind (Reichsvolk statt Staatsvolk, Reichsgebiet statt Staatsgebiet, Reichsgewalt statt Staatsgewalt und Reichszweck statt Staatszweck). Dabei zielt der Reichszweck beim Reich, genauso wie der Staatszweck beim Staat, jedoch nicht auf spezielle normativ-optimistische Vorstellungen oder gar auf zeitgenössische Rechtfertigungsprogramme im Sinne einer sogenannten ‚imperialen Mission'.[56] Mit dem Reichszweck soll vielmehr in allgemeiner Weise beschrieben werden, welche unabdingbare Funktion die Gemeinwesensform des Reiches letztlich erfüllt.

Darüber hinaus ist ein Reich jedoch mehr als ein Staat und weist deshalb einige konstitutive Elemente auf, die in einem Staat nicht zu finden sind. So wird ein Imperium entscheidend dadurch bestimmt, dass es ein effektives politisches Gefälle zwischen dem imperialen Staat einerseits, welcher den Kern des Reiches bildet, und den weiteren umfassten Gemeinwesen oder Gebieten andererseits, welche klar vom zentralen imperialen Staat getrennt sind, gibt. Dieser Sachverhalt findet seinen Ausdruck unter anderem darin, dass die Einwohner der imperialen Peripherie nicht oder nur eingeschränkt über die bürgerrechtlichen Rechte und Pflichten derjenigen Personen verfügen, die dem imperialen Zentrum angehören, und diesen somit rechtlich nicht gleichgestellt sind.

Im Gegensatz zum ‚zentralen Gemeinwesen' kann ein davon separiertes Gemeinwesen eines Reiches seinerseits selbst *kein* Staat sein, da Staaten, wie oben dargestellt, die notwendige Eigenschaft der Unabhängigkeit bezie-

---

wiederum vom altlateinischen *imperium* ab, was mit Befehlsgewalt, Herrschaft, Beherrschung, Herrschaftsbereich oder Reich übersetzt werden kann. In begrifflicher Hinsicht ist hier allerdings zu beachten, dass das Lexem ‚Reich' sehr stark zeitgenössisch und alltagssprachlich geprägt ist und selbst in der Wissenschaft vielfach unreflektiert Verwendung findet. Beispielsweise werden ganze Völker als Reiche gekennzeichnet, wie das Hunnenreich und das Mayareich, und ebenso auch Staaten pauschal als Reiche qualifiziert, wie das Persische Reich im 5. und 4. vorchristlichen Jahrhundert und das Türkische Reich. Darüber hinaus hat sich aber auch in einigen Länderbezeichnungen dieser Ausdruck erhalten, wie in ‚Frank*reich*' oder in ‚Öster*reich*'.

56 Vgl. Jürgen Osterhammel, 2002: Seite 383; Herfried Münkler, 2013: Seite 8, 132 – 150.

hungsweise Independenz erfüllen müssen. Es handelt sich daher vielmehr um *in Abhängigkeit befindliche Gemeinwesen*, welche unten als dritter Politatstyp noch vorgestellt werden. Neben solchen abhängigen Gemeinwesen kann ein Reich ebenso Gebiete umfassen, die selbst keine (eigenständigen und selbstständigen) Gemeinwesen bilden. Solche nichtgemeinwesentlichen, aber unter der Herrschaft eines davon abgegrenzten Politats stehende Gebiete nennt man *‚Kolonien'*.[57] Dementsprechend ist ein Imperium, in dessen Herrschaftsbereich einzelne oder mehrere Kolonien eingeschlossen sind, ein ‚Kolonialreich'. Insgesamt lässt sich damit festhalten, dass jedes Imperium sowohl aus einem imperialen (Kern)Staat besteht, der das imperiale Zentrum bildet, als auch aus einer davon separierten imperialen Peripherie in Gestalt von einzelnen oder mehreren abhängigen Gemeinwesen oder Kolonien.

Ein Reich ist demzufolge ein Politat, das mehrere Gemeinwesen oder Gebiete - jedoch mit der zentralen Stellung *eines* Gemeinwesens - umfasst. Damit ist das Reich - neben der Ausnahme des Doppelstaates - die einzige Gemeinwesensform, die selbst als Doppelpolitat in Erscheinung treten kann - und zwar dann, wenn es sich nicht ausschließlich um ein Kolonialreich handelt. Im doppelpolitarischen Fall besteht das Reich sowohl aus einem Gesamtgemeinwesen (eben jenem Reich) als auch aus mehreren untergeordneten Politaten in Gestalt des imperialen Staates sowie dem oder den separierten abhängigen Gemeinwesen.

Die innere politische Ausgestaltung von Reichen kann von Fall zu Fall durchaus stark variieren. Ein Imperium kann - genauso wie ein Staat - unter anderem monarchisch oder republikanisch, autokratisch, oligarchisch oder demokratisch, autoritär, konstitutionell oder parlamentarisch verfasst sein. Es gibt in dieser Hinsicht schlichtweg keine konzeptionelle Voreinstellung.[58] Allenfalls in einer *klassischen* Sicht ist daher die Vorstellung zutreffend, dass ein Reich stets monarchisch ausgestaltet sei und dass die umfassten Gemeinwesen somit eine Vielzahl untergeordneter Königreiche darstellen würden, sodass es sich beim Regenten des Imperiums in jedem Fall um einen ‚König der Könige', einen ‚Oberkönig', einen ‚Großkönig' oder eben einen ‚Kaiser' (‚Imperator') handelt.

---

57 Gemeint sind hier ausschließlich politische Kolonien und nicht auch solche, die keinen politarisch-herrschaftlichen Bezug aufweisen, wie etwa reine Siedlungskolonien oder Handelsstützpunktkolonien. Im Übrigen sind politische Kolonien, die jedoch an kein anderes Politat, das heißt in diesem Fall an ein Reich, angeschlossen sind, als solche überhaupt nicht denkbar, da es sich bei ihnen schließlich um keine eigenständigen und selbstständigen Gemeinwesen handelt. Politische Kolonien können ihrem Wesen nach nur als Teil eines übergeordneten Politats bestehen und dieses Politat ist immer ein Reich. Vgl. Moses I. Finley, 1976; Karl Doehring, 2004[3]: Seite 67; Ulrich Leitner, 2011: Seite 59; Jürgen Osterhammel/Jan C. Jansen, 2012[7]: Seite 15 - 18; Michael Rafii, 2014: Seite 422.

58 Anders dagegen: Hans-Heinrich Nolte, 2005: Seite 21; ders., 2008a: Seite 14.

Wegen der speziellen Gestalt des Imperiums ist dieses durch die folgenden drei notwendigen Eigenschaften geprägt: (1) Wie ein Staat stellt ein Reich eine *eigenständige* beziehungsweise *autonome* politische Einheit dar und (2) ist gleichzeitig als Kollektivakteur zu *selbstständigem* respektive *souveränem* Handeln fähig. Zumindest in den rein rechtlichen Beziehungen nach *außen* wird diese Souveränität allerdings nur in den seltensten Fällen ausgeschöpft, sodass es weniger das Reich selbst ist, dass völkerrechtliche Akte vollzieht, als vielmehr der für ihn sprechende imperiale (Kern)Staat. Gleichwohl besitzen diese Akte – aufgrund der internen Organisation des Imperiums – oftmals schon in unmittelbarer Weise eine entsprechende Geltungswirkung für das ganze imperiale Gemeinwesen. (3) Ein Reich ist insofern ebenfalls gekennzeichnet durch die Eigenschaft der *Imperialität*. Damit wird das besondere Wesen dieses Politats ausgedrückt, das in der Beherrschung separierter Gemeinwesen und Gebiete durch den imperialen Staat besteht.[59]

2. Die Erscheinungsformen des Reiches

Eine Differenzierung von Kleinreichen, Großreichen, Weltreichen und so weiter ist eine Möglichkeit, Reiche einzuteilen. Dieser Klassifizierungsvariante liegt das Kriterium der Größe der Politate, das heißt vor allem ihre räumliche Ausdehnung, zugrunde. Allerdings ist mit diesen Subtypen noch gar nichts über die allgemeine politische Ausgestaltung des Imperiums ausgesagt. Kleinreiche und Weltreiche können von der Sache her durchaus organisatorisch identisch oder zumindest ähnlich angelegt sein, was den *konzeptionellen* Wert dieser Einteilungsmöglichkeit für das hier verfolgte Anliegen stark minimiert. Die bisherige Forschung hat jedoch noch eine andere Distinktionsvariante für das Imperium erarbeitet, durch die dieses Gemeinwesen im Hinblick auf seine gesamtorganisatorische Gestalt gegliedert werden kann: Sie unterscheidet zwischen einem Formellen Reich (oder Formellen Imperium; in Englisch: *formal empire*) einerseits und einem Informellen Reich (oder Informellen Imperium; englisch: *informal empire*) andererseits.[60]

---

[59] Es ist im Übrigen – im Gegensatz zum Staat – keine notwendige Eigenschaft eines Reiches, auch unabhängig beziehungsweise independent zu sein. Ein Imperium muss nicht unbedingt selbst frei von der Herrschaft anderer Politate sein, um ein veritables Reich darzustellen.

[60] Der Begriff des ‚Informellen Reiches' wurde ursprünglich von Charles R. Fay geprägt. Vgl. Charles R. Fay, 1975: Seite 22 – 23, 39 – 42 (zuerst 1934). Für die Etablierung dieses Terminus – genauso wie jenes des ‚Formellen Reiches' – sorgten später John Gallagher und Ronald Robinson. Vgl. John Gallagher/Ronald Robinson, 1953/1954. Siehe dazu: W. Roger Louis, 1976. Vgl. zu den beiden Konzepten ferner: Michael W. Doyle, 1986: Seite 30 – 35; Ulrich Leitner, 2011: Seite 54 – 62. In ähnlicher Weise unterscheiden Jürgen Osterhammel und Jan C. Jansen als „Grade der Interessensicherung" zwi-

(1) Bei einem *Formellen Reich* handelt es sich um ein solches Gemeinwesen, bei dem die spezifisch imperiale Organisationsform rechtlich fixiert ist. Das bedeutet, dass dem imperialen Herrschaftsverband entsprechende innerpolitarische oder auch völkerrechtliche Verträge, nationale Gesetze, Verordnungen, Erlasse und Ähnliches, genauso aber auch bloß mündlich festgelegte Rechtsregeln oder reine Rechtshandlungen zugrunde liegen, durch welche das Reich verfassungsmäßig konstituiert wird. Wegen dieser formellen Basis verfügt das Imperium über eine starke Legitimationsgrundlage, deretwegen es seine Existenz bei jeder sich bietenden Gelegenheit einfordern und sowohl nach innen als auch nach außen mit symbolischen Mitteln bekräftigen kann. Das Formelle Reich hat in der Regel keinen Grund, die imperiale Anlage seines Gemeinwesens zu verhüllen und sich in seiner Präsentationsweise im Wesentlichen auf seinen imperialen (Kern)Staat zurückzuziehen.

Konkret handelt es sich bei jedem *Kolonialreich*, das auch tatsächlich auf einer imperialen Eingliederung veritabler ‚Kolonien' fußt, um ein Formelles Reich. Dies war zum Beispiel in der Neuzeit beim Britischen Kolonialreich, beim Französischen Kolonialreich und beim Spanischen Kolonialreich der Fall.

Eine andere Form des Formellen Reiches entsteht dann, wenn mehrere verschiedene Gemeinwesen in einem Herrschaftsverband organisiert sind, dabei jedoch (und damit anders als beim Doppelstaat) ein hierarchisches Gefälle zwischen einem politischen Kernstaat und den anderen umfassten Randpolitaten besteht. Einen solchen multinational-gesamtnationalen Herrschaftskomplex bestehend aus zentralem imperialen Staat und separierten *abhängigen Gemeinwesen* bildete das Türkische Reich im 16. und 17. Jahrhundert, zu welchem die (zunächst einmal eigenständigen und selbstständigen) Gemeinwesen Moldawien, Siebenbürgen und die Walachei gehörten, und das Japanische Reich zwischen 1932 und 1945 mit Blick auf die Mandschurei.

(2) Ein *Informelles Reich* besitzt demgegenüber (zumindest zunächst einmal) kein juridisches Fundament, sondern gründet auf nicht-rechtlich angelegten und damit lediglich faktischen, aber dennoch ohne Weiteres politisch wirksamen Herrschaftsbeziehungen zwischen dem imperialen Zentrum und der imperialen Peripherie. Dabei können die faktisch bestehenden Herrschaftsbeziehungen jedoch durchaus in indirekter Weise auf rechtliche Regelungen zurückgehen, etwa dann, wenn sie aus vereinbarten Privilegien hervorgehen, welche gegebenenfalls in sogenannten ‚ungleichen Verträgen'

---

schen (1) ‚kolonialer Herrschaft' oder ‚formellem Imperium', (2) ‚quasi-kolonialer Kontrolle' oder ‚informellem Imperium' und (3) ‚nichtkolonialem bestimmendem Einfluss'. Vgl. Jürgen Osterhammel/Jan C. Jansen, 2012[7]: Seite 22 – 26 (Zitat: Seite 24). Ähnlich in: Jürgen Osterhammel, 2002: Seite 391 – 392; ders., 2009[4]: Seite 224.

festgelegt worden sind. Über eine direkte rechtliche Begründung verfügt ein Informelles Reich jedoch nicht (ansonsten wäre es ein Formelles Imperium).

Wegen dieser lediglich *informellen* Basis ist diese Form des Reiches nicht so einfach als ein eigenständiges *Gemeinwesen* zu identifizieren. Darüber hinaus ist die Politik des Informellen Imperiums wegen dem fehlenden rechtlichen Rahmen und damit verbunden dem potenziell stets vorhandenen Argwohn der peripheren Länder gegenüber der Fremdherrschaft des imperialen Staates in der Regel derart ausgerichtet, dass die Existenz des Reiches in öffentlichen Akten oder Dokumenten nicht besonders hervorgehoben, ja geradezu verschleiert und verschwiegen wird. Das Informelle Reich wird daher fast immer allein durch seinen imperialen Kernstaat vertreten beziehungsweise agiert im Wesentlichen durch seinen imperialen Kernstaat, während die untergeordneten Ränder gleichsam als organisatorisches Anhängsel dieser Politik passiv oder bloß reagierend folgen.

Neben der zeitgenössischen wie wissenschaftlichen Wahrnehmbarkeit und Fassbarkeit ist das Informelle Reich noch durch ein weiteres Problem gekennzeichnet. Wegen seiner ausschließlich informellen und faktischen Organisationsgrundlage, welche dadurch eben in keinem (oder zumindest kaum einem) Rechtsdokument (direkt) abgebildet und damit auch nicht formell einklagbar, erzwingbar und bei Abweichung sanktionierbar ist, herrscht in einem Informellen Reich eine konstitutionell angelegte permanente Instabilität. Das Gemeinwesen läuft ständig Gefahr, dass seine informellen Herrschaftsstrukturen irgendwann nicht mehr greifen, einseitig von der Peripherie aufgekündigt werden (und zwar gerade in Momenten der Schwäche des imperialen Staates oder wenn dieser durch andere Probleme abgelenkt ist) oder durch anders ausgerichtete rechtliche Grundlagen überlagert werden.

Dem Informellen Reich ähnlich erscheint mit Blick speziell auf die internationale Politik das Phänomen der Hegemonie. Dennoch unterscheiden sich beide Ordnungsformen in wesentlichen Punkten. Das Informelle Imperium ist und bleibt trotz seines informellen Charakters ein dauerhaft institutionalisierter gesellschaftlicher *Herrschafts*verband, in welchem von der politischen Schaltzentrale des Reiches ausgehend das gesamte Gemeinwesen grundsätzlich regiert und kontrolliert wird. Eine Hegemonie gründet dagegen nicht auf äquivalenten (dauerhaft) institutionalisierten Beziehungsformen zwischen dem hegemonialen Politat und den anderen Gemeinwesen. Der Hegemon stützt sich vielmehr auf seine erhebliche *Macht*fülle, die er, wenn auch mitunter recht häufig, aber letztlich immer nur *fallweise* für eine bestimmte politische Einflussnahme und zudem bei oftmals wechselnden Adressaten einsetzen kann. Das Informelle Reich ist als institutionalisierte Herrschaftsordnung prinzipiell ständig wirksam, wohingegen die Hegemonie als nicht-institutionalisierte Machtstruktur (obwohl als solche zwar ebenfalls dauerhaft bestehend, aber nicht fortwährend wirksam) immer nur situativ und bei Bedarf genutzt wird. Trotz dieser relativ klaren konzeptionellen Abgrenzbarkeit sind die Übergänge zwischen den beiden Beziehungsformen in der historischen Realität mitunter fließend; gelegentlich überschneiden sie sich auch.

Als Fallbeispiele für ein Informelles Reich sind die imperialen Beziehungen Spartas gegenüber Athen in der Zeit um 500 v. Chr., Deutschlands gegenüber Südfrankreich während des Vichy-Regimes sowie der Schweiz gegenüber Liechtenstein in der Gegenwart zu nennen.

V. Das Dependant

1. Das Wesen des Dependants

Neben dem Staat und dem Reich gibt es noch eine dritte Ausprägungsform von Politaten: das in Abhängigkeit befindliche Gemeinwesen, welches hier auf den Begriff des ‚Dependants' gebracht wird.[61] Diesem Politatstypen *als Gesamtphänomen* hat die Forschung bislang noch gar keine Aufmerksamkeit geschenkt. Lediglich mit ihren Unterarten hat man sich in einem gewissen Maße befasst. Dies erstaunt umso mehr, wenn man die große Zahl derjenigen Gemeinwesen in der Geschichte bedenkt, die aufgrund ihrer Abhängigkeit von anderen Politaten nicht als (veritable) Staaten anzusehen sind und nicht zugleich ein Reich begründet haben.

Zur genaueren Charakterisierung soll unter einem Dependant eine Gruppe von Personen (Gesellschaft, Population oder Dependantsvolk) verstanden werden, die innerhalb eines abgegrenzten Raumes (Land, Territorium oder Dependantsgebiet) in Unterordnung unter ein übergreifendes Gemeinwesen (Referenzpolitat), aber dennoch durch eigene Einrichtungen zur Herstellung und Durchsetzung allgemein geltender Vorgaben und Regeln (Dependantsgewalt) das gegenseitige Zusammenleben selbst organisiert (Dependantszweck).

Daraus ergibt sich, dass das Dependant konstitutiv aus der Entität eines ‚übergreifenden Gemeinwesens', das heißt in diesem Fall eines *dependenzbegründenden Reiches*, heraus geschaffen wird. Es ist grundsätzlich vom Willen, von den Entscheidungen und vom Verhalten dieses Imperiums abhängig, wodurch dieses zugleich zum grundsätzlich existenziellen wie zum speziell politischen ‚Referenzpolitat' des Dependants wird. Damit stellt das abhängige Gemeinwesen das dependente Gegenstück zu einem imperialen Aus-

[61] Die Bezeichnung ‚Dependant' (in Englisch: *dependency*) ist eine Ableitung des Wortes ‚Dependenz', welches Abhängigkeit bedeutet, und meint in dieser sprachlichen Gestalt eine von etwas abhängige Einheit sowie im hier behandelten Zusammenhang die politische Organisationsform eines Gemeinwesens, das in Abhängigkeit zu einem anderen Politat besteht.

gangsgemeinwesen dar. Ein Dependant ist demzufolge ohne ein zugehöriges Reich nicht denkbar und tritt zudem ausschließlich als eine Subeinheit in einem Doppelpolitat in Erscheinung.

Das Dependant kennzeichnet damit drei notwendige Eigenschaften: (1) Es ist, genauso wie der Staat und das Reich, grundsätzlich eine *eigenständige* respektive *autonome* politische Einheit. (2) Es ist außerdem zu *selbstständigem* beziehungsweise *souveränem* Handeln fähig und stellt insofern einen vollwertigen Kollektivakteur dar. (3) Schließlich ist dieser Politatstyp geprägt durch die Eigenschaft der *Abhängigkeit* oder *Dependenz*,[62] durch welche sein spezifisches Wesen innerhalb der Hierarchie eines Doppelpolitats, das heißt die Unterordnung und Abhängigkeit von einem anderen, übergreifenden Gemeinwesen, begründet wird.

2. Die Erscheinungsformen des Dependants

Wegen der konzeptionellen Gebundenheit an den Politatstypen des Reiches ist das Dependant zunächst einmal in äquivalenter Weise zu gliedern, nämlich in das Formelle Dependant auf der einen Seite und das Informelle Dependant auf der anderen Seite. Unabhängig davon haben die Wissenschaft und die praktische Politik noch weitere Subtypen entwickelt, die sich aber jeweils einem dieser beiden Unterarten zuordnen lassen.

(1) Dem *Formellen Dependant* sind das *Protektorat*, der *Vasallenstaat* und das *Dominion* zuzuordnen. Die in rein formeller Hinsicht prinzipiell größte Abhängigkeit besteht bei einem Protektorat. Dieses autonome Gemeinwesen verfügt zwar über eigene politische Einrichtungen. Jedoch werden sowohl seine gesamte Innenpolitik als auch seine gesamte Außenpolitik von einem imperialen Referenzpolitat, dem sogenannten ‚Protektor' oder ‚Schutzherrn', treuhänderisch beziehungsweise vormundschaftlich übernommen. Das Protektorat ist somit letztlich komplett an den Willen des Reiches gebunden und kann Politik nur in der Weise betreiben, wie sie vom Imperium gebilligt oder vorgegeben wird. Ein solches Protektorat bildete etwa die Mandschurei, der sogenannte ‚Staat Mandschukuo', mit Blick auf Japan zwischen 1932 und 1945 und die als ‚Protektorat Böhmen und Mähren' bezeichnete Tschechei im Verhältnis zu Deutschland von 1939 bis 1945.[63]

In einer Sonderform kann das Protektorat als ein Kondominium in Erscheinung treten, bei dem eine Abhängigkeit nicht nur gegenüber einem

---

62 Der Ausdruck ‚Dependenz' geht zurück auf das altlateinische *dependere*, was übersetzt hängen oder abhängen bedeutet.

63 Vgl. zum Protektorat: Karl Doehring, 2004³: Seite 67; James Crawford, 2006²: Seite 286 - 320, 565 - 601; Karl-Heinz Ziegler, 2007²: Seite 175 - 176; Michael Rafii, 2014: Seite 420 - 421; Norbert B. Wagner, 2015: Seite 540 - 542; Burkhard Schöbener/Matthias Knauff, 2016³: Seite 281 - 282; Wolfgang Manfred Egner, 2018.

einzigen, sondern gegenüber mehreren Reichen (sogenannten ‚Koimperien') besteht. In diesem Fall wird das Protektorat zu einem Bestandteil von zugleich mehreren verschiedenen (Doppel)Politaten. Dies trifft zum Beispiel auf Deutschland zwischen dem Ende des Zweiten Weltkrieges 1945 und den Staatsgründungen in West- und Ostdeutschland 1949 im Verhältnis zu den vier Besatzungsmächten Amerika, Britannien, Frankreich und Russland zu. Allerdings beschränkt sich der Begriff des Kondominiums nicht allein auf (eigenständige und selbstständige) Gemeinwesen, sondern kann sich auch auf Gebiete ohne Autonomie und Souveränität, das heißt auf Kolonien oder auf ein einfaches, aber eben verschiedenseitig verwaltetes Staatsgebiet, beziehen, wie etwa dem von 1906 bis 1980 bestehenden sogenannten ‚Kondominium Neue Hebriden', das von Britannien und Frankreich gemeinsam regiert und verwaltet wurde.[64]

Beim Vasallenstaat handelt es sich um ein autonomes Gemeinwesen, dass jedoch in seiner inneren wie auswärtigen Handlungsfähigkeit formell eingeschränkt ist. Im Gegensatz zum Protektorat wird hier nicht grundsätzlich die gesamte Innen- und Außenpolitik vom imperialen Referenzpolitat bestimmt, sondern nur Teile davon. Das übergreifende Reich, der sogenannte ‚Oberherr', lässt das abhängige Politat, den sogenannten ‚Vasallen', weitgehend seine eigene Politik betreiben, gibt dafür allerdings einen mehr oder minder klaren und strikten Rahmen vor. In bestimmten Ausnahmesituationen, wie etwa einem Krieg, besitzt das Imperium zumeist so viel Einfluss auf den Vasallenstaat, dass es diesen seinem Willen gemäß lenken und etwa als Kriegspartner einsetzen kann. Als Exempel hierfür dienen im 16. und 17. Jahrhundert Moldawien, Siebenbürgen und die Walachei in deren jeweiliger Beziehung zur Türkei sowie Kuba im Hinblick auf Amerika zwischen 1902 und 1934.[65]

Etwas anders gelagert sind die Verhältnisse in einem Dominion. Dieses abhängige Politat ist autonom und gestaltet seine Innenpolitik grundsätzlich selbst. Jedoch ist es aus ganz unterschiedlichen Gründen an den imperialen Staat des übergreifenden Reiches gebunden, zu dessen formalem Hoheitsgebiet es mitunter sogar gehört. Obwohl sich das Imperium aus den inneren Angelegenheiten des Dominions heraushält, übernimmt es weitgehend oder gänzlich dessen auswärtige Vertretung. Die Gestaltung der Außenpolitik des Dominions liegt somit in den Händen des übergeordneten Politats, weshalb die Dominien mit Blick auf die internationale Politik allenfalls sehr selten und rudimentär in Erscheinung treten und dadurch von den Wissenschaftlern häufig leicht übergangen werden. Diese Art des Dependants bildeten

[64] Siehe zum Spezialfall des Kondominiums: Michael Rafii, 2014: Seite 421; Norbert B. Wagner, 2015: Seite 716 – 742.

[65] Zum Vasallenstaat siehe: James Crawford, 2006²: Seite 321 – 323; Karl-Heinz Ziegler, 2007²: Seite 175 – 176.

beispielsweise Australien, Kanada, Südafrika und die anderen Dominien des Britischen Reiches im 19. und 20. Jahrhundert sowie Grönland gegenüber Dänemark seit 1979.[66]

Für alle drei genannten Unterarten des Formellen Dependants lässt sich festhalten, dass bei ihnen als spezifisch *formelle* Art eines dependenten Gemeinwesens die Abhängigkeiten in der Regel gut fundiert und gefestigt sind. Wegen dieser rechtlich angelegten Legitimationsbasis besteht hier häufig weder beim Dependant selbst noch beim übergreifenden Reich und dessen imperialem Kernstaat die Tendenz, die entsprechenden Abhängigkeitsbeziehungen zu verschleiern. Ganz im Gegenteil wird der Status als abhängiges Gemeinwesen – wenigstens vom imperialen Referenzpolitat – eher hervorgehoben, bei möglichst jeder Gelegenheit symbolisch präsentiert und als eine positive und vorteilhafte Gegebenheit erklärt.

(2) Zu den Erscheinungsformen des *Informellen Dependants* gehören zum einen der *Satellitenstaat* und zum anderen der *Klientelstaat*. Beim Satellitenstaat, der auch ‚Trabantenstaat' oder ‚Marionettenstaat' genannt wird, handelt es sich um ein solches grundsätzlich autonomes und souveränes Gemeinwesen, das insbesondere aufgrund von militärischem oder wirtschaftlichem Druck zur dauerhaften politischen Folgeleistung durch ein imperiales Referenzpolitat gezwungen wird. Die Abhängigkeitsbeziehung besteht hier unfreiwillig und wird deshalb – entsprechend des Grades der Einflussnahme – gerade von Seiten des Dependants als ungewollte Fremdbestimmung, als Joch und als Last empfunden. Die ohnehin vorherrschende permanente Instabilität, die aus der *Informellität* der politischen Organisierung des umfassenden Gemeinwesens resultiert, wird somit noch durch den Umstand der *Unfreiwilligkeit* der Unterordnung gesteigert, weshalb der Satellitenstaat für das übergreifende Reich nur sehr schwer und mit großem Aufwand friedlich und unter Kontrolle zu halten ist. Als ein solcher Satellitenstaat können die griechischen Stadtstaaten gegenüber Makedonien in den Jahren zwischen der Schlacht von Chaironeia 338 v. Chr. und dem Beginn des Zweiten Griechisch-Persischen Krieges im Jahr 336 v. Chr. angesehen werden und ebenso Polen-Litauen im Verhältnis zu Russland im 18. Jahrhundert.[67]

Im Vergleich zum Satellitenstaat häufig etwas lockerer sind die Abhängigkeitsbeziehungen zwischen dem untergeordneten Dependant und dem übergreifenden Reich bei einem Klientelstaat. Idealerweise entsteht der Klientelstaat durch eine freiwillige Übereinkunft von zwei ungleich mächtigen Politaten, der nach ein hierarchisch angelegtes politisches Zusammengehen von beiden als vorteilhaft angesehen wird. Der weniger mächtige Klientelstaat verpflichtet sich als Klient oder Protegé dauerhaft zur politi-

---

66 Vgl. zum Dominion: Karl Doehring, 2004^3: Seite 68; James Crawford, 2006^2: Seite 358 – 366.

67 Siehe zum Satellitenstaat: Ion Gheorghe, 1952; Margit Balogh, 1999.

schen Gefolgschaft und leistet dem imperialen Referenzpolitat etwa Treue, Gehorsam, gewisse Dienste, Unterstützung in bestimmten Situationen oder Tribut. Im Gegenzug erhält er vom mächtigeren übergreifenden Reich, dem sogenannten ‚Patron' oder ‚Schirmherrn', vor allem Schutz, Anerkennung, gewisse Begünstigungen, Unterstützung in bestimmten Situationen oder Unterhalt (als eher feste Alimentation oder eher lockere Apanage). In der gewollt und freiwillig zustande gekommenen Klientelbeziehung befördern sich also beide Parteien gerade wegen ihrer unterschiedlichen Stellung und Machtfülle gegenseitig, wovon auch beide Seiten profitieren. Aus diesem Grund bilden Klientelstaaten wesentlich stabilere Politate als Satellitenstaaten. Nichtsdestoweniger aber ist das übergreifende Reich stets der Notwendigkeit ausgesetzt, seine eingegangenen Verpflichtungen zu erfüllen, um das lediglich in nicht-rechtlicher Weise integrierte Dependant nicht sukzessive oder spontan zu verlieren. Als heutige Beispiele hierfür dienen zeitweise Britannien in seiner ‚besonderen Beziehung' (der in Englisch sogenannten ‚*special relationship*') zu Amerika seit dem Zweiten Weltkrieg sowie Monaco mit Blick auf Frankreich seit 2002.[68]

VI. Schlussbetrachtung

Der Gegenstand der hier entwickelten Theorie der Politate sind die vielfältigen politischen Organisationsformen, in denen (eigenständige und selbstständige) Gemeinwesen innerhalb der gesamten historischen Wirklichkeit auftreten können und aufgetreten sind. Ausgehend von einer ausführlichen begrifflichen wie auch konzeptionellen Reflexion wurde eine Vielzahl von Politatsarten zusammengetragen, definiert und in einen klassifikatorischen Zusammenhang gestellt. Dabei hat sich – die bisherigen Forschungsdiskussionen aufnehmend – gezeigt, dass der Staat – nun auch eingehend theoretisch begründet – keineswegs die einzige Möglichkeit eines gesellschaftlichen Herrschaftsverbandes darstellt, sondern dass es neben ihm noch weitere gesamtnationale Gestaltungsalternativen gibt. Dem Politat als allgemeinster Form eines politisch organisierten Gemeinwesens ist somit nicht nur der Staat untergeordnet, sondern ebenso das Reich und das Dependant. Alle drei Phänomene lassen sich zudem wiederum in verschiedene weitere Subtypen untergliedern, durch welche ein noch klareres Bild davon entsteht, welche konkreten Erscheinungsformen die Politate im Einzelnen annehmen können.[69]

68 Vgl. zum Klientelstaat: Christopher C. Shoemaker/John Spanier, 1984; Christopher P. Carney, 1989.

69 Siehe dazu auch die Zusammenstellung in Übersicht 7.1.

Von den drei hauptsächlichen Gemeinwesensformen nimmt der Staat allerdings eine besondere Stellung ein. Er stellt gewissermaßen die Grundform des Politats dar, aus der heraus das Gemeinwesen auch ein anderes Politat bilden kann, das in rein konzeptioneller Sicht entweder mehr sein kann – und zwar dann, wenn der Staat zum ‚imperialen Staat' wird und zusätzlich ein übergreifendes Reich ausbildet, oder das genauso auch weniger sein kann – und zwar in dem Fall, wenn der Staat seine Unabhängigkeit verliert und zu einem abhängigen Gemeinwesen als untergeordnete Teileinheit eines umfassenden Imperiums degeneriert.

Unabhängig von dieser speziellen Stellung des Staates geht aus dem aufgezeigten konzeptionellen Zusammenhang ebenso hervor, dass Politate nicht immer fein säuberlich getrennt nebeneinander stehen. Politate zeichnet keine unbedingte Exklusivität aus. Vielmehr können sie sich ebenso gegenseitig überlappen und in vielfacher Weise miteinander verstrickt sein. Gerade beim allerdings extrem seltenen Sonderfall des Doppelstaates und vor allem beim Reich (abgesehen vom reinen Kolonialreich) ist das eine unmittelbare Konsequenz. So war zum Beispiel Brandenburg-Preußen im 18. Jahrhundert ein veritabler Staat, der zugleich ein Teil eines weiteren Staates, nämlich des doppelstaatlich aufgebauten Heiligen Römischen Reiches Deutscher Nation, gewesen war. Ein anderes Exempel ist Kurland-Semgallen. Dieses kleine Gemeinwesen war – so paradox das zunächst erscheinen mag – abhängiges Gemeinwesen und imperialer Staat zur selben Zeit. Das frühneuzeitliche Herzogtum war einerseits ein Dependant innerhalb des von Polen-Litauen begründeten Imperiums, besaß andererseits jedoch zeitweise eigene Kolonien in der Karibik und in Afrika und verfügte somit auch selbst über ein eigenes (Kolonial)Reich. Diese Beispiele sowie die in der Darstellung oben vorgenommene konzeptionelle Reflexion zeigen, dass die Verteilung der Gemeinwesen zu kaum einer Zeit in der Geschichte sich so simpel gestaltete wie die meisten politischen Landkarten es suggerieren. Die Welt der Politate war und ist wesentlich komplexer als die exklusive Welt allein der Staaten.[70]

Gleichermaßen ist in den obigen Ausführungen gezeigt worden, dass sowohl die drei Hauptformen der Politate als auch ihre jeweiligen Subtypen vollkommen unabhängig von ihrer individuellen inneren Ausgestaltung konzeptualisiert sind. Alle Arten von Gemeinwesen können jeweils auf verschiedene Weise herrschaftlich, gouvernemental und administrativ aufgebaut sein. Genauso wie Staaten nicht lediglich in der Herrschaftsform einer Demokratie auftreten, müssen Reiche keineswegs immer die Staatsform einer Monarchie aufweisen.

---

70 Siehe dazu auch Abbildung 7.1.

Abbildung 7.1: Staaten, Reiche und Dependanten als Elemente der Politatenwelt

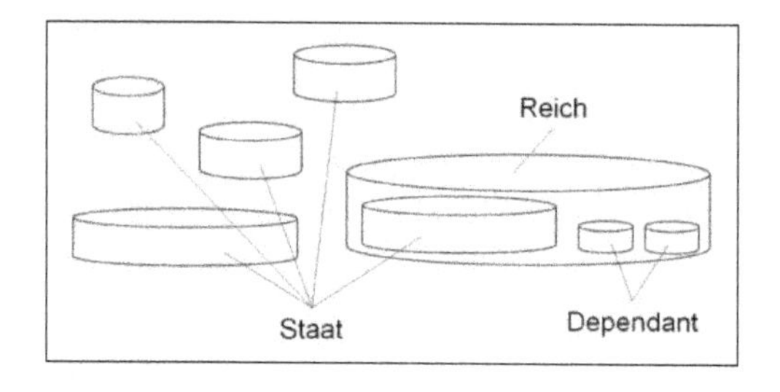

Als teilweise miteinander verschränkte Gemeinwesen zeitigen die Politate schließlich neben ihrem genuin *nationalen* Charakter zugleich auch eine *internationale* Dimension. Durch die vielfältig kreierbaren Einfluss- und Abhängigkeitsbeziehungen zwischen Reichen und Dependanten werden gleichzeitig bestimmte internationale politische Strukturen konstituiert. Die Relationen zwischen den Gemeinwesen innerhalb eines umfassenden Politats bilden somit bereits einen Teilbereich der gesamten internationalen Politik. Die internationalen politischen Beziehungen werden in diesem Teilbereich auf die der jeweils bestehenden Politatsform entsprechenden Weise unterhalten und geformt. Dabei ist es gleichwohl für die Art der bestehenden internationalen politischen Beziehungen durchaus relevant, ob es sich beispielsweise um ein Formelles Reich und ein Protektorat oder ob es sich um ein Informelles Reich und einen Klientelstaat handelt. Entscheidend ist hier aber auch, wie vielschichtig etwaige Dopplungen von Politaten, wie etwa in den oben genannten Fällen Brandenburg-Preußens und Kurland-Semgallens, tatsächlich sind.

Bei Staaten, Reichen und Dependanten handelt es sich um grundlegend verschiedene Phänomene, die entsprechend unterschiedlich analytisch handzuhaben sind. Für eine adäquate wissenschaftliche Beschäftigung mit ihnen braucht es daher ein reflektiertes analytisches Instrumentarium. Nur unter Einsatz einer quellenemanzipierten Wissenschaftssprache mit exakten Begriffen und mithilfe elaborierter und plausibler Konzepte kann es letztlich gelingen, die historische Mannigfaltigkeit der Politate nicht einfach konsequenzenlos hinzunehmen, sondern diese in ihrer jeweiligen Differenz präzise zu erfassen, gegenseitig zu unterscheiden und im Einzelnen sachangemessen zu untersuchen.

Übersicht 7.1: Arten von Politaten

Erscheinungsform des Politats	**Subtypen**

Staat	*Gliederungsvariante 1:*
	▪ Einheitsstaat
	    ▪ Zentralstaat (zentralisierter Einheitsstaat)
	    ▪ Dezentralstaat (dezentralisierter Einheitsstaat)
	▪ Bundesstaat (Föderation)
	▪ Unionsstaat (Realunion)
	▪ Doppelstaat
	
	Gliederungsvariante 2:
	▪ Vollanerkannter Staat
	▪ Teilanerkannter Staat
	▪ Nichtanerkannter Staat
	
	Gliederungsvariante 3:
	▪ Starker Staat (*strong state*)
	    ▪ Wirksamer Staat (*effective state*)
	▪ Schwacher Staat (*weak state*)
	    ▪ Defekter Staat (*faulty state*)
	    ▪ Zerfallener Staat (*collapsed state*)
	▪ (Gescheiterter Staat (*failed state*))
	
	Gliederungsvariante 4:
	▪ Personenverbandsstaat
	▪ Bürgerstaat
	▪ Vielvölkerstaat
	▪ Nationalstaat
	▪ Kosmopolitalstaat
	
	Gliederungsvariante 5:
	▪ Stadtstaat
	▪ Territorialstaat
	
	Gliederungsvariante 6:
	▪ Zwergstaat
	▪ Flächenstaat

Reich (Imperium)	▪ Formelles Reich (Formelles Imperium; *formal empire*) ▪ Informelles Reich (Informelles Imperium; *informal empire*)

Dependant
(abhängiges Gemeinwesen)
	▪ Formelles Dependant
	    ▪ Protektorat
	    ▪ Vasallenstaat
	    ▪ Dominion
	▪ Informelles Dependant
	    ▪ Satellitenstaat (Trabantenstaat, Marionettenstaat)
	    ▪ Klientelstaat

Literatur

ABERNETHY, DAVID B., 2002 [2000]: *The Dynamics of Global Dominance. European Overseas Empires, 1415 – 1980*. New Haven/London.

ABROMEIT, HEIDRUN, 1992: *Der verkappte Einheitsstaat*. Opladen.

ALCOCK, SUSAN E./D'ALTROY, TERENCE N./MORRISON, KATHLEEN D./SINOPOLI, CARLA M. (Hrsg.), 2001: *Empires. Perspectives from Archaeology and History*. Cambridge/New York/Oakleigh/Madrid/Cape Town.

ANDERSON, BENEDICT, 2005[3] [1991[2]]: *Die Erfindung der Nation. Zur Karriere eines folgenreichen Konzepts*. Übers. von Benedikt Burkard/Christoph Münz, [Reihe Campus Bibliothek], Frankfurt/New York.

ANTER, ANDREAS/BLEEK, WILHELM, 2013: *Staatskonzepte. Die Theorien der bundesdeutschen Politikwissenschaft*. [Reihe Staatlichkeit im Wandel. Band 18], Frankfurt/New York.

APPEL, IVO/HERMES, GEORG/SCHÖNBERGER, CHRISTOPH (Hrsg.), 2011: *Öffentliches Recht im offenen Staat. Festschrift für Rainer Wahl zum 70. Geburtstag*. [Reihe Schriften zum Öffentlichen Recht. Band 1187], Berlin.

ARENDT, HANNAH, 2014[17] [1979[2] posthum]: *Elemente und Ursprünge totaler Herrschaft. Antisemitismus, Imperialismus, totale Herrschaft*. München/Zürich.

ARETIN, KARL OTMAR VON/CONZE, WERNER/FEHRENBACH, ELISABETH/HAMMERSTEIN, NOTKER/MORAW, PETER, 2004 [1984]: *Reich*. In: Otto Brunner/Werner Conze/Reinhart Koselleck (Hrsg.), Geschichtliche Grundbegriffe. Historisches Lexikon zur politisch-sozialen Sprache in Deutschland. Band 5, Pro – Soz. Stuttgart, Seite 423 – 508.

ASCH, ROLAND G./LEONHARD, JÖRN, 2010: *Staat*. In: Friedrich Jaeger (Hrsg.), Enzyklopädie der Neuzeit. Band 12, Silber – Subsidien. Stuttgart/Weimar, Spalte 494 – 518.

BADURA, PETER, 1996: *Staat*. In: Jürgen Mittelstraß (Hrsg.), Enzyklopädie Philosophie und Wissenschaftstheorie. Band 4, Sp – Z. Stuttgart/Weimar, Seite 71 – 76.

BAHCHELI, TOZUN/BARTMANN, BARRY/SREBRNIK, HENRY (Hrsg.), 2004: *De Facto States. The quest for sovereignty*. London/New York.

BAHR, EGON, 1998: *Der Nationalstaat: Überlebt und unentbehrlich*. [Reihe Brandt-Hefte. Heft 1], Göttingen.

BALDUS, MANFRED, 1997: *Zur Relevanz des Souveränitätsproblems für die Wissenschaft vom öffentlichen Recht*. In: Der Staat. Zeitschrift für Staatslehre, Öffentliches Recht und Verfassungsgeschichte. 36 (3), Seite 381 – 398.

BALKE, FRIEDRICH, 2011: *Souveränität*. In: Martin Hartmann/Claus Offe (Hrsg.), Politische Theorie und Politische Philosophie. Ein Handbuch. München, Seite 306 – 309.

BALOGH, MARGIT, 1999: *Ungarn im Wandel. Vom Satellitenstaat zum europäischen Rechtsstaat*. Übers. von Agathe Gebert, Budapest.

BÄRSCH, CLAUS-EKKEHARD, 1974: *Der Staatsbegriff in der neueren deutschen Staatslehre und seine theoretischen Implikationen*. [Reihe Beiträge zur Politischen Wissenschaft. Band 20], Berlin.

BECKER, HANS-JÜRGEN (Hrsg.), 2006: *Zusammengesetzte Staatlichkeit in der Europäischen Verfassungsgeschichte. Tagung der Vereinigung für Verfassungsgeschichte in Hofgeismar vom 19.3. – 21.3.2001*. [Reihe Beihefte zu „Der Staat". Zeitschrift für Staatslehre und Verfassungsgeschichte, deutsches und europäisches öffentliches Recht. Band 16], Berlin.

BEISHEIM, MARIANNE/SCHUPPERT, GUNNAR FOLKE (Hrsg.), 2007: *Staatszerfall und Governance*. [Reihe Schriften zur Governance-Forschung. Band 7], Baden-Baden.

BENTZIEN, JOACHIM, 2007: *Die völkerrechtlichen Schranken der nationalen Souveränität im 21. Jahrhundert*. Frankfurt/Berlin/Bern/Bruxelles/New York/Oxford/Wien.

BENZ, ARTHUR, 2008[2]: *Der moderne Staat. Grundlagen der politologischen Analyse*. [Reihe Lehr- und Handbücher der Politikwissenschaft], München.

BERNAUER, THOMAS/JAHN, DETLEF/KUHN, PATRICK/WALTER, STEFANIE, 2015[3]: *Einführung in die Politikwissenschaft*. [Reihe Studienkurs Politikwissenschaft], Baden-Baden.

BINDSCHEDLER, RUDOLF L., 1961/1962: *Die Anerkennung im Völkerrecht*. In: Archiv des Völkerrechts (AVR). 9 (4), Seite 377 - 397.

BLÄNKNER, REINHARD, 2004: *Strukturprobleme des frühmodernen Staates*. In: Frederick S. Carney/Heinz Schilling/Dieter Wyduckel (Hrsg.), Jurisprudenz, Politische Theorie und Politische Theologie. Beiträge des Herborner Symposions zum 400. Jahrestag der Politica des Johannes Althusius 1603 - 2003. [Reihe Beiträge zur Politischen Wissenschaft. Band 131], Berlin, Seite 399 - 435.

BLECKMANN, ALBERT, 1985: *Das Souveränitätsprinzip im Völkerrecht*. In: Archiv des Völkerrechts (AVR). 23 (4), Seite 450 - 477.

BLEICKEN, JOCHEN, 1994[3]: *Verfassungs- und Sozialgeschichte des Römischen Kaiserreiches*. Band 2, Paderborn/München/Wien/Zürich.

BLEICKEN, JOCHEN, 1995[4]: *Verfassungs- und Sozialgeschichte des Römischen Kaiserreichs*. Band 1, Paderborn/München/Wien/Zürich.

BLEICKEN, JOCHEN, 2008[8] [1995[7]]: *Die Verfassung der Römischen Republik. Grundlagen und Entwicklungen*. Paderborn.

BLUNTSCHLI, JOHANN KASPAR, 1965[6]a [1886[6] posthum]: *Allgemeine Staatslehre*. [Lehre vom modernen Staat. Band 1], Aalen.

BLUNTSCHLI, JOHANN KASPAR, 1965[6]b [1885[6] posthum]: *Allgemeines Staatsrecht*. [Lehre vom modernen Staat. Band 2], Aalen.

BÖCKENFÖRDE, ERNST-WOLFGANG, 1973: *Die verfassungstheoretische Unterscheidung von Staat und Gesellschaft als Bedingung der individuellen Freiheit*. [Reihe Rheinisch-Westfälische Akademie der Wissenschaften. Geisteswissenschaften. Vorträge. Band 183], Opladen.

BÖCKENFÖRDE, ERNST-WOLFGANG (Hrsg.), 1976: *Staat und Gesellschaft*. [Reihe Wege der Forschung. Band 471], Darmstadt.

BÖCKENFÖRDE, ERNST-WOLFGANG, 2006[2]: *Geschichte der Rechts- und Staatsphilosophie. Antike und Mittelalter*. Tübingen.

BODIN, JEAN, 1981 [1576]: *Sechs Bücher über den Staat*. Band 1, *Buch I - III*. Hrsg. von Peter C. Mayer-Tasch, übers. von Bernd Wimmer, München.

BOLDT, HANS/CONZE, WERNER/HAVERKATE, GÖRG/KLIPPEL, DIETHELM/KOSELLECK, REINHART, 2004 [1990]: *Staat und Souveränität*. In: Otto Brunner/Werner Conze/Reinhart Koselleck (Hrsg.), Geschichtliche Grundbegriffe. Historisches Lexikon zur politisch-sozialen Sprache in Deutschland. Band 6, St - Vert. Stuttgart, Seite 1 - 154.

BOLEWSKI, HANS (Hrsg.), 1967: *Nation und Nationalismus*. [Politikum-Reihe. Eine aktuelle Bücherei. Band 1], Stuttgart.

BOSBACH, FRANZ/HIERY, HERMANN (Hrsg.), 1999: *Imperium/Empire/Reich. Ein Konzept politischer Herrschaft im deutsch-britischen Vergleich*. [Reihe Prinz-Albert-Studien. Band 16], München.

BOSSHART-PFLUGER, CATHERINE/JUNG, JOSEPH/METZGER, FRANZISKA (Hrsg.), 2002: *Nation und Nationalismus in Europa. Kulturelle Konstruktion von Identitäten. Festschrift für Urs Altermatt*. Frauenfeld/Stuttgart/Wien.

BOTHE, MICHAEL, 1999 [1977]: *Die Kompetenzstruktur des modernen Bundesstaates in rechtsvergleichender Sicht*. [Reihe Beiträge zum ausländischen öffentlichen Recht und Völkerrecht. Band 69], Bad Feilnbach.

BOYSEN, SIGRID, 2005: *Gleichheit im Bundesstaat*. Tübingen.

BRAUNEDER, WILHELM (Hrsg.), 1993: *Heiliges Römisches Reich und moderne Staatlichkeit*. [Rechtshistorische Reihe. Band 112], Frankfurt/Berlin/Bern/New York/Paris/Wien.

BREUER, MARTEN, 2014: *Anerkennung*. In: Burkhard Schöbener (Hrsg.), Völkerrecht. Lexikon zentraler Begriffe und Themen. [Reihe Grundbegriffe des Rechts], Heidelberg/München/Landsberg/Frechen/Hamburg, Seite 28 - 34.

BREUER, STEFAN, 1987: *Imperien der Alten Welt*. Stuttgart/Berlin/Köln/Mainz.

BREUER, STEFAN, 1998: *Der Staat. Entstehung, Typen, Organisationsstadien*. Reinbek.

BROWNLIE, IAN, 1986 [1983]: *Recognition in Theory and Practice*. In: Ronald S. J. Macdonald/Douglas M. Johnston (Hrsg.), The Structure and Process of International Law: Essays in Legal Philosophy Doctrine and Theory. [Reihe Developments in international law], Dordrecht/Boston/Lancaster, Seite 627 – 641.

BURBANK, JANE/COOPER, FREDERICK, 2012 [2010]: *Imperien der Weltgeschichte. Das Repertoire der Macht vom alten Rom und China bis heute*. Übers. von Thomas Bertram, Frankfurt/New York.

BURKE, PETER, 1989 [1986]: *City-States*. In: John A. Hall (Hrsg.), States in History. [Reihe Ideas], Oxford/Cambridge, Seite 137 – 153.

BURKHARDT, JOHANNES, 2006[10]: *Vollendung und Neuorientierung des frühmodernen Reiches 1648 – 1763*. [Gebhardt. Handbuch der deutschen Geschichte. Band 11], Stuttgart.

BÜTTNER, ANNETTE, 2004: *Staatszerfall als neues Phänomen der internationalen Politik. Theoretische Kategorisierung und empirische Überprüfung*. Marburg.

CARNEY, CHRISTOPHER P., 1989: *International Patron-Client Relationships: A Conceptual Framework*. In: Studies in Comparative International Development (SCID). 24 (2), Seite 42 – 55.

CHESTERMAN, SIMON/IGNATIEFF, MICHAEL/THAKUR, RAMESH (Hrsg.), 2005: *Making states work: State failure and the crisis of governance*. Tokyo/New York/Paris.

CONSTANTOPOULOS, DIMITRI S., 1959: *Die Realunion als historisches und systematisches Vorbild für die juristische Konstruktion der Supranationalität*. In: Wilhelm Wegener (Hrsg.), Festschrift für Karl Gottfried Hugelmann zum 80. Geburtstag am 26. September 1959 dargebracht von Freunden, Kollegen und Schülern. Band 1, Aalen, Seite 133 – 149.

COULET, NOËL/GENET, JEAN-PHILIPPE (Hrsg.), 1990: *L'état moderne: Le droit, l'espace et les formes de l'état. Actes du colloque tenu à la Baume Les Aix, 11 – 12 octobre 1984*. [Reihe Éditions du Centre Nationale de la Recherche Scientifique], Paris.

CRAWFORD, JAMES, 2006[2]: *The Creation of States in International Law*. Oxford.

CUDWORTH, ERIKA/HALL, TIM/MCGOVERN, JOHN, 2007: *The Modern State. Theories and Ideologies*. Edinburgh.

CZEMPIEL, ERNST-OTTO (Hrsg.), 1969: *Die anachronistische Souveränität. Zum Verhältnis von Innen- und Außenpolitik*. [Reihe Politische Vierteljahresschrift (PVS). Sonderheft. Band 1/1969], Köln/Opladen.

CZEMPIEL, ERNST-OTTO, 1993: *Die neue Souveränität – Ein Anachronismus? Regieren zwischen nationaler Souveränität, europäischer Integration und weltweiten Verflechtungen*. In: Hans-Hermann Hartwich/Göttrik Wewer (Hrsg.), Regieren in der Bundesrepublik. Band 5, Souveränität, Integration, Interdependenz – Staatliches Handeln in der Außen- und Europapolitik. Opladen, Seite 145 – 158.

DARWIN, JOHN, 2012 [2007]: *Der imperiale Traum. Die Globalgeschichte großer Reiche 1400 – 2000*. Übers. von Michael Bayer/Norbert Juraschitz, Frankfurt/New York.

DAVIDHEISER, EVENLY B., 1992: *Strong States, Weak States. The Role of the State in Revolution*. In: Comparative Politics (CP). 24 (4), Seite 463 – 475.

DEMEL, WALTER, 2010: *Reichs- und Staatsbildungen*. In: ders. (Hrsg.), WBG Weltgeschichte. Eine globale Geschichte von den Anfängen bis ins 21. Jahrhundert. Band 4, Entdeckungen und neue Ordnungen 1200 – 1800. Darmstadt, Seite 162 – 212.

DEUTSCH, KARL W., 1972: *Nationenbildung – Nationalstaat – Integration*. Hrsg. von Abraham Ashkenasi/Peter Schulze, übers. von Norman Gonzales, [Reihe Studienbücher zur auswärtigen und internationalen Politik. Band 2], Düsseldorf.

DI FABIO, UDO, 1998: *Das Recht offener Staaten. Grundlinien einer Staats- und Rechtstheorie*. Tübingen.

DICKE, DETLEV CHRISTIAN/FLEINER-GERSTER, THOMAS (Hrsg.), 1987: *Staat und Gesellschaft. Festschrift für Leo Schürmann zum 70. Geburtstag*. Freiburg.

DOEHRING, KARL, 1974: *Das Selbstbestimmungsrecht der Völker als Grundsatz des Völkerrechts. Referat und Diskussion der 13. Tagung der Deutschen Gesellschaft für Völkerrecht in Heidelberg am 22. und 23. Juni 1973*. [Reihe Berichte der Deutschen Gesellschaft für Völkerrecht. Band 14], Karlsruhe.

DOEHRING, KARL, 2004[3]: *Allgemeine Staatslehre. Eine systematische Darstellung*. [Reihe Jurathek. Studium], Heidelberg.

DOMMEN, EDWARD/HEIN, PHILIPPE (Hrsg.), 1985: *States, Microstates and Islands*. London/Sydney/Dover.

DOYLE, MICHAEL W., 1986: *Empires*. [Reihe Cornell Studies in Comparative History], Ithaca/London.

DUCHHARDT, HEINZ, 1991: *Deutsche Verfassungsgeschichte 1495 - 1806*. Stuttgart/Berlin/Köln.

EDER, WALTER/MÜLLER-WOLLERMANN, RENATE/NEUMANN, HANS, 2001: *Staat*. In: Hubert Cancik/Helmuth Schneider (Hrsg.), Der Neue Pauly. Enzyklopädie der Antike. Altertum. Band 11, Sam - Tal. Stuttgart/Weimar, Spalte 873 - 877.

EGNER, WOLFGANG MANFRED, 2018: *Protektion und Souveränität. Die Entwicklung imperialer Herrschaftsformen und Legitimationsfiguren im 19. Jahrhundert*. [Reihe Studien zur Internationalen Geschichte. Band 43], Berlin/Boston.

EHMKE, HORST, 1981 [1962]: *„Staat" und „Gesellschaft" als verfassungstheoretisches Problem*. In: ders., Beiträge zur Verfassungstheorie und Verfassungspolitik. Hrsg. von Peter Häberle, [Reihe Monographien zur rechtswissenschaftlichen Forschung. Öffentliches Recht. Band 6], Königstein, Seite 300 - 324.

EHRENBERG, VICTOR, 1965[2]: *Der Staat der Griechen*. [Die Bibliothek der alten Welt. Reihe Forschung und Deutung], Zürich/Stuttgart.

EISENSTADT, SHMUEL N., 1993[2]: *The political systems of empires*. New Brunswick/London.

ELWERT, GEORG, 2005[2]a [1999[3]]: *Ethnie*. In: Wolfgang Müller (Red.), Wörterbuch der Völkerkunde. Berlin, Seite 99 - 100.

ELWERT, GEORG, 2005[2]b [1999[3]]: *Nation*. In: Wolfgang Müller (Red.), Wörterbuch der Völkerkunde. Berlin, Seite 267.

ELWERT, GEORG, 2005[2]c [1999[3]]: *Volk*. In: Wolfgang Müller (Red.), Wörterbuch der Völkerkunde. Berlin, Seite 400.

EPPING, VOLKER, 2007: *Völkerrechtliche Aspekte defektiver Staatlichkeit*. In: Volker Epping/Hans-Joachim Heintze (Hrsg.), Wiederherstellung staatlicher Strukturen in Nach-Konflikt-Situationen. Theoretische Fragen und Fallstudien. [Reihe Bochumer Schriften zur Friedenssicherung und zum Humanitären Völkerrecht. Band 55], Berlin, Seite 9 - 23.

ESTEL, BERND, 2002: *Nation und nationale Identität. Versuch einer Rekonstruktion*. Wiesbaden.

FARNEN, RUSSELL F. (Hrsg.), 1994: *Nationalism, Ethnicity, and Identity. Cross National and Comparative Perspectives*. New Brunswick/London.

FASSBENDER, BARDO, 2007: *Der offene Bundesstaat. Studien zur auswärtigen Gewalt und zur Völkerrechtssubjektivität bundesstaatlicher Teilstaaten in Europa*. [Reihe Jus Publicum. Beiträge zum Öffentlichen Recht. Band 161], Tübingen.

FAY, CHARLES R., 1975 [1934]: *Imperial economy and its place in the formation of economic doctrine 1600 - 1932*. Westport.

FINER, SAMUEL E., 1999 [1997]: *The History of Government from the Earliest Times*. Band 3, *Empires, Monarchies, and the Modern State*. Oxford/New York.

FINLEY, MOSES I., 1976: *Colonies - An Attempt at a Typology*. In: Transactions of the Royal Historical Society (Folge 5). 26, Seite 167 - 188.

FISCH, JÖRG, 2010: *Das Selbstbestimmungsrecht der Völker. Die Domestizierung einer Illusion*. [Reihe Historische Bibliothek der Gerda Henkel Stiftung], München.

FLENSTED-JENSEN, PERNILLE (Hrsg.), 2000: *Further Studies in the Ancient Greek Polis*. [Reihe Historia. Zeitschrift für Alte Geschichte. Einzelschriften. Band 138; Papers from the Copenhagen Polis Centre. Band 5], Stuttgart.

FÖGEN, MARIE T./ISENMANN, EBERHARD, 1995: *Staat*. In: Glorria Avella-Widhalm/Gernot Giertz/Liselotte Lutz/Bruno Mariacher/Roswitha Mattejiet/Ulrich Mattejiet (Red.), Lexikon des Mittelalters. Band 7, Planudes bis Stadt (Rus'). München, Spalte 2151 - 2158.

FRAENKEL, ERNST, 2012[3] [1941]: *Der Doppelstaat*. Hrsg. von Alexander von Brünneck, übers. von Manuela Schöps/Ernst Fraenkel, Hamburg.

FRANCIS, EMERICH K., 1965: *Ethnos und Demos. Soziologische Beiträge zur Volkstheorie.* Berlin.

FREVERT, UTE, 2003[3]: *Nation, Nationalismus.* In: Richard van Dülmen (Hrsg.), Das Fischer Lexikon Geschichte. Frankfurt, Seite 260 – 280.

FRÖSCHL, THOMAS (Hrsg.), 1994: *Föderationsmodelle und Unionsstrukturen. Über Staatenverbindungen in der frühen Neuzeit vom 15. zum 18. Jahrhundert.* [Reihe Wiener Beiträge zur Geschichte der Neuzeit. Band 21], Wien/München.

FROWEIN, JOCHEN A., 1968: *Das de facto-Regime im Völkerrecht. Eine Untersuchung zur Rechtsstellung „nichtanerkannter Staaten" und ähnlicher Gebilde.* [Reihe Beiträge zum ausländischen öffentlichen Recht und Völkerrecht. Band 46], Köln/Berlin.

FROWEIN, JOCHEN A., 1972: *Die Entwicklung der Anerkennung von Staaten und Regierungen im Völkerrecht.* In: Der Staat. Zeitschrift für Staatslehre, öffentliches Recht und Verfassungsgeschichte. 11 (2), Seite 145 – 159.

FUNKE, ANDREAS, 2014: *Souveränität.* In: Burkhard Schöbener (Hrsg.), Völkerrecht. Lexikon zentraler Begriffe und Themen. [Reihe Grundbegriffe des Rechts], Heidelberg/München/Landsberg/Frechen/Hamburg, Seite 391 – 394.

GAL, MICHAEL, 2015: *Der Staat in historischer Sicht. Zum Problem der Staatlichkeit in der Frühen Neuzeit.* In: Der Staat. Zeitschrift für Staatslehre und Verfassungsgeschichte, deutsches und europäisches öffentliches Recht. 54 (2), Seite 241 – 266.

GALLAGHER, JOHN/ROBINSON, RONALD, 1953/1954: *The Imperialism of Free Trade.* In: The Economic History Review (Folge 2) (EcHistRev). 6 (1), Seite 1 – 15.

GALLUS, ALEXANDER/JESSE, ECKHARD (Hrsg.), 2007[2]: *Staatsformen von der Antike bis zur Gegenwart. Ein Handbuch.* Köln/Weimar/Wien.

GAMPER, ANNA, 2010[2]: *Staat und Verfassung. Einführung in die Allgemeine Staatslehre.* Wien.

GARFINKLE, STEVEN J., 2013: *Ancient Near Eastern City-States.* In: Peter Fibiger Bang/Walter Scheidel (Hrsg.), The Oxford Handbook of the State in the Ancient Near East and Mediterranean. Oxford/New York, Seite 94 – 119.

GEHLER, MICHAEL/ROLLINGER, ROBERT (Hrsg.), 2014a: *Imperien und Reiche in der Weltgeschichte. Epochenübergreifende und globalhistorische Vergleiche.* Band 1, *Imperien des Altertums, Mittelalterliche und frühneuzeitliche Imperien.* Wiesbaden.

GEHLER, MICHAEL/ROLLINGER, ROBERT (Hrsg.), 2014b: *Imperien und Reiche in der Weltgeschichte. Epochenübergreifende und globalhistorische Vergleiche.* Band 2, *Neuzeitliche Imperien, zeitgeschichtliche Imperien, Imperien in Theorie, Geist, Wissenschaft, Recht und Architektur, Wahrnehmung und Vermittlung.* Wiesbaden.

GEIß, ROBIN, 2005: *„Failed States". Die normative Erfassung gescheiterter Staaten.* [Reihe Veröffentlichungen des Walther-Schücking-Instituts für Internationales Recht an der Universität Kiel. Band 152], Berlin.

GENET, JEAN-PHILIPPE (Hrsg.), 1990: *L'État moderne: Genèse. Bilans et perspectives. Actes du Colloque tenu au CNRS à Paris les 19 – 20 septembre 1989.* Paris.

GESSMANN, MARTIN (Hrsg.), 2009[23]: *Philosophisches Wörterbuch.* Stuttgart.

GHEORGHE, ION, 1952: *Rumäniens Weg zum Satellitenstaat.* Heidelberg.

GORNIG, GILBERT H./HORN, HANS-DETLEF/MURSWIEK, DIETRICH (Hrsg.), 2013: *Das Selbstbestimmungsrecht der Völker – Eine Problemschau.* [Reihe Staats- und völkerrechtliche Abhandlungen der Studiengruppe für Politik und Völkerrecht. Band 27], Berlin.

GREVEN, MICHAEL T., 2009[2]: *Die politische Gesellschaft. Kontingenz und Dezision als Probleme des Regierens und der Demokratie.* [Reihe Studien zur politischen Gesellschaft. Band 2], Wiesbaden.

GRIMM, DIETER (Hrsg.), 1994: *Staatsaufgaben.* Baden-Baden.

GRIMM, DIETER, 2009: *Souveränität. Herkunft und Zukunft eines Schlüsselbegriffs.* Berlin.

GROTZKY, JOHANNES, 1991: *Konflikt im Vielvölkerstaat. Die Nationen der Sowjetunion im Aufbruch.* München/Zürich.

GRUNER, WOLF D./VÖLKEL, MARKUS (Hrsg.), 1998: *Region – Territorium – Nationalstaat – Europa. Beiträge zu einer europäischen Geschichtslandschaft. Festschrift für Ludwig*

Hammermayer zum 70. Geburtstag am 7. Oktober 1998. [Reihe Rostocker Beiträge zur Deutschen und Europäischen Geschichte. Band 4], Rostock.

GUTMANN, THOMAS/PIEROTH, BODO (Hrsg.), 2011: *Die Zukunft des staatlichen Gewaltmonopols*. [Reihe Münsterische Beiträge zur Rechtswissenschaft (neue Folge). Band 9], Baden-Baden.

HAACK, STEFAN, 2012: *Primitive Staatstheorie*. In: Der Staat. Zeitschrift für Staatslehre und Verfassungsgeschichte, deutsches und europäisches öffentliches Recht. 51 (1), Seite 57 - 89.

HALLER, WALTER/KÖLZ, ALFRED/GÄCHTER, THOMAS, 2013[5]: *Allgemeines Staatsrecht. Eine juristische Einführung in die Allgemeine Staatslehre*. Zürich/Basel/Genf/Baden-Baden.

HALTERN, ULRICH, 2007: *Was bedeutet Souveränität?* Tübingen.

HAMEL, WALTER, 1935: *Volkseinheit und Nationalitätenstaat*. In: Zeitschrift für die gesamte Staatswissenschaft (ZgS). 95 (4), Seite 569 - 601.

HANNUM, HURST, 1996[2]: *Autonomy, Sovereignty, and Self-Determination. The Accommodation of Conflicting Rights*. Philadelphia.

HANSCHEL, DIRK, 2012: *Konfliktlösung im Bundesstaat. Die Lösung föderaler Kompetenz-, Finanz- und Territorialkonflikte in Deutschland, den USA und der Schweiz*. [Reihe Jus Publicum. Beiträge zum Öffentlichen Recht. Band 215], Tübingen.

HANSEN, MOGENS HERMAN, 1998: *Polis and City-State. An Ancient Concept and its Modern Equivalent. Symposium, January 9, 1998*. [Reihe Acts of the Copenhagen Polis Centre. Band 5; Historisk-filosofiske Meddelelser. Band 76], Copenhagen.

HANSEN, MOGENS HERMAN (Hrsg.), 2000: *A Comparative Study of Thirty City-State Cultures. An Investigation Conducted by the Copenhagen Polis Centre*. [Reihe Historisk-filosofiske Skrifter. Band 21], Copenhagen.

HANSEN, MOGENS HERMAN (Hrsg.), 2002: *A Comparative Study of Six City-State Cultures. An Investigation Conducted by the Copenhagen Polis Centre*. [Reihe Historisk-filosofiske Skrifter. Band 27], Copenhagen.

HANSEN, MOGENS HERMAN, 2006: *Polis. An Introduction to the Ancient Greek City-State*. Oxford/New York.

HANSEN, MOGENS HERMAN, 2013: *Greek City-States*. In: Peter Fibiger Bang/Walter Scheidel (Hrsg.), The Oxford Handbook of the State in the Ancient Near East and Mediterranean. Oxford/New York, Seite 259 - 278.

HANSEN, MOGENS HERMAN/RAAFLAUB, KURT (Hrsg.), 1995: *Studies in the Ancient Greek Polis*. [Reihe Historia. Zeitschrift für Alte Geschichte. Einzelschriften. Band 95; Papers from the Copenhagen Polis Centre. Band 2], Stuttgart.

HANSEN, MOGENS HERMAN/RAAFLAUB, KURT (Hrsg.), 1996: *More Studies in the Ancient Greek Polis*. [Reihe Historia. Zeitschrift für Alte Geschichte. Einzelschriften. Band 108; Papers from the Copenhagen Polis Centre. Band 3], Stuttgart.

HARBICH, JÜRGEN, 1965: *Der Bundesstaat und seine Unantastbarkeit*. [Reihe Schriften zum Öffentlichen Recht. Band 20], Berlin.

HARDT, MICHAEL/NEGRI, ANTONIO, 2003[2] [2000]: *Empire. Die neue Weltordnung*. Übers. von Thomas Atzert/Andreas Wirthensohn, Frankfurt/New York.

HAUSMANN, GUIDO/RUSTEMEYER, ANGELA (Hrsg.), 2009: *Imperienvergleich. Beispiele und Ansätze aus osteuropäischer Perspektive. Festschrift für Andreas Kappeler*. [Reihe Forschungen zur osteuropäischen Geschichte. Band 75], Wiesbaden.

HEIDELMEYER, WOLFGANG, 1973: *Das Selbstbestimmungsrecht der Völker. Zur Geschichte und Bedeutung eines internationalen Prinzips in Praxis und Lehre von den Anfängen bis zu den Menschenrechtspakten der Vereinten Nationen*. [Reihe Sammlung Schöningh zur Geschichte und Gegenwart], Paderborn.

HEIDEMANN, FRANK, 2011: *Ethnologie. Eine Einführung*. [Reihe UTB basics], Göttingen/Oakville.

HELLER, HERMANN, 1927: *Die Souveränität. Ein Beitrag zur Theorie des Staats- und Völkerrechts*. [Reihe Beiträge zum ausländischen öffentlichen Recht und Völkerrecht. Band 4], Berlin.

HERZOG, ROMAN, 1971: *Allgemeine Staatslehre*. [Reihe Lehrbücher des Öffentlichen Rechts. Band 1], Frankfurt.

HESSE, KONRAD, 1975: *Bemerkungen zur heutigen Problematik und Tragweite der Unterscheidung von Staat und Gesellschaft*. In: Die Öffentliche Verwaltung. Zeitschrift für Verwaltungsrecht und Verwaltungspolitik (DÖV). 28 (13/14), Seite 437 - 443.

HILLGRUBER, CHRISTIAN, 1998: *Die Aufnahme neuer Staaten in die Völkerrechtsgemeinschaft. Das völkerrechtliche Institut der Anerkennung von Neustaaten in der Praxis des 19. und 20. Jahrhunderts*. [Reihe Kölner Schriften zu Recht und Staat. Band 6], Frankfurt/Berlin/Bern/New York/Paris/Wien.

HILLGRUBER, CHRISTIAN, 2002: *Souveränität – Verteidigung eines Rechtsbegriffs*. In: Juristen-Zeitung (JZ). 57 (22), Seite 1072 - 1080.

HILLMANN, KARL-HEINZ, 2007[5]: *Wörterbuch der Soziologie*. Stuttgart.

HINTZE, OTTO, 1970[3] [1931]: *Wesen und Wandlung des modernen Staats*. In: ders., Staat und Verfassung. Gesammelte Abhandlungen zur allgemeinen Verfassungsgeschichte. Hrsg. von Gerhard Oestreich, [Gesammelte Abhandlungen. Band 1], Göttingen, Seite 470 - 496.

HOBE, STEPHAN, 2008[9]: *Einführung in das Völkerrecht*. Tübingen/Basel.

HOBSBAWM, ERIC J., 2005[3] [2004[3]]: *Nationen und Nationalismus. Mythos und Realität seit 1780*. Übers. von Udo Rennert/Beate Sutterlüty, Frankfurt/New York.

HOFFMAN, JOHN, 1995: *Beyond the State. An Introductory Critique*. Cambridge/Oxford/Cambridge.

HOFMANN, HANNS HUBERT (Hrsg.), 1967: *Die Entstehung des modernen souveränen Staates*. [Reihe Neue Wissenschaftliche Bibliothek. Geschichte. Band 17], Köln/Berlin.

HOWE, STEPHEN, 2002: *Empire. A Very Short Introduction*. [Reihe Very Short Introductions], Oxford/New York.

HUF, HANS-CHRISTIAN (Hrsg.), 2005 [2004]: *Imperium. Vom Aufstieg und Fall großer Reiche*. Band 1, Berlin.

HUF, HANS-CHRISTIAN (Hrsg.), 2008 [2006]: *Imperium. Vom Aufstieg und Fall großer Reiche*. Band 2, Berlin.

HUMMLER, KONRAD/JÄGER, FRANZ (Hrsg.), 2011: *Stadtstaat – Utopie oder realistisches Modell? Theoretiker und Praktiker in der Debatte*. [Reihe NZZ Libro], Zürich.

IPSEN, JÖRN, 2015[27]: *Staatsrecht I. Staatsorganisationsrecht*. [Reihe Academia iuris. Lehrbücher der Rechtswissenschaft], München.

IRMSCHER, TOBIAS H., 2014: *Selbstbestimmungsrecht der Völker*. In: Burkhard Schöbener (Hrsg.), Völkerrecht. Lexikon zentraler Begriffe und Themen. [Reihe Grundbegriffe des Rechts], Heidelberg/München/Landsberg/Frechen/Hamburg, Seite 367 - 374.

ISENSEE, JOSEF, 2001[2]: *Subsidiaritätsprinzip und Verfassungsrecht. Eine Studie über das Regulativ des Verhältnisses von Staat und Gesellschaft*. [Reihe Schriften zum Öffentlichen Recht. Band 80], Berlin.

JABERG, SABINE/SCHLOTTER, PETER (Hrsg.), 2005: *Imperiale Weltordnung – Trend des 21. Jahrhunderts?* [Reihe AFK-Friedensschriften. Band 32], Baden-Baden.

JANSEN, CHRISTIAN/BORGGRÄFE, HENNING, 2007: *Nation – Nationalität – Nationalismus*. [Reihe Historische Einführungen. Band 1], Frankfurt/New York.

JELLINEK, GEORG, 1976[3] [1914[3] posthum]: *Allgemeine Staatslehre*. Kronberg.

JOUVENEL, BERTRAND DE, 1974 [1969]: *Über die Staatsgewalt. Die Naturgeschichte ihres Wachstums*. Übers. von Herbert R. Ganslandt, [Reihe Sozialwissenschaft in Theorie und Praxis. Band 16], Freiburg.

KAHL, MARTIN, 2004: *Wann ist Staatlichkeit „prekär"?* In: Nord-Süd aktuell. Vierteljahreszeitschrift für Nord-Süd- und Süd-Süd-Entwicklungen (NSA). 18 (3), Seite 462 - 468.

KELSEN, HANS, 1981[2]a [1928[2]]: *Das Problem der Souveränität und die Theorie des Völkerrechts. Beitrag zu einer reinen Rechtslehre*. Aalen.

KELSEN, HANS, 1981[2]b [1928[2]]: *Der soziologische und der juristische Staatsbegriff. Kritische Untersuchung des Verhältnisses von Staat und Recht*. Aalen.

KELSEN, HANS, 1993 [1925]: *Allgemeine Staatslehre*. Wien.

KEMPEN, BERNHARD, 2001: *Einige Bemerkungen zum völkerrechtlichen Begriff der Souveränität.* In: Dieter Dörr/Udo Fink/Christian Hillgruber/Bernhard Kempen/Dietrich Murswiek (Hrsg.), Die Macht des Geistes. Festschrift für Hartmut Schiedermair. Heidelberg, Seite 783 - 801.

KEOHANE, ROBERT O./NYE, JOSEPH S., 2012[4]: *Power and Interdependence.* [Reihe Longman Classics in Political Science], Boston/Columbus/Indianapolis/New York/San Francisco/Upper Saddle River/Amsterdam/Cape Town/Dubai/London/Madrid/Milan/Munich/Paris/Montreal/Toronto/Delhi/Mexico City/São Paulo/Sydney/Hong Kong/Seoul/Singapore/Taipei/Tokyo.

KERN, ERNST, 1949: *Moderner Staat und Staatsbegriff. Eine Untersuchung über die Grundlagen und die Entwicklung des kontinental-europäischen Staates.* Hamburg.

KÖBLER, GERHARD, 2012[15]: *Juristisches Wörterbuch. Für Studium und Ausbildung.* [Reihe Vahlen Jura], München.

KOENIGSBERGER, HELMUT G., 1986 [1977]: *Dominium Regale or Dominium Politicum et Regale. Monarchies and Parliaments in Early Modern Europe. In: ders., Politicians and virtuosi. Essays in early modern history.* [Reihe Studies presented to the International Commission for the History of Representative and Parliamentary Institutions. Band 49], London/Ronceverte, Seite 1 - 26.

KOENIGSBERGER, HELMUT G., 1991: *Zusammengesetzte Staaten, Repräsentativversammlungen und der amerikanische Unabhängigkeitskrieg.* In: Zeitschrift für Historische Forschung. Vierteljahresschrift zur Erforschung des Spätmittelalters und der frühen Neuzeit (ZHF). 18 (4), Seite 399 - 423.

KÖNIG, INGEMAR, 2009 [2007]: *Der römische Staat. Ein Handbuch.* Stuttgart.

KORNEMANN, ERNST, 1908: *Stadtstaat und Flächenstaat des Altertums in ihren Wechselbeziehungen.* In: Neue Jahrbücher für das klassische Altertum, Geschichte und deutsche Literatur und für Pädagogik. Abteilung 1, Neue Jahrbücher für das klassische Altertum, Geschichte und deutsche Literatur. 11 (4), Seite 233 - 253.

KOSLOWSKI, PETER, 1982: *Gesellschaft und Staat. Ein unvermeidlicher Dualismus.* Stuttgart.

KRAHWINKLER, HARALD (Hrsg.), 2002: *Staat - Land - Nation - Region. Gesellschaftliches Bewußtsein in den österreichischen Ländern Kärnten, Krain, Steiermark und Küstenland 1740 bis 1918.* [Unbegrenzte Geschichte. Historische Reihe der Abteilung für Geschichte Ost- und Südosteuropas an der Universität Klagenfurt und des Bildungsheimes Sodalitas in Tainach/Tinje. Band 9], Klagenfurt/Ljubljana/Wien.

KRIESI, HANSPETER/ARMINGEON, KLAUS/SIEGRIST, HANNES/WIMMER, ANDREAS (Hrsg.), 1999: *Nation and National Identity. The European Experience in Perspective.* Chur/Zürich.

KRÜGER, HERBERT/ERLER, GEORG, 1957: *Zum Problem der Souveränität. Verhandlungen der Tagung der Gesellschaft in Frankfurt am 31. März und 1. April 1955.* [Reihe Berichte der Deutschen Gesellschaft für Völkerrecht. Band 1], Karlsruhe.

KRUMM, THOMAS, 2015: *Föderale Staaten im Vergleich. Eine Einführung.* Wiesbaden.

KUHN, HELMUT, 1967: *Der Staat. Eine philosophische Darstellung.* München.

KUNZE, ROLF-ULRICH, 2005: *Nation und Nationalismus.* [Reihe Kontroversen um die Geschichte], Darmstadt.

KÜPPER, HERBERT, 2002: *Autonomie im Einheitsstaat. Geschichte und Gegenwart der Selbstverwaltung in Ungarn.* [Schriftenreihe des Kommunalwissenschaftlichen Instituts der Universität Potsdam. Band 9], Berlin.

KURTULUS, ERSUN N., 2005: *State Sovereignty. Concept, Phenomenon and Ramifications.* New York/Basingstoke.

LANGEWIESCHE, DIETER, 2000: *Nation, Nationalismus, Nationalstaat in Deutschland und Europa.* München.

LANGEWIESCHE, DIETER, 2004: *Zentralstaat - Föderativstaat: Nationalstaatsmodelle in Europa im 19. und 20. Jahrhundert.* In: Zeitschrift für Staats- und Europawissenschaften. Der öffentliche Sektor im internationalen Vergleich (ZSE). 2 (2), Seite 173 - 190.

LEISNER, WALTER, 2012: *Institutionelle Evolution. Grundlinien einer Allgemeinen Staatslehre.* Berlin.

LEITNER, ULRICH, 2011: *Imperium. Geschichte und Theorie eines politischen Systems.* Frankfurt/New York.

LEONHARD, JÖRN/HIRSCHHAUSEN, ULRIKE VON (Hrsg.), 2012² [2010²]: *Comparing Empires. Encounters and Transfers in the Long Nineteenth Century.* [Schriftenreihe der FRIAS School of History. Band 1], Göttingen.

LEU, HANS RUDOLF/KRAPPMANN, LOTHAR (Hrsg.), 1999: *Zwischen Autonomie und Verbundenheit. Bedingungen und Formen der Behauptung von Subjektivität.* [Reihe Beiträge zur Soziogenese der Handlungsfähigkeit], Frankfurt.

LEWICKI, ALEKSANDRA, 2006: *Souveränität im Wandel. Zur Aktualität eines normativen Begriffs.* [Reihe Region – Nation – Europa. Band 38], Berlin.

LIESSMANN, KONRAD PAUL (Hrsg.), 2011: *Der Staat. Wie viel Herrschaft braucht der Mensch?* [Reihe Philosophicum Lech. Band 14], Wien.

LOTTES, GÜNTHER, 2003³: *Staat, Herrschaft.* In: Richard van Dülmen (Hrsg.), Das Fischer Lexikon Geschichte. Frankfurt, Seite 360 – 390.

LOUIS, W. ROGER (Hrsg.), 1976: *Imperialism. The Robinson and Gallagher Controversy.* [Reihe Modern Scholarship on European History], New York/London.

LUHMANN, NIKLAS, 2002a [1997]: *Die Gesellschaft der Gesellschaft.* Band 1, [Theorie der Gesellschaft. Band 2,1], Darmstadt.

LUHMANN, NIKLAS, 2002b [1997]: *Die Gesellschaft der Gesellschaft.* Band 2, [Theorie der Gesellschaft. Band 2,2], Darmstadt.

LUHMANN, NIKLAS, 2002c [2000 posthum]: *Die Politik der Gesellschaft.* Hrsg. von André Kieserling, [Theorie der Gesellschaft. Band 5], Darmstadt.

LULL, VICENTE/MICÓ, RAFAEL, 2013 [2007]: *Archaeology of the Origin of the State. The Theories.* Übers. von Peter Smith, Oxford.

LUTZ, CHRISTIAN, 2014: *Vielfalt im Bundesstaat. Eine verfassungsrechtliche Standortbestimmung der Gesetzgebung der Länder im Bundesstaat des Grundgesetzes.* [Schriftenreihe zum Staats- und Verwaltungsrecht. Band 10], Berlin.

MARQUARDT, BERND, 2009: *Universalgeschichte des Staates. Von der vorstaatlichen Gesellschaft zum Staat der Industriegesellschaft.* [Reihe Der Europäische Sonderweg. Band 3], Wien/Zürich/Berlin.

MAURER, HARTMUT, 2010⁶: *Staatsrecht I. Grundlagen. Verfassungsorgane. Staatsfunktionen.* [Reihe Grundrisse des Rechts], München.

MAYER, THEODOR, 1972² [1935]: *Der Staat der Herzoge von Zähringen.* In: ders., Mittelalterliche Studien. Gesammelte Aufsätze. Sigmaringen, Seite 350 – 364.

MAYER, THEODOR, 1984 [1956²]: *Die Ausbildung der Grundlagen des modernen deutschen Staates im hohen Mittelalter.* In: Hellmut Kämpf (Hrsg.), Herrschaft und Staat im Mittelalter. Darmstadt, Seite 284 – 331.

MAYER, TILMAN, 1987²: *Prinzip Nation. Dimensionen der nationalen Frage, dargestellt am Beispiel Deutschlands.* [Reihe Forschungstexte Wirtschafts- und Sozialwissenschaften. Band 16], Opladen.

MENON, P. K., 1994: *The Law of Recognition in International Law. Basic Principles.* Lewiston/Queenston/Lampeter.

MENZEL, ULRICH, 2012: *Imperium versus Hegemon. Überlegungen zur Ordnung der Welt.* In: WeltTrends. Zeitschrift für internationale Politik (WT). 20 (86), Seite 37 – 49.

MENZEL, ULRICH, 2015: *Die Ordnung der Welt. Imperium oder Hegemonie in der Hierarchie der Staatenwelt.* Berlin.

MOLHO, ANTHONY/RAAFLAUB, KURT/EMLEN, JULIA (Hrsg.), 1991: *City States in Classical Antiquity and Medieval Italy. Athens and Rome. Florence and Venice.* Stuttgart.

MÖRKE, OLAF, 2010: *Stadtstaat.* In: Friedrich Jaeger (Hrsg.), Enzyklopädie der Neuzeit. Band 12, Silber – Subsidien. Stuttgart/Weimar, Spalte 793 – 797.

MORTIMER, EDWARD (Hrsg.), 1999: *People, Nation and State. The Meaning of Ethnicity and Nationalism.* London/New York.

MÜHLMANN, WILHELM E., 1964: *Rassen, Ethnien, Kulturen. Moderne Ethnologie.* [Reihe Soziologische Texte. Band 24], Neuwied/Berlin.

MULDOON, JAMES, 1999: *Empire and Order. The Concept of Empire, 800 - 1800.* [Reihe Studies in modern history], Basingstoke/London/New York.

MÜLLER, ANDREAS (Hrsg.), 2015: *Bürgerstaat und Staatsbürger. Milizpolitik zwischen Mythos und Moderne.* [Reihe NZZ Libro], Zürich.

MÜLLER, ERNST WILHELM, 1989: *Der Begriff ‚Volk' in der Ethnologie.* In: Saeculum. Jahrbuch für Universalgeschichte. 40 (3/4), Seite 237 - 252.

MÜNKLER, HERFRIED, 2005 [2004]: *Staatengemeinschaft oder Imperium - Alternative Ordnungsmodelle bei der Gestaltung von „Weltinnenpolitik".* In: Sabine Jaberg/Peter Schlotter (Hrsg.), Imperiale Weltordnung - Trend des 21. Jahrhunderts? [Reihe AFK-Friedensschriften. Band 32], Baden-Baden, Seite 43 - 59.

MÜNKLER, HERFRIED, 2007: *Imperiale Ordnung. Die Governance-Leistung von Imperien in komparativer Perspektive.* In: Marianne Beisheim/Gunnar Folke Schuppert (Hrsg.), Staatszerfall und Governance. [Reihe Schriften zur Governance-Forschung. Band 7], Baden-Baden, Seite 263 - 284.

MÜNKLER, HERFRIED, 2010: *Imperium und Imperialismus.* In: Docupedia-Zeitgeschichte. Begriffe, Methoden und Debatten der zeithistorischen Forschung. Version vom: 11.02.2010, URL: http://docupedia.de/images/a/a4/Imperium.pdf.

MÜNKLER, HERFRIED, 2011: *Imperialismus (Imperium).* In: Martin Hartmann/Claus Offe (Hrsg.), Politische Theorie und Politische Philosophie. Ein Handbuch. München, Seite 98 - 103.

MÜNKLER, HERFRIED, 2013 [2005]: *Imperien. Die Logik der Weltherrschaft - Vom Alten Rom bis zu den Vereinigten Staaten.* Köln.

MÜNKLER, HERFRIED/SILNIZKI, MICHAEL/VOLLRATH, ERNST, 1998: *Staat.* In: Joachim Ritter/Karlfried Gründer (Hrsg.), Historisches Wörterbuch der Philosophie. Band 10, St - T. Basel, Spalte 1 - 53.

MÜNTER, MICHAEL, 2005: *Verfassungsreform im Einheitsstaat. Die Politik der Dezentralisierung in Großbritannien.* [Reihe Forschung Politik], Wiesbaden.

MUTHU, SANKAR (Hrsg.), 2014 [2012]: *Empire and Modern Political Thought.* New York.

NELSON, BRIAN R., 2006: *The Making of the Modern State. A Theoretical Evolution.* New York/Basingstoke.

NIEDERBERGER, ANDREAS/SCHINK, PHILIPP/WAGNER, ANDREAS (Red.), 2004: *Autonomie und Heteronomie der Politik. Politisches Denken zwischen Post-Marxismus und Poststrukturalismus.* [Reihe Sozialtheorie], Bielefeld.

NIELSEN, THOMAS HEINE (Hrsg.), 1997: *Yet More Studies in the Ancient Greek Polis.* [Reihe Historia. Zeitschrift für Alte Geschichte. Einzelschriften. Band 117; Papers from the Copenhagen Polis Centre. Band 4], Stuttgart.

NIELSEN, THOMAS HEINE (Hrsg.), 2002: *Even More Studies in the Ancient Greek Polis.* [Reihe Historia. Zeitschrift für Alte Geschichte. Einzelschriften. Band 162; Papers from the Copenhagen Polis Centre. Band 6], Stuttgart.

NIELSEN, THOMAS HEINE (Hrsg.), 2004: *Once Again: Studies in the Ancient Greek Polis.* [Reihe Historia. Zeitschrift für Alte Geschichte. Einzelschriften. Band 180; Papers from the Copenhagen Polis Centre. Band 7], Stuttgart.

NOLTE, HANS-HEINRICH, 2005: *Weltgeschichte. Imperien, Religionen und Systeme 15. - 19. Jahrhundert.* Wien/Köln/Weimar.

NOLTE, HANS-HEINRICH, 2008a: *1., 2., 3. Reich? - Zum Begriff Imperium.* In: ders. (Hrsg.), Imperien. Eine vergleichende Studie. [Reihe Studien Weltgeschichte], Schwalbach, Seite 5 - 18.

NOLTE, HANS-HEINRICH (Hrsg.), 2008b: *Imperien. Eine vergleichende Studie.* [Reihe Studien Weltgeschichte], Schwalbach.

NOLTE, HANS-HEINRICH, 2017: *Kurze Geschichte der Imperien.* Wien/Köln/Weimar.

NOLTE, PAUL, 2006: *Shifting Boundaries: The Rise and Fall of European Nation-States in Comparative Perspective.* In: Zeitschrift für Staats- und Europawissenschaften. Der öffentliche Sektor im internationalen Vergleich (ZSE). 4 (1), Seite 9 - 27.

OBERNDÖRFER, DIETER/ROSENZWEIG, BEATE (Hrsg.), 2014[3] [2000]: *Klassische Staatsphilosophie. Texte und Einführungen. Von Platon bis Rousseau*. München.

OESTREICH, GERHARD, 1969: *Geist und Gestalt des frühmodernen Staates. Ausgewählte Aufsätze*. Berlin.

OFFE, CLAUS, 2011: *Staat*. In: Martin Hartmann/Claus Offe (Hrsg.), Politische Theorie und Politische Philosophie. Ein Handbuch. München, Seite 313 - 316.

ORSI, GIUSEPPE/SEELMANN, KURT/SMID, STEFAN/STEINVORTH, ULRICH (Hrsg.), 1994: *Nation, Nationalstaat, Nationalismus*. [Reihe Rechtsphilosophische Hefte. Beiträge zur Rechtswissenschaft, Philosophie und Politik. Band 3], Frankfurt/Berlin/Bern/New York/Paris/Wien.

OSIANDER, ANDREAS, 2007: *Before the State: Systemic Political Change in the West from the Greeks to the French Revolution*. Oxford/New York.

OSTERHAMMEL, JÜRGEN, 2002: *Expansion und Imperium*. In: Peter Burschel/Mark Häberlein/Volker Reinhardt/Wolfgang E. J. Weber/Reinhard Wendt (Hrsg.), Historische Anstöße. Festschrift für Wolfgang Reinhard zum 65. Geburtstag am 10. April 2002. Berlin, Seite 371 - 392.

OSTERHAMMEL, JÜRGEN, 2006: *Imperien*. In: Gunilla Budde/Sebastian Conrad/Oliver Janz (Hrsg.), Transnationale Geschichte. Themen, Tendenzen und Theorien. Göttingen, Seite 56 - 67.

OSTERHAMMEL, JÜRGEN, 2009[4]: *Imperialgeschichte*. In: Christoph Cornelißen (Hrsg.), Geschichtswissenschaften. Eine Einführung. Frankfurt, Seite 221 - 232.

OSTERHAMMEL, JÜRGEN, 2011 [2009]: *Die Verwandlung der Welt. Eine Geschichte des 19. Jahrhunderts*. [Reihe Historische Bibliothek der Gerda Henkel Stiftung], München.

OSTERHAMMEL, JÜRGEN/JANSEN, JAN C., 2012[7]: *Kolonialismus. Geschichte, Formen, Folgen*. München.

PARKER, GEOFFREY, 2004: *Sovereign City. The City-State through History*. [Reihe Globalities], London.

PATZE, HANS (Hrsg.), 1986[2]a [1970]: *Der deutsche Territorialstaat im 14. Jahrhundert*. Band 1, Sigmaringen.

PATZE, HANS (Hrsg.), 1986[2]b [1971]: *Der deutsche Territorialstaat im 14. Jahrhundert*. Band 2, Sigmaringen.

PATZELT, WERNER J., 2013[7]: *Einführung in die Politikwissenschaft. Grundriss des Faches und studiumbegleitende Orientierung*. Passau.

PATZELT, WERNER J., 2016: *Was ist ein Volk?* In: Joachim Klose/Rüdiger Voigt (Hrsg), Grenzen in Zeiten der Entgrenzung. [Reihe Social coherence studies. Band 4], Dresden, Seite 29 - 40.

PAUEN, MICHAEL/WELZER, HARALD, 2015: *Autonomie. Eine Verteidigung*. Frankfurt.

PEGG, SCOTT, 1998: *International Society and the De Facto State*. Aldershot/Brookfield/Singapore/Sydney.

PERŁAKOWSKI, ADAM/BARTCZAK, ROBERT/SCHINDLING, ANTON (Hrsg.), 2009: *Die Reiche Mitteleuropas in der Neuzeit. Integration und Herrschaft. Liber memorialis Jan Pirożyński*. Kraków.

PLÜMPER, THOMAS, 1996: *Souveränität im internationalen System: Kritische Anmerkungen zur Definition eines analytischen Konzeptes*. In: WeltTrends. Zeitschrift für internationale Politik und vergleichende Studien (WT). 4 (12), Seite 147 - 160.

POGGI, GIANFRANCO, 1978: *The Development of the Modern State. A Sociological Introduction*. Stanford.

QUARITSCH, HELMUT, 1970: *Staat und Souveränität*. Band 1, *Die Grundlagen*. Frankfurt.

QUÉNIVET, NOËLLE, 2007: *Konstituierung staatsähnlicher Gebilde? Fallbeispiele aus der ehemaligen Sowjetunion*. In: Volker Epping/Hans-Joachim Heintze (Hrsg.), Wiederherstellung staatlicher Strukturen in Nach-Konflikt-Situationen. Theoretische Fragen und Fallstudien. [Reihe Bochumer Schriften zur Friedenssicherung und zum Humanitären Völkerrecht. Band 55], Berlin, Seite 139 - 169.

RAAP, CHRISTIAN, 2000: *Souveränität*. In: Gerlinde Sommer/Raban Graf von Westphalen (Hrsg.), Staatsbürgerlexikon. Staat, Politik, Recht und Verwaltung in Deutschland und der Europäischen Union. München/Wien, Seite 815.

RAAP, CHRISTIAN, 2014: *De facto-Regime, stabilisiertes*. In: Burkhard Schöbener (Hrsg.), Völkerrecht. Lexikon zentraler Begriffe und Themen. [Reihe Grundbegriffe des Rechts], Heidelberg/München/Landsberg/Frechen/Hamburg, Seite 50 - 51.

RABL, KURT, 1964: *Inhalt, Wesen und gegenwärtige praktische Bedeutung des Selbstbestimmungsrechts der Völker. 1. Fachtagung veranstaltet vom 12. - 14. März 1963 in den Räumen der Evangelischen Akademie in Hessen und Nassau Arnoldshain (Taunus). Vorträge und Aussprachen*. [Reihe Studien und Gespräche über Selbstbestimmung und Selbstbestimmungsrecht. Band 1], München.

RABL, KURT, 1973[2]: *Das Selbstbestimmungsrecht der Völker. Geschichtliche Grundlagen. Umriß der gegenwärtigen Bedeutung. Ein Versuch*. Köln/Wien.

RAFII, MICHAEL, 2014: *Staatenverbindungen*. In: Burkhard Schöbener (Hrsg.), Völkerrecht. Lexikon zentraler Begriffe und Themen. [Reihe Grundbegriffe des Rechts], Heidelberg/München/Landsberg/Frechen/Hamburg, Seite 418 - 422.

REIMANN, BRUNO W., 2011[5]: *Autonomie, soziale*. In: Werner Fuchs-Heinritz/Daniela Klimke/Rüdiger Lautmann/Otthein Rammstedt/Urs Stäheli/Christoph Weischer/Hanns Wienold (Hrsg.), Lexikon zur Soziologie. Wiesbaden, Seite 73.

REINHARD, WOLFGANG, 1998: *Frühmoderner Staat - Moderner Staat*. In: Olaf Mörke/Michael North (Hrsg.), Die Entstehung des modernen Europa 1600 - 1900. [Reihe Wirtschafts- und Sozialhistorische Studien. Band 7], Köln/Weimar/Wien, Seite 1 - 9.

REINHARD, WOLFGANG, 2002[3]: *Geschichte der Staatsgewalt. Eine vergleichende Verfassungsgeschichte Europas von den Anfängen bis zur Gegenwart*. München.

REINHARD, WOLFGANG, 2007: *Geschichte des modernen Staates. Von den Anfängen bis zur Gegenwart*. München.

REINHARD, WOLFGANG, 2014: *Einleitung: Weltreiche, Weltmeere - Und der Rest der Welt*. In: ders. (Hrsg.), Geschichte der Welt. Band 3, Weltreiche und Weltmeere. 1350 - 1750. München, Seite 9 - 52.

RENAN, ERNEST, 1995 [1887]: *Was ist eine Nation?* Übers. von Henning Ritter, in: ders., Was ist eine Nation? Und andere politische Schriften. [Reihe Transfer Kulturgeschichte. Band 2], Wien/Bozen, Seite 41 - 58.

RHODES, PETER J./WELWEI, KARL-WILHELM, 2001: *Polis*. In: Hubert Cancik/Helmuth Schneider (Hrsg.), Der Neue Pauly. Enzyklopädie der Antike. Altertum. Band 10, Pol - Sal. Stuttgart/Weimar, Spalte 22 - 26.

ROEDER, PHILIP G., 2007: *Where Nation-States Come From. Institutional Change in the Age of Nationalism*. Princeton/Oxford.

ROELLECKE, GERD, 2000: *Souveränität, Staatssouveränität, Volkssouveränität*. In: Dietrich Murswiek/Ulrich Storost/Heinrich A. Wolff (Hrsg.), Staat - Souveränität - Verfassung. Festschrift für Helmut Quaritsch zum 70. Geburtstag. [Reihe Schriften zum Öffentlichen Recht. Band 814], Berlin, Seite 15 - 30.

ROTBERG, ROBERT I. (Hrsg.), 2003: *State Failure and State Weakness in a Time of Terror*. Cambridge/Washington.

ROTBERG, ROBERT I. (Hrsg.), 2004: *When states fail. Causes and consequences*. Princeton/Oxford.

ROTERMUNDT, RAINER, 1997: *Staat und Politik*. [Reihe Einstiege. Grundbegriffe der Sozialphilosophie und Gesellschaftstheorie. Band 4], Münster.

ROTH, KLAUS, 2011[2]: *Genealogie des Staates. Prämissen des neuzeitlichen Politikdenkens*. [Reihe Beiträge zur Politischen Wissenschaft. Band 130], Berlin.

RÖTTGERS, KURT, 2011[5]: *Souveränität*. In: Werner Fuchs-Heinritz/Daniela Klimke/Rüdiger Lautmann/Otthein Rammstedt/Urs Stäheli/Christoph Weischer/Hanns Wienold (Hrsg.), Lexikon zur Soziologie. Wiesbaden, Seite 620 - 621.

RUPP, HANS HEINRICH, 2004[3]: *Die Unterscheidung von Staat und Gesellschaft*. In: Josef Isensee/Paul Kirchhof (Hrsg.), Handbuch des Staatsrechts der Bundesrepublik Deutschland. Band 2, Verfassungsstaat. Heidelberg, Seite 879 – 927.

SALZBORN, SAMUEL/VOIGT, RÜDIGER (Hrsg.), 2010: *Souveränität. Theoretische und ideengeschichtliche Reflexionen*. [Reihe Staatsdiskurse. Band 10], Stuttgart.

SANDSCHNEIDER, EBERHARD (Hrsg.), 2007: *Empire*. [Reihe Veröffentlichungen der Deutschen Gesellschaft für Politikwissenschaft. Band 23], Baden-Baden.

SAXER, URS, 2010: *Die internationale Steuerung der Selbstbestimmung und der Staatsentstehung. Selbstbestimmung, Konfliktmanagement, Anerkennung und Staatennachfolge in der neueren Völkerrechtspraxis*. [Reihe Beiträge zum ausländischen öffentlichen Recht und Völkerrecht. Band 214], Heidelberg/Dordrecht/London/New York.

SCHACHTSCHNEIDER, KARL ALBRECHT, 2015: *Souveränität. Grundlegung einer freiheitlichen Souveränitätslehre. Ein Beitrag zum deutschen Staats- und Völkerrecht*. Berlin.

SCHENNACH, MARTIN, 2011: *Territorialstaat*. In: Friedrich Jaeger (Hrsg.), Enzyklopädie der Neuzeit. Band 13, Subsistenzwirtschaft – Vasall. Stuttgart/Weimar, Spalte 380 – 382.

SCHIEDER, THEODOR, 1992[2] [1991 posthum]: *Nationalismus und Nationalstaat. Studien zum nationalen Problem im modernen Europa*. Hrsg. von Otto Dann/Hans-Ulrich Wehler, Göttingen.

SCHIRILLA, NAUSIKAA, 2006: *Autonomie des Subjekts. Eine interkulturelle Perspektive*. [Reihe Interkulturelle Bibliothek. Band 99], Nordhausen.

SCHLIESKY, UTZ, 2004: *Souveränität und Legitimität von Herrschaftsgewalt. Die Weiterentwicklung von Begriffen der Staatslehre und des Staatsrechts im europäischen Mehrebenensystem*. [Reihe Jus Publicum. Beiträge zum Öffentlichen Recht. Band 112], Tübingen.

SCHMIDT, GEORG, 1999: *Geschichte des alten Reiches. Staat und Nation in der frühen Neuzeit 1495 – 1806*. München.

SCHMIDT, MANFRED G., 2010[3]: *Wörterbuch zur Politik*. Stuttgart.

SCHMITT, CARL, 1935[3] [1933]: *Staat, Bewegung, Volk. Die Dreigliederung der politischen Einheit*. [Reihe Der deutsche Staat der Gegenwart. Heft 1], Hamburg.

SCHMITT, CARL, 2015[10] [1922]: *Politische Theologie. Vier Kapitel zur Lehre von der Souveränität*. Berlin.

SCHNECKENER, ULRICH, 2004: *Fragile Staaten als Problem der internationalen Politik*. In: Nord-Süd aktuell. Vierteljahreszeitschrift für Nord-Süd- und Süd-Süd-Entwicklungen (NSA). 18 (3), Seite 510 – 524.

SCHNECKENER, ULRICH (Hrsg.), 2006: *Fragile Staatlichkeit. „States at Risk" zwischen Stabilität und Scheitern*. [Reihe Internationale Politik und Sicherheit. Band 59], Baden-Baden.

SCHNEIDER, PETER, 1990 [1987]: *Der Bürgerstaat*. Frankfurt.

SCHNEIDMÜLLER, BERND, 2010: *Mittelalterliche Nationenbildung als Innovation? Reiche und Identitäten im mittelalterlichen Europa*. In: Christian Hesse/Klaus Oschema (Hrsg.), Aufbruch im Mittelalter – Innovationen in Gesellschaften der Vormoderne. Studien zu Ehren von Rainer C. Schwinges. Ostfildern, Seite 269 – 292.

SCHNETTGER, MATTHIAS (Hrsg.), 2002: *Imperium Romanum – Irregulare corpus – Teutscher Reichs-Staat. Das Alte Reich im Verständnis der Zeitgenossen und der Historiographie*. [Veröffentlichungen des Instituts für Europäische Geschichte Mainz. Abteilung für Universalgeschichte. Band 57], Mainz.

SCHNUR, ROMAN (Hrsg.), 1978: *Staat und Gesellschaft. Studien über Lorenz von Stein*. Berlin.

SCHÖBENER, BURKHARD/KNAUFF, MATTHIAS, 2016[3]: *Allgemeine Staatslehre*. [Reihe Grundrisse des Rechts], München.

SCHOISWOHL, MICHAEL, 2004: *Status and (Human Rights) Obligations of Non-Recognized De Facto Regimes in International Law: The Case of ‚Somaliland'. The Resurrection of Somaliland Against All International ‚Odds': State Collapse, Secession, Non-Recognition and Human Rights*. Leiden/Boston.

SCHUBERT, ERNST, 2006[2]: *Fürstliche Herrschaft und Territorium im späten Mittelalter*. [Enzyklopädie deutscher Geschichte. Band 35], München.

SCHUBERT, ULF-MANUEL, 2005: *Staatszerfall als Problem des internationalen Systems*. Marburg.

SCHULTZE, RAINER-OLAF, 2004²: *Staat*. In: Dieter Nohlen/Rainer-Olaf Schultze (Hrsg.), Lexikon der Politikwissenschaft. Theorien, Methoden, Begriffe. Band 2, N – Z. München, Seite 909 - 910.

SCHULTZE, RAINER-OLAF/WASCHKUHN, ARNO, 2004²: *Autonomie*. In: Dieter Nohlen/Rainer-Olaf Schultze (Hrsg.), Lexikon der Politikwissenschaft. Theorien, Methoden, Begriffe. Band 1, A - M. München, Seite 53 - 54.

SCHULZE, HAGEN, 2004² [1995²]: *Staat und Nation in der europäischen Geschichte*. München.

SCHUPPERT, GUNNAR FOLKE, 2003: *Staatswissenschaft*. Baden-Baden.

SCHUPPERT, GUNNAR FOLKE, 2010: *Staat als Prozess. Eine staatstheoretische Skizze in sieben Aufzügen*. [Reihe Staatlichkeit im Wandel], Frankfurt/New York.

SCHWARZMAIER, HANSMARTIN, 2005: *Baden. Dynastie, Land, Staat*. Stuttgart.

SCHWEMMER, OSWALD, 2005²: *Autonomie*. In: Jürgen Mittelstraß (Hrsg.), Enzyklopädie Philosophie und Wissenschaftstheorie. Band 1, A - B. Stuttgart/Weimar, Seite 319 - 321.

SEIDELMANN, REIMUND, 2004²: *Souveränität*. In: Dieter Nohlen/Rainer-Olaf Schultze (Hrsg.), Lexikon der Politikwissenschaft. Theorien, Methoden, Begriffe. Band 2, N – Z. München, Seite 865 - 867.

SEIDELMANN, REIMUND, 2008¹¹: *Souveränität*. In: Wichard Woyke (Hrsg.), Handwörterbuch Internationale Politik. Opladen/Farmington Hills, Seite 467 - 473.

SHENNAN, JOSEPH H., 1974: *The origins of the modern European state 1450 – 1725*. London.

SHOEMAKER, CHRISTOPHER C./SPANIER, JOHN, 1984: *Patron-Client State Relationships. Multilateral Crises in the Nuclear Age*. [Reihe Praeger special studies; Praeger scientific], New York/Philadelphia/Eastbourne/Toronto/Hong Kong/Tokyo/Sydney.

SIMON, STEFAN, 2000: *Autonomie im Völkerrecht. Ein Versuch zum Selbstbestimmungsrecht der Völker*. [Reihe Völkerrecht und Außenpolitik. Band 57], Baden-Baden.

SIMSON, WERNER VON, 1965: *Die Souveränität im rechtlichen Verständnis der Gegenwart*. Berlin.

SKALWEIT, STEPHAN, 1987 [1975]: *Der „moderne Staat". Ein historischer Begriff und seine Problematik*. In: ders., Gestalten und Probleme der frühen Neuzeit. Ausgewählte Aufsätze. [Reihe Historische Forschungen. Band 32], Berlin, Seite 208 - 229.

STAUBER, REINHARD, 2001: *Der Zentralstaat an seinen Grenzen. Administrative Integration, Herrschaftswechsel und politische Kultur im südlichen Alpenraum 1750 – 1820*. [Schriftenreihe der Historischen Kommission bei der Bayerischen Akademie der Wissenschaften. Band 64], Göttingen.

STAUBER, REINHARD, 2008a: *Nation, Nationalismus*. In: Friedrich Jaeger (Hrsg.), Enzyklopädie der Neuzeit. Band 8, Manufaktur - Naturgeschichte. Stuttgart/Weimar, Spalte 1056 - 1082.

STAUBER, REINHARD, 2008b: *Nationalstaat*. In: Friedrich Jaeger (Hrsg.), Enzyklopädie der Neuzeit. Band 8, Manufaktur - Naturgeschichte. Stuttgart/Weimar, Spalte 1116 - 1124.

STEIN, LORENZ VON, 1972a [1850]: *Geschichte der sozialen Bewegung in Frankreich von 1789 bis auf unsere Tage*. Band 1, *Der Begriff der Gesellschaft und die soziale Geschichte der Französischen Revolution bis zum Jahre 1830*. Darmstadt.

STEIN, LORENZ VON, 1972b: *Gesellschaft - Staat - Recht*. Hrsg. von Ernst Forsthoff, [Reihe Schriften zur Theorie von Geschichte und Politik], Frankfurt/Berlin/Wien.

STEIN, TINE/BUCHSTEIN, HUBERTUS/OFFE, CLAUS (Hrsg.), 2007: *Souveränität, Recht, Moral. Die Grundlagen politischer Gemeinschaft*. Frankfurt/New York.

STRAßNER, ALEXANDER/KLEIN, MARGARETE (Hrsg.), 2007: *Wenn Staaten scheitern. Theorie und Empirie des Staatszerfalls*. Wiesbaden.

STURM, ROLAND, 2007²: *Perspektiven des Staates im 21. Jahrhundert*. In: Alexander Gallus/Eckhard Jesse (Hrsg.), Staatsformen von der Antike bis zur Gegenwart. Ein Handbuch. Köln/Weimar/Wien, Seite 371 - 399.

TALMON, STEFAN, 2006: *Kollektive Nichtanerkennung illegaler Staaten. Grundlagen und Rechtsfolgen einer international koordinierten Sanktion, dargestellt am Beispiel der Türkischen Republik Nord-Zypern.* [Reihe Jus Publicum. Beiträge zum Öffentlichen Recht. Band 154], Tübingen.

THIEME, HANS, 1990: *Reich, Reichsverfassung.* In: Adalbert Erler/Ekkehard Kaufmann (Hrsg.), Handwörterbuch zur deutschen Rechtsgeschichte. Band 4, Protonotarius Apostolicus – Strafprozeßordnung. Berlin, Spalte 506 – 518.

THÜRER, DANIEL, 1976: *Das Selbstbestimmungsrecht der Völker.* Bern.

THÜRER, DANIEL/HERDEGEN, MATTHIAS/HOHLOCH, GERHARD, 1996: *Der Wegfall effektiver Staatsgewalt: „The Failed State".* [Reihe Berichte der Deutschen Gesellschaft für Völkerrecht. Band 34], Heidelberg.

TILLY, CHARLES (Hrsg.), 1975: *The Formation of National States in Western Europe.* [Reihe Studies in political development. Band 8], Princeton.

TIMMERMANN, HEINER (Hrsg.), 1989: *Die Bildung des frühmodernen Staates – Stände und Konfessionen.* [Reihe Forum: Politik. Band 6], Saarbrücken.

TROY, JODOK, 2007: *Staatszerfall. Ursachen – Charakteristika – Auswirkungen.* [Reihe Politikwissenschaft. Band 152], Wien/Berlin/Münster.

TUCHTENHAGEN, RALPH, 2008: *Zentralstaat und Provinz im frühneuzeitlichen Nordosteuropa.* [Reihe Veröffentlichungen des Nordost-Instituts. Band 5], Wiesbaden.

VOIGT, RÜDIGER (Hrsg.), 1995: *Der kooperative Staat. Krisenbewältigung durch Verhandlung?* Baden-Baden.

VOIGT, RÜDIGER (Hrsg.), 1998: *Der neue Nationalstaat.* Baden-Baden.

VOIGT, RÜDIGER (Hrsg.), 2000[3]: *Abschied vom Staat – Rückkehr zum Staat?* [Reihe IfS-Werkstatt. Band 1], Neubiberg, URL: http://www.staatswissenschaft.com/pdf/IfS-Werkstatt1.pdf.

VOIGT, RÜDIGER, 2009[2]: *Den Staat denken. Der Leviathan im Zeichen der Krise.* [Reihe Staatsverständnisse. Band 12], Baden-Baden.

VOIGT, RÜDIGER (Hrsg.), 2016: *Staatsdenken. Zum Stand der Staatstheorie heute.* Baden-Baden.

VOLGER, HELMUT, 1997a: *Selbstbestimmung/Selbstbestimmungsrecht.* In: Ulrich Albrecht/Helmut Volger (Hrsg.), Lexikon der Internationalen Politik. München/Wien, Seite 457 – 460.

VOLGER, HELMUT, 1997b: *Souveränität.* In: Ulrich Albrecht/Helmut Volger (Hrsg.), Lexikon der Internationalen Politik. München/Wien, Seite 466 – 470.

VOSGERAU, ULRICH, 2014: *Staatsgebiet.* In: Burkhard Schöbener (Hrsg.), Völkerrecht. Lexikon zentraler Begriffe und Themen. [Reihe Grundbegriffe des Rechts], Heidelberg/München/Landsberg/Frechen/Hamburg, Seite 427 – 433.

WAGNER, NORBERT B., 2015: *Reine Staatslehre. Staaten, Fictitious States und das Deutschland-Paradoxon.* Band 1, [Juristische Schriftenreihe. Band 278], Berlin.

WALEY, DANIEL, 1969: *Die italienischen Stadtstaaten.* Übers. von Wolfram Wagmuth, [Reihe Kindlers Universitätsbibliothek. Band 17], München.

WALTER, UWE, 1993: *An der Polis teilhaben. Bürgerstaat und Zugehörigkeit im archaischen Griechenland.* [Reihe Historia. Zeitschrift für Alte Geschichte. Einzelschriften. Band 82], Stuttgart.

WEBER, MAX, 2009[5] [1972[5] posthum]: *Wirtschaft und Gesellschaft. Grundriss der verstehenden Soziologie.* Hrsg. von Johannes Winckelmann, Tübingen.

WEBER-FAS, RUDOLF, 2000: *Über die Staatsgewalt. Von Platons Idealstaat bis zur Europäischen Union.* München.

WELWEI, KARL-WILHELM, 1998[2]: *Die griechische Polis. Verfassung und Gesellschaft in archaischer und klassischer Zeit.* Stuttgart.

WENDEHORST, STEPHAN (Hrsg.), 2015: *Die Anatomie frühneuzeitlicher Imperien. Herrschaftsmanagement jenseits von Staat und Nation: Institutionen, Personal und Techniken.* [Reihe Bibliothek altes Reich. Band 5], Berlin/München/Boston.

WESSELS, WOLFGANG, 2000: *Die Öffnung des Staates. Modelle und Wirklichkeit grenzüberschreitender Verwaltungspraxis 1960 - 1995.* Opladen.

WIELAND, CARSTEN, 2000: *Nationalstaat wider Willen. Politisierung von Ethnien und Ethnisierung der Politik: Bosnien, Indien, Pakistan*. [Reihe Campus Forschung. Band 814], Frankfurt/New York.

WILDHABER, LUZIUS, 1986 [1983]: *Sovereignty and International Law*. In: Ronald S. J. Macdonald/Douglas M. Johnston (Hrsg.), The Structure and Process of International Law: Essays in Legal Philosophy Doctrine and Theory. [Reihe Developments in international law], Dordrecht/Boston/Lancaster, Seite 425 - 452.

WILLOWEIT, DIETMAR, 1990: *Staat*. In: Adalbert Erler/Ekkehard Kaufmann (Hrsg.), Handwörterbuch zur deutschen Rechtsgeschichte. Band 4, Protonotarius Apostolicus - Strafprozeßordnung. Berlin, Spalte 1792 - 1797.

WIMMER, ANDREAS, 2000²: *Ethnizität*. In: Bernhard Streck (Hrsg.), Wörterbuch der Ethnologie. Wuppertal, Seite 53 - 55.

ZARTMAN, I. WILLIAM (Hrsg.), 1995: *Collapsed States. The Disintegration and Restoration of Legitimate Authority*. [Reihe SAIS African Studies Library], Boulder/London.

ZIEGLER, ANDREAS R., 2011²: *Einführung in das Völkerrecht*. [Reihe Stämpflis juristische Lehrbücher], Bern.

ZIEGLER, KARL-HEINZ, 2007²: *Völkerrechtsgeschichte. Ein Studienbuch*. [Reihe Kurzlehrbücher für das juristische Studium], München.

ZIPPELIUS, REINHOLD, 2003¹⁰: *Geschichte der Staatsideen*. München.

ZIPPELIUS, REINHOLD, 2010¹⁶: *Allgemeine Staatslehre. Politikwissenschaft. Ein Studienbuch*. [Reihe Kurzlehrbücher für das juristische Studium], München.

ZIVIER, ERNST R., 1969²: *Die Nichtanerkennung im modernen Völkerrecht. Probleme staatlicher Willensäußerung*. [Reihe Völkerrecht und Politik], Berlin.

ZÖLLNER, ERICH (Hrsg.), 1984: *Volk, Land und Staat. Landesbewußtsein, Staatsidee und nationale Fragen in der Geschichte Österreichs*. [Reihe Schriften des Institutes für Österreichkunde. Band 43], Wien.

8
System – Organisation – Gouvernanz – Ordnung
Überlegungen zur Konzeption des interdisziplinären Ansatzes der Internationalen Politischen Ordnungs-Forschung

I. Einleitung

Mit der strukturellen (Gesamt)Gestalt der internationalen politischen Beziehungen innerhalb einer Epoche oder einer Region haben sich schon viele empirische Arbeiten auseinandergesetzt.[1] Allerdings sind diese Versuche im Hinblick auf ihren jeweils zugrunde liegenden Zugriff häufig reflexionslos und damit willkürlich und auswahlweise geblieben. Es stellt sich daher die Frage, ob sich ein Forschungsansatz finden oder konzipieren lässt, mit dem diese umfangreiche Thematik auf angemessen systematische und (zumindest einigermaßen) vollständige Weise bearbeitet werden kann.

Bislang haben die Geschichtswissenschaft, die Politikwissenschaft und die Rechtswissenschaft insgesamt vier, in der Regel schon interdisziplinär angelegte Forschungsansätze entwickelt, die sich der internationalen Politik in mehr oder weniger umfassender Weise zuwenden und dabei insbesondere strukturelle Aspekte in den Blick nehmen. Das sind im Einzelnen die Internationale Politische System-Forschung, die Internationale Organisations-Forschung, die Übernationale Gouvernanz-Forschung und die Internationale Politische Ordnungs-Forschung.[2] Von diesen ist jedoch allein die Letzte, die Internationale Politische Ordnungs-Forschung, zumindest von ihrer grund-

---

1 Hierzu sind neben den Bänden der entsprechend angelegten Handbuchreihen (vor allem: „Handbuch der Geschichte der Internationalen Beziehungen", *„The Modern European State System"* und *„Nouvelle histoire des relations internationales"*) unter anderem zu nennen: Walther Kienast, 1936; Werner Hahlweg, 1959; Theodor Mayer, 1959; Ulrich Scheuner, 1964; Paul W. Schroeder, 1986; Werner Link, 1988[2]; Heinz Duchhardt, 1989; ders., 2000; ders., 2001; Klaus Hildebrand, 1989; Heinz Schilling, 1991; ders., 1993; Ludolf Herbst, 1996; Eberhard Kolb, 1996; Holger T. Gräf, 1998; Harald Kleinschmidt, 1998; Gabriele Metzler, 1999; Michael Brzoska, 2000; Anselm Doering-Manteuffel, 2000; Wolf D. Gruner, 2001; Jeremy Black, 2002; Reiner Pommerin, 2003; Klaus Malettke, 2007; Alain Tallon, 2010; Lucien Bély, 2013[4]; Hamish M. Scott, 2013.

2 Siehe zu den vier Forschungsansätzen: Michael Gal, 2017 (nur in der erweiterten Fassung in diesem Band: Kapitel V).

sätzlichen Anlage her speziell darauf ausgerichtet, die Gesamtheit der zwischenstaatlichen Strukturen in den Blick zu nehmen.

Im Folgenden werden daher zunächst die ersten drei Forschungsansätze hinsichtlich des gegenwärtigen Standes ihrer jeweiligen konzeptionellen Anlage nacheinander vorgestellt, um auch von ihnen für die in dieser Arbeit verfolgte Problematik zu lernen (Kapitel II – IV). Im Anschluss daran richtet sich die Aufmerksamkeit speziell auf den vierten genannten Ansatz, die Internationale Politische Ordnungs-Forschung. Nach der Rekonstruktion ihrer Entwicklung und ihrer aktuellen programmatischen Verfassung (Kapitel V.1) geht es sodann um die begriffliche Reflexion des von ihr bearbeiteten Wirklichkeitsausschnitts (Kapitel V.2), während schließlich der Ansatz selbst eine konzeptionelle Erweiterung und Aktualisierung – nicht zuletzt unter theoretischen Anleihen bei den drei anderen Forschungsprogrammen – erfährt (Kapitel V.3).

II. Internationale Politische System-Forschung

Den umfassendsten und zugleich abstraktesten konzeptionellen Rahmen stellt wohl der Ansatz der Internationalen Politischen System-Forschung bereit.[3] In der Mitte der 1950er Jahre hat Morton A. Kaplan mit einer einflussreichen Arbeit das Interesse der Politikwissenschaftler auf die systematische Auseinandersetzung mit Systemen auf internationaler Ebene gelenkt.[4] In der Folge erhielt dieses Konzept rasch Einzug in das Grundlagenwissen der Disziplin, während weitere programmatische Beiträge zu ihrer Untersuchung zunächst allerdings ausblieben. Erst im Jahr 2000 wurde ein Band mit ähnlicher Wirkung von Barry Buzan und Richard Little vorgelegt, der zahlreiche bedenkenswerte Ideen, eine dezidiert historische Ausrichtung und insgesamt die bislang ausdifferenzierteste Konzeption enthält.[5] Obwohl der Ansatz gelegentlich auch von Historikern aufgegriffen wurde, ist es in den Augen von Eckart Conze noch im Jahr 2007 überraschend, „daß das neuzeitliche *Staatensystem* bislang nur in ersten Ansätzen die systematische Aufmerksamkeit der historischen Forschung gefunden hat".[6] Dennoch hat die

---

3 Neben ‚internationalen politischen Systemen' ist in der Literatur im Übrigen auch von (im Grunde davon zu unterscheidenden) umfassenderen (weil unspezifischen) ‚Internationalen Systemen', ausschließlichen (weil allein auf eine einzige Gemeinwesensform bezogenen) ‚Staatensystemen' oder gar bloßen (weil gegebenenfalls nur einen kleinen Kreis von Akteuren betreffenden) ‚(Groß)Mächtesystemen' die Rede. Etwas qualitativ ganz anderes meint hingegen das von Immanuel Wallerstein entworfene Konzept des ‚Weltsystems'. Vgl. Immanuel Wallerstein, 2000; ders., 2007.

4 Vgl. Morton A. Kaplan, 2005[2] (erste Auflage zuerst 1957).

5 Vgl. Barry Buzan/Richard Little, 2000.

6 Eckart Conze, 2007: Seite 43 (Hervorhebung vom Verfasser).

Internationale Politische System-Forschung auch und gerade fachübergreifend gesehen mittlerweile einen einigermaßen beachtlichen Reflexionsgrad erreicht.[7]

Die gesellschaftswissenschaftliche Systemtheorie versteht unter einem System im Allgemeinen „eine Menge von ‚*Elementen*' beliebiger Art, zwischen denen *Beziehungen* (‚Relationen') bestehen. [...] Ein Muster solcher Relationen nennt man eine ‚*Struktur*'."[8] Indem die Menge der Elemente eine bestimmte mehr oder minder abgeschlossene Einheit bildet, ist sie gegenüber ihrer Umwelt sowie gegenüber anderen Systemen abgrenzbar. Umgekehrt können in derselben Weise auch Teilsysteme innerhalb des Systems vorkommen. Die einzelnen Segmente eines Systems können zudem untereinander (genauso wie das System als Ganzes nach außen) bestimmte Funktionen erfüllen und – abhängig von der jeweiligen Zusammenstellung und Ausgestaltung eines Systems – spezifische Wirkungsweisen entfalten. Vor diesem Hintergrund geht es besonders darum zu verstehen, wie ein bestimmtes System funktioniert.[9]

Übertragen auf den Gegenstand der zwischenstaatlichen Beziehungen umfasst ein internationales politisches System eine durch ethnische, religiöse, regionale oder andere Gegebenheiten verbundene Mehrzahl von Staaten oder anderen Akteursarten, die ihrerseits in verschiedenen politischen Relationen zueinander stehen (etwa in Form eines diplomatischen Kontakts oder eines militärischen Gefechts) und darüber hinaus auch vielfältige politische Strukturen ausgebildet haben können (etwa in Form eines ständigen Gesandtschaftswesens oder des regelmäßigen Abhaltens von internationalen Konferenzen). „Internationale [(politische)] Geschichte vollzieht sich [demnach stets] in Staaten*systemen*."[10] Dabei ist das Interesse der Internationalen Politischen System-Forschung nicht nur auf die *Formen* und *Strukturen* der zwischen den einzelnen Akteuren bestehenden Beziehungen gerichtet, sondern vor allem auch auf die in diesem Zusammenhang zum Tragen kommenden *Funktionen*, *Mechanismen* und *Wirkungen* innerhalb des Gesamtsystems.

---

7 Zu den theoretischen und programmatischen Überlegungen innerhalb der Internationalen Politischen System-Forschung siehe: Klaus Jürgen Gantzel, 1973; Martin Wight, 1977; Klaus Knorr/Sidney Verba, 1982; Friedrich Kratochwil, 1986; Peter Krüger, 1991; Barry Buzan/Richard Little, 2000; Harald Kleinschmidt, 2000; Morton A. Kaplan, 2005²; Eckart Conze, 2007. Siehe generell zur Entwicklungsgeschichte des Ansatzes die Forschungsberichte: Jay S. Goodman, 1965; Paul W. Schroeder, 1993; Jochen Walter, 2005.

8 Werner J. Patzelt, 2013⁷b: Seite 228 (Hervorhebungen vom Verfasser).

9 Zur allgemeinen gesellschaftswissenschaftlichen (vor allem soziologischen und politikwissenschaftlichen) Systemtheorie siehe etwa: Dieter Nohlen, 2004²; Johann Dieckmann, 2005; André Brodocz, 2011; Edwin Czerwick, 2011.

10 Anselm Doering-Manteuffel, 2000: Seite 93 (Hervorhebung vom Verfasser).

III. Internationale Organisations-Forschung

Einen ähnlich umfassenden, jedoch stärker auf ein bestimmtes Problemfeld der zwischenstaatlichen Politik ausgerichteten Zugriff bietet die Internationale Organisations-Forschung.[11] Sie geht zurück auf James Lorimer, der Ende des 19. Jahrhunderts über das für ihn ‚finale Problem der Völkerrechtswissenschaft' nachdachte, nämlich wie die zwischenstaatlichen Beziehungen durch die Etablierung völkerrechtlicher Einrichtungen ‚organisiert' werden könnten.[12] Den Gedanken Lorimers nahm wenig später Johann Caspar Bluntschli auf, der dessen Entwurf einer möglichen künftigen Organisation der Staatenwelt kritisierte und zugleich einen eigenen Vorschlag zu ihrer Umsetzung einbrachte.[13] Gerade in der bald darauf anbrechenden praktisch-konstruktiven Periode der beiden Haager Friedenskonferenzen von 1899 und 1907 und der Begründung und schließlichen Arbeit des Völkerbundes (LN) ab 1919 stieß die Frage der internationalen Organisation auf ein zunehmendes Interesse unter den Juristen, unter anderem auf das von Walther Schücking,[14] Hans Wehberg[15] und weiteren Vertretern des Faches.[16] Die Ausstrahlung des Ansatzes war sogar so groß, dass er in den 1920er Jahren die disziplinäre Grenze der Jurisprudenz überwand und vor allem innerhalb der Politikwissenschaft und ihrer Teildisziplin der Internationalen Politik auf ein reges Interesse stieß.[17] Mit ihren Arbeiten zum Völkerbund und später auch zu den Vereinten Nationen (UN) und wiederum etwas später ebenso zu regionalen Integrationsformen dominierte die Internationale Organisations-Forschung die politikwissenschaftliche Arbeit zunächst, während sich seit dem Zweiten Weltkrieg neben ihr zunehmend weitere Ansätze etablierten. Schließlich ist es das Verdienst von Madeleine Herren-Oesch, die Internatio-

---

11 ‚Internationale Organisation' (im Singular) oder – mit dem verdeutschten Hauptwort – ‚internationale Organisierung' meint jenen Sachzusammenhang in den zwischenstaatlichen Beziehungen, mit dem sich die Internationale Organisations-Forschung beschäftigt. Dieser Gegenstand ist jedoch keinesfalls mit der davon grundsätzlich zu unterscheidenden Institution der Internationalen Organisationen (mit der möglichen Pluralform) zu verwechseln oder schlechterdings gleichzusetzen.

12 Vgl. James Lorimer, 1877. In überarbeiteter Form erneut vorgetragen in: ders., 1980: Seite 181 – 299 (zuerst 1884); sowie in: ders., 1890: Seite 159 – 163.

13 Vgl. Johann Caspar Bluntschli, 1881.

14 Aus den zahlreichen, bisweilen eher kleineren oder fallbezogenen Schriften von Walther Schücking zur internationalen Organisation siehe exemplarisch die Monographie: Walther Schücking, 1909. Vgl. zu dessen gesamtem Schaffenswerk im Rahmen dieses Ansatzes: Hans Wehberg, 1960; Ulrich Scheuner, 1975; Frank Bodendiek, 2001.

15 Von der diesbezüglichen Literatur Hans Wehbergs seien auswahlweise genannt: Hans Wehberg, 1912; ders., 1929. Zu Wehbergs Werk im Zusammenhang dieses Ansatzes siehe: Claudia Denfeld, 2008.

16 Zum Beispiel: Rafael Erich, 1914.

17 Siehe in diesem Zusammenhang etwa die einflussreiche Arbeit: Pitman B. Potter, 1935[4] (erste Auflage zuerst 1922).

nale Organisations-Forschung 2009 auch in die Geschichtswissenschaft eingeführt und sie zugleich für bereits vorhandene Ansätze des Faches, vor allem für die Internationale Geschichte und die Globalgeschichte, fruchtbar gemacht zu haben.[18]

In den Augen der Vertreter dieses Ansatzes führe der Weg zur Organisierung der zwischenstaatlichen Beziehungen zunächst einmal grundsätzlich darüber, Äquivalente der nationalen Gewalten der Legislative, der Exekutive und der Judikative für die internationale Ebene zu finden, die in Gestalt von entsprechenden Institutionen oder gar Korporationen realisiert sein können.[19] Um deren Umsetzung zu gewährleisten, bedürfe es in der Regel dreierlei Voraussetzungen: erstens eines völkerrechtlichen *Vertrags*, der den politischen Willen einer Mehrzahl von Staaten zur Kooperation in bestimmten Feldern zum Ausdruck bringt und der gewissermaßen als rechtliche Grundlage für die folgende Zusammenarbeit dient; zweitens einer institutionellen *Struktur*, durch die die Permanenz und Stabilität der Kooperation sichergestellt wird; und drittens politischer *Mittel* im Sinne von Kompetenzen und Ressourcen, aufgrund derer die jeweilige Institution oder Korporation als politisches Instrument zu effektiver Arbeit befähigt wird.[20] Dementsprechend ist mit diesem Forschungskonzept seit jeher ein besonderes Interesse für Internationale Organisationen (aber prinzipiell etwa auch für internationale Konferenzen und Regime) verbunden, in denen die Verwirklichung des Gedankens der zwischenstaatlichen Organisierung institutionell am weitesten gediehen ist.

Insgesamt gesehen versuchen die Vertreter des Forschungsfeldes, einzelne Segmente oder erste Ansätze einer Art ‚Verfassung' in der internationalen Politik aufzuspüren, wodurch sich ihr Interesse auf die grundlegenden Regelungen zur Verfasstheit oder Organisiertheit der Staatenbeziehungen richtet. Dabei geht es dem Ansatz im Kern darum zu untersuchen, welche *Institutionen* oder *Korporationen* auf der internationalen Ebene zur Erfüllung von welchen (normativ festgelegten) *Aufgaben* oder (tatsächlich erfüllten) *Funktionen* eingerichtet worden sind, mit welcher Effektivität und Effizienz diese

---

18 Vgl. Madeleine Herren, 2009. Freilich ist ihre Übersetzung des von ihr aus dem Englischen entnommenen Begriffs der *‚international organization'* mit der deutschen Form der ‚internationalen Ordnung' problematisch. An Madeleine Herren-Oesch anschließend etwa: Iris Schröder, 2011. Siehe generell zum Entwicklungsverlauf des Ansatzes die beiden Forschungsberichte: Ronald J. Yalem, 1966; J. Martin Rochester, 1986; sowie den älteren, dafür bereits im Jahr 1300 einsetzenden ideengeschichtlichen Abriss: Jacob ter Meulen, 1917 – 1940.

19 So jedenfalls der ursprüngliche Gedanke von James Lorimer. Vgl. James Lorimer, 1980: Seite 181 – 299.

20 Vgl. Georges Abi-Saab, 1981a: Seite 11 – 12.

arbeiten und welche organisatorische Gesamtgestalt die internationalen politischen Beziehungen dadurch erhalten haben.[21]

IV. Übernationale Gouvernanz-Forschung

Eng verbunden mit der Internationalen Organisations-Forschung ist der ähnlich ausgerichtete, aber mittlerweile sehr viel stärker etablierte Ansatz der Übernationalen Gouvernanz-Forschung, der im Allgemeinen besser bekannt ist unter seiner englischen Bezeichnung *‚global governance studies'*.[22] Er beschäftigt sich mit dem ‚Regiert-Sein' oder ‚Regiert-Werden' (in Englisch: *‚governance'*) der Welt „jenseits des Nationalstaates",[23] obwohl es auf der überstaatlichen Ebene keine zentral eingerichtete ‚Regierung' (*‚government'*) im äquivalenten innerstaatlichen Sinn gibt.

Carl Friedrich von Weizsäcker hat in dieser Hinsicht 1963 erstmals von einer ‚Weltinnenpolitik' gesprochen, womit er eine völlig neue, kosmopolitische Sicht auf die Politik der gesamten Welt eröffnet hat.[24] Seinen Überlegungen zufolge sei die Vorstellung von „Weltinnenpolitik" indessen „nicht weniger kontrovers als Innenpolitik überhaupt, aber sie sieht die Konflikte anders lokalisiert und mit anderen Mitteln lösbar als die klassische Außenpolitik".[25] Es geht ihr demgegenüber um die „Beurteilung weltpolitischer Probleme mit innenpolitischen Kategorien" und deren praktische Bearbeitung mittels „übernationaler Institutionen".[26] Auf die eigentümliche Qualität der gesellschaftsübergreifenden Problembehandlung durch *„governance without government"* (Regieren ohne Regierung) haben James N. Rosenau

---

21 Siehe insgesamt zu den im Rahmen der Internationalen Organisations-Forschung vorgelegten theoretischen und konzeptionellen Überlegungen: Ernest S. Lent, 1960/1961; Ernst B. Haas, 1964; Donald C. Blaisdell, 1966; Georges Abi-Saab, 1981b; Christer Jönsson, 1986; Friedrich Kratochwil/John Gerard Ruggie, 1986; Stanley Hoffmann, 1987²a; Giulio M. Gallarotti, 1991; Klaus Dingwerth/Dieter Kerwer/Andreas Nölke, 2009; Madeleine Herren, 2009; Alexander Thompson/Duncan Snidal, 2011². Siehe generell auch die 1899 begründete und bis heute veröffentlichte Zeitschrift „Die Friedens-Warte. Journal of International Peace and Organization" (FW) und das seit 1947 regelmäßig erscheinende Fachblatt *„International Organization"* (IO).

22 Dieser Ansatz taucht nicht nur dann auf, wenn es um ‚übernationale Gouvernanz' oder *‚global governance'* geht, sondern in der Regel auch wenn gesprochen wird von (gesellschaftsübergreifender) *‚regional governance'*, ‚übernationalem Regieren', ‚internationalem Regieren', ‚Weltregieren', ‚Globalpolitik' (nicht jedoch: ‚Weltpolitik'), ‚globaler Steuerung' (nicht jedoch: ‚Globalsteuerung'), ‚globaler Strukturpolitik' und ebenso, wenn auch mit etwas problematischer Denomination, von ‚Weltordnungspolitik' sowie - eher metaphorisch gemeint - von ‚Weltinnenpolitik'.

23 Michael Zürn, 2005².

24 Vgl. Carl Friedrich von Weizsäcker, 1981⁷: besonders Seite 13 (erste Auflage zuerst 1963). Erneut in: ders., 1976: Seite 243 - 244.

25 Carl Friedrich von Weizsäcker, 1976: Seite 243.

26 Carl Friedrich von Weizsäcker, 1981⁷: Seite 13.

und Ernst-Otto Czempiel mit einem von ihnen im Jahr 1992 herausgegebenen Sammelband hingewiesen. Darin sprechen sie allerdings nicht wie von Weizsäcker von ‚Weltinnenpolitik', sondern von *„international governance"* (internationalem Regieren).[27] Die bislang wirkmächtigste Begriffsprägung geht dagegen zurück auf den von der Commission on Global Governance 1995 vorgelegten Bericht *„Our Global Neighbourhood"*, in dem die Notwendigkeit und die verschiedenen Umsetzungsmöglichkeiten von sogenannter *‚global governance'* erörtert werden.[28] Nachdem sich der Ansatz in den 1990er Jahren schließlich innerhalb der Politikwissenschaft fest etabliert hatte erhielt er Anfang der 2000er Jahre auf Initiative von Ursula Lehmkuhl auch Einzug in die Geschichtswissenschaft.[29]

Im Rahmen dieses Ansatzes wird unter ‚übernationaler Gouvernanz' der Versuch verstanden, auf die Herausforderungen, die sich aus bestehenden Konflikten und Interdependenzen in den zwischenstaatlichen Beziehungen, aus den vielfältigen Weltproblemen (wie etwa Menschenrechtsverletzungen, Ressourcenknappheit, Migration, Pandemien, Natur- und Umweltkatastrophen) und aus der Globalität und fortschreitenden Globalisierung der Gesellschaften ergeben, angemessene politische Antworten zu finden.[30] Um „ihre gemeinsamen Angelegenheiten [zu] regeln", wirken *verschiedenste Akteure*, „Individuen" genauso wie „öffentliche und private Institutionen", auf zunächst einmal internationaler und transnationaler, aber – soweit möglich – auch auf nationaler, mesonationaler und lokaler Ebene zusammen, sodass dadurch „kontroverse oder unterschiedliche Interessen ausgeglichen werden und *kooperatives Handeln* initiiert" wird. Bei diesem Prozess spielen „sowohl formelle Institutionen und mit Durchsetzungsmacht versehene Herrschaftssysteme als auch informelle Regelungen, die von Menschen und Institutionen vereinbart" werden, eine gleichermaßen entscheidende Rolle.[31] Es geht also um eine heterarchisch geprägte kooperative Koordination der Problembearbeitung in einer politisch fragmentierten, pluralistischen und multilateralen übernationalen Welt. Im Zentrum stehen daher *Steuerungsinstrumente* und *Kontrollmechanismen*, die sich aus der politischen

---

27 Vgl. James N. Rosenau/Ernst-Otto Czempiel, 2000a (zuerst 1992). Zum Begriff der *‚international governance'*: dies., 2000b: Seite XI.

28 Vgl. The Commission on Global Governance, 1995. Der englische Begriff *‚global governance'* wird in der deutschen Textausgabe teilweise übersetzt mit ‚Weltordnungspolitik'. Siehe generell zum Entwicklungsgang des Ansatzes den allerdings weniger chronologisch angelegten, sondern nach einflussreichen Ideengebern und Einrichtungen geordneten Forschungsbericht: Holger Mürle, 1998; sowie die ähnlich konzipierten Ideengeschichten: Michael Reder, 2006; Mark Mazower, 2013, wobei letztere nicht allein auf die Wissenschaft fokussiert ist und außerdem bereits zu Beginn des 19. Jahrhunderts ansetzt.

29 Vgl. Ursula Lehmkuhl, 2002.

30 Vgl. Michael Zürn, 2005²; Dirk Messner/Franz Nuscheler, 2006²: Seite 18 – 19.

31 Vgl. The Commission on Global Governance, 1995: Seite 4 – 5 (Zitate: Seite 4; Hervorhebung vom Verfasser). Siehe auch: James N. Rosenau, 2000: Seite 3 – 8.

Mehrebeneninstitutionalität[32] einer mehrere Gesellschaften umfassenden Großregion oder des gesamten Planeten ergeben und die im Wesentlichen gouvernementales und administratives Verhalten normieren, kanalisieren und dirigieren.[33]

V. Internationale Politische Ordnungs-Forschung

1. Entstehung und gegenwärtiger Stand der Forschungsprogrammatik

Weniger problemorientiert, sondern tatsächlich mehr auf die strukturelle Ausgestaltung der gesamten Staatenwelt konzentriert ist schließlich die Internationale Politische Ordnungs-Forschung.[34] Sie entstand innerhalb der Politikwissenschaft spätestens um die Mitte der 1960er Jahre und blieb dort zunächst ein relativ unbeständiges und kontroverses Arbeitsfeld.[35] Die entscheidende Zäsur für seine feste Etablierung erfuhr der Ansatz schließlich mit dem 1977 von Hedley Bull vorgelegten Buch *„The Anarchical Society. A Study of Order in World Politics"*.[36] In der Folgezeit blieben allerdings weitere innovative Beiträge zur Theorie und Konzeption innerhalb des Forschungsfeldes weitgehend aus. Unabhängig davon findet eine empirische, allerdings häufig ohne theoretische Reflexion bleibende Behandlung von Staatenordnungen und Weltordnungen schon seit längerem auch in der Geschichtswis-

32 Siehe zum besonderen Multilevelmodell der allgemeinen wie Übernationalen Gouvernanz-Forschung: Arthur Benz, 2006²; Achim Brunnengräber/Heike Walk, 2007.

33 Zur Programmatik der Übernationalen Gouvernanz-Forschung siehe: Beate Kohler-Koch, 1993; Klaus König, 1993; Lawrence S. Finkelstein, 1995; Dirk Messner, 1998; James N. Rosenau/Ernst-Otto Czempiel, 2000a; Franz Nuscheler, 2001; Ursula Lehmkuhl, 2002; Markus Jachtenfuchs, 2003; Volker Rittberger, 2003; Michael Zürn, 2005²; ders., 2006²; Klaus Dingwerth/Philipp Pattberg, 2006; Dirk Messner/Franz Nuscheler, 2006²; Helmut Willke, 2006; Elmar Altvater/Birgit Mahnkopf, 2007⁷: Seite 509 - 516; Maria Behrens/Alexander Reichwein, 2007; Maria Behrens, 2010²; Volker Rittberger/Andreas Kruck/Anne Romund, 2010; Ingo Take, 2013. Siehe generell auch die 1995 begründete Fachzeitschrift *„Global Governance. A Review of Multilateralism and International Organizations"* (GGov).

34 In der Literatur hat man sich außer mit internationalen politischen Ordnungen insbesondere mit (im Grunde davon zu unterscheidenden) übergreifenden internationalen Ordnungen, reinen Staatenordnungen und bloßen (Groß)Mächteordnungen sowie mit allumfassenden Weltordnungen und globalen Ordnungen befasst.

35 Vgl. Richard A. Falk, 1977: Seite 171. Siehe zur Entwicklungsgeschichte des Ansatzes immerhin diesen älteren politologischen Forschungsbericht: ders., 1977; sowie die auf die Gelehrten der Frühneuzeit und deren eher implizit gehaltene Vorstellungen beschränkte Ideengeschichte: Richard Tuck, 1999. Eine aktuelle Rekonstruktion der expliziten konzeptionellen Debatte ist dagegen ein Desiderat der Forschung.

36 Vgl. Hedley Bull, 2012⁴ (erste Auflage zuerst 1977).

senschaft statt.[37] Eine dezidiert systematische Annäherung an diesen Problembereich lässt sich hier aber erst in allerjüngster Zeit konstatieren.[38]

In konzeptioneller Hinsicht halten sich die Erträge zu diesem Forschungsansatz trotz einer Fülle von entsprechenden empirischen Studien und zahlreichen, aber häufig unverbunden bleibenden theoretischen und konzeptionellen Arbeiten insgesamt stark in Grenzen.[39] Wenig überraschend handle es sich daher bei „Weltordnung", so die Einschätzung von Jürgen Osterhammel, um einen „Kompositausdruck, der zu einer Modevokabel zu werden beginnt", der aber „noch keine höheren theoretischen Weihen erhalten hat" und aus diesem Grund bislang „kein besonders scharfes Analyseinstrument der Internationalen Geschichte" dargestellt habe.[40]

Zumindest lässt sich auf eine grundsätzliche Überlegung von Hedley Bull hinweisen, der eine Unterscheidung vornimmt zwischen einer ‚internationalen Ordnung' (im englischen Original: *„international order"*) einerseits, welche auf die wechselseitigen Relationen und Verbindungen der *Staaten* rekurriert, und einer ‚Weltordnung' (*„world order"*) andererseits, welche sich auf die staatliche wie zivile und interpersonelle Welt der gesamten *Menschheit* bezieht.[41] Mit Blick auf die im Zusammenhang speziell zwischenstaatlicher Beziehungen relevante ‚internationale Ordnung' (der Staaten) – beziehungsweise genauer: für die internationale politische Ordnung – hat die Forschung mehrere Varianten herausgearbeitet, in denen sich eine solche Ordnung manifestieren könne. Diese ließen sich den Ausführungen von Jürgen Osterhammel zufolge in insgesamt vier verschiedene *Ordnungsformationen* zusammenfassen und zwar erstens eine „imperiale Ordnung", zweitens eine „hegemoniale Ordnung", drittens einen „egoistische[n] Unilateralismus" der existierenden Großmächte und viertens einen „kooperative[n] Multilate-

---

37 Zum Beispiel bereits: Theodor Mayer, 1959; oder mit eher rechtswissenschaftlichem Hintergrund: Ulrich Scheuner, 1964.

38 Und zwar mit einem Aufsatz von Jürgen Osterhammel: Jürgen Osterhammel, 2012.

39 Zu den wichtigsten theoretischen und forschungskonzeptionellen Beiträgen innerhalb der Internationalen Politischen Ordnungs-Forschung gehören: Stanley Hoffmann, 1970a; ders., 1987b; Alan James, 1973; Saul H. Mendlovitz, 1975; Robert W. Cox, 1987; ders., 1996a; Kalevi J. Holsti, 1991; Ian Clark, 1993; David Dewitt/David Haglund/John Kirton, 1993; John A. Hall, 1996; Lynn H. Miller, 1998[4]; Torbjørn L. Knutsen, 1999; Thazha V. Paul/John A. Hall, 1999; Nicholas J. Rengger, 2000; G. John Ikenberry, 2001; Ernst-Otto Czempiel, 2004; Ulrich Menzel, 2004c; ders., 2010; ders., 2012a; ders., 2012b; ders., 2015; Hans Vorländer, 2004; Rüdiger Voigt, 2005; Stefan A. Schirm, 2006; Andrew Hurrell, 2007; Jeffrey W. Legro, 2007; Gert Krell, 2010; Andrew Phillips, 2011; Hedley Bull, 2012[4]; Jürgen Osterhammel, 2012.

40 Jürgen Osterhammel, 2012: Seite 409, 427.

41 Vgl. Hedley Bull, 2012[4]: Seite 8 – 21 (Zitate: Seite 8, 19). Dieser häufig zitierten Begriffsdifferenzierung folgen dennoch keineswegs alle Vertreter dieses Forschungsfeldes. Daher fällt die Entscheidung bei der Benennung von Studien innerhalb dieses Ansatzes oftmals begründungslos auf das kürzere und modischer wirkende Wort ‚Weltordnung'. Hedley Bull in der Sache folgend aber etwa: John A. Hall, 1996: Seite 5 – 8; G. John Ikenberry, 2001: Seite 22.

ralismus" unter mehreren, sich als prinzipiell gleich anerkennenden Partnern.[42]

Wenngleich die Aufzählung von Osterhammel den Vorschlägen in der Fachliteratur entsprechend um mindestens die drei Formen des Gleichgewichts der Großmächte, der Verrechtlichung oder gar Konstitutionalisierung der zwischenstaatlichen Verhältnisse sowie der Integration der Staaten in internationalen Institutionen ergänzt werden müsste, so ist allen diesen Entwürfen ein grundlegendes Problem gemein: Es handelt sich bei ihnen um durchweg *eindimensionale* Ordnungskonzeptionen. Jedes angeführte Struktursegment ist hier zugleich Ausgangspunkt und Kern für die Bildung einer jeweils eigenen Ordnungsformation, welche wiederum andere ausschließt und sich von diesen unterscheidet. In der Geschichte waren die Staatenver-

---

[42] Vgl. Jürgen Osterhammel, 2012: Seite 422. Solche Entwürfe sind im Einzelnen: Ian Clark, 1993 (Ordnungsformen: Mächtegleichgewicht und Konzert); Robert W. Cox, 1996a; darin besonders: ders., 1996b: Seite 137; ders., 1996c: Seite 494 - 495; ders., 1996d: Seite 99 - 100 (Ordnungsformen: Staaten, Hegemonie und Multilateralismus (die zwei letzten zugleich innerhalb der Staatenwelt und der internationalen Wirtschaftsbeziehungen)); Ludwig Dehio, 1996 (Ordnungsformen: Hegemonie und Mächtegleichgewicht); Lynn H. Miller, 1998[4]: besonders Seite 20 - 27, 84 - 87 (Ordnungsformen: Reich, Staaten, Mächtegleichgewicht und Konzert (alle vier bei Staatenwelt) sowie internationale und transnationale Institutionalisierung (bei Weltgesellschaft)); Torbjørn L. Knutsen, 1999: besonders Seite 6 - 12 (Ordnungsform: Hegemonie); G. John Ikenberry, 2001: besonders Seite 22 - 37 (Ordnungsformen: Mächtegleichgewicht, Hegemonie und Konstitutionalisierung/Institutionalisierung); Michael Hardt/Antonio Negri, 2003[2] (Ordnungsformen: Staaten und Reich); Ernst-Otto Czempiel, 2004: besonders Seite 91 - 93 (Ordnungsformen: Reich, Hegemonie und Mächtegleichgewicht (alle drei bei Hierarchie) sowie Internationale Organisationen/Konstitutionalisierung (bei Polyarchie)); Ulrich Menzel, 2004a; ders., 2004c; ders., 2010; ders., 2012a; ders., 2012b; ders., 2014; ders., 2015 (Ordnungsformen: Institutionalisierung und Selbsthilfe/Mächtegleichgewicht (beides bei Anarchie) sowie Hegemonie und Reich (beides bei Hierarchie)); Herfried Münkler, 2005; ders., 2007; ders., 2013: besonders Seite 8, 15 - 20, 67 - 77 (Ordnungsformen: Reich, Hegemonie und Staaten); Rüdiger Voigt, 2005: besonders Seite 35 - 36 (Ordnungsformen: Institutionalisierung/intergouvernementale Kooperation, Hegemonie, Reich und suprastaatliche Organisationen/Weltstaat); Jürgen Gebhardt, 2007 (Ordnungsform: Reich); Michael Zürn, 2009: besonders Seite 20 (Ordnungsformen: Mächtegleichgewicht/Konzert, Reich, Konstitutionalisierung und rechtlich stratifiziertes Mehrebenensystem); Gert Krell, 2010 (Ordnungsformen: Mächtegleichgewicht, Hegemonie, Reich und Imperialismus/Imperialisierung (alle vier zugleich bei kosmopolitischer Vergesellschaftung und partikularistischer Vergemeinschaftung)). Mit einer etwas anderen theoretischen Stoßrichtung: John A. Hall, 1996: besonders Seite 8 - 24 (Begründungsformen von Ordnung: Mächtegleichgewicht, Konzert, liberal verfasste Staaten, Interdependenz und Hegemonie); John A. Hall/Thazha V. Paul, 1999: Seite 4 - 10 (Ordnungsmechanismen: Anarchie, Mächtegleichgewicht, Konzert, Hegemonie, Republikanismus/liberal verfasste Staaten, Interdependenz und Institutionalisierung); Nicholas J. Rengger, 2000: Seite 22 - 23 (Managementformen von Ordnung: Mächtegleichgewicht, internationale Gesellschaft und Institutionen); Andrew Hurrell, 2007: besonders Seite 4 (Kerninstitutionen von Ordnung: Völkerrecht, Großmächte, Mächtegleichgewicht, Diplomatie und Krieg (alle fünf in einer pluralistischen internationalen Staatengesellschaft)).

hältnisse jedoch fast nie durch lediglich eine einzige Strukturkonfiguration gekennzeichnet. Wesentlich häufiger gab es zugleich eine *Vielzahl* von Ordnungen, welche von ganz unterschiedlicher Art waren, teilweise nebeneinander, teilweise überlappend auftraten und in ihrer Gesamtheit ein komplexes Geflecht bildeten, das erst als solches *die* internationale politische Ordnung einer bestimmten Region zu einer bestimmten Zeit darstellte. Es geht daher im Grund nicht um entweder Reich *oder* unabhängige Staaten, um Hegemonie *oder* (Groß)Mächtegleichgewicht, um Isolation *oder* Integration. Sondern der Ansatz ist insofern zu erweitern, dass damit die ordnungsbezogene Realität als ein umfangreiches und in sich differenziertes Gefüge aus solchen Strukturbausteinen verstanden werden kann.[43]

2. Überlegungen zum Begriff der ‚internationalen politischen Ordnung'

Zur Klärung des Begriffs der ‚internationalen politischen Ordnung' ist es zunächst notwendig, sich mit der Bedeutung des allgemeinen Ausdrucks ‚Ordnung' auseinanderzusetzen. Was jedoch genau unter einer Ordnung zu verstehen ist, ist offenbar nicht leicht zu eruieren wie die entsprechende terminologische Forschungsdiskussion zeigt.[44] Dennoch hat im Grunde jeder eine gewisse Vorstellung vom propositionalen Gehalt des Wortes ‚Ordnung' und kann es in eigenen Äußerungen sinnvoll verwenden und in fremden Mitteilungen korrekt verstehen. Es geht demzufolge darum, die Essenz die-

---

43 Die Aussage etwa, die „Geschichte der Weltordnung ist die Geschichte der Weltreiche", wie sie einleitend in einem aktuellen Aufsatz zu diesem Thema zu finden ist und wie sie in dieser Art häufiger in der Literatur auftaucht, kann der Komplexität realer Ordnungen in der zwischenstaatlichen Welt eben nur sehr eingeschränkt gerecht werden. Ernst-Otto Czempiel, 2004: Seite 91.

44 Innerhalb der begriffsbezogenen Forschungsdiskussion hat man sich bisher eher schwer damit getan, den Ordnungsbegriff einer plausiblen und zugleich passenden inhaltlichen Klärung zuzuführen. Oftmals hat man das Problem der Definition schlicht übergangen oder sich in letztlich gehaltlosen oder zu einseitig gedachten Begriffsfestlegungen verfangen. In einer neueren interdisziplinären Studie hat Andreas Anter auf dieses Defizit hingewiesen und zu Recht den fehlenden Willen zu einer klaren Definition kritisiert, um dann allerdings selbst den Terminus angesichts der „disparaten Diskurse" in den verschiedenen Wissenschaften als nicht allgemein bestimmbar auszugeben. Lediglich dass es sich im weitesten und abstrakten Sinn um ein kontextgebundenes „Distinktionsprinzip" handle, weiß Anter anzuführen. Vgl. Andreas Anter, 2007²: Seite 1 – 8 (Zitate: Seite 7, 268). Zur Diskussion des Begriffs innerhalb der verschiedenen Wissenschaften siehe des Weiteren: Hans Barth, 1958; Helmut Kuhn/Franz Wiedmann, 1962; Urs Jaeggi, 1968; Julien Freund, 1980; Hermann Krings, 1982²; Dennis H. Wrong, 1994; Günter Küppers, 1996; Gerold Becker/Annemarie von der Groeben, 2005²; Rainer Forst/Klaus Günther, 2011; Andreas Fahrmeir/Annette Imhausen, 2013; Werner J. Patzelt, 2013a; Hans Vorländer, 2013.

ses zwar intuitiv relativ leicht begreifbaren, aber scheinbar nur schwer zu erklärenden Terminus zu erfassen und sprachlich auszudrücken.

Es soll hier unter einer Ordnung[45] ein *spezifischer Zusammenhang* verstanden werden, bei dem die Verhältnisse einzelner Elemente untereinander nicht zufällig und immer wieder anders beschaffen oder gar nicht erst vorhanden sind, sondern bei dem diese Elemente sich in *bestimmten* über einen gewissen Zeitraum relativ kontinuierlich *feststehenden Beziehungen* gleichwelcher Art zueinander befinden.[46] Genau in diesem Sinn lässt sich eine Ordnung verstehen, wenn man beispielsweise mehrere Bücher in eine Ordnung bringt, indem man sie alphabetisch sortiert. Hier werden die Beziehungen zwischen den einzelnen Elementen, den Büchern, festgelegt durch eine bestimmte Reihenfolge ihrer Anordnung (ein Buch, dessen Titel mit dem Buchstaben ‚A' beginnt, steht im festgelegten Verhältnis zu einem anderen Buch, dessen Titel mit ‚B' beginnt, derart, dass das erste Buch dem zweiten vorgelagert ist). Auch die Sozialordnung einer Gesellschaft ergibt sich aus den dauerhaft feststehenden Relationen ihrer Elemente. Sind die Beziehungen zwischen den einzelnen Mitgliedern einer Gesellschaft sozial gleich oder gibt es asymmetrische Verhältnisse zwischen bestimmten Personengruppen, die sich etwa nach sozialen Privilegien (Ständegesellschaft) oder der jeweiligen wirtschaftlichen Lage (Klassengesellschaft) ausrichten?

Dieser allgemein definierte Ordnungsbegriff ist nun mit dem Terminus der ‚internationalen Politik'[47] zu verbinden. Demnach ist mit einer ‚internationalen politischen Ordnung' ein spezifischer Zusammenhang gemeint, bei dem die einzelnen Elemente in Form von Gesellschaften – beziehungsweise in ihrer politischen Gestalt die von ihnen jeweils ausgebildeten Staaten oder

---

45 Das Begriffswort ‚Ordnung' geht entstehungsgeschichtlich zurück auf das altlateinische *‚ordo'* (übersetzt: Reihe, Reihenfolge, Schicht, Glied, Abteilung, Rang, Verfassung oder Ordnung), von welchem ebenso das entsprechende englische Wort *‚order'*, das französische *‚ordre'* und das italienische *‚ordine'* abstammen. Das treffendste altgriechische Äquivalent für Ordnung ist dagegen der Ausdruck *‚τάξις'* (für Reihenfolge, Stellung, Anordnung oder Ordnung). Zur Etymologie und Begriffsgeschichte siehe: Ulrich Dierse/Wolfgang Hübener/Helmut Meinhardt/Hans Georg Steiner, 1984; Jörn Sieglerschmidt, 2009.

46 Diese Definition ist inspiriert durch vereinzelte prägnante Beschreibungen des Ordnungsbegriffs in: Hermann Krings, 1962: Seite 125; ders., 1982[2]: Seite 1, 10; Julien Freund, 1980: Seite 325; Ulrich Dierse/Wolfgang Hübener/Helmut Meinhardt/Hans Georg Steiner, 1984: besonders Spalte 1249, 1280; Gereon Wolters, 1995; Karl-Heinz Hillmann, 2007[5]: Seite 650 (Artikel: Ordnung).

47 Anknüpfend an die entsprechende Begriffsklärung in: Michael Gal, 2017: Seite 161 (erneut abgedruckt in diesem Band (Kapitel I)) sowie meinem Aufsatz „Was ist Internationale Politikgeschichte?" (Kapitel IV.3) in diesem Band, ist unter internationaler Politik zu verstehen „die Gesamtheit von Verhaltensweisen, die auf die Herstellung und Durchsetzung allgemein geltender Entscheidungen zwischen Gesellschaften – beziehungsweise in ihrer politischen Gestalt den von ihnen jeweils ausgebildeten Staaten oder sonstigen Formen von eigenständigen und selbstständigen Gemeinwesen – abzielen".

sonstigen Formen von eigenständigen und selbstständigen Gemeinwesen – im Hinblick auf die Herstellung und Durchsetzung allgemein geltender Entscheidungen in bestimmten über einen gewissen Zeitraum relativ kontinuierlich feststehenden Beziehungen gleichwelcher Art zueinander stehen.[48]

Die allgemeine wie die speziell auf die internationale Politik bezogene Vorstellung von Ordnung ist allerdings in mehrfacher Hinsicht erläuterungsbedürftig: Erstens ist die Klärung des Verhältnisses von Ordnung und *Struktur* essenziell. Während einige Autoren beide Begriffe schlicht inhaltlich gleichsetzen, ist doch schon intuitiv ein, wenn auch geringfügiger, Unterschied zwischen ihnen auszumachen. ‚Struktur' meint hier eine über einen gewissen Zeitraum relativ kontinuierlich feststehende Beziehung, die zwischen verschiedenen Elementen besteht.[49] Demzufolge handelt es sich bei einer Ordnung um jenen spezifischen Zusammenhang, bei dem bestimmte Strukturen vorherrschend sind. Insofern werden Ordnungen stets durch Strukturen konstituiert.[50] In diesem Sinn befanden sich beispielsweise während der Frühneuzeit sowohl Moldawien als auch die Walachei in der *Struktur* einer Abhängigkeitsbeziehung gegenüber der Türkei, wodurch insgesamt eine imperiale *Ordnung* begründet wurde. Mithilfe von Strukturen wird somit das Zusammen-, Nebeneinander-, Miteinander- und Gegeneinander-Sein

---

[48] Auch eine Diskussion speziell zum Begriff der ‚internationalen politischen Ordnung' fand bisher allenfalls gelegentlich statt. Vielbeachtet ist zumindest die Reflexion von Hedley Bull: Hedley Bull, 2012[4]: Seite XXXIV – XXXV, 3 – 21. Gewisse definitorische Überlegungen werden außerdem vorgenommen in: Stanley Hoffmann, 1970b: Seite 1 – 3; Robert W. Cox, 1996c: Seite 494; ders., 1996d: Seite 100; Torbjørn L. Knutsen, 1999: Seite 1 – 2; Andrew Hurrell, 2007: Seite 1 – 4; Andrew Phillips, 2011: Seite 15 – 33. Alles in allem hat jedoch auch die Auseinandersetzung mit diesem speziellen Begriff kaum gehaltvolle und aufbaufähige Erträge erbracht.

[49] In der Literatur werden Ordnung und Struktur typischerweise als Synonyme aufgefasst. Obwohl der Strukturbegriff und seine Verwendungsweisen bereits in vielerlei Hinsicht untersucht worden sind, besteht noch nicht unbedingt und in jeder Hinsicht Klarheit über seinen propositionalen Gehalt. In jüngerer Zeit hat sich auch die Geschichtswissenschaft um einen kritisch reflektierenden Blick auf diesen fundamentalen Terminus bemüht. Allerdings tendieren einige Historiker dazu, unter einer Struktur kein Objekt der Realität zu sehen, sondern sie als rein „wissenschaftliches Konstrukt" aufzufassen. Dieser Position wird hier grundsätzlich nicht gefolgt. Vgl. Andreas Suter/Manfred Hettling, 2001b: Seite 26 – 27 (Zitat: Seite 26). Zur terminologischen Forschungsdiskussion siehe unter anderem: Norbert A. Luyten, 1982a; ders., 1982b; Rainer Greshoff/Georg Kneer, 1999; Andreas Suter/Manfred Hettling, 2001a. Die hier verwendete Strukturdefinition rekurriert im Wesentlichen auf den differenzierten Ausführungen in: Karl-Heinz Hillmann, 2007[5]: Seite 867 – 868 (Artikel: Struktur); Manfred G. Schmidt, 2010[3]: Seite 791 (Artikel: Struktur); Anton Hügli/Poul Lübcke, 2013[7]: Seite 858 – 859 (Artikel: Struktur). Siehe ferner die begriffliche Überlegung zu den ‚Strukturen' der Staatenwelt bei: Gabriele Metzler, 1999: Seite 161. Im Übrigen ist die hier vorgeschlagene Begriffsbestimmung mit der Vorstellung von Struktur innerhalb der gesellschaftswissenschaftlichen Systemtheorie und im Besonderen der Internationalen Politischen System-Forschung vollends kompatibel. Vgl. dazu die Ausführungen in Kapitel II.

[50] Siehe dazu auch Abbildung 8.1.

der Staaten ‚geordnet' und zwar unter anderem in Form von regelmäßig wiederkehrenden Interaktionsweisen, kontinuierlich aufrechterhaltenen Kontakten, Verbindungen und Verflechtungen, längerfristig angelegten Übereinkommen und Rechtsregelungen, auch andauernden Kooperationen und Konfrontationen, Zusammenschlüssen und Kriegen sowie beständigem Transfer und Austausch von Gedanken, Plänen, Informationen, Geldern oder materiellen Ressourcen aller Art.

Abbildung 8.1: Der Aufbau einer Ordnung

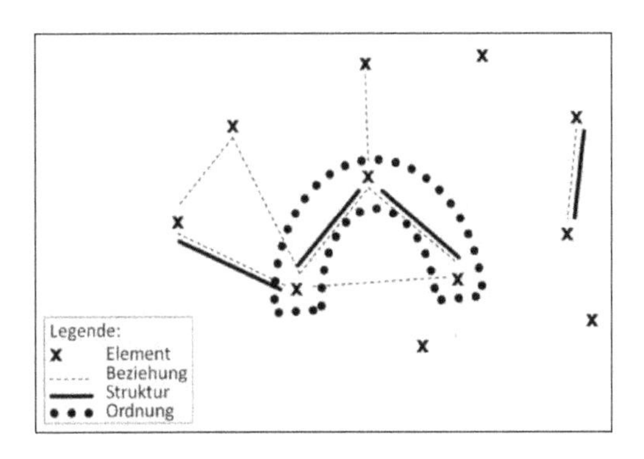

Zweitens lässt sich ausgehend von der hier vorgeschlagenen Definition von Ordnung präzise ihr entsprechendes Gegenteil, die *Unordnung* respektive das Chaos, bestimmen. Bei diesem handelt es sich nämlich um einen Zustand, bei dem die einzelnen Elemente durch keinerlei untereinander feststehende Beziehungen geprägt sind, sodass sich die Elemente willkürlich und zufällig und damit immer wieder auf eine andere Art und Weise zueinander verhalten. Bezogen auf die internationale Politik ist damit in idealer Hinsicht der Hobbes'sche ‚Urzustand' angesprochen, in dem jeder Staat ausschließlich das macht, was er will. Zwischenstaatliche Regelungen und historische Beziehungskontinuitäten gibt es hier nicht. Dennoch muss Unordnung keineswegs zwingend immer ein totales Durcheinander sowie einen andauernden Machtkampf und Gewalteinsatz bedeuten. Eine besonnene und freundliche, ja sogar hilfsbereite Politik unter den Staaten ist hier durchaus vorstellbar. Allerdings ist im Fall zwischenstaatlicher Unordnung aufgrund des ausschließlichen Vorherrschens von nationalem Eigeninteresse und (struktureller) Handlungsungebundenheit die Wahrscheinlichkeit stark erhöht, tatsächlich in einen beständigen ‚Krieg aller gegen alle' zu geraten.[51]

Daran anknüpfend ist, drittens, auch die hauptsächlich von der Geschichtswissenschaft immer wieder aufgeworfene Frage nach der *Stabilität* oder der *Instabilität* beziehungsweise Fragilität von internationalen Beziehungen im Allgemeinen und von internationalen politischen Ordnungen im Besonderen zu beantworten.[52] Als instabil ist nun eine Ordnung anzusehen, nicht wenn sie überhaupt keine festen Beziehungen zwischen ihren Elementen aufweist (denn das wäre Unordnung), sondern wenn es zwar feststehende Relationen und damit im Grunde eine echte Ordnung gibt, die einzelnen Elemente jedoch regelmäßig abweichend davon miteinander interagieren. Instabilitäten kommen deshalb vor allem am zeitlichen Ende bestimmter Ordnungen respektive in Transformationsphasen vor, in denen der Übergang von einer alten zu einer neuen Ordnung stattfindet. Zur Zeit des Ost-West-Konflikts etwa dominierte in der nördlichen Hemisphäre eine bipolare Staatenordnung mit den beiden Polen Russland und Amerika. Mit ihrer in den 1970er Jahren forcierten ‚Ostpolitik' und der damit verbundenen Annäherung an die östlichen Länder, insbesondere an Ostdeutschland, Polen und Russland, durchbrach die Bundesrepublik Deutschland den durch diese Ordnung vorgegebenen Handlungsrahmen. Damit wurde die zweipolige Staatenkonstellation in diesen Teilen aufgeweicht und insofern instabil.[53] Stabilität zeichnet sich im Unterschied dazu dadurch aus, dass die einzelnen Elemente sich (zumindest eine gewisse Zeit lang im Wesentlichen) genau auf die Art und Weise zueinander verhalten, wie es die feststehenden Beziehungen eigentlich vorgeben. Der Übergang zwischen Stabilität und Instabilität ist indessen fließend.

Entscheidend ist, viertens, dass es sich bei einer Ordnung nicht um lediglich einmalig auftretende Beziehungsformen handelt. Die bestehenden Verhältnisse müssen hingegen in relativ gleichbleibender Weise eine gewisse *Beständigkeit* aufweisen, um sich dadurch zu verstetigen. Erst wenn die Relationsformen eine bestimmte Regelmäßigkeit und Konstanz besitzen, können

---

[51] Diesen auch auf die internationale Politik bezogenen Urzustand hat bekanntermaßen Thomas Hobbes 1651 in seinem fulminanten Werk *„Leviathan. Or the Matter, Forme, and Power of a Common-wealth Ecclesiasticall and Civill"* beschrieben. Vgl. Thomas Hobbes, 1999[9]: Seite 94 – 98 (Teil 1, Kapitel 13: Von der natürlichen Bedingung der Menschheit im Hinblick auf ihr Glück und Unglück), Seite 131 – 135 (Teil 2, Kapitel 17: Von den Ursachen, der Erzeugung und der Definition eines Staates). Zur Implementierung der Überlegungen von Hobbes in die Theorien der internationalen Politik und insbesondere in die Theoriegruppe des Realismus siehe: Gert Krell, 2009[4]: Seite 29, 172.

[52] Die Frage wird behandelt zum Beispiel von: Peter Krüger, 1991: Seite 11 – 15, 18; Andreas Osiander, 1994; Heinz Duchhardt, 1999: Seite 339; Michael Jonas/Ulrich Lappenküper/Bernd Wegner, 2015.

[53] Vgl. zur westdeutschen Ostpolitik: Carole Fink/Bernd Schaefer, 2009.

sie sich zu Strukturen verfestigen. Das bedeutet, dass (kontinuierlich auftretende) Muster von Beziehungen (feststehende) Strukturen evozieren, auf deren Grundlage sich wiederum Ordnungen konstituieren können.

Fünftens ist es unerheblich, ob die feststehenden Relationen zwischen den einzelnen Elementen beziehungsweise konkret den Staaten *bewusst* durch relativ spontane Handlungen und in *aktiver* Weise gestaltet werden oder ob diese Beziehungen *passiv* über mehrere Generationen hinweg inkrementell zu einer bestimmten Form gewachsen sind ohne eine speziell darauf hinzielende Einwirkung durch einzelne Personen oder andere Kräfte. Ja selbst feste zwischenstaatliche Beziehungen, die den jeweiligen Zeitgenossen völlig *unbewusst* gewesen sind, sind Teil derartiger Ordnungen. Das zeigt zum Beispiel die innere Ordnung von Molekülen, deren atomare Bestandteile über kein Bewusstsein hinsichtlich ihrer gegenseitigen Bindungen verfügen. Das zeigen aber genauso verschiedene Staatenordnungen, die zur Zeit ihres Bestehens allenfalls in geringem Maß registriert worden sind, deren individuelle Qualität im Nachhinein von den Wissenschaftlern jedoch identifiziert werden kann, wie etwa die griechische Welt im 5. vorchristlichen Jahrhundert als ‚bipolare Staatenordnung' oder eine durch die fünf wichtigsten Großmächte des 18. Jahrhunderts bestimmte Ordnung als ‚Pentarchie'.[54]

Es kann, sechstens, der Fall auftreten, dass mehrere gleichzeitig vorkommende Ordnungen sich gegenseitig *überlappen*. Beispielsweise sei die internationale politische Ordnung des 18. Jahrhunderts zugleich geprägt gewesen durch die Ordnung einer Pentarchie und durch jene eines (Groß)Mächtegleichgewichts.[55] Außerdem können einzelne Ordnungen sich in zahlreiche *Teilordnungen* zergliedern. So besteht eine mögliche europäische Ordnung der internationalen Politik etwa aus einer bestimmten Menge von Ordnungen bilateraler Art, aus verschiedenen multilateralen Ordnungen sowie aus einer vielfältigen Ordnung der gesamteuropäischen Staatengemeinschaft. In der praktisch unendlich komplexen Wirklichkeit treten ständig unzählige parallele, sich auf gleichem Level überschneidende oder sich auf unterschiedlichen Ebenen überlagernde Ordnungen auf, von denen allenfalls ein Bruchteil von der Wissenschaft überhaupt erkannt wird.

---

[54] Die beiden genannten Ordnungsformen von Staatenbeziehungen wurden zu je späteren Zeitpunkten als den hier genannten gedanklich konzeptualisiert und formuliert. Die Idee der Bipolarität entstand in der zweiten Hälfte des 20. Jahrhunderts, jene der Pentarchie erst gegen Ende des 18. Jahrhunderts. Vgl. zur Bipolarität: August Pradetto, 1997. Zur Pentarchie: Heinz Duchhardt, 1997a: Seite 7 – 10.

[55] Vgl. Heinz Duchhardt, 1997a: Seite 7 – 19.

3. Überlegungen zur konzeptionellen Erweiterung des Forschungsansatzes

Wegen ihrer vorrangigen Fokussierung auf eindimensionale Ordnungskonzeptionen hat eine differenzierte systematische Auseinandersetzung mit zwischenstaatlichen Ordnungen im Rahmen der Internationalen Politischen Ordnungs-Forschung bislang nur bedingt stattgefunden. Ihre defizitäre Anlage ist daher durch einige im Folgenden zu entfaltende programmatische Segmente zu ergänzen. Dazu kann insbesondere auf die theoretischen und konzeptionellen Erträge aus den anderen, oben bereits vorgestellten Ansätzen, die sich in umfassender Weise auch mit den Strukturen der internationalen Politik beschäftigen, sowie auf die insgesamt vorhandene multidisziplinäre theoretische und empirische Forschungslage zurückgegriffen werden. Darüber hinaus soll für diesen Ansatz die im vorangehenden Kapitel vorgenommene Begriffsbestimmung zugrunde gelegt werden, nach der unter einer internationalen politischen Ordnung jener spezifische Zusammenhang verstanden wird, bei dem die einzelnen Staaten oder sonstigen Gemeinwesensformen vor dem Hintergrund der Herstellung und Durchsetzung allgemein geltender Entscheidungen in bestimmten über einen gewissen Zeitraum relativ kontinuierlich feststehenden Beziehungen gleichwelcher Art zueinander stehen. Mithilfe der hier vorzunehmenden konzeptionellen Erweiterung der Internationalen Politischen Ordnungs-Forschung soll letztlich eine präzise Antwort auf die Frage gefunden werden, welche feststehenden Beziehungsformen die Staaten untereinander ausgeprägt haben und was sich daraus für die Gestalt *der* internationalen politischen Ordnung ergibt. Dabei stellen die zwischenstaatlichen Ordnungen diejenigen (selbst, durch andere oder auch ohne entsprechend absichtsvolles Handeln geschaffenen, manifest oder latent vorhandenen) strukturellen Bedingungen dar, welche als Handlungsrahmen für das Zusammen-, Nebeneinander-, Miteinander- oder Gegeneinander-Sein der verschiedenen Gemeinwesen fungieren. Die internationale Politik findet daher stets innerhalb von mehr oder minder festen Verhältnissen statt, mit deren beschränkenden Wirkungen ihre Akteure einerseits umzugehen haben, deren Chancen und Potenziale sie andererseits aber auch für sich nutzen können.

Im Folgenden wird eine den großen Rahmen absteckende Reihe von insgesamt sieben Kategorien vorgestellt, die im Ganzen als ein heuristischer Fragenkatalog dienen und zusammen mit den jeweils zuzuordnenden Teilkonzepten eine detailreiche und damit angemessene Unterfütterung der Programmatik der Internationalen Politischen Ordnungs-Forschung gewährleisten soll.[56] Dadurch wird es nunmehr möglich sein, jede zwischenstaatli-

[56] Siehe insgesamt dazu auch Übersicht 8.1.

che Ordnung in der Geschichte vom frühen Altertum bis zur Gegenwart umfassend und gehaltvoll zu rekonstruieren, zu beschreiben und in ihren strukturellen Einzelheiten zu erforschen. Dieses siebenteilige Kategorienraster besteht aus den folgenden Punkten:

(1) Erfasst werden sollen zunächst die existierenden *Akteure* oder *Subjekte* der internationalen Politik, womit primär vor allem die vollwertigen *Staaten* (etwa Dänemark) angesprochen sind, genauso aber auch die *in Abhängigkeit befindlichen Gemeinwesen* (etwa Moldawien im 18. Jahrhundert), die *Reiche* (etwa das Französische Kolonialreich) und die *Internationalen Organisationen* (etwa die Vereinten Nationen (UN)) sowie die sekundären und eher ‚intermediären' Akteure transnationaler Art wie die zivilen *Transnationalen Organisationen* (als vor allem gemeinschaftsbildende, gemeinnützige, karitative, profitorientierte, politische, kriminelle oder terroristische Vereinigungen; etwa die katholische Ordensgemeinschaft der Jesuiten oder das gesellschaftsübergreifend agierende Unternehmen der britischen East India Company (EIC)), die *Transnationalen Medien* (etwa das amerikanische Cable News Network International (CNN International)) und gut vernetzte, sehr wohlhabende oder mit intellektueller Autorität ausgestattete *transnational wirkende Einzelpersonen* (etwa Helmut Schmidt (1918 - 2015) nach dem Ende seiner Bundeskanzlerschaft und dem Ausscheiden aus dem deutschen Bundestag 1986). Besonders die sekundären Akteure werden in der Literatur häufig übergangen, obwohl es auch sie in den Epochen vor dem 20. Jahrhundert bereits in beachtlicher Zahl mit mehr oder minder großem Einfluss auf die zwischenstaatlichen Verhältnisse gegeben hat. Anders als bei den primären Subjekten, denen der Akteurs-Status im Kontext internationaler Politik grundsätzlich immer zuzurechnen ist, handelt es sich bei den sekundären Subjekten allerdings um lediglich potenzielle Akteure, die auf die Staatenbeziehungen (direkt oder indirekt, gewollt oder ungewollt, bewusst oder unbewusst) Einfluss nehmen können und damit politisch relevant werden können, es aber nicht zwangsläufig in jedem Fall tun und sein müssen.[57]

[57] Diese Systematik der Akteure oder Subjekte der internationalen Politik (beziehungsweise auch des Völkerrechts) gehört mittlerweile zum grundlegenden Konsens und Standardrepertoire der sich mit diesem Gegenstand beschäftigenden Wissenschaftsdisziplinen und ist in jedem aktuellen entsprechenden Lehrbuch nachzulesen. Vgl. zum Beispiel: Peter Filzmaier/Leonore Gewessler/Otmar Höll/Gerhard Mangott, 2006: Seite 59 - 61; Alexander Siedschlag/Anja Opitz/Jodok Troy/Anita Kuprian, 2007: Seite 81 - 113; sowie in Bezug auf das Völkerrecht etwa: Stephan Hobe, 2008[9]: Seite 64 - 177; Andreas R. Ziegler, 2011[2]: Seite 187 - 233. Ein entsprechendes Lehrbuch von Seiten der Geschichtswissenschaft liegt allerdings gegenwärtig nicht vor. Von diesem Standardwissen müssen allerdings die abhängigen Gemeinwesen und die Reiche (Imperien) ausgenommen werden. Dass zumindest auch Reiche neben den Staaten als primäre Akteure in der Geschichte der internationalen Politik in Erscheinung traten, darauf wurde erst kürzlich hingewiesen. Vgl. Herfried Münkler, 2005: Seite 43; Jürgen Osterhammel, 2007[3]: Seite 595; ders., 2011: Seite 565; Walter Demel, 2010: Seite 162 - 163; Lutz Raphael, 2010[2]: Seite 138. Zu dem, was Reiche (etwa im Unterschied zu Staaten)

Die akteuralen Elemente – und unter ihnen hauptsächlich die Primärsubjekte – stellen letztlich die tragenden Säulen einer jeden gesellschaftsbezogenen (und hier im Besonderen: internationalen politischen) Ordnung dar, ohne die eine solche Ordnung gar nicht erst zustande kommen kann. Bei ihnen soll das Augenmerk im Wesentlichen auf ihre jeweilige Art gerichtet werden sowie auf ihre Anzahl, Verteilung und politische Bedeutung. Was speziell die politische Bedeutung der Staaten anbelangt, so ergibt sich diese aus der Einschätzung ihrer jeweils individuellen Machtposition im (bloßen) Vergleich zur Stärke der anderen. Gemeint ist damit die Stellung eines Staates als Kleinmacht, Mittelmacht oder Großmacht,[58] wobei sich zweitere wei-

---

sind, siehe: Michael W. Doyle, 1986; Stephen Howe, 2002; Herfried Münkler, 2007; ders., 2010; ders., 2011; ders., 2013; Eberhard Sandschneider, 2007; Hans-Heinrich Nolte, 2008; Ulrich Leitner, 2011; Ulrich Menzel, 2012a; ders., 2014; ders., 2015. Ein bislang völlig ungeklärtes Problem ist dagegen, wie Stämme in diesem Zusammenhang einzuordnen sind. Fakt ist jedenfalls, dass Stammesverbände durchaus eigenständige und selbstständige Gemeinwesen sein können und in dieser Form als ordentliche Primärakteure der internationalen Politik immer wieder in Erscheinung getreten sind. Siehe dazu immerhin: Patricia Crone, 1989. Unabhängig davon soll in Anbetracht der Vielfältigkeit der Subjekte der Einfachheit halber dennoch vorwiegend lediglich von Staaten die Rede sein, wiewohl dabei immer mitgedacht ist, dass diese keineswegs die einzige internationale politische Akteursform darstellen. Siehe des Weiteren zum epochenübergreifenden Auftreten des Staates in der Geschichte seit dem Beginn des Altertums vor allem den Forschungsbericht: Michael Gal, 2015 (erneut abgedruckt in diesem Band). Im Hinblick auf die verschiedenen Formen von eigenständigen und selbstständigen Gemeinwesen, die in der internationalen Politik als Primärsubjekte auftreten können, siehe außerdem meine Arbeit „Staaten, Reiche, Dependanten. Grundlegung einer Theorie der Politate" sowie die entsprechenden Ausführungen in meinem Beitrag „Was ist Internationale Politikgeschichte?" (Kapitel IV.3), die beide in diesem Band enthalten sind. Siehe allgemein zur Akteursfrage auch die diesbezüglichen Ausführungen in meinem Aufsatz „Was ist Internationale Politikgeschichte?" (Kapitel IV.2; ausdrücklich auch: Kapitel IV.3) in diesem Band.

58 Diese analytischen Konzepte sind schon lange fester Bestandteil der multidisziplinären Forschungen zur internationalen Politik. Da sie jedoch über *einschlägige* Wörterbücher und Lexikons noch nicht bequem nachzuschlagen sind, soll hier wenigstens der Hinweis auf einige zentrale Beiträge für einen ersten Zugriff angeführt werden. Dabei wird üblicherweise die Etablierung zumindest des Konzepts der Großmacht dem Werk Leopold von Rankes zugeschrieben. Vgl. Leopold von Ranke, 1995 (zuerst 1833). An diese überaus wirkmächtige Schrift hat zuletzt konzeptionell angeschlossen: Paul Kennedy, 2005. Siehe zu den genannten Konzepten des Weiteren: Theodor Schieder, 1981; Jeremy Black, 1990: Seite 198 – 203, er unterscheidet ‚Großmächte' (im englischen Original: ‚*great powers*') oder ‚Höhere Mächte' (‚*major powers*'), ‚Zweitrangige Mächte' (‚*second-rank powers*') und ‚Mindere Mächte' (‚*minor powers*'); Hans Geser, 1992; Erich Bayer/Frank Wende, 1995^5: Seite 209 – 210 (Artikel: Großmacht), Seite 294 (Artikel: Kleinstaat), Seite 379 (Artikel: Mittelmächte); Barry Buzan, 2004: Seite 46 – 76; Karl-Georg Faber/Karl-Heinz Ilting/Christian Meier, 2004: Seite 930 – 933; Peter Filzmaier/Leonore Gewessler/Otmar Höll/Gerhard Mangott, 2006: Seite 24 – 25, sie differenzieren von ‚Macht erster Ordnung' (im englisch formulierten Original: ‚*First Order Power*') bis ‚Macht fünfter Ordnung' (‚*Fifth Order Power*'); Winfried Baumgart, 2007^2: Seite 147 – 148, 260 – 261, er spricht zudem von ‚Mittelstaaten' und ‚Kleinstaaten' sowie von ‚Mächten zweiten Ranges' und ‚Mächten dritten Ranges'; Dieter Langewiesche, 2007; Matthias Schnettger, 2008; Manfred G. Schmidt, 2010^3: Seite 400

ter differenzieren lässt in Leichtgewichtige, Mittelgewichtige und Schwergewichtige Mittelmacht[59] und letztere etwa in Regionalmacht, Weltmacht, Supermacht und Hypermacht.[60] Das Bild der einzelnen Staaten wird zudem durch Informationen über ihre individuelle Lage angereichert. Dazu gehören primär geosphärische, territoriale, populationale, militärische, finanzielle, ressourcenmäßige, technologische und allgemein entwicklerische Aspekte sowie sekundär ihre jeweilige politische, rechtliche, soziale und (volks- und außen)wirtschaftliche Ordnung, ihre ethnische, sprachliche und religiöse Zusammensetzung und ihre jeweiligen historischen Gegebenheiten, Traditionen und Probleme.[61]

- 401 (Artikel: Kleinstaat); Jürgen Osterhammel, 2011: Seite 692 - 693; Klaus Malettke, 2012: Seite 118, er unterscheidet zwischen ‚Hauptakteuren', ‚Mittelmächten' und ‚kleineren Mächten'; Frank Schimmelfennig, 2013³: Seite 73 - 76. Manfred G. Schmidt scheint in seinem Lexikonartikel zum Begriff der ‚Großmacht' das zu beschreiben, was man sonst eher als ‚Hegemonie' oder auch als ‚Regionalmacht' oder ‚Weltmacht' bezeichnen würde. Vgl. Manfred G. Schmidt, 2010³: Seite 323 (Artikel: Großmacht). Lediglich Nebenbemerkungen sind dagegen die Erwähnungen von Heinz Duchhardt, dass Robert Stewart Castlereagh (1769 - 1822) erstmals den Gedanken von den *‚powers of the first order'* (Mächte der ersten Ordnung) formuliert und dass außerdem unter anderem Christoph Wilhelm Koch (1737 - 1813) eine Klassifikation der Staaten nach ihrer Befähigung zur Führung eines Krieges beziehungsweise eines existenzverteidigenden Abwehrkampfes vorgenommen habe. Vgl. Heinz Duchhardt, 1997a: Seite 7 - 8, 95. Allerdings war die Idee der Mächte ersten Ranges auch schon weit vor dem Ende des 18. Jahrhunderts in der politischen Sprache verbreitet gewesen. Siehe außerdem: Christian Hacke, 2000: besonders Seite 383 - 384, der hier einen knappen Forschungsüberblick zum Konzept der Großmacht seit Leopold von Ranke liefert.

59 Vgl. Winfried Baumgart, 2007²: Seite 150, der diese Unterteilung an dieser Stelle allerdings auf die Großmächte und nicht auf die Mittelmächte bezieht.

60 Die vier genannten speziellen Ausformungen einer Großmacht können dem übergeordneten Konzept der ‚offensiven Großmacht' zugerechnet werden, während eine ‚defensive Großmacht' nicht machtpolitisch aktiv in die internationalen Beziehungen eingreift, sondern eher (passiv) in Isolation verharrt (Isolierte Großmacht). Vgl. Frank Schimmelfennig, 2013³: Seite 74. Von diesen Konzepten geht dasjenige der Supermacht auf die Prägung durch William T. R. Fox zurück. Vgl. William T. R. Fox, 1944: besonders Seite 3 - 24. Siehe zu den vier Subtypen ferner: Carsten Holbraad, 1971; Christer Jönsson, 1984: besonders Seite 13 - 29; Hans Wassmund, 1989: besonders Seite 9 - 12; Peter Filzmaier/Eduard Fuchs, 2003; Barry Buzan, 2004: Seite 69, 71 - 72; Karl-Georg Faber/Karl-Heinz Ilting/Christian Meier, 2004: Seite 930 - 933; Josef Joffe, 2006: besonders Seite 22, 205 - 244; Manfred G. Schmidt, 2010³: Seite 895 (Artikel: Weltmacht); Robert Stewart-Ingersoll/Derrick Frazier, 2012: besonders Seite 6 - 8, 69 - 94. Im Übrigen kann auch eine Mittelmacht eine Regionalmacht sein, nicht aber die anderen offensiven Großmachtpositionen innehaben.

61 Die Betonung der Relevanz solcher akteuraler Grundlagenfaktoren geht ursprünglich zurück auf das von Pierre Renouvin 1964 entwickelte Konzept der ‚tiefen Kräfte' (im französischen Original: *„forces profondes"*), zu welchen er geographische, demographische, volkswirtschaftliche, finanzielle, mentalitäre und ideologische Bedingungen zählt. Vgl. Pierre Renouvin/Jean-Baptiste Duroselle, 1991⁴: Seite 5 - 282 (Teil: *Les forces profondes*; verfasst von Pierre Renouvin) (erste Auflage zuerst 1964).

(2) Neben den Akteuren für sich genommen geht es ferner um die unter ihnen bestehenden spezifischen *Machtkonstellationen*, das heißt um die Verhältnisse und damit um die Verteilung und Konzentration von Macht sowie um die Wechselbeziehungen von Einfluss und Abhängigkeit (Dependenz).[62] Darunter sind vor allem zu verstehen die verschiedenartigen Ausprägungen von Hierarchie (etwa durch ein Reich), Föderalität (etwa durch einen Staatenbund), Anarchie (im Sinne einer tatsächlichen Gleichheit aufgrund von politischer Unabhängigkeit respektive Ununtergeordnetheit; etwa durch mehrere (vollständig unabhängige) Staaten) und Heterarchie[63] (etwa durch das gleichzeitige Vorhandensein von Staaten, Reichen und Internationalen Organisationen) sowie von Polyarchie,[64] Imperialität, Hegemonie,[65]

---

62 Hierzu in groben Zügen: Peter Filzmaier/Leonore Gewessler/Otmar Höll/Gerhard Mangott, 2006: Seite 15 – 31; Frank Schimmelfennig, 2013[3]: Seite 73 – 76. Zum Begriff der Macht siehe vor allem meinen Beitrag „Was ist Macht?" in diesem Band.

63 Das Konzept der Heterarchie (Herrschaftsvielfalt) wurde erst vor wenigen Jahren in die Internationale Politik eingeführt und steht vor allem im Gegensatz zur Hierarchie (Herrschaftsunterordnung) und Anarchie (Herrschaftslosigkeit). Es meint jenen Zustand, in dem grundsätzlich mehrere verschiedene, horizontal oder vertikal angeordnete Herrschaftsbeziehungen bestehen, in welchen politische Entscheidungen allein oder in Abstimmung und Kooperation mit bestimmten Partnern gegenüber Anderen getroffen und umgesetzt werden können. Vgl. dazu etwa: Volker Rittberger, 2009: Seite 276 – 279.

64 Polyarchien sind ein Ordnungssegment, bei dem jeder einzelnen Großmacht innerhalb einer bestimmten Region eine zumindest teilregionale Steuerungsfunktion und den Großmächten in ihrer Gesamtheit eine gesamtregionale Kontrolle dieser Region zugeschrieben wird. Diese Polyarchien werden üblicherweise entsprechend der jeweiligen Anzahl der nach außen einflussnehmenden (offensiven) Großmächte konkretisiert als Enarchie (Einerherrschaft), Dyarchie (Zweierherrschaft), Triarchie (Dreierherrschaft), Tetrarchie (Viererherrschaft), Pentarchie (Fünferherrschaft), Hexarchie (Sechserherrschaft), Heptarchie (Siebenerherrschaft), Oktarchie (Achterherrschaft) und so weiter. Vgl. zumindest: Heinz Duchhardt, 1997a: Seite 7 – 10.

65 Die Hegemonie findet als Analysekonzept schon lange Verwendung in der fächerübergreifenden Forschung zur internationalen Politik. Inhaltliche Klärungsversuche haben dazu jedoch erst in jüngster Zeit einen gewissen Aufschwung erfahren, gleichwohl diese bislang noch weitgehend unbefriedigend geblieben sind. Unabhängig davon soll hier unter einer Hegemonie jener Ordnungszustand verstanden werden, in dem es einem oder mehreren Staaten gelungen ist, gegenüber verschiedenen anderen Gemeinwesen eine herausgehobene politische Stellung einzunehmen, durch welche eine Vorherrschaft oder Führerschaft, eine Prädominanz, des herausgehobenen Staates gegenüber den anderen begründet wird. Die Hegemonialposition entsteht durch die politische Ausstrahlung der Übermacht des Hegemons. Der hegemoniale Staat ist in der Lage, durch Androhung oder Anwendung seiner erheblichen Machtmittel seine Stellung gegen Widersacher zu verteidigen sowie die Durchsetzung seines Willens gegenüber den anderen Staaten zu erzwingen. Jedoch führt die bloße Übermacht des Hegemons häufig bereits zu einer mehr oder minder freiwilligen Gefolgschaft der schwächeren Akteure. Entscheidend ist, dass eine hegemoniale Machtrelation als solche keinen dauerhaft institutionalisierten oder gar formellen Rahmen aufweist, sondern (obwohl dauerhaft bestehend) immer nur situativ, bei Bedarf und in informeller Weise aktiviert wird (denn sonst wäre es keine Hegemonie, sondern Imperialität). Es ist an dieser Stelle festzuhalten, dass sich eine Hegemonie – anders als zum Beispiel das häufig als Gegenstück dazu betrachtete (Groß)Mächtegleichgewicht – generell auf die Staaten-

Prostasie[66] und (Groß)Mächtegleichgewicht.[67] Schließlich gehört dazu auch die jeweilige Art der Polarität (auf bestimmte *Staaten* bezogen) beziehungs-

---

welt bezieht und nicht lediglich auf den Kreis der Großmächte beschränkt ist. Das heißt Hegemonien entstehen, ähnlich wie Imperialitäten, gegenüber einzelnen oder mehreren *Staaten*, die über den Status einer Kleinmacht, einer Mittelmacht oder einer Großmacht verfügen können. Daraus folgt unter anderem, dass es je nach konkreter Ausgestaltung der Staatenbeziehungen keineswegs nur höchstens eine einzige Hegemonie geben muss, sondern dass durchaus zugleich mehrere von ihnen parallel zueinander oder gar miteinander verschränkt vorkommen können. Siehe zu den wichtigsten Erörterungen des Hegemoniekonzepts: Heinrich Triepel, 1974[2]; Michael W. Doyle, 1986: Seite 40, 81; Stefan Topp, 2002; Ulrich Menzel, 2004a; ders., 2004b; ders., 2012a; ders., 2012b; ders., 2014; ders., 2015; John Agnew, 2005; Miriam Prys, 2008; Robin Celikates/Martin Nonhoff, 2011; Herfried Münkler, 2013: Seite 18 - 20, 67 - 77.

66 Die Idee einer internationalen Prostasie geht zurück auf die griechische Antike. Dort hatten Staaten den Status der Prostasie inne, wenn sie im Vergleich zu allen anderen die größte und bedeutendste Macht, die Leitmacht, waren. Anders als bei ähnlichen Konzepten, wie etwa jenen der Hegemonie, des Reiches oder der Weltmacht, ist allein mit dieser herausragenden Stellung zunächst einmal *keine* formelle oder informelle Einflussnahme des betreffenden Staates gegenüber anderen verbunden. Vgl. Peter J. Rhodes, 2001.

67 Das Konzept vom (Groß)Mächtegleichgewicht (in Englisch: *balance of (the great) powers*; in Französisch: *équilibre des (grandes) puissances*; in Italienisch: *equilibrio delle (grandi) potenze*; in Neulateinisch: *aequilibrium (magnae) potestates*) ist trotz denominatorischer Hürden nicht zu verwechseln mit der Idee des ‚Gleichgewichts der Kräfte', welche ihrerseits im Zusammenhang des innerstaatlichen Gestaltungsprinzips der Gewaltenteilung steht. Der Gedanke vom Gleichgewicht der (Groß)Mächte jedenfalls wurde zunächst als ein gegen die Hegemonialtendenzen Frankreichs gerichtetes außenpolitisches Programm vor allem der Niederlande und Englands, aber etwa auch des Deutschen Reiches in der zweiten Hälfte des 17. Jahrhunderts explizit theoretisch entwickelt, setzte sich sodann in den ludovizianischen Kriegen des Niederländischen Krieges (1672 - 1679) und vor allem während des Pfälzischen Thronfolgekrieges (1688 - 1697) sukzessive als ein wesentliches Prinzip der damaligen antifranzösischen Außenpolitik praktisch durch und erhielt schließlich mit den zwischen 1713 und 1715 geschlossenen Friedensverträgen von Utrecht, Rastatt und Baden am Ende des Spanischen Thronfolgekrieges (1701 - 1715) auch Einzug in das damalige Völkerrecht. Vgl. Ernst Reibstein, 1959/1960: Seite 400 - 401; Heinz Duchhardt, 1989: Seite 536 - 539; ders., 1997a: Seite 11 - 19; ders., 2000: Seite 74 - 77; Michael Sheehan, 2000; Karl Otmar von Aretin, 2001: Seite 287 - 288; Reiner Pommerin, 2003: Seite 31 - 32, 36, 38; Stuart J. Kaufman/Richard Little/William C. Wohlforth, 2007; Richard Little, 2007; Klaus Malettke, 2007: Seite 46 - 48; Karl-Heinz Ziegler, 2007[2]: Seite 143; Wolfram Pyta, 2012: Seite 375; Michael Jonas/Ulrich Lappenküper/Bernd Wegner, 2015. Harald Kleinschmidt datiert die Entstehung dieses Konzepts dagegen bereits auf die Epoche vom Ende des Mittelalters um 1500 bis zum Westfälischen Frieden 1648. Vgl. Harald Kleinschmidt, 1998: besonders Seite 124 - 125, ferner: Seite 165 - 166, 214 - 215, 248. Ebenso etwas früher, nämlich im Zuge des zwischen 1645 und 1648 stattfindenden Westfälischen Friedenskongresses, verorten Konrad Repgen und Michael Sheehan die ursprüngliche Herausbildung und Durchsetzung des Gleichgewichtsgedankens in der internationalen Politik. Vgl. Konrad Repgen, 1987; Michael Sheehan, 2000: Seite 37 – 38. Unabhängig von ihrem genauen Entstehungszusammenhang kann mit dem (Groß)Mächtegleichgewicht generell zum einen eine außenpolitische Maxime verbunden sein (also das, als was es ursprünglich entstanden war), zum anderen aber auch ein bestimmtes „Organisationsmodell[...] internationaler Politik". Klaus Hildebrand, 2008[2]: Seite 886. Ein solches ‚Organisationsmodell' ist dann in den

weise der Zentralität (eher auf bestimmte länderübergreifende *Regionen* gerichtet) innerhalb der Staatenwelt.[68]

(3) Als Nächstes stehen die *Grundstrukturen* der internationalen Politik im Blickpunkt der Betrachtung. Hiermit sind jene fundamentalen Strukturen gemeint, welche die Grundlage für die konkreten, alltäglich unterhaltenen Staatenbeziehungen bilden. Darunter ist zunächst einmal die Grundeigenschaft der Pluralität der Staaten zu subsumieren, ohne die es Beziehungen zwischen (mehreren) Gemeinwesen eben nicht geben kann.[69] Mehr tatsächlich entscheidend ist dagegen die Frage nach der Parität (Egalität), also der grundsätzlichen Gleichwertigkeit oder Gleichberechtigung, der Staaten untereinander oder ihrer Disparität. Genauso grundsätzlich sind die unter tendenziell oder tatsächlich allen Akteuren gegebenenfalls bestehenden wechselseitigen Abhängigkeiten, die derart umfassend sind, dass gewissermaßen ‚alles mit allem zusammenhängt' (komplexe Interdependenz).[70] Weitere solche Grundbedingungen sind die allenthalben und in vielfältiger Weise auftauchenden Interaktionsbarrieren und Kooperationsbarrieren, die die Aufnahme, Unterhaltung und Intensivierung von gegenseitigen Kontakten erschweren und damit die Herausbildung konkreter struktureller Beziehungen behindern oder gänzlich verhindern können.[71] Ihre Überwindung ist

---

Staatenbeziehungen vorzufinden, wenn die Stärkepotenziale aller (Groß)Mächte sich im Vergleich zueinander in einem Zustand der Austariertheit befinden, sodass eine machtpolitische Balance, ein Äquilibrium, zwischen diesen Mächten hergestellt ist, innerhalb derer keine der (Groß)Mächte eine politisch herausgehobene Stellung (das heißt wenigstens in Form einer Hegemonie) einnehmen kann. In diesem zweiten Sinn soll das (Groß)Mächtegleichgewicht im Zusammenhang internationaler politischer Ordnungen verstanden werden.

68 Bei Polarität wird üblicherweise zwischen den vier Arten der Unipolarität, der Bipolarität, der Tripolarität und der Multipolarität unterschieden, während mit Blick auf die Zentralität einer Polyzentralität in der Regel allein eine Monozentralität gegenübergestellt wird (etwa in der konkreten Gestalt einer Europazentralität, welche sich folglich auf eine entsprechende zeitgenössische Vorstellung oder Tatsache bezieht, der zufolge Europa aus gleichwelchen Gründen das Zentrum der gesamten (Staaten)Welt bildet, und welche insofern im Übrigen keineswegs dasselbe ist wie ein möglicherweise identifizierbarer praktischer Regionalismus Europas oder gar ein (unreflektierter) analytischer Eurozentrismus). Vgl. Peter Filzmaier/Leonore Gewessler/Otmar Höll/Gerhard Mangott, 2006: Seite 15, 19 - 23.

69 Bei staatlicher Singularität, das heißt bei Unistaatlichkeit, würde es nur einen einzigen (Welt)Staat geben, sodass keinerlei *zwischenstaatliche* Beziehungen und damit auch keinerlei internationale Politik bestehen könnten. Alles, was es in diesem Fall geben würde, wäre allein nationale Politik.

70 Die Einführung von Interdependenz im Allgemeinen und komplexer Interdependenz im Besonderen in die Theoriediskussion der Internationalen Politik erfolgte 1977 durch Robert O. Keohane und Joseph S. Nye mit ihrem Gemeinschaftswerk: Robert O. Keohane/Joseph S. Nye, 2012[4]: besonders Seite 3 - 18 (zu Interdependenz generell), besonders Seite 19 - 31 (zu komplexer Interdependenz) (erste Auflage zuerst 1977).

71 Solche Barrieren innerhalb der zwischenstaatlichen Beziehungen werden – allerdings mit Bezug auf das nicht allein die Politik, sondern auch alle anderen Gesellschaftsbe-

deshalb für die Akteure mit entsprechenden Kosten verknüpft. Die Folge des entweder verminderten oder verstärkten Vorhandenseins derartiger Barrieren ist, dass sich dadurch die Bindungen unter den Staaten entweder verdichten oder lockern können. Daneben können aufgrund gesellschaftlich-kultureller Verwandtschaft, traditionell eher engeren Verbindungen sowie ähnlichen Voraussetzungen, Denkgewohnheiten und Verhaltensweisen insgesamt auch regelrechte internationale Gemeinschaften oder internationale politische Kulturen identifiziert werden. In dieser Hinsicht kann die gesamte Staatenwelt in verschiedene, in bestimmter Weise räumlich voneinander getrennte Teilwelten untergliedert werden.

(4) Schließlich geht es um die konkreten zwischen den Staaten auftretenden Beziehungsmuster. Hier soll der Fokus als erstes auf diejenigen Strukturen gerichtet werden, die bei bloßem Nebeneinanderbestehen der Akteure hervortreten (*Koexistenz-Strukturen*). Da hier keinerlei Beziehungen aktiv unterhalten werden, sondern solche nur passiv bestehen, umfasst dieser Analyseaspekt lediglich die Autarkie, Independenz und Anomie[72] in den gegenseitigen Verhältnissen der jeweils betreffenden Staaten und außerdem noch deren (bündnispolitische) Neutralität[73] und deren (allgemein politische) Isolation.

(5) Davon unterschieden sind die *Konfrontations-Strukturen*, die dann entstehen, wenn Staaten vor dem Hintergrund von generellen Antagonismen oder Rivalitäten sowie aufgrund von spezifischen Konflikten in aktiver Weise *negative* Beziehungen zueinander unterhalten. Die Relationen sind hier geprägt von mehr oder minder stark belasteten und deshalb angespannten Kontakten bis hin zu einem vollständigen Abbruch aller bi- oder multilateralen Kommunikation und ihrem Ersatz durch die Anwendung von Gewaltmitteln. Konkrete Erscheinungsformen solcher Konfrontations-Strukturen können sein von den kontinuierlichen Entwicklungen der Entfremdung (Alienation) und der Anspannung (Tension) über mannigfaltig begründete Konfliktformationen, welche entweder lokalisiert zwischen einzelnen Gemeinwesen oder regionalisiert bis globalisiert zwischen ganzen Ländergruppen auftre-

---

reiche erfassende Phänomen der Globalisierung und damit ebenso mit Blick auf transnationale Relationen – thematisiert in: Peter E. Fäßler, 2007: Seite 36 – 45.

72 Mit ‚Anomie' (Rechtlosigkeit) ist ein solcher Zustand gemeint, in dem es keinerlei *rechtliche* Normen gibt. Anomie kann in einzelnen Beziehungen der internationalen Politik durchaus vorkommen. Die Gesamtheit der internationalen Politik ist in ihrem (theoretischen) Grundzustand ebenfalls anomisch und außerdem durch eine Anarchie (Herrschaftslosigkeit) gekennzeichnet.

73 Siehe zum auch rechtlich bedeutsamen Problembereich der (bündnispolitischen und besonders kriegsbezogenen) Neutralität: Ernst Reibstein, 1959/1960: Seite 409 – 412; Reimund Seidelmann, 1994; Burkhard Auffermann, 1997; Karl-Heinz Ziegler, 2007²: Seite 153 – 154, 186; Stephan Hobe, 2008⁹: Seite 614 – 617.

ten und so die Bildung von Lagern und Blöcken evozieren können,[74] bis hin zu den vielfältigen Arten von Krieg.[75]

(6) Die *positive* Variante konkreter Beziehungsmuster, die aktiv von den Staaten unterhalten werden, bilden die *Kooperations-Strukturen*. Sie entstehen, wenn die Akteure sich nicht in Form von Gegnerschaft oder Feindschaft begegnen, sondern stattdessen als Freunde oder gar Partner. In diesem Fall kommt ein belastbarer Wille zu beständiger Sicherheit und dauerhaftem Frieden sowie zur gemeinsamen Lösung von Problemen zum Tragen, der ein gemeinschaftliches, auf gegenseitiger Akzeptanz gründendes Zusammenleben und Zusammenarbeiten der Beteiligten ermöglicht. Daraus können Strukturformen erwachsen, zu denen zunächst einmal der Frieden als solcher[76] sowie die kontinuierlichen Entwicklungen der Entspannung (Detension; französisch: *détente*), der Aussöhnung (Rekonziliation), der (Wieder)Annäherung (Rapprochement) und der auf Ausgleich, Interessenkonvergenz und Einigkeit beruhenden Verständigung (französisch: *entente*) zu zählen sind. Genauso gehören dazu die mehr oder minder engen Beziehungen von Staaten aufgrund dynastieübergreifender Heiratspolitik,[77] dynastischer Verwandtschaft[78] oder einer Personalunion[79] sowie der Abschluss von Abkommen zur Begründung einer partiellen Zusammenarbeit von verschiedenen Akteuren (etwa Handelsverträge oder Friedensschlüsse mit ihren (einmalig oder dauerhaft) gemeinsam umzusetzenden Regelungen).

---

[74] Siehe hierzu besonders: Werner Link, 2004[4].

[75] Vgl. zum Krieg im Allgemeinen: Alexander Siedschlag/Anja Opitz/Jodok Troy/Anita Kuprian, 2007: Seite 51 – 54; Reinhard Meyers, 2008[11]; Frank R. Pfetsch, 2010; Sven Chojnacki, 2012[5]; Jörg Echternkamp, 2012. Zu den verschiedenen Arten von Krieg siehe zudem etwa: Manfried Rauchensteiner/Erwin A. Schmidl, 1991; Dietrich Beyrau/Michael Hochgeschwender/Dieter Langewiesche, 2007.

[76] ‚Frieden' meint hier grundsätzlich mehr als nur ‚Nicht-Krieg'. Es ist eine aktiv gestaltete Beziehungsform zwischen verschiedenen Akteuren. Insofern spricht man auch von einem ‚positiven Friedensbegriff'. Was der Terminus vor diesem Hintergrund konkret bedeuten soll, ist allerdings höchst umstritten. Es wird hier vorgeschlagen, unter Frieden nicht die Negation von Krieg zu verstehen, sondern vielmehr sein sachliches Gegenstück, nämlich das Vorherrschen von Beziehungen, die ohne Anwendung von Gewalt unterhalten werden. Dadurch entsteht konzeptionell ein Freiraum zwischen den beiden Relationsformen Krieg und Frieden, der unter anderem von jener der bloßen Koexistenz eingenommen wird. Es ergibt sich zudem, dass Krieg als das Vorhandensein von gewaltvoll unterhaltenen Beziehungen zwischen verschiedenen Akteuren die höchste Stufe der Konfrontation darstellt, während Frieden hingegen die niedrigste Form der Kooperation bildet. Vgl. zum Frieden: Jörg Calließ/Christoph Weller, 2004[2]; Alexander Siedschlag/Anja Opitz/Jodok Troy/Anita Kuprian, 2007: Seite 57 – 64; Reinhard Meyers, 2008[11]; Frank R. Pfetsch, 2010; Hans J. Gießmann/Bernhard Rinke, 2011; Tatjana Reiber, 2012[5]. Siehe außerdem zur Historischen Friedens-Forschung: Jost Dülffer, 2000; Benjamin Ziemann, 2002.

[77] Vgl. hierzu: Reinhard Lebe, 2000; Martin Peters, 2007.

[78] Vgl. etwa: Hermann Weber, 1981.

[79] Vgl. zur Personalunion vor allem: Heinz Duchhardt, 1997b; Rex Rexheuser, 2005; Michael Gal, 2015: Seite 256 – 257 (erneut abgedruckt in diesem Band (Kapitel V)).

Dazu kommt ferner die Integration von Staaten aufgrund vereinbarter Allianzen[80] oder speziell eingerichteten Institutionen[81] unterschiedlichster Art, vor allem in Gestalt von internationalen Regimen (etwa der ‚Allgemeine Frieden' (altgriechisch: *‚κοινὴ εἰρήνη'*) des 386 v. Chr. geschlossenen Königsfriedens-Vertrags von Sparta oder das Handelsregime des 1947 in Genf vereinbarten Allgemeinen Zoll- und Handelsabkommens (GATT)),[82] internationalen Klubs (etwa dem Europäischen Konzert der Großmächte im 19. Jahrhundert oder der 1975 ins Leben gerufenen sogenannten ‚Gruppe der Sechs' (G6), der späteren ‚Gruppe der Sieben' (G7) und ‚Gruppe der Acht' (G8))[83]

---

80 Bei den Allianzen ist zu unterscheiden zwischen Nichtangriffsbündnissen, Kollektiven Sicherheitsbündnissen, Defensivbündnissen, Offensivbündnissen und Koalitionsbündnissen sowie weitergehenden Formen militär- oder sicherheitspolitischer Zusammenarbeit und Organisation. Zur systematischen Einführung siehe: Christopher Daase, 1997; Sabine Jaberg, 1998: Seite 141 – 299; Wichard Woyke, 2008[11]. Als historischer Überblick: Michael Kaiser, 2005; Ernst Baltrusch, 2008: Seite 37 – 58, 130 – 151; Katja Frehland-Wildeboer, 2010.

81 Grundsätzlich sollte dem Begriff der Institution ein weit gefasstes Verständnis zugrunde liegen, wie es 1925 von Maurice Hauriou geprägt wurde. In diesem Sinn unterscheidet er zwischen einer ‚sachlichen Institution' (im französischen Original: *‚institution-chose'*), das heißt eher abstrakten kulturellen Einrichtungen wie Ehe, Eigentum, Sitte oder Recht, und einer ‚personalen Institution' (*‚institution-personne'*), womit eher konkrete soziale Einrichtungen in Form von losen Gruppierungen bis hin zu Organisationen beziehungsweise Korporationen (als organisierte Kollektivakteure mit eigener Rechtspersönlichkeit) gemeint sind wie Vereine, Parteien, Unternehmen, Kirchen oder Staaten. Vgl. Maurice Hauriou, 1965: Seite 34 – 35 (zuerst 1925). Siehe ferner zum Internationalen Institutionalismus (als Forschungsansatz, nicht als Theoriegruppe): Robert O. Keohane, 1988; Lisa L. Martin/Beth A. Simmons, 1998; Marco Overhaus/Siegfried Schieder, 2010; Matthias Schulz, 2012.

82 Das Konzept der internationalen Regime wurde innerhalb der Internationalen Politik etabliert durch die sogenannte ‚Regimetheorie', einem Teil der Theoriegruppe des Institutionalismus. Dabei wird unter einem Regime eine aktive Kooperationsform mehrerer Staaten verstanden, die auf einem Vertrag beruht, in dem dauerhaft einzuhaltende und umzusetzende politische Prinzipien und rechtliche Regeln festgelegt und in dem gegebenenfalls bestimmte administrative (seltener allgemein politische) Entscheidungsprozeduren vorgesehen sind. Zur Erledigung seiner Aufgaben verfügt ein Regime dabei allenfalls über einige Verwaltungsbüros, nicht aber über institutionseigene politische Entscheidungsorgane. Die Weiterentwicklung des Regimes selbst mit seinen Prinzipien, Regeln und Prozeduren erfolgt daher in entsprechenden Verhandlungsrunden oder in etwaigen Streitschlichtungsverfahren der Mitgliedsstaaten, ohne dass das Regime dadurch eine eigene Akteursqualität erhält. Vgl. Beate Kohler-Koch, 1989; Stephen D. Krasner, 1991; Robert O. Keohane/Joseph S. Nye, 2012[4]: besonders Seite 16 – 18, 32 – 51; Reinhard Wesel, 2012: besonders Seite 49 – 84, 189 – 282.

83 Auf das Phänomen von Klubs innerhalb der Staatenwelt hat die Übernationale Gouvernanz-Forschung mit ihrer Vorstellung von sogenannter *‚club governance'* (Regieren durch Klubs) aufmerksam gemacht. Mit einem solchen ‚Klub' ist eine aktive Kooperationsform gemeint, bei der mehrere Staaten zur gegenseitigen Beratung und Abstimmung in bestimmten politischen Problemfeldern regelmäßige Zusammenkünfte abhalten. Da Klubs weder über eine organisatorische Gestalt mit politischen Entscheidungsorganen und einem bürokratischen Gebäude verfügen noch in der Regel über einen sämtliche Prinzipien, Regeln und Prozeduren enthaltenden (Satzungs)Vertrag, aus dem die Zusammenarbeit abgeleitet wird, handelt es sich bei Klubs

und Internationalen Organisationen (etwa der Zweite Athenische Seebund im 4. vorchristlichen Jahrhundert oder der 1919 gegründete Völkerbund).[84] Unter solche dauerhaften Kooperationsformen sind jedoch noch weitere Strukturen zu subsumieren, wie etwa festgelegte Garantiemächte, eingerichtete Schiedsverfahren (durch Schiedsmächte oder Schiedsgerichte) und allgemein die Verregelung und Begrenzung der zwischenstaatlichen Beziehungen und Verhaltensweisen durch völkerrechtliche Normen. Die zunehmende institutionelle Verschränkung der Gesellschaften führt schließlich zu einer hochgradig verflochtenen internationalen Welt. In dieser sind mannigfaltige Interdependenzen vorherrschend, die die Staaten immer enger aneinander binden und politische Problembearbeitung und Konfliktmanagement in eingerichteten Bahnen kanalisieren.[85] Dies erleichtert die Politik innerhalb des selbstgeschaffenen Rahmens und erschwert zugleich dessen grundsätzliche Infragestellung und Zerstörung zumindest durch dessen Mitglieder.

(7) Als Letztes werden umfassendere Strukturformationen in den Blick genommen. Es geht dabei um *allgemeine Ordnungen*, die regional begrenzt oder (tendenziell bis tatsächlich) global einen festen Kreis von Akteuren einschließen und diese insbesondere in eine allgemeine Sicherheitsordnung oder eine allgemeine Friedensordnung einbinden. Die Sicherheit von Gemeinwesen, das heißt der Zustand, bei dem gleichwelche Bedingungen zum Schutz beziehungsweise zur Erhaltung der eigenen Existenz geschaffen worden sind (sodass man ‚sicher' ist), kann ihrerseits als das Grundbedürfnis aller Staaten in den internationalen Beziehungen gelten. Wie sie allgemein

---

um zumeist informell gehaltene Staatenverbindungen ohne eigene Akteursqualität. Vgl. Franz Nuscheler, 2007; Ulrich Schneckener, 2009.

[84] Zu Internationalen Organisationen siehe: Thomas Fröschl, 1994; Volker Press, 1995; Clive Archer, 2001[3]; Ernst Baltrusch, 2008: Seite 37 – 58, 130 – 151; Madeleine Herren, 2009; Bob Reinalda, 2009; Robert Kolb, 2011; Katja Freistein/Julia Leininger, 2012; Anne Peters/Simone Peter, 2012; Reinhard Wesel, 2012: besonders Seite 85 – 187; Volker Rittberger/Bernhard Zangl/Andreas Kruck, 2013[4]. Internationale Organisationen können in drei sich qualitativ voneinander unterscheidenden Varianten in Erscheinung treten: erstens als *Administrative Internationale Organisationen* (oder Internationale Verwaltungsunionen), die zur hauptsächlich bürokratischen Bearbeitung von bestimmten zwischenstaatlichen oder länderübergreifenden Problemen geschaffen wurden; zweitens als *Gouvernementale Internationale Organisationen* (oder schlicht Intergouvernementale Organisationen), die als Rahmenstruktur zur dezidiert politischen Bearbeitung von Problemen und zwar vorrangig auf der Regierungsebene der Mitgliedstaaten eingerichtet wurden; und drittens als *Suprastaatliche Internationale Organisationen* (oder Staatenbünde respektive Konföderationen), die zur gemeinschaftsbildenden und in der Regel umfassenden politischen Zusammenarbeit in häufig mehr als allein intergouvernementaler Form bestehen.

[85] Speziell im Fall der Interdependenzen ist zu unterscheiden zwischen solchen, die bei einem Abbruch der zwischenstaatlichen Bindungen von den betreffenden Akteuren rasch und mit relativ geringem Kostenaufwand ausgeglichen werden können (sensitive Interdependenzen), und solchen, die in diesem Fall sehr schmerzhaft und mit hohen Kosten für die Beteiligten verbunden sind (vulnerable Interdependenzen). Vgl. Robert O. Keohane/Joseph S. Nye, 2012[4]: Seite 10 – 16. Dazu auch: Ulrich Albrecht, 1997.

hergestellt und erhalten werden kann, dazu lässt sich ein relativ breites und theoretisch wohl auch noch keineswegs erschöpfend bearbeitetes Spektrum an Ordnungsvarianten ausmachen. Hierzu zählen vor allem eine Abschreckungsbasierte, eine Mächtegleichgewichtsbasierte, eine Hegemoniale, eine Kollektive, eine Institutionelle, eine Imperiale, eine Suprastaatliche und eine Unistaatliche[86] Sicherheitsordnung. Sehr viel schwieriger herzustellen und damit wesentlich voraussetzungsreicher – und, wenn man so will, luxuriöser – ist dagegen eine aufgrund entsprechender Strukturen grundsätzlich den Frieden erhaltende Staatenordnung. Hierfür erscheinen daher lediglich vier Formen denkbar: eine Institutionelle, eine Imperiale, eine Suprastaatliche und eine Unistaatliche Friedensordnung.[87]

VI. Schlussbetrachtung

Alle vier vorgestellten Forschungsansätze ermöglichen es grundsätzlich, sich mit bestimmten strukturellen Aspekten im Gesamtzusammenhang internationaler politischer Beziehungen auseinanderzusetzen. Das Ziel der Internationalen Politischen System-Forschung ist es, den Aufbau und vor allem das Funktionieren der gesamten Staatenwelt in den Blick zu nehmen. Dabei richtet sich ihr Interesse hauptsächlich auf die Funktionen, Mechanismen und Wirkungen einzelner Systemsegmente, wodurch sich jedoch nur bedingt fruchtbare Anknüpfungsmöglichkeiten für eine eingehendere Beschäftigung speziell mit der strukturellen (Gesamt)Gestalt der zwischenstaatlichen Beziehungen ergeben. Mehr auf ein bestimmtes Problemfeld bezogen ist hingegen die Internationale Organisations-Forschung. Ihr Anliegen ist es herauszufinden, über welche Einrichtungen die Zuständigkeit zur Erledigung von politischen Aufgaben und Funktionen auf internationaler Ebene *geregelt* ist. Ähnlich angelegt ist die Übernationale Gouvernanz-Forschung, die – im Grunde darauf aufbauend und den betrachteten Wirklichkeitsausschnitt zugleich entscheidend vergrößernd – zu untersuchen beabsichtigt, über

86 Unistaatlichkeit macht in den internationalen Beziehungen allerdings nur dann Sinn, wenn es sich bei diesem *einen* (Welt)Staat um ein politisches Gebilde mit *parallelem staatlichen* Charakter, das heißt um einen Doppelstaat, handelt, wie es beispielsweise auf das Heilige Römische Reich Deutscher Nation insbesondere ab 1648 zutraf. In diesem Fall bleibt die konstitutive Grundeigenschaft der internationalen Politik, namentlich die Pluralität der Staaten, weiterhin bestehen. Siehe mit weiteren Literaturhinweisen zur politischen Gestalt des Deutschen Reiches in der Frühneuzeit: Michael Gal, 2015: Seite 258 – 259 (erneut abgedruck in diesem Band). Siehe allgemein zum Doppelstaat zudem die entsprechenden Ausführungen in meiner Arbeit „Staaten, Reiche, Dependanten. Grundlegung einer Theorie der Politate" (Kapitel III.3) in diesem Band.

87 Vgl. zum wissenschaftlichen Diskussionsstand um die verschiedenen Sicherheits- und Friedensordnungen: Alexander Siedschlag/Anja Opitz/Jodok Troy/Anita Kuprian, 2007: Seite 55, 57.

welche Instrumente und Kanäle die politische Problembearbeitung in der länderübergreifenden Welt *reguliert* wird. Folglich gehen auch diese beiden Ansätze in je spezifischer Weise über das Problem der zwischenstaatlichen Gesamtstruktur hinweg.

Speziell mit der strukturellen Gesamtgestalt der internationalen Politik befasst sich – zumindest ihrer grundsätzlichen Anlage nach – dagegen die Internationale Politische Ordnungs-Forschung. In deren bislang lediglich rudimentär ausgebildeter Programmatik lag der Fokus allerdings vorrangig auf der Konstitution von monostrukturell begründeten Ordnungsformationen. Um nun zumindest annähernd die Gesamtheit der darüber hinaus tatsächlich vorhandenen Strukturen in den Blick nehmen zu können, erscheint es notwendig, den Ansatz – unter theoretischen Anleihen sowohl bei den drei anderen und allen sonstigen Forschungsprogrammen als auch bei den bisher produzierten theoretischen und empirischen Arbeiten – konzeptionell zu erweitern und zu aktualisieren. Auf der Grundlage eines reflektierten und klar definierten Begriffs der ‚internationalen politischen Ordnung' sowie anhand eines im Anschluss daran erarbeiteten analytischen Kategorienrasters ist es nun möglich, den Wirklichkeitsausschnitt einer jeden raumzeitlich eingegrenzten Staatenwelt vom Altertum bis zur Gegenwart hinsichtlich seiner teil- und gesamtstrukturellen Ausgestaltung annähernd vollständig zu erkennen, zu untersuchen und zu beschreiben.

Im Rahmen von Studien, die sich speziell mit dem Wandel der zwischenstaatlichen Ordnung befassen, besteht zudem die Möglichkeit, präzise aufzuspüren und zu erklären, in welchen konkreten Segmenten sich diese Ordnung im Laufe des betrachteten Zeitabschnitts verändert hat und inwiefern sich daraus auch eine signifikante Transformation der zwischenstaatlichen Strukturkonfiguration im Ganzen ableiten lässt. Das hier vorgelegte Programm der Internationalen Politischen Ordnungs-Forschung erlaubt es nunmehr, auf diese und weitere Fragen in diesem Umfeld zugleich detailliert und umfassend Antworten zu geben.

Übersicht 8.1: Kategorienraster zur Analyse internationaler politischer Ordnungen

Kategorie	**Konzepte**

Akteure (Subjekte)	*Primäre Akteure:*
	▪ Staaten, Reiche, abhängige Gemeinwesen
	  ▪ Individuelle Grundlagenfaktoren
	  ▪ *Individuelle Machtstellungen:*
	    ▪ Kleinmächte
	    ▪ Mittelmächte
	      ▪ Leichtgewichtige Mittelmächte
	      ▪ Mittelgewichtige Mittelmächte
	      ▪ Schwergewichtige Mittelmächte
	      ▪ Regionalmächte (als Mittelmächte)
	    ▪ Großmächte
	      ▪ *Defensive Großmächte:*
	        ▪ Isolierte Großmächte
	      ▪ *Offensive Großmächte:*
	        ▪ Regionalmächte (als Großmächte)
	        ▪ Weltmächte
	        ▪ Supermächte
	        ▪ Hypermächte
	▪ Internationale Organisationen
	Sekundäre Akteure:
	▪ Transnationale Organisationen
	▪ Transnationale Medien
	▪ Transnational wirkende Einzelpersonen

Machtkonstellationen	*Machtverhältnisse:* ▪ Prostasie ▪ (Groß)Mächtegleichgewicht ▪ Polarität ▪ Zentralität *Machtbeziehungen:* ▪ Hierarchien ▪ Föderalitäten ▪ Anarchien ▪ Heterarchien ▪ Polyarchie ▪ Imperialitäten ▪ Hegemonien
Grundstrukturen	▪ Pluralität der Staaten ▪ Paritäten/Disparitäten der Staaten ▪ Komplexe Interdependenz ▪ Interaktionsbarrieren ▪ Kooperationsbarrieren ▪ Internationale Gemeinschaften ▪ Internationale politische Kulturen

<table>
<tr><td>Koexistenz-Strukturen</td><td><ul>
<li>Autarkien</li>
<li>Independenzen</li>
<li>Anomien</li>
<li>(Bündnispolitische) Neutralitäten</li>
<li>(Allgemein politische) Isolationen</li>
</ul></td></tr>
<tr><td>Konfrontations-Strukturen</td><td><ul>
<li>Entfremdungen</li>
<li>Anspannungen</li>
<li>Konfliktformationen</li>
<li>Lager-Bildungen</li>
<li>Blöcke-Bildungen</li>
<li>Kriege</li>
</ul></td></tr>
<tr><td>Kooperations-Strukturen</td><td><ul>
<li>Frieden</li>
<li>Entspannungen</li>
<li>Aussöhnungen</li>
<li>(Wieder)Annäherungen</li>
<li>Verständigungen</li>
<li>Dynastieübergreifende Heiratspolitiken</li>
<li>Dynastische Verwandtschaften</li>
<li>Personalunionen</li>
<li>Kooperationsschaffende Völkerrechtsverträge</li>
<li>Integrationen
<ul>
<li>Allianzen
<ul>
<li>Nichtangriffsbündnisse</li>
<li>Kollektive Sicherheitsbündnisse</li>
<li>Defensivbündnisse</li>
<li>Offensivbündnisse</li>
<li>Koalitionsbündnisse</li>
<li>Weitergehende Formen militär- oder sicherheitspolitischer Zusammenarbeit und Organisation</li>
</ul></li>
<li>Internationale politische Institutionen
<ul>
<li>Internationale Regime</li>
<li>Internationale Klubs</li>
<li>Internationale Organisationen
<ul>
<li>Administrative Internationale Organisationen</li>
<li>Gouvernementale Internationale Organisationen</li>
<li>Suprastaatliche Internationale Organisationen</li>
</ul></li>
</ul></li>
</ul></li>
<li>Garantiemächte</li>
<li>Schiedsverfahren
<ul>
<li>Schiedsverfahren durch Schiedsmächte</li>
<li>Schiedsverfahren durch Schiedsgerichte</li>
</ul></li>
<li>Völkerrechtsnormen</li>
<li>Interdependenzen
<ul>
<li>Sensitive Interdependenzen</li>
<li>Vulnerable Interdependenzen</li>
</ul></li>
</ul></td></tr>
<tr><td>Allgemeine Ordnungen</td><td><ul>
<li>Allgemeine Sicherheitsordnungen
<ul>
<li>Abschreckungsbasierte Sicherheitsordnung</li>
<li>Mächtegleichgewichtsbasierte Sicherheitsordnung</li>
<li>Hegemoniale Sicherheitsordnung</li>
<li>Kollektive Sicherheitsordnung</li>
<li>Institutionelle Sicherheitsordnung</li>
</ul></li>
</ul></td></tr>
</table>

	- Imperiale Sicherheitsordnung - Suprastaatliche Sicherheitsordnung - Unistaatliche Sicherheitsordnung ▪ Allgemeine Friedensordnungen - Institutionelle Friedensordnung - Imperiale Friedensordnung - Suprastaatliche Friedensordnung - Unistaatliche Friedensordnung

Literatur

ABI-SAAB, GEORGES, 1981a: *Introduction. The concept of international organization: A synthesis*. In: ders. (Hrsg.), The concept of international organization. Paris, Seite 9 – 24.

ABI-SAAB, GEORGES (Hrsg.), 1981b: *The concept of international organization*. Paris.

AGNEW, JOHN, 2005: *Hegemony. The New Shape of Global Power*. Philadelphia.

ALBRECHT, ULRICH, 1997: *Interdependenz*. In: Ulrich Albrecht/Helmut Volger (Hrsg.), Lexikon der Internationalen Politik. München/Wien, Seite 233 – 234.

ALTVATER, ELMAR/MAHNKOPF, BIRGIT, 2007[7]: *Grenzen der Globalisierung. Ökonomie, Ökologie und Politik in der Weltgesellschaft*. Münster.

ANTER, ANDREAS, 2007[2]: *Die Macht der Ordnung. Aspekte einer Grundkategorie des Politischen*. Tübingen.

ARCHER, CLIVE, 2001[3]: *International Organizations*. London/New York.

ARETIN, KARL OTMAR VON, 2001: *Friede und Friedensordnungen im neuzeitlichen Europa*. In: Gabriele Clemens (Hrsg.), Nation und Europa. Studien zum internationalen Staatensystem im 19. und 20. Jahrhundert. Festschrift für Peter Krüger zum 65. Geburtstag. Stuttgart, Seite 285 – 294.

AUFFERMANN, BURKHARD, 1997: *Neutralität*. In: Ulrich Albrecht/Helmut Volger (Hrsg.), Lexikon der Internationalen Politik. München/Wien, Seite 382 – 384.

BALTRUSCH, ERNST, 2008: *Außenpolitik, Bünde und Reichsbildung in der Antike*. [Reihe Enzyklopädie der griechisch-römischen Antike. Band 7], München.

BARTH, HANS, 1958: *Die Idee der Ordnung. Beiträge zu einer politischen Philosophie*. Erlenbach/Stuttgart.

BAUMGART, WINFRIED, 2007[2]: *Europäisches Konzert und nationale Bewegung. Internationale Beziehungen 1830 – 1878*. [Handbuch der Geschichte der Internationalen Beziehungen. Band 6], Paderborn/München/Wien/Zürich.

BAYER, ERICH/WENDE, FRANK, 1995[5]: *Wörterbuch zur Geschichte. Begriffe und Fachausdrücke*. Stuttgart.

BECKER, GEROLD/GROEBEN, ANNEMARIE VON DER (Hrsg.), 2005[2]: *Ordnung und Unordnung. Ein Buch für Hartmut von Hentig zu seinem 80. Geburtstag*. Weinheim/Basel.

BEHRENS, MARIA, 2010[2]: *Global Governance*. In: Arthur Benz/Nicolai Dose (Hrsg.), Governance – Regieren in komplexen Regelsystemen. Eine Einführung. [Reihe Governance. Band 1], Wiesbaden, Seite 93 – 110.

BEHRENS, MARIA/REICHWEIN, ALEXANDER, 2007: *Global Governance*. In: Arthur Benz/Susanne Lütz/Uwe Schimank/Georg Simonis (Hrsg.), Handbuch Governance. Theoretische Grundlagen und empirische Anwendungsfelder. Wiesbaden, Seite 311 – 324.

BELY, LUCIEN, 2013[4]: *Les relations internationales en Europe (XVIIe – XVIIIe siècles)*. [Reihe Thémis. Histoire], Paris.

BENZ, ARTHUR, 2006[2]: *Governance in Mehrebenensystemen*. In: Gunnar Folke Schuppert (Hrsg.), Governance-Forschung. Vergewisserung über Stand und Entwicklungslinien. [Reihe Schriften zur Governance-Forschung. Band 1], Baden-Baden, Seite 95 – 120.

BEYRAU, DIETRICH/HOCHGESCHWENDER, MICHAEL/LANGEWIESCHE, DIETER (Hrsg.), 2007: *Formen des Krieges. Von der Antike bis zur Gegenwart*. [Reihe Krieg in der Geschichte. Band 37], Paderborn/München/Wien/Zürich.

BLACK, JEREMY, 1990: *The Rise of the European Powers 1679 – 1793*. London/New York/Melbourne/Auckland.

BLACK, JEREMY, 2002: *European International Relations 1648 – 1815*. Basingstoke/New York.

BLAISDELL, DONALD C., 1966: *International Organization*. New York.

BLUNTSCHLI, JOHANN CASPAR, 1881 [1878]: *Die Organisation des europäischen Statenvereines*. In: Gesammelte kleine Schriften. Band 2, Aufsätze über Politik und Völkerrecht. Nördlingen, Seite 279 – 312.

BODENDIEK, FRANK, 2001: *Walther Schückings Konzeption der internationalen Ordnung. Dogmatische Strukturen und ideengeschichtliche Bedeutung*. [Reihe Veröffentlichungen des Walther-Schückings-Instituts für Internationales Recht an der Universität Kiel. Band 133], Berlin.

BRODOCZ, ANDRÉ, 2011: *Systemtheorie*. In: Martin Hartmann/Claus Offe (Hrsg.), Politische Theorie und Politische Philosophie. Ein Handbuch. München, Seite 77 - 79.

BRUNNENGRÄBER, ACHIM/WALK, HEIKE (Hrsg.), 2007: *Multi-Level-Governance. Klima-, Umwelt- und Sozialpolitik in einer interdependenten Welt*. [Reihe Schriften zur Governance-Forschung. Band 9], Baden-Baden.

BRZOSKA, MICHAEL, 2000: *Staat und internationales System im kurzen 20. Jahrhundert*. In: Jens Siegelberg/Klaus Schlichte (Hrsg.), Strukturwandel internationaler Beziehungen. Zum Verhältnis von Staat und internationalem System seit dem Westfälischen Frieden. Wiesbaden, Seite 231 - 252.

BULL, HEDLEY, 2012[4] [posthum]: *The Anarchical Society. A Study of Order in World Politics*. Basingstoke/New York.

BUZAN, BARRY, 2004: *The United States and the Great Powers. World Politics in the Twenty-First Century*. Cambridge/Malden.

BUZAN, BARRY/LITTLE, RICHARD, 2000: *International systems in world history. Remaking the study of international relations*. Oxford/New York.

CALLIEß, JÖRG/WELLER, CHRISTOPH (Hrsg.), 2004[2]: *Friedenstheorie. Fragen - Ansätze - Möglichkeiten*. [Reihe Loccumer Protokolle. Band 31/03], Rehburg-Loccum.

CELIKATES, ROBIN/NONHOFF, MARTIN, 2011: *Hegemonie*. In: Martin Hartmann/Claus Offe (Hrsg.), Politische Theorie und Politische Philosophie. Ein Handbuch. München, Seite 217 - 218.

CHOJNACKI, SVEN, 2012[5]: *Kriege: Begriff, Formen, Erkenntnisse*. In: Michael Staack (Hrsg.), Einführung in die Internationale Politik. Studienbuch. München, Seite 486 - 526.

CLARK, IAN, 1993 [1989]: *The hierarchy of states. Reform and resistance in the international order*. [Reihe Cambridge Studies in International Relations. Band 7], Cambridge/New York/Melbourne.

CONZE, ECKART, 2007: *Jenseits von Männern und Mächten. Geschichte der internationalen Politik als Systemgeschichte*. In: Hans-Christof Kraus/Thomas Nicklas (Hrsg.), Geschichte der Politik. Alte und Neue Wege. [Reihe Historische Zeitschrift. Beihefte (neue Folge). Band 44], München, Seite 41 - 64.

COX, ROBERT W., 1987: *Production, Power, and World Order. Social Forces in the Making of History*. [Reihe New Directions in World Politics. Unterreihe Power and Production. Band 1], New York.

COX, ROBERT W., 1996a: *Approaches to world order*. [Reihe Cambridge Studies in International Relations. Band 40], Cambridge.

COX, ROBERT W., 1996b [1983]: *Gramsci, hegemony, and international relations: An essay in method*. In: ders., Approaches to world order. [Reihe Cambridge Studies in International Relations. Band 40], Cambridge, Seite 124 - 143.

COX, ROBERT W., 1996c [1992]: *Multilateralism and world order*. In: ders., Approaches to world order. [Reihe Cambridge Studies in International Relations. Band 40], Cambridge, Seite 494 - 523.

COX, ROBERT W., 1996d [1996[3]]: *Social forces, states, and world orders: Beyond international relations theory*. In: ders., Approaches to world order. [Reihe Cambridge Studies in International Relations. Band 40], Cambridge, Seite 85 - 123.

CRONE, PATRICIA, 1989 [1986]: *The Tribe and the State*. In: John A. Hall (Hrsg.), States in History. [Reihe Ideas], Oxford/Cambridge, Seite 48 - 77.

CZEMPIEL, ERNST-OTTO, 2004: *Modelle der Weltordnung*. In: Hans Vorländer (Hrsg.), Gewalt und die Suche nach weltpolitischer Ordnung. [Reihe Veröffentlichungen der Deutschen Gesellschaft für Politikwissenschaft. Band 21], Baden-Baden, Seite 91 - 112.

CZERWICK, EDWIN, 2011: *Politik als System. Eine Einführung in die Systemtheorie der Politik*. [Reihe Lehr- und Handbücher der Politikwissenschaft], München.

DAASE, CHRISTOPHER, 1997: *Allianzen/Allianztheorie.* In: Ulrich Albrecht/Helmut Volger (Hrsg.), Lexikon der Internationalen Politik. München/Wien, Seite 26 – 29.

DEHIO, LUDWIG, 1996 [1948]: *Gleichgewicht oder Hegemonie. Betrachtungen über ein Grundproblem der neueren Staatengeschichte.* Hrsg. von Klaus Hildebrand, Zürich.

DEMEL, WALTER, 2010: *Reichs- und Staatsbildungen.* In: ders. (Hrsg.), WBG Weltgeschichte. Eine globale Geschichte von den Anfängen bis ins 21. Jahrhundert. Band 4, Entdeckungen und neue Ordnungen 1200 – 1800. Darmstadt, Seite 162 – 212.

DENFELD, CLAUDIA, 2008: *Hans Wehberg (1885 – 1962). Die Organisation der Staatengemeinschaft.* [Reihe Studien zur Geschichte des Völkerrechts. Band 17], Baden-Baden.

DEWITT, DAVID/HAGLUND, DAVID/KIRTON, JOHN (Hrsg.), 1993: *Building a New Global Order. Emerging Trends in International Security.* Toronto/Oxford/New Toronto/Oxford/New York.

DIECKMANN, JOHANN, 2005: *Einführung in die Systemtheorie.* Paderborn.

DIERSE, ULRICH/HÜBENER, WOLFGANG/MEINHARDT, HELMUT/STEINER, HANS GEORG, 1984: *Ordnung.* In: Joachim Ritter/Karlfried Gründer (Hrsg.), Historisches Wörterbuch der Philosophie. Band 6, Mo – O. Basel/Stuttgart, Spalte 1249 – 1309.

DINGWERTH, KLAUS/KERWER, DIETER/NÖLKE, ANDREAS (Hrsg.), 2009: *Die Organisierte Welt. Internationale Beziehungen und Organisationsforschung.* [Reihe Internationale Beziehungen. Band 12], Baden-Baden.

DINGWERTH, KLAUS/PATTBERG, PHILIPP, 2006: *Global Governance as a Perspective on World Politics.* In: Global Governance. A Review of Multilateralism and International Organizations (GGov). 12 (2), Seite 185 – 203.

DOERING-MANTEUFFEL, ANSELM, 2000: *Internationale Geschichte als Systemgeschichte. Strukturen und Handlungsmuster im europäischen Staatensystem des 19. und 20. Jahrhunderts.* In: Wilfried Loth/Jürgen Osterhammel (Hrsg.), Internationale Geschichte. Themen – Ergebnisse – Aussichten. [Reihe Studien zur Internationalen Geschichte. Band 10], München, Seite 93 – 115.

DOYLE, MICHAEL W., 1986: *Empires.* [Reihe Cornell Studies in Comparative History], Ithaca/London.

DUCHHARDT, HEINZ, 1989: *Westfälischer Friede und internationales System im Ancien Régime.* In: Historische Zeitschrift (HZ). 249 (3), Seite 529 – 543.

DUCHHARDT, HEINZ, 1997a: *Balance of Power und Pentarchie. Internationale Beziehungen 1700 – 1785.* [Handbuch der Geschichte der Internationalen Beziehungen. Band 4], Paderborn/München/Wien/Zürich.

DUCHHARDT, HEINZ (Hrsg.), 1997b: *Der Herrscher in der Doppelpflicht. Europäische Fürsten und ihre beiden Throne.* [Reihe Veröffentlichungen des Instituts für Europäische Geschichte Mainz. Abteilung Universalgeschichte. Beiheft. Band 43], Mainz.

DUCHHARDT, HEINZ, 1999: *Friedensordnungen in Europa. Der Westfälische Friede als Modell?* In: Fernando Villaverde (Hrsg.), 350 años de la Paz de Westfalia. Del antagonismo a la integración en Europa. Ciclo de conferencias celebrado en la Bibliotheca Nacional, Madrid. 9 de marzo a 30 de noviembre de 1998. Madrid, Seite 339 – 348.

DUCHHARDT, HEINZ, 2000: *Grundmuster der internationalen Beziehungen in der Frühen und Späten Neuzeit.* In: Jens Siegelberg/Klaus Schlichte (Hrsg.), Strukturwandel internationaler Beziehungen. Zum Verhältnis von Staat und internationalem System seit dem Westfälischen Frieden. Wiesbaden, Seite 74 – 85.

DUCHHARDT, HEINZ, 2001: *Zwischenstaatliche Friedens- und Ordnungskonzepte im Ancien Régime: Idee und Realität.* In: Ronald G. Asch/Wulf Eckart Voß/Martin Wrede (Hrsg.), Frieden und Krieg in der Frühen Neuzeit. Die europäische Staatenordnung und die außereuropäische Welt. [Reihe Der Frieden. Rekonstruktion einer europäischen Vision. Band 2], München, Seite 37 – 45.

DÜLFFER, JOST, 2000: *Internationale Geschichte und Historische Friedensforschung.* In: Wilfried Loth/Jürgen Osterhammel (Hrsg.), Internationale Geschichte. Themen – Ergebnisse – Aussichten. [Reihe Studien zur Internationalen Geschichte. Band 10], München, Seite 247 – 266.

ECHTERNKAMP, JÖRG, 2012: *Krieg*. In: Jost Dülffer/Wilfried Loth (Hrsg.), Dimensionen internationaler Geschichte. [Reihe Studien zur Internationalen Geschichte. Band 30], München, Seite 9 - 28.

ERICH, RAFAEL, 1914: *Probleme der internationalen Organisation. Völkerrechtliche Studien*. [Reihe Völkerrechtliche Monographien. Band 1], Breslau.

FABER, KARL-GEORG/ILTING, KARL-HEINZ/MEIER, CHRISTIAN, 2004 [1982]: *Macht, Gewalt*. In: Otto Brunner/Werner Conze/Reinhart Koselleck (Hrsg.), Geschichtliche Grundbegriffe. Historisches Lexikon zur politisch-sozialen Sprache in Deutschland. Band 3, H - Me. Stuttgart, Seite 817 - 935.

FAHRMEIR, ANDREAS/IMHAUSEN, ANNETTE (Hrsg.), 2013: *Die Vielfalt normativer Ordnungen. Konflikte und Dynamik in historischer und ethnologischer Perspektive*. [Reihe Normative Orders. Band 8], Frankfurt/New York.

FALK, RICHARD A., 1977: *Contending Approaches to World Order*. In: Journal of International Affairs (JIA). 31 (2), Seite 171 - 198.

FÄßLER, PETER E., 2007: *Globalisierung. Ein historisches Kompendium*. Köln/Weimar/Wien.

FILZMAIER, PETER/FUCHS, EDUARD (Hrsg.), 2003: *Supermächte. Zentrale Akteure der Weltpolitik*. [Reihe Konzepte und Kontroversen. Band 2], Innsbruck/Wien/München/Bozen.

FILZMAIER, PETER/GEWESSLER, LEONORE/HÖLL, OTMAR/MANGOTT, GERHARD, 2006: *Internationale Politik. Eine Einführung*. Wien.

FINK, CAROLE/SCHAEFER, BERND (Hrsg.), 2009: *Ostpolitik, 1969 - 1974. European and global responses*. [Reihe Publications of the German Historical Institute], Washington/Cambridge/New York/Melbourne/Madrid/Cape Town/Singapore/São Paulo/Delhi.

FINKELSTEIN, LAWRENCE S., 1995: *What Is Global Governance?* In: Global Governance. A Review of Multilateralism and International Organizations (GGov). 1 (3), Seite 367 - 372.

FORST, RAINER/GÜNTHER, KLAUS (Hrsg.), 2011: *Die Herausbildung normativer Ordnungen. Interdisziplinäre Perspektiven*. [Reihe Normative Orders. Band 1], Frankfurt/New York.

FOX, WILLIAM T. R., 1944: *The Super-Powers. The United States, Britain, and the Soviet Union - Their Responsibility for Peace*. New York.

FREHLAND-WILDEBOER, KATJA, 2010: *Treue Freunde? Das Bündnis in Europa 1714 - 1914*. [Reihe Studien zur Internationalen Geschichte. Band 25], München.

FREISTEIN, KATJA/LEININGER, JULIA (Hrsg.), 2012: *Handbuch Internationale Organisationen. Theoretische Grundlagen und Akteure*. [Reihe Lehr- und Handbücher der Politikwissenschaft], München.

FREUND, JULIEN, 1980: *Der Begriff der Ordnung*. Übers. von Hans Gangl, in: Der Staat. Zeitschrift für Staatslehre, Öffentliches Recht und Verfassungsgeschichte. 19 (3), Seite 325 - 339.

FRÖSCHL, THOMAS (Hrsg.), 1994: *Föderationsmodelle und Unionsstrukturen. Über Staatenverbindungen in der frühen Neuzeit vom 15. zum 18. Jahrhundert*. [Reihe Wiener Beiträge zur Geschichte der Neuzeit. Band 21], Wien/München.

GAL, MICHAEL, 2015: *Der Staat in historischer Sicht. Zum Problem der Staatlichkeit in der Frühen Neuzeit*. In: Der Staat. Zeitschrift für Staatslehre und Verfassungsgeschichte, deutsches und europäisches öffentliches Recht. 54 (2), Seite 241 - 266.

GAL, MICHAEL, 2017: *Internationale Politikgeschichte. Alte und neue Wege*. In: Archiv für Kulturgeschichte (AKG). 99 (1), Seite 157 - 198.

GALLAROTTI, GIULIO M., 1991: *The limits of international organization: Systematic failure in the management of international relations*. In: International Organization (IO). 45 (2), Seite 183 - 220.

GANTZEL, KLAUS JÜRGEN (Hrsg.), 1973: *Internationale Beziehungen als System*. [Reihe Politische Vierteljahresschrift (PVS). Sonderheft. Band 5], Opladen.

GEBHARDT, JÜRGEN, 2007: *Die Idee imperialer Ordnung*. In: Eberhard Sandschneider (Hrsg.), Empire. [Reihe Veröffentlichungen der Deutschen Gesellschaft für Politikwissenschaft. Band 23], Baden-Baden, Seite 25 - 40.

GESER, HANS, 1992: *Kleinstaaten im internationalen System*. In: Kölner Zeitschrift für Soziologie und Sozialpsychologie (KZfSS). 44 (4), Seite 627 - 654.

GIEßMANN, HANS J./RINKE, BERNHARD (Hrsg.), 2011: *Handbuch Frieden*. Wiesbaden.

GOODMAN, JAY S., 1965: *The concept of „system" in International Relations Theory*. In: Background. Journal of the International Studies Association. 8 (4), Seite 257 - 268.

GRÄF, HOLGER T., 1998: *Das europäische Mächtesystem*. In: Olaf Mörke/Michael North (Hrsg.), Die Entstehung des modernen Europa 1600 - 1900. [Reihe Wirtschafts- und Sozialhistorische Studien. Band 7], Köln/Weimar/Wien, Seite 11 - 24.

GRESHOFF, RAINER/KNEER, GEORG (Hrsg.), 1999: *Struktur und Ereignis in theorievergleichender Perspektive. Ein diskursives Buchprojekt*. Opladen/Wiesbaden.

GRUNER, WOLF D., 2001: *Europäischer Völkerbund, weltweiter Völkerbund und die Frage der Neuordnung des Internationalen Systems 1880 - 1930*. In: Gabriele Clemens (Hrsg.), Nation und Europa. Studien zum internationalen Staatensystem im 19. und 20. Jahrhundert. Festschrift für Peter Krüger zum 65. Geburtstag. Stuttgart, Seite 307 - 329.

HAAS, ERNST B., 1964: *Beyond the Nation-State. Functionalism and International Organization*. Stanford.

HACKE, CHRISTIAN, 2000: *Die großen Mächte*. In: Karl Kaiser/Hans-Peter Schwarz (Hrsg.), Weltpolitik im neuen Jahrhundert. Baden-Baden, Seite 383 - 403.

HAHLWEG, WERNER, 1959: *Barriere - Gleichgewicht - Sicherheit. Eine Studie über die Gleichgewichtspolitik und die Strukturwandlung des Staatensystems in Europa 1646 - 1715*. In: Historische Zeitschrift (HZ). 187 (1), Seite 54 - 89.

HALL, JOHN A., 1996: *International orders*. Cambridge/Oxford/Cambridge.

HALL, JOHN A./PAUL, THAZHA V., 1999: *Introduction*. In: dies. (Hrsg.), International Order and the Future of World Politics. Cambridge/New York/Melbourne, Seite 1 - 15.

HARDT, MICHAEL/NEGRI, ANTONIO, 2003² [2000]: *Empire. Die neue Weltordnung*. Übers. von Thomas Atzert/Andreas Wirthensohn, Frankfurt/New York.

HAURIOU, MAURICE, 1965 [1925]: *Die Theorie der Institution und der Gründung. (Essay über den sozialen Vitalismus)*. Übers. von Hans Jecht/Jutta Jecht, in: ders., Die Theorie der Institution und zwei andere Aufsätze. Hrsg. von Roman Schnur, [Reihe Schriften zur Rechtstheorie. Band 5], Berlin, Seite 27 - 66.

HERBST, LUDOLF, 1996: *Niedergang und Wiederaufstieg. Europa als Großregion und Staatengemeinschaft nach dem Zweiten Weltkrieg*. In: Peter Krüger (Hrsg.), Das europäische Staatensystem im Wandel. Strukturelle Bedingungen und bewegende Kräfte seit der Frühen Neuzeit. [Reihe Schriften des Historischen Kollegs. Kolloquien. Band 35], München, Seite 197 - 206.

HERREN, MADELEINE, 2009: *Internationale Organisationen seit 1865. Eine Globalgeschichte der internationalen Ordnung*. [Reihe Geschichte kompakt], Darmstadt.

HILDEBRAND, KLAUS, 1989: *Europäisches Zentrum, überseeische Peripherie und neue Welt. Über den Wandel des Staatensystems zwischen dem Berliner Kongress (1878) und dem Pariser Frieden (1919/20)*. In: Historische Zeitschrift (HZ), 249 (1), Seite 53 - 94.

HILDEBRAND, KLAUS, 2008²: *Das vergangene Reich. Deutsche Außenpolitik von Bismarck bis Hitler 1871 - 1945*. München.

HILLMANN, KARL-HEINZ, 2007⁵: *Wörterbuch der Soziologie*. Stuttgart.

HOBBES, THOMAS, 1999⁹ [1651]: *Leviathan. Oder Stoff, Form und Gewalt eines kirchlichen und bürgerlichen Staates*. Hrsg. von Iring Fetscher, übers. von Walter Euchner, Frankfurt.

HOBE, STEPHAN, 2008⁹: *Einführung in das Völkerrecht*. Tübingen/Basel.

HOFFMANN, STANLEY (Hrsg.), 1970a [1966]: *Conditions of World Order*. New York.

HOFFMANN, STANLEY, 1970b [1966]: *Report of the Conference on Conditions of World Order - June 12 - 19, 1965, Villa Serbelloni, Bellagio, Italy*. In: ders. (Hrsg.), Conditions of World Order. New York, Seite 1 - 24.

HOFFMANN, STANLEY, 1987²a: *International Organization and the International System*. In: ders., Janus and Minerva. Essays in the Theory and Practice of International Politics. Boulder/London, Seite 293 - 315.

HOFFMANN, STANLEY, 1987b: *Is There an International Order?* In: ders., Janus and Minerva. Essays in the Theory and Practice of International Politics. Boulder/London, Seite 85 - 121.

HOLBRAAD, CARSTEN (Hrsg.), 1971: *Super Powers and World Order*. Canberra.

HOLSTI, KALEVI J., 1991: *Peace and war: Armed conflicts and international order 1648 - 1989*. [Reihe Cambridge Studies in International Relations. Band 14], Cambridge/New York/Port Chester/Melbourne/Sydney.

HOWE, STEPHEN, 2002: *Empire. A Very Short Introduction*. [Reihe Very Short Introductions], Oxford/New York.

HÜGLI, ANTON/LÜBCKE, POUL (Hrsg.), 2013[7]: *Philosophielexikon. Personen und Begriffe der abendländischen Philosophie von der Antike bis zur Gegenwart*. [Reihe Rowohlts Enzyklopädie], Reinbek.

HURRELL, ANDREW, 2007: *On Global Order. Power, Values, and the Constitution of International Society*. Oxford/New York.

IKENBERRY, G. JOHN, 2001: *After Victory. Institutions, Strategic Restraint, and the Rebuilding of Order after Major Wars*. [Reihe Princeton Studies in International History and Politics], Princeton/Oxford.

JABERG, SABINE, 1998: *Systeme kollektiver Sicherheit in und für Europa in Theorie, Praxis und Entwurf. Ein systemwissenschaftlicher Versuch*. [Reihe Demokratie, Sicherheit, Frieden. Band 112], Baden-Baden.

JACHTENFUCHS, MARKUS, 2003: *Regieren jenseits der Staatlichkeit*. In: Gunther Hellmann/Klaus Dieter Wolf/Michael Zürn (Hrsg.), Die neuen Internationalen Beziehungen. Forschungsstand und Perspektiven in Deutschland. [Reihe Weltpolitik im 21. Jahrhundert. Band 10], Baden-Baden, Seite 495 - 518.

JAEGGI, URS, 1968: *Ordnung und Chaos. Der Strukturalismus als Methode und Mode*. [Reihe Theorie. Band 2], Frankfurt.

JAMES, ALAN (Hrsg.), 1973: *The Bases of International Order. Essays in Honour of C. A. W. Manning*. London/New York/Toronto.

JOFFE, JOSEF, 2006: *Die Hypermacht. Warum die USA die Welt beherrschen*. München/Wien.

JONAS, MICHAEL/LAPPENKÜPER, ULRICH/WEGNER, BERND (Hrsg.), 2015: *Stabilität durch Gleichgewicht? Balance of Power im internationalen System der Neuzeit*. [Otto-von-Bismarck-Stiftung. Wissenschaftliche Reihe. Band 21], Paderborn.

JÖNSSON, CHRISTER, 1984: *Superpower. Comparing American and Soviet Foreign Policy*. London.

JÖNSSON, CHRISTER, 1986: *Interorganization Theory and International Organization*. In: International Studies Quarterly (ISQ). 30 (1), Seite 39 - 57.

KAISER, MICHAEL, 2005: *Bündnis*. In: Friedrich Jaeger (Hrsg.), Enzyklopädie der Neuzeit. Band 2, Beobachtung - Dürre. Stuttgart/Weimar, Spalte 538 - 543.

KAPLAN, MORTON A., 2005[2]: *System and process in international politics*. [Reihe ECPR Classics], Colchester.

KAUFMAN, STUART J./LITTLE, RICHARD/WOHLFORTH, WILLIAM C. (Hrsg.), 2007: *The Balance of Power in World History*. Basingstoke/New York.

KENNEDY, PAUL, 2005 [1987]: *Aufstieg und Fall der großen Mächte. Ökonomischer Wandel und militärischer Konflikt von 1500 bis 2000*. Übers. von Catharina Jurisch, Frankfurt.

KEOHANE, ROBERT O., 1988: *International Institutions: Two Approaches*. In: International Studies Quarterly (ISQ). 32 (4), Seite 379 - 396.

KEOHANE, ROBERT O./NYE, JOSEPH S., 2012[4]: *Power and Interdependence*. [Reihe Longman Classics in Political Science], Boston/Columbus/Indianapolis/New York/San Francisco/Upper Saddle River/Amsterdam/Cape Town/Dubai/London/Madrid/Milan/Munich/Paris/Montreal/Toronto/Delhi/Mexico City/São Paulo/Sydney/Hong Kong/Seoul/Singapore/Taipei/Tokyo.

KIENAST, WALTHER, 1936: *Die Anfänge des europäischen Staatensystems im späteren Mittelalter*. In: Historische Zeitschrift (HZ). 153 (2), Seite 229 - 271.

KLEINSCHMIDT, HARALD, 1998: *Geschichte der internationalen Beziehungen. Ein systemgeschichtlicher Abriß*. Stuttgart.

KLEINSCHMIDT, HARALD, 2000: *Systeme und Ordnungen in der Geschichte der internationalen Beziehungen*. In: Archiv für Kulturgeschichte (AKG). 82 (2), Seite 433 - 454.

KNORR, KLAUS/VERBA, SIDNEY (Hrsg.), 1982 [1961]: *The International System. Theoretical Essays*. Westport.

KNUTSEN, TORBJØRN L., 1999: *The rise and fall of world orders*. Manchester/New York.

KOHLER-KOCH, BEATE (Hrsg.), 1989: *Regime in den internationalen Beziehungen*. Baden-Baden.

KOHLER-KOCH, BEATE, 1993: *Die Welt regieren ohne Weltregierung*. In: Carl Böhret/Göttrik Wewer (Hrsg.), Regieren im 21. Jahrhundert - Zwischen Globalisierung und Regionalisierung. Festgabe für Hans-Hermann Hartwich zum 65. Geburtstag. Opladen, Seite 109 - 141.

KOLB, EBERHARD, 1996: *Stabilisierung ohne Konsolidierung? Zur Konfiguration des europäischen Mächtesystems 1871 - 1914*. In: Peter Krüger (Hrsg.), Das europäische Staatensystem im Wandel. Strukturelle Bedingungen und bewegende Kräfte seit der Frühen Neuzeit. [Reihe Schriften des Historischen Kollegs. Kolloquien. Band 35], München, Seite 189 - 195.

KOLB, ROBERT, 2011: *International Organizations or Institutions, History of*. In: Max Planck Encyclopedia of Public International Law. Version von: Januar 2011, URL: http://opil.ouplaw.com.

KÖNIG, KLAUS, 1993: *Organisation und Prozeß: Zur Internationalisierung des Regierens*. In: Carl Böhret/Göttrik Wewer (Hrsg.), Regieren im 21. Jahrhundert - Zwischen Globalisierung und Regionalisierung. Festgabe für Hans-Hermann Hartwich zum 65. Geburtstag. Opladen, Seite 143 - 163.

KRASNER, STEPHEN D. (Hrsg.), 1991 [1983]: *International Regimes*. [Reihe Cornell Studies in Political Economy], Ithaca/London.

KRATOCHWIL, FRIEDRICH, 1986: *Of Systems, Boundaries, and Territoriality: An Inquiry into the Formation of the State System*. In: World Politics. A Quarterly Journal of International Relations (WP). 39 (1), Seite 27 - 52.

KRATOCHWIL, FRIEDRICH/RUGGIE, JOHN GERARD, 1986: *International organization: A state of the art on an art of the state*. In: International Organization (IO). 40 (4), Seite 753 - 775.

KRELL, GERT, 2009[4]: *Weltbilder und Weltordnung. Einführung in die Theorie der internationalen Beziehungen*. [Reihe Studienkurs Politikwissenschaft], Baden-Baden.

KRELL, GERT, 2010: *Weltordnungskonzepte*. In: Carlo Masala/Frank Sauer/Andreas Wilhelm (Hrsg.), Handbuch der Internationalen Politik. Wiesbaden, Seite 27 - 40.

KRINGS, HERMANN, 1962: *Sinn und Ordnung*. In: Helmut Kuhn/Franz Wiedmann (Hrsg.), Das Problem der Ordnung. Sechster Deutscher Kongreß für Philosophie. München 1960. Meisenheim, Seite 125 - 141.

KRINGS, HERMANN, 1982[2]: *Ordo. Philosophisch-historische Grundlegung einer abendländischen Idee*. Hamburg.

KRÜGER, PETER, 1991: *Internationale Systeme als Forschungsaufgabe*. In: ders. (Hrsg.), Kontinuität und Wandel in der Staatenordnung der Neuzeit. Beiträge zur Geschichte des internationalen Systems. [Reihe Marburger Studien zur neueren Geschichte. Band 1], Marburg, Seite 9 - 18.

KUHN, HELMUT/WIEDMANN, FRANZ (Hrsg.), 1962: *Das Problem der Ordnung. Sechster Deutscher Kongreß für Philosophie. München 1960*. Meisenheim.

KÜPPERS, GÜNTER (Hrsg.), 1996: *Chaos und Ordnung. Formen der Selbstorganisation in Natur und Gesellschaft*. Stuttgart.

LANGEWIESCHE, DIETER (Hrsg.), 2007: *Kleinstaaten in Europa. Symposium am Liechtenstein-Institut zum Jubiläum 200 Jahre Souveränität Fürstentum Liechtenstein 1806 - 2006*. [Reihe Liechtenstein. Politische Schriften. Band 42], Schaan.

LEBE, REINHARD, 2000 [1998]: *Ein Königreich als Mitgift. Heiratspolitik in der Geschichte.* München.

LEGRO, JEFFREY W., 2007 [2005]: *Rethinking the World. Great Power Strategies and International Order.* [Reihe Cornell Studies in Security Affairs], Ithaca/London.

LEHMKUHL, URSULA, 2002: *Konflikt und Kooperation in der Geschichte der Internationalen Beziehungen: Analyseperspektiven und Forschungsfelder des „Global Governance"-Ansatzes.* In: Benjamin Ziemann (Hrsg.), Perspektiven der Historischen Friedensforschung. [Reihe Frieden und Krieg. Beiträge zur Historischen Friedensforschung. Band 1], Essen, Seite 173 - 193.

LEITNER, ULRICH, 2011: *Imperium. Geschichte und Theorie eines politischen Systems.* Frankfurt/New York.

LENT, ERNEST S., 1960/1961: *International organization and the study of world politics.* In: Background on World Politics (BWP). 4 (4), Seite 187 - 190.

LINK, WERNER, 1988²: *Der Ost-West-Konflikt. Die Organisation der internationalen Beziehungen im 20. Jahrhundert.* Stuttgart/Berlin/Köln/Mainz.

LINK, WERNER, 2004⁴: *Konfliktformationen des Internationalen Systems im Wandel.* In: Manfred Knapp/Gert Krell (Hrsg.), Einführung in die Internationale Politik. Studienbuch. München/Wien, Seite 368 - 397.

LITTLE, RICHARD, 2007: *The Balance of Power in International Relations: Metaphors, Myths and Models.* Cambridge/New York/Melbourne/Madrid/Cape Town/Singapore/São Paulo.

LORIMER, JAMES, 1877: *Le problème final du droit international.* In: Revue de droit international et de législation comparée (RDILC). 9 (2), Seite 161 - 206.

LORIMER, JAMES, 1890: *Prolegomena to a reasoned system of international law.* In: ders., Studies national and international. Being occasional lectures delivered in the University of Edinburgh 1864 - 1889. Edinburgh, Seite 148 - 163.

LORIMER, JAMES, 1980 [1884]: *The Institutes of the Law of Nations. A Treatise of the Jural Relations of Separate Political Communities. In 2 volumes.* Band 2, Aalen.

LUYTEN, NORBERT A. (Hrsg.), 1982a: *Struktur und Ereignis.* Band 1, *Wege zum Wirklichkeitsverständnis.* [Reihe Grenzfragen. Veröffentlichungen des Instituts der Görres-Gesellschaft für interdisziplinäre Forschung (Naturwissenschaft - Philosophie - Theologie). Band 11], Freiburg/München.

LUYTEN, NORBERT A. (Hrsg.), 1982b: *Struktur und Ereignis.* Band 2, *Aufbau der Wirklichkeit.* [Reihe Grenzfragen. Veröffentlichungen des Instituts der Görres-Gesellschaft für interdisziplinäre Forschung (Naturwissenschaft - Philosophie - Theologie). Band 12], Freiburg/München.

MALETTKE, KLAUS, 2007: *Das europäische Staatensystem im 17. und 18. Jahrhundert.* In: Markus Kremer/Hans-Richard Reuter (Hrsg.), Macht und Moral - Politisches Denken im 17. und 18. Jahrhundert. [Reihe Theologie und Frieden. Band 31], Stuttgart, Seite 39 - 58.

MALETTKE, KLAUS, 2012: *Hegemonie - multipolares System - Gleichgewicht. Internationale Beziehungen 1648/1659 - 1713/1714.* [Handbuch der Geschichte der Internationalen Beziehungen. Band 3], Paderborn/München/Wien/Zürich.

MARTIN, LISA L./SIMMONS, BETH A., 1998: *Theories and Empirical Studies of International Institutions.* In: International Organization (IO). 52 (4), Seite 729 - 757.

MAYER, THEODOR, 1959: *Papsttum und Kaisertum im hohen Mittelalter. Werden, Wesen und Auflösung einer Weltordnung. Ein kritischer Überblick.* In: Historische Zeitschrift (HZ). 187 (1), Seite 1 - 53.

MAZOWER, MARK, 2013 [2012]: *Die Welt regieren. Eine Idee und ihre Geschichte von 1815 bis heute.* Übers. von Ulla Höber/Karin Wördemann, München.

MENDLOVITZ, SAUL H. (Hrsg.), 1975: *On the Creation of a Just World Order.* [Reihe Preferred Worlds for the 1990's], Amsterdam.

MENZEL, ULRICH, 2004a: *Anarchie der Staatenwelt oder hegemoniale Ordnung?* In: WeltTrends. Zeitschrift für internationale Politik und vergleichende Studien (WT). 12 (44), Seite 125 - 142.

MENZEL, ULRICH, 2004b: *Hegemoniale Ordnung oder Anarchie der Staatenwelt? Über die Zyklen von Krieg und Frieden.* In: ders., Paradoxien der neuen Weltordnung. Politische Essays. Frankfurt, Seite 51 - 63.

MENZEL, ULRICH, 2004c: *Konkurrierende Weltordnungsmodelle in historischer Perspektive.* In: Auslandsinformationen der Konrad-Adenauer-Stiftung. 2004 (6), Seite 4 - 25.

MENZEL, ULRICH, 2010: *Die Hierarchie der Staatenwelt: Historisch-komparative Untersuchungen zu einer Theorie der internationalen Ordnung.* In: Zeitschrift für Weltgeschichte. Interdisziplinäre Perspektiven (ZWG). 11 (2), Seite 161 - 191.

MENZEL, ULRICH, 2012a: *Imperium versus Hegemon. Überlegungen zur Ordnung der Welt.* In: WeltTrends. Zeitschrift für internationale Politik (WT). 20 (86), Seite 37 - 49.

MENZEL, ULRICH, 2012b: *Die Ordnung der Welt.* In: Jahrbuch der Braunschweigischen Wissenschaftlichen Gesellschaft. 2012, Seite 166 - 189.

MENZEL, ULRICH, 2014: *Die Idealtypen von Imperium und Hegemonie.* In: Michael Gehler/Robert Rollinger (Hrsg.), Imperien und Reiche in der Weltgeschichte. Epochenübergreifende und globalhistorische Vergleiche. Band 2, Neuzeitliche Imperien, zeitgeschichtliche Imperien, Imperien in Theorie, Geist, Wissenschaft, Recht und Architektur, Wahrnehmung und Vermittlung. Wiesbaden, Seite 1645 - 1675.

MENZEL, ULRICH, 2015: *Die Ordnung der Welt. Imperium oder Hegemonie in der Hierarchie der Staatenwelt.* Berlin.

MESSNER, DIRK (Hrsg.), 1998: *Die Zukunft des Staates und der Politik. Möglichkeiten und Grenzen politischer Steuerung in der Weltgesellschaft.* [Reihe Eine Welt. Band 5], Bonn.

MESSNER, DIRK/NUSCHELER, FRANZ, 2006[2]: *Das Konzept Global Governance - Stand und Perspektiven.* In: Dieter Senghaas/Michèle Roth (Red.), Global Governance für Entwicklung und Frieden. Perspektiven nach einem Jahrzehnt. Sonderband zum 20-jährigen Bestehen der Stiftung Entwicklung und Frieden. Bonn, Seite 18 - 79.

METZLER, GABRIELE, 1999: *Strukturmerkmale des europäischen Staatensystems, 1815 - 1871.* In: Historische Mitteilungen. Im Auftrage der Ranke-Gesellschaft. Vereinigung für Geschichte im öffentlichen Leben (HMRG). 12, Seite 161 - 181.

MEULEN, JACOB TER, 1917 - 1940: *Der Gedanke der internationalen Organisation in seiner Entwicklung.* 3 Bände, Haag.

MEYERS, REINHARD, 2008[11]: *Krieg und Frieden.* In: Wichard Woyke (Hrsg.), Handwörterbuch Internationale Politik. Opladen/Farmington Hills, Seite 290 - 311.

MILLER, LYNN H., 1998[4]: *Global Order. Values and Power in International Politics.* Boulder/Oxford.

MÜNKLER, HERFRIED, 2005 [2004]: *Staatengemeinschaft oder Imperium - Alternative Ordnungsmodelle bei der Gestaltung von „Weltinnenpolitik".* In: Sabine Jaberg/Peter Schlotter (Hrsg.), Imperiale Weltordnung - Trend des 21. Jahrhunderts? [Reihe AFK-Friedensschriften. Band 32], Baden-Baden, Seite 43 - 59.

MÜNKLER, HERFRIED, 2007: *Imperiale Ordnung. Die Governance-Leistung von Imperien in komparativer Perspektive.* In: Marianne Beisheim/Gunnar Folke Schuppert (Hrsg.), Staatszerfall und Governance. [Reihe Schriften zur Governance-Forschung. Band 7], Baden-Baden, Seite 263 - 284.

MÜNKLER, HERFRIED, 2010: *Imperium und Imperialismus.* In: Docupedia-Zeitgeschichte. Begriffe, Methoden und Debatten der zeithistorischen Forschung. Version vom: 11.02.2010, URL: http://docupedia.de/images/a/a4/Imperium.pdf.

MÜNKLER, HERFRIED, 2011: *Imperialismus (Imperium).* In: Martin Hartmann/Claus Offe (Hrsg.), Politische Theorie und Politische Philosophie. Ein Handbuch. München, Seite 98 - 103.

MÜNKLER, HERFRIED, 2013 [2005]: *Imperien. Die Logik der Weltherrschaft - Vom Alten Rom bis zu den Vereinigten Staaten.* Köln.

MÜRLE, HOLGER, 1998: *Global Governance. Literaturbericht und Forschungsfragen*. [Reihe INEF-Report. Heft 32], Duisburg.

NOHLEN, DIETER, 2004[2]: *System (Systemanalyse)*. In: Dieter Nohlen/Rainer-Olaf Schultze (Hrsg.), Lexikon der Politikwissenschaft. Theorien, Methoden, Begriffe. Band 2, N - Z. München, Seite 959.

NOLTE, HANS-HEINRICH (Hrsg.), 2008: *Imperien. Eine vergleichende Studie*. [Reihe Studien Weltgeschichte], Schwalbach.

NUSCHELER, FRANZ, 2001: *Global Governance. Begründungszusammenhänge - Widersprüche - Perspektiven*. In: Die Neue Gesellschaft. Frankfurter Hefte. 48 (11), Seite 669 - 673.

NUSCHELER, FRANZ, 2007: *Club-Governance durch G7/G8 - Warum die „Club-Hegemonie" der G8 ein Auslaufmodell ist*. In: Henning Melber/Cornelia Wilß (Hrsg.), G8 macht Politik. Wie die Welt beherrscht wird. Frankfurt, Seite 58 - 64.

OSIANDER, ANDREAS, 1994: *The States System of Europe, 1640 - 1990. Peacemaking and the Conditions of International Stability*. Oxford.

OSTERHAMMEL, JÜRGEN, 2007[3]: *Globalgeschichte*. In: Hans-Jürgen Goertz (Hrsg.), Geschichte. Ein Grundkurs. [Reihe Rowohlts Enzyklopädie], Reinbek, Seite 592 - 610.

OSTERHAMMEL, JÜRGEN, 2011 [2009]: *Die Verwandlung der Welt. Eine Geschichte des 19. Jahrhunderts*. [Reihe Historische Bibliothek der Gerda Henkel Stiftung], München.

OSTERHAMMEL, JÜRGEN, 2012: *Weltordnungskonzepte*. In: Jost Dülffer/Wilfried Loth (Hrsg.), Dimensionen internationaler Geschichte. [Reihe Studien zur Internationalen Geschichte. Band 30], München, Seite 409 - 427.

OVERHAUS, MARCO/SCHIEDER, SIEGFRIED, 2010: *Institutionalismus*. In: Carlo Masala/Frank Sauer/Andreas Wilhelm (Hrsg.), Handbuch der Internationalen Politik. Wiesbaden, Seite 117 - 134.

PATZELT, WERNER J. (Hrsg.), 2013a: *Die Machbarkeit politischer Ordnung. Transzendenz und Konstruktion*. [Reihe Edition Politik. Band 8], Bielefeld.

PATZELT, WERNER J., 2013[7]b: *Einführung in die Politikwissenschaft. Grundriss des Faches und studiumbegleitende Orientierung*. Passau.

PAUL, THAZHA V./HALL, JOHN A. (Hrsg.), 1999: *International Order and the Future of World Politics*. Cambridge/New York/Melbourne.

PETERS, ANNE/PETER, SIMONE, 2012: *International Organizations: Between Technocracy and Democracy*. In: Bardo Fassbender/Anne Peters (Hrsg.), The Oxford Handbook of the History of International Law. Oxford, Seite 170 - 197.

PETERS, MARTIN, 2007: *Können Ehen Frieden stiften? Europäische Friedens- und Heiratsverträge der Vormoderne*. In: Jahrbuch für Europäische Geschichte (JEG). 8, Seite 121 - 133.

PFETSCH, FRANK R., 2010: *Krieg und Frieden*. In: Carlo Masala/Frank Sauer/Andreas Wilhelm (Hrsg.), Handbuch der Internationalen Politik. Wiesbaden, Seite 368 - 382.

PHILLIPS, ANDREW, 2011: *War, Religion and Empire. The Transformation of International Orders*. [Reihe Cambridge Studies in International Relations. Band 117], Cambridge/New York/Melbourne/Madrid/Cape Town/Singapore/São Paulo/Delhi/Tokyo/Mexiko City.

POMMERIN, REINER, 2003 [1993]: *Das europäische Staatensystem zwischen Kooperation und Konfrontation 1739 - 1856*. In: ders., Mächtesystem und Militärstrategie. Ausgewählte Aufsätze. Hrsg. von Reiner Marcowitz, Köln/Weimar/Wien, Seite 21 - 41.

POTTER, PITMAN B., 1935[4]: *An introduction to the study of International Organization*. [The century political science series], New York/London.

PRADETTO, AUGUST, 1997: *Bipolarität*. In: Ulrich Albrecht/Helmut Volger (Hrsg.), Lexikon der Internationalen Politik. München/Wien, Seite 73 - 75.

PRESS, VOLKER (Hrsg.), 1995: *Alternativen zur Reichsverfassung in der Frühen Neuzeit?* [Reihe Schriften des Historischen Kollegs. Kolloquien. Band 23], München.

PRYS, MIRIAM, 2008: *Hegemonie in der internationalen Politik. Analyse eines umstrittenen Konzepts*. Saarbrücken.

PYTA, WOLFRAM, 2012: *Hegemonie und Gleichgewicht*. In: Jost Dülffer/Wilfried Loth (Hrsg.), Dimensionen internationaler Geschichte. [Reihe Studien zur Internationalen Geschichte. Band 30], München, Seite 373 - 388.

RANKE, LEOPOLD VON, 1995 [1833]: *Die großen Mächte. Fragment historischer Ansichten*. In: ders., Die großen Mächte. Politisches Gespräch. Hrsg. von Ulrich Muhlack, Frankfurt/Leipzig, Seite 9 - 70.

RAPHAEL, LUTZ, 2010²: *Geschichtswissenschaft im Zeitalter der Extreme. Theorien, Methoden, Tendenzen von 1900 bis zur Gegenwart*. München.

RAUCHENSTEINER, MANFRIED/SCHMIDL, ERWIN A. (Hrsg.), 1991: *Formen des Krieges. Vom Mittelalter zum „Low-Intensity-Conflict“*. [Reihe Forschungen zur Militärgeschichte. Band 1], Graz/Wien/Köln.

REDER, MICHAEL, 2006: *Global Governance. Philosophische Modelle der Weltpolitik*. Darmstadt.

REIBER, TATJANA, 2012⁵: *Frieden und Friedenskonsolidierung*. In: Michael Staack (Hrsg.), Einführung in die Internationale Politik. Studienbuch. München, Seite 527 - 557.

REIBSTEIN, ERNST, 1959/1960: *Das „Europäische Öffentliche Recht“ 1648 - 1815. Ein institutionengeschichtlicher Überblick*. In: Archiv des Völkerrechts (AVR). 8 (4), Seite 385 - 420.

REINALDA, BOB, 2009: *Routledge History of International Organizations. From 1815 to the present day*. London/New York.

RENGGER, NICHOLAS J., 2000: *International Relations, Political Theory and the Problem of Order. Beyond International Relations theory?* [Reihe The New International Relations], London/New York.

RENOUVIN, PIERRE/DUROSELLE, JEAN-BAPTISTE, 1991⁴: *Introduction à l'histoire des relations internationales*. Paris.

REPGEN, KONRAD, 1987: *Der Westfälische Friede und die Ursprünge des europäischen Gleichgewichts*. In: Manfred Spieker (Hrsg.), Friedenssicherung. Band 1, Sozialwissenschaftliche, historische und theologische Perspektiven. Münster, Seite 67 - 84.

REXHEUSER, REX (Hrsg.), 2005: *Die Personalunionen von Sachsen-Polen 1697 - 1763 und Hannover-England 1714 - 1837. Ein Vergleich*. [Reihe Deutsches Historisches Institut Warschau. Quellen und Studien. Band 18], Wiesbaden.

RHODES, PETER J., 2001: *Prostates*. In: Hubert Cancik/Helmuth Schneider (Hrsg.), Der Neue Pauly. Enzyklopädie der Antike. Altertum. Band 10, Pol - Sal. Stuttgart/Weimar, Spalte 450.

RITTBERGER, VOLKER, 2003: *Weltregieren: Was kann es leisten? Was muss es leisten?* In: Hans Küng/Dieter Senghaas (Hrsg.), Friedenspolitik. Ethische Grundlagen internationaler Beziehungen. München/Zürich, Seite 177 - 208.

RITTBERGER, VOLKER, 2009: *Legitimes Weltregieren durch inklusive, multipartistische Institutionen?* In: ders. (Hrsg.), Wer regiert die Welt und mit welchem Recht? Beiträge zur Global Governance-Forschung. [Reihe Theodor Eschenburg-Vorlesungen. Band 4], Baden-Baden, Seite 261 - 282.

RITTBERGER, VOLKER/KRUCK, ANDREAS/ROMUND, ANNE, 2010: *Grundzüge der Weltpolitik. Theorie und Empirie des Weltregierens*. [Reihe Studienbücher Außenpolitik und Internationale Beziehungen], Wiesbaden.

RITTBERGER, VOLKER/ZANGL, BERNHARD/KRUCK, ANDREAS, 2013⁴: *Internationale Organisationen*. [Reihe Grundwissen Politik. Band 10], Wiesbaden.

ROCHESTER, J. MARTIN, 1986: *The rise and fall of international organization as a field of study*. In: International Organization (IO). 40 (4), Seite 777 - 813.

ROSENAU, JAMES N., 2000 [1992]: *Governance, order, and change in world politics*. In: James N. Rosenau/Ernst-Otto Czempiel (Hrsg.), Governance without government. Order and change in world politics. [Reihe Cambridge Studies in International Relations. Band 20], Cambridge/New York/Oakleigh/Madrid/Cape Town, Seite 1 - 29.

ROSENAU, JAMES N./CZEMPIEL, ERNST-OTTO (Hrsg.), 2000a [1992]: *Governance without government. Order and change in world politics.* [Reihe Cambridge Studies in International Relations. Band 20], Cambridge/New York/Oakleigh/Madrid/Cape Town.

ROSENAU, JAMES N./CZEMPIEL, ERNST-OTTO (Hrsg.), 2000b [1992]: *Preface.* In: dies. (Hrsg.), Governance without government. Order and change in world politics. [Reihe Cambridge Studies in International Relations. Band 20], Cambridge/New York/Oakleigh/Madrid/Cape Town, Seite XI - XII.

SANDSCHNEIDER, EBERHARD (Hrsg.), 2007: *Empire.* [Reihe Veröffentlichungen der Deutschen Gesellschaft für Politikwissenschaft. Band 23], Baden-Baden.

SCHEUNER, ULRICH, 1964: *Die großen Friedensschlüsse als Grundlage der europäischen Staatenordnung zwischen 1648 und 1815.* In: Konrad Repgen/Stephan Skalweit (Hrsg.), Spiegel der Geschichte. Festgabe für Max Braubach zum 10. April 1964. Münster, Seite 220 - 250.

SCHEUNER, ULRICH, 1975: *Die internationale Organisation der Staaten und die Friedenssicherung. Zum Werk Walther Schückings (1875 - 1935).* In: Die Friedens-Warte. Blätter für internationale Verständigung und zwischenstaatliche Organisation (FW). 58 (1/2), Seite 7 - 22.

SCHIEDER, THEODOR, 1981: *Die mittleren Staaten im System der großen Mächte.* In: Historische Zeitschrift (HZ). 232 (3), Seite 583 - 604.

SCHILLING, HEINZ, 1991: *Formung und Gestalt des internationalen Systems in der werdenden Neuzeit - Phasen und bewegende Kräfte.* In: Peter Krüger (Hrsg.), Kontinuität und Wandel in der Staatenordnung der Neuzeit. Beiträge zur Geschichte des internationalen Systems. [Reihe Marburger Studien zur neueren Geschichte. Band 1], Marburg, Seite 19 - 46.

SCHILLING, HEINZ, 1993: *Konfessionalisierung und Formierung eines internationalen Systems während der frühen Neuzeit.* In: Hans R. Guggisberg/Gottfried G. Krodel (Hrsg.), Die Reformation in Deutschland und Europa: Interpretationen und Debatten. Beiträge zur gemeinsamen Konferenz der Society for Reformation Research und des Vereins für Reformationsgeschichte, 25. - 30. September 1990, im Deutschen Historischen Institut, Washington, D. C. [Reihe Archiv für Reformationsgeschichte. Internationale Zeitschrift zur Erforschung der Reformation und ihrer Weltwirkungen (AfR). Sonderband], Gütersloh, Seite 591 - 613.

SCHIMMELFENNIG, FRANK, 2013[3]: *Internationale Politik.* [Reihe Grundkurs Politikwissenschaft], Paderborn.

SCHIRM, STEFAN A., 2006: *Modelle der internationalen Ordnung.* In: Michael Piazolo (Hrsg.), Macht und Mächte in einer multipolaren Welt. Wiesbaden, Seite 21 - 34.

SCHMIDT, MANFRED G., 2010[3]: *Wörterbuch zur Politik.* Stuttgart.

SCHNECKENER, ULRICH, 2009: *Globales Regieren durch Clubs. Definition, Chancen und Grenzen von Club Governance.* In: SWP-Aktuell. 2009 (47), Seite 1 - 8.

SCHNETTGER, MATTHIAS, 2008: *Kleinstaaten in der Frühen Neuzeit. Konturen eines Forschungsfeldes.* In: Historische Zeitschrift (HZ). 286 (3), Seite 605 - 640.

SCHRÖDER, IRIS, 2011: *Die Wiederkehr des Internationalen. Eine einführende Skizze.* In: Zeithistorische Forschungen (ZF). 8 (3), Seite 340 - 349.

SCHROEDER, PAUL W., 1986: *The 19th-Century International System. Changes in the Structure.* In: World Politics. A Quarterly Journal of International Relations (WP). 39 (1), Seite 1 - 26.

SCHROEDER, PAUL W., 1993: *‚System' and Systemic Thinking in International History.* In: The International History Review (IHR). 15 (1), Seite 116 - 134.

SCHÜCKING, WALTHER, 1909: *Die Organisation der Welt.* Leipzig.

SCHULZ, MATTHIAS, 2012: *Internationale Institutionen.* In: Jost Dülffer/Wilfried Loth (Hrsg.), Dimensionen internationaler Geschichte. [Reihe Studien zur Internationalen Geschichte. Band 30], München, Seite 211 - 232.

SCOTT, HAMISH M., 2013 [2006]: *The Birth of a Great Power System 1740 - 1815.* London/New York.

SEIDELMANN, REIMUND, 1994: *Neutralität.* In: Andreas Boeckh (Hrsg.), Lexikon der Politik. Band 6, Internationale Beziehungen. München, Seite 328 – 329.

SHEEHAN, MICHAEL, 2000 [1996]: *The Balance of Power. History and Theory.* London/New York.

SIEDSCHLAG, ALEXANDER/OPITZ, ANJA/TROY, JODOK/KUPRIAN, ANITA, 2007: *Grundelemente der internationalen Politik.* Wien/Köln/Weimar.

SIEGLERSCHMIDT, JÖRN, 2009: *Ordnung.* In: Friedrich Jaeger (Hrsg.), Enzyklopädie der Neuzeit. Band 9, Naturhaushalt – Physiokratie. Stuttgart/Weimar, Spalte 474 – 479.

STEWART-INGERSOLL, ROBERT/FRAZIER, DERRICK, 2012: *Regional Powers and Security Orders. A theoretical framework.* [Reihe Routledge Global Security Studies], London/New York.

SUTER, ANDREAS/HETTLING, MANFRED (Hrsg.), 2001a: *Struktur und Ereignis.* [Reihe Geschichte und Gesellschaft. Zeitschrift für Historische Sozialwissenschaft (GG). Sonderheft. Band 19], Göttingen.

SUTER, ANDREAS/HETTLING, MANFRED, 2001b: *Struktur und Ereignis – Wege zu einer Sozialgeschichte des Ereignisses.* In: dies. (Hrsg.), Struktur und Ereignis. [Reihe Geschichte und Gesellschaft. Zeitschrift für Historische Sozialwissenschaft (GG). Sonderheft. Band 19], Göttingen, Seite 7 – 32.

TAKE, INGO, 2013: *Globales Regieren auf dem Prüfstand. Nicht demokratisch aber legitim?* [Reihe Schriften zur Governance-Forschung. Band 26], Baden-Baden.

TALLON, ALAIN, 2010: *L'Europe au XVIe siècle. États et relations internationales.* [Reihe Nouvelle Clio. L'histoire et ses problems], Paris.

THE COMMISSION ON GLOBAL GOVERNANCE, 1995: *Nachbarn in Einer Welt. Der Bericht der Kommission für Weltordnungspolitik.* Red. von Andreas Gettkant, übers. von Jobst Ellerbrock, [Reihe Eine Welt. Texte der Stiftung Entwicklung und Frieden. Band 14], Bonn.

THOMPSON, ALEXANDER/SNIDAL, DUNCAN, 2011²: *International organization: Institutions and order in world politics.* In: Francesco Parisi (Hrsg.), Encyclopedia of Law and Economics. Band 7, Production of Legal Rules. Cheltenham/Northampton, Seite 309 – 336.

TOPP, STEFAN, 2002: *Qualifikationsattribute von Hegemonialmächten. Internationale und innerstaatliche Voraussetzungen der Bereitstellung internationaler Kollektivgüter durch hegemonial geführte Kooperationsstrukturen.* [Europäische Hochschulschriften. Reihe 31, Politik. Band 460], Frankfurt/Berlin/Bern/Bruxelles/New York/Oxford/Wien.

TRIEPEL, HEINRICH, 1974² [1943²]: *Die Hegemonie. Ein Buch von führenden Staaten.* Aalen.

TUCK, RICHARD, 1999: *The Rights of War and Peace. Political Thought and International Order. From Grotius to Kant.* Oxford/New York.

VOIGT, RÜDIGER, 2005: *Weltordnungspolitik.* Wiesbaden.

VORLÄNDER, HANS (Hrsg.), 2004: *Gewalt und die Suche nach weltpolitischer Ordnung.* [Reihe Veröffentlichungen der Deutschen Gesellschaft für Politikwissenschaft. Band 21], Baden-Baden.

VORLÄNDER, HANS (Hrsg.), 2013: *Transzendenz und die Konstitution von Ordnungen.* Berlin/Boston.

WALLERSTEIN, IMMANUEL, 2000 [1987]: *World-Systems Analysis.* In: ders., The Essential Wallerstein. New York, Seite 129 – 148.

WALLERSTEIN, IMMANUEL, 2007 [2004]: *World-Systems Analysis. An Introduction.* Durham/London.

WALTER, JOCHEN, 2005: *Politik als System? Systembegriffe und Systemmetaphern in der Politikwissenschaft und in den Internationalen Beziehungen.* In: Zeitschrift für Internationale Beziehungen (ZIB). 12 (2), Seite 275 – 300.

WASSMUND, HANS, 1989: *Die Supermächte und die Weltpolitik. USA und UdSSR seit 1945.* München.

WEBER, HERMANN, 1981: *Die Bedeutung der Dynastien für die europäische Geschichte in der frühen Neuzeit.* In: Zeitschrift für bayerische Landesgeschichte (ZBLG). 44 (1), Seite 5 – 32.

WEHBERG, HANS, 1912: *Völkerorganisation*. In: Nord und Süd. Eine deutsche Monatsschrift (NuS). 37 (10), Seite 17 - 22.

WEHBERG, HANS, 1929: *Probleme der rechtlichen Organisation der Welt. (Die New Yorker Tagung des „Institut de Droit international", 10. - 18. Oktober 1929)*. In: Die Friedens-Warte. Blätter für internationale Verständigung und zwischenstaatliche Organisation (FW). 29 (12), Seite 353 - 363.

WEHBERG, HANS, 1960: *Walther Schücking und das Problem der internationalen Organisation*. In: Erik Brüel/Dimitri Constantopoulos/Rudolf Laun/Josef Soder/Hans Wehberg (Hrsg.), Internationalrechtliche und staatsrechtliche Abhandlungen. Festschrift für Walter Schätzel zu seinem 70. Geburtstag. Düsseldorf, Seite 535 - 544.

WEIZSÄCKER, CARL FRIEDRICH VON, 1976: *Wege in der Gefahr. Eine Studie über Wirtschaft, Gesellschaft und Kriegsverhütung*. München/Wien.

WEIZSÄCKER, CARL FRIEDRICH VON, 1981[7] [1963]: *Bedingungen des Friedens*. Göttingen.

WESEL, REINHARD, 2012: *Internationale Regime und Organisationen*. Konstanz/München.

WIGHT, MARTIN, 1977: *Systems of states*. Hrsg. von Hedley Bull, New Jersey.

WILLKE, HELMUT, 2006: *Global Governance*. [Reihe Einsichten], Bielefeld.

WOLTERS, GEREON, 1995 [1984]: *Ordnung*. In: Jürgen Mittelstraß (Hrsg.), Enzyklopädie Philosophie und Wissenschaftstheorie. Band 2, H - O. Stuttgart/Weimar, Seite 1088.

WOYKE, WICHARD, 2008[11]: *Militärbündnisse*. In: ders. (Hrsg.), Handwörterbuch Internationale Politik. Opladen/Farmington Hills, Seite 343 - 352.

WRONG, DENNIS H., 1994: *The Problem of Order. What Unites and Divides Society*. New York/Toronto/Oxford/Singapore/Sydney.

YALEM, RONALD J., 1966: *The Study of International Organization, 1920 - 1965. A Survey of the Literature*. In: Background. Journal of the International Studies Association. 10 (1), Seite 1 - 56.

ZIEGLER, ANDREAS R., 2011[2]: *Einführung in das Völkerrecht*. [Reihe Stämpflis juristische Lehrbücher], Bern.

ZIEGLER, KARL-HEINZ, 2007[2]: *Völkerrechtsgeschichte. Ein Studienbuch*. [Reihe Kurzlehrbücher für das juristische Studium], München.

ZIEMANN, BENJAMIN (Hrsg.), 2002: *Perspektiven der Historischen Friedensforschung*. [Reihe Frieden und Krieg. Beiträge zur Historischen Friedensforschung. Band 1], Essen.

ZÜRN, MICHAEL, 2005[2] [1998]: *Regieren jenseits des Nationalstaates. Globalisierung und Denationalisierung als Chance*. [Reihe Edition Zweite Moderne], Frankfurt.

ZÜRN, MICHAEL, 2006[2]: *Global Governance*. In: Gunnar Folke Schuppert (Hrsg.), Governance-Forschung. Vergewisserung über Stand und Entwicklungslinien. [Reihe Schriften zur Governance-Forschung. Band 1], Baden-Baden, Seite 121 - 146.

ZÜRN, MICHAEL, 2009: *Wer regiert die Welt und mit welchem Recht?* In: Volker Rittberger (Hrsg.), Wer regiert die Welt und mit welchem Recht? Beiträge zur Global Governance-Forschung. [Reihe Theodor Eschenburg-Vorlesungen. Band 4], Baden-Baden, Seite 19 - 37.

Abkürzungsverzeichnis

Inhaltliches

AfDB	Afrikanische Entwicklungsbank (African Development Bank)
AFP	Agence France Press
AP	Associated Press
ASEAN	Verband Südostasiatischer Nationen (Association of Southeast Asian Nations)
AU	Afrikanische Union (African Union)
BBC	British Broadcasting Corporation
CARICOM	Karibische Gemeinschaft (Caribbean Community and Common Market)
CCNR	Zentralkommission für die Rheinschifffahrt (Central Commission for the Navigation of the Rhine)
CNN	Cable News Network
DB	Deutscher Bund
DZV	Deutscher Zollverein
EGB	Europäischer Gewerkschaftsbund
EIC	East India Company
EU	Europäische Union
EVP	Europäische Volkspartei
FIFA	Internationale Föderation des Verbandsfußballs (Fédération Internationale de Football Association)
G6	Gruppe der Sechs
G7	Gruppe der Sieben
G8	Gruppe der Acht
GATT	Allgemeines Zoll- und Handelsabkommen (General Agreement on Tariffs and Trade)
ILO	Internationale Arbeitsorganisation (International Labour Organization)
IMF	Internationaler Währungsfonds (International Monetary Fund)
ITU	Internationale Telegraphenunion (International Telecommunication Union)

LN	Völkerbund (League of Nations)
PCA	Ständiger Schiedshof (Permanent Court of Arbitration)
RB	(Zweiter) Rheinbund
SDPN	Gemeinschaft für Demokratie und Rechte von Nationen (Сообщество за демократию и права народов)
UN	Vereinte Nationen (United Nations)
UNESCO	Organisation der Vereinten Nationen für Bildung, Wissenschaft und Kultur (United Nations Educational, Scientific and Cultural Organization)
UPI	United Press International
UPU	Weltpostverein (Universal Postal Union)
USA	Vereinigte Staaten von Amerika (United States of America)
v. Chr.	vor Christus
VOC	Vereenigde Oostindische Compagnie
WEU	Westeuropäische Union
WHO	Weltgesundheitsorganisation (World Health Organization)

Wissenschaftliche Fachzeitschriften

AfB	Archiv für Begriffsgeschichte
AfR	Archiv für Reformationsgeschichte. Internationale Zeitschrift zur Erforschung der Reformation und ihrer Weltwirkungen
AfS	Archiv für Sozialgeschichte
AHR	The American Historical Review
AKG	Archiv für Kulturgeschichte
AöR	Archiv des öffentlichen Rechts
AP	Außenpolitik. Zeitschrift für internationale Fragen
APSR	The American Political Science Review
APuZ	Aus Politik und Zeitgeschichte. Beilage zur Wochenzeitung „Das Parlament“
AVR	Archiv des Völkerrechts
BS	Behavioral Science
BWP	Background on World Politics
CEH	Central European History

CP	Comparative Politics
DH	Diplomatic History
DÖV	Die Öffentliche Verwaltung. Zeitschrift für Verwaltungsrecht und Verwaltungspolitik
EcHistRev	The Economic History Review
EHQ	European History Quarterly
EuS	Ethik und Sozialwissenschaften. Streitforum für Erwägungskultur
FBPG	Forschungen zur Brandenburgischen und Preußischen Geschichte
FmSt	Frühmittelalterliche Studien. Jahrbuch des Instituts für Frühmittelalterforschung der Universität Münster
FW	Die Friedens-Warte. Blätter für internationale Verständigung und zwischenstaatliche Organisation; Die Friedens-Warte. Journal of International Peace and Organization
GG	Geschichte und Gesellschaft. Zeitschrift für Historische Sozialwissenschaft
GGov	Global Governance. A Review of Multilateralism and International Organizations
GH	German History. The Journal of the German History Society
GL	Germanistische Linguistik
GWU	Geschichte in Wissenschaft und Unterricht
HMRG	Historische Mitteilungen. Im Auftrage der Ranke-Gesellschaft. Vereinigung für Geschichte im öffentlichen Leben
HSR	Historical Social Research
HZ	Historische Zeitschrift
IA	International Affairs
IHR	The International History Review
IO	International Organization
IS	International Security
ISQ	International Studies Quarterly
JBfGOE	Jahrbücher für Geschichte Osteuropas
JCH	Journal of Contemporary History
JEG	Jahrbuch für Europäische Geschichte
JGH	Journal of Global History
JHIL	Journal of the History of International Law
JHistSoc	Journal of Historical Sociology

JIA	Journal of International Affairs
JPP	Journal of Political Power
JuS	Juristische Schulung. Zeitschrift für Studium und Ausbildung
JWH	Journal of World History
JZ	JuristenZeitung
KZfSS	Kölner Zeitschrift für Soziologie und Sozialpsychologie
MIÖG	Mitteilungen des Instituts für Österreichische Geschichtsforschung
NASG	Neues Archiv für sächsische Geschichte
NPL	Neue Politische Literatur. Berichte über das internationale Schrifttum
NSA	Nord-Süd aktuell. Vierteljahreszeitschrift für Nord-Süd- und Süd-Süd-Entwicklungen
NuS	Nord und Süd. Eine deutsche Monatsschrift
PVS	Politische Vierteljahresschrift
P&P	Past and Present. A journal of historical studies
RAH	Reviews in American History
RDILC	Revue de droit international et de législation comparée
Rg	Rechtsgeschichte. Zeitschrift des Max-Planck-Instituts für europäische Rechtsgeschichte
SCID	Studies in Comparative International Development
VfZ	Vierteljahrshefte für Zeitgeschichte
WaG	Die Welt als Geschichte. Eine Zeitschrift für Universalgeschichte
WP	World Politics. A Quarterly Journal of International Relations
WT	WeltTrends. Zeitschrift für internationale Politik; WeltTrends. Zeitschrift für internationale Politik und vergleichende Studien
ZBLG	Zeitschrift für bayerische Landesgeschichte
ZF	Zeithistorische Forschungen
ZfG	Zeitschrift für Geschichtswissenschaft
ZfP	Zeitschrift für Politik
ZgS	Zeitschrift für die gesamte Staatswissenschaft
ZHF	Zeitschrift für Historische Forschung. Vierteljahresschrift zur Erforschung des Spätmittelalters und der frühen Neuzeit
ZIB	Zeitschrift für Internationale Beziehungen
ZPE	Zeitschrift für Papyrologie und Epigraphik

ZRG-GA	Zeitschrift der Savigny-Stiftung für Rechtsgeschichte. Germanistische Abteilung
ZSE	Zeitschrift für Staats- und Europawissenschaften. Der öffentliche Sektor im internationalen Vergleich
ZWG	Zeitschrift für Weltgeschichte. Interdisziplinäre Perspektiven

Literatur- und Belegangaben

ders.	derselbige
dies.	dieselbige; dieselbigen
hrsg.	herausgegeben
Hrsg.	Herausgeber; Herausgeberin
Red.	Redakteur; Redakteure; Redakteurin
u. A.	und Andere
übers.	übersetzt
URL	Uniform Resource Locator
vgl.	vergleiche

Zeichen

...	Auslassung innerhalb eines direkten Textzitates
‚ ‘	Hervorhebung eines bestimmten Wortes oder Begriffs sowie Anführung eines direkten Textzitates innerhalb eines direkten Textzitates
„ “	Anführung eines direkten Textzitates
[ ]	Einfügung innerhalb eines direkten Textzitates sowie inhaltsspezifische Klammer in einer Literaturangabe
{ }	Ausschreibung von Abkürzungen und Sonderzeichen innerhalb von direkten Textzitaten
&	und

Publikationsvermerke

1 **Was ist Internationale Politikgeschichte?**

Unveröffentlicht. In den Grundzügen entstanden im Jahr 2012.

2 **Internationale Politikgeschichte. Alte und neue Wege**

Überarbeitete und erweiterte Fassung. Zuerst erschienen in: Archiv für Kulturgeschichte (AKG). 2017, 99 (1), Seite 157 - 198.

3 **Was ist Theorie? Über Begriff, Vielfältigkeit und Nutzungsmöglichkeiten von Theorie in der Geschichtswissenschaft**

Unveröffentlicht. In den Grundzügen entstanden im Jahr 2011.

4 **Begriff, Definition, Begriffsanalyse. Grundzüge der Terminologie**

Unveröffentlicht. Entstanden in den Jahren 2015 und 2016.

5 **Was ist Macht?**

Unveröffentlicht. Entstanden im Jahr 2016.

6 **Der Staat in historischer Sicht. Zum Problem der Staatlichkeit in der Frühen Neuzeit**

Überarbeitete und aktualisierte Fassung. Zuerst erschienen in: Der Staat. Zeitschrift für Staatslehre und Verfassungsgeschichte, deutsches und europäisches öffentliches Recht. 2015, 54 (2), Seite 241 - 266.

7 **Staaten, Reiche, Dependanten. Grundlegung einer Theorie der Politate**

Unveröffentlicht. Entstanden im Jahr 2017.

8 **System - Organisation - Gouvernanz - Ordnung. Überlegungen zur Konzeption des interdisziplinären Ansatzes der Internationalen Politischen Ordnungs-Forschung**

Unveröffentlicht. In den Grundzügen entstanden in den Jahren 2013 und 2014.

Lightning Source UK Ltd.
Milton Keynes UK
UKHW040716221222
414324UK00004B/529